ediciones carena

¿La prensa apuntilló a los toros en Cataluña?

La *Vanguardia* y *El Periódico de Catalunya*

José Ignacio Castelló Ribera

Primera edición: junio de 2016

© José Igancio Castelló Ribera
© Ediciones Carena
c/Alpens, 31-33
08014 Barcelona
Tel. 934 310 283
www.edicionescarena.com
carena@edicionescarena.org

Diseño cubierta y maquetación: Génesis Yeje Minaya
Depósito legal: B 12599-2016
ISBN: 978-84-16418-75-6

A mi familia, desde el primero al último, vivos y muertos.

Prólogo

El día más triste de mi historial como aficionado a la tauromaquia tuvo lugar el 25 de septiembre de 2011, fecha del cierre definitivo (?) de la plaza de toros Monumental de Barcelona, por mandato liberticida del Parlamento catalán.

Sepa el lector que este prologuista, en sus más de 45 años perteneciendo a la secta del vicio taurino (sí, vicio, pues sabiendo que casi nunca pasa nada de interés en el ruedo, ahí seguimos), ha vivido momentos para la desesperación artística o ha sido testigo de episodios trágicos, como la muerte en directo del "espontáneo de Albacete", e incluso fue coetáneo de cornadas fatales como la de *Paquirri* o *El Yiyo*.

Pero lo de aquella tarde de Barcelona no tiene parangón. Fui de los últimos que abandonamos, casi a la fuerza, una plaza que visitaba por primera y última vez. La emoción contenida tuvo que ser similar a la vivida por aquel retén de insumisos espectadores que las fuerzas de asalto tuvieron que desalojar de los altos del mítico Teatro Apolo de la calle de Alcalá de Madrid, la noche del 30 de junio de 1929, última función del templo del género de la Zarzuela, antes de ser derribado para situar en su lugar una entidad bancaria (!).

¡Qué sensación de impotencia, de injusticia, nos embargó a los últimos de la Monumental de Barcelona! Minutos antes, José Tomás había representado el oficio milenario de la tauromaquia en un coso que, a pesar de los liberticidas, siempre formará parte majestuosa de la historia del toreo.

Plaza de Barcelona, un hola y un adiós, quien sabe si un hasta pronto. Monumental de la Gran Vía que pisé para oficiar su funeral. Ruedo onírico de mis veranos en la Costa Dorada. En esa playa de Calafell a cuyos cafés hoy desaparecidos acudía para chequear el festejo de la Monumental de Barcelona, a cuya última corrida, la más triste, muchos años después decidí asistir.

Decía Azorín, que vivir es ver volver. Maria Alcalá-Santaella y Leopoldo Seijas, codirectores de la tesis doctoral del profesor José Ignacio Castelló, autor de este imprescindible libro para conocer el liberticidio de la Monumental, me llamaron para formar parte de un tribunal que concedió por unanimidad los máximos trofeos a una faena doctoral de Castelló, excelsa en la forma, y muy valiente, de terrenos comprometidos, cargando la suerte de verdad, con dominio, mando y entrega en su construcción.

José Ignacio, arropado ese día ante Las Ventas de las universidades privadas de España, que es el CEU, por su mejor cuadrilla, su esposa y sus dos hijos, novillos de la vida en los que atisbe una casta que seguro desbordará, edificó la tesis de su faena desde la prueba de la concertación de dos diarios claves en Cataluña, *El Periódico de Catalunya* y *La Vanguardia* (Española, por cierto, se titulaba cuando mis padres la compraban en Albacete), para apuntillar a la Fiesta en Cataluña, en su plaza fetiche, la Monumental de Barcelona.

No puedo estar más de acuerdo con el planteamiento del libro que tiene entre sus manos. Desvelar el complot para asestar a la Fiesta el bajonazo más indecente: su prohibición. Y los cómplices tienen nombre. Por delante, una empresa, los Balañá, que tiró la afición, preocupada por recalificaciones de su decadente negocio del cine, corazón del imperio del genio empresarial de Pedro Balañá Espinós. En la segunda línea de ataque, unos diarios genuflexos ante el rodillo político que buscaba pegar un patada a España en la boca del toreo, eliminando una de sus manifestaciones culturales que más nos identifican en el mundo.

Un seguidor de Jesús de Nazaret no puede ser pesimista. La Esperanza siempre reina. Y es lo que deseo a modo de pase de la firma de esta faena, corta y medida, como deben ser los prólogos. Volverme a sentar un día en los tendidos de la Monumental de mi querida Barcelona, junto al buen profesor, amigo y autor de este libro, José Ignacio Castelló. Lector es su turno. Arte, valor y al toro.

Javier López-Galiacho Perona
*Aficionado, escritor y profesor titular
de la Universidad Rey Juan Carlos de Madrid.
Escritor taurino.*

PARTE I
Introducción

1. Introducción

Esta obra que tiene usted en sus manos es fruto de mi tesis doctoral *El periodismo taurino en La Vanguardia y El Periódico de Catalunya: estudio del tratamiento informativo de la temporada de toros en Barcelona durante los años del proceso de abolición (2004-2010)*, defendida en la Universidad San Pablo CEU de Madrid el año 2014 y que obtuvo la calificación de sobresaliente cum laude. Dirigida por los doctores Leopoldo Seijas y María Alcalá-Santaella, en ella analicé la cobertura periodística que ejercieron estos dos medios de comunicación sobre la temporada de toros barcelonesa y su incidencia en la prohibición de la fiesta en Cataluña.

Animado por los comentarios del tribunal y por el resultado obtenido, decidí que esta investigación histórica y hemerográfica del periodismo taurino catalán se convirtiera en un libro de uso comercial. Adapté sus contenidos a una lectura más divulgativa y me propuse explicar, con los métodos utilizados en la investigación, el papel que tuvo la prensa en la etapa de acoso a la fiesta de los toros en Cataluña, iniciada cuando Barcelona se declaró ciudad antitaurina y finalizada con la abolición de las corridas por el Parlamento catalán.

Conseguido el objetivo, como ya pueden comprobar, nada se entenderá sin leer estas líneas preliminares que paso a redactar a continuación y que justifican la pregunta del título de este libro, *¿La prensa apuntilló a los toros en Cataluña?*, y el uso de instrumentos de investigación para su respuesta.

Como he dicho anteriormente, todo se sustenta a partir de mi tesis doctoral. Así, empecemos por saber que desde la infancia viene mi interés por el mundo taurino, no apasionado, pero, por qué no negarlo, una de las principales razones para embarcarme en este profundo estudio. Una atracción presente desde bien pequeño y que, a raíz de iniciar mis estudios universitarios, trasladé luego al mundo académico. De este modo, como catalán de nacimiento que soy, periodista en activo, gracias a la licenciatura en Ciencias de la Información, y con el título universitario en Historia Moderna, me interesé por el tema de la prohibición de los toros en mi comunidad desde el punto de vista periodístico e histórico, y decidí investigar algo que me estuvo llamando la atención desde casi toda la primera década del siglo XXI en la prensa más significada de la sociedad catalana: la información de las corridas de toros en Barcelona y su progresiva desaparición informativa en los dos principales diarios catalanes.

Tomé conciencia del caso y creí oportuno la necesidad de un análisis intelectual sobre el tratamiento informativo de las corridas de toros en Barcelona. Para ello, fui madurando con el tiempo la idea hasta llegar a la conclusión de que el tema podía convertirse en un buen trabajo de investigación que clarificase algunos aspectos no analizados hasta ahora y aportase, de paso, una perspectiva del periodismo taurino catalán a través de un documento histórico de la tauromaquia catalana y su seguimiento en los dos diarios catalanes de mayor prestigio, influencia y vocación informativa en la primera década del siglo XXI: *La Vanguardia*, la cabecera que siempre compraron mis abuelos, y *El Periódico de Catalunya*, el diario que cada mañana entró en casa y en el que colaboro desde el año 2005 en la sección de Deportes, con algunas incursiones en Sociedad y Opinión, incluso abordando el tema taurino.

Para una mayor fiabilidad y unos resultados concluyentes, circunscribí mi estudio del tratamiento de la temporada taurina barcelonesa no solo a estos dos medios de comunicación seleccionados, sino también a un periodo de años en concreto, pues intentar investigar el tema taurino en su amplitud, tanto en el universo de fechas como de cabeceras, hubiese sido un trabajo prácticamente inabarcable. Con todo ello, y con las ideas claras de lo que pensaba analizar, decidí estudiar el papel que jugó la prensa en la prohibición de las corridas de toros en Cataluña. Me propuse analizar los festejos de las temporadas barcelonesas publicados en *La Vanguardia* y *El Periódico de Catalunya* para comprobar si estos dos diarios contribuyeron con su tratamiento informativo a la abolición de las corridas en Cataluña.

Mi investigación científica, ahora presente en este libro, parte de la base de un tema central —la información taurina— a través de la celebración de la temporada de toros en Barcelona. Se trata, pues, de una obra periodística que colabora en ampliar la visión y la comprensión de la actitud que tuvieron dos periódicos catalanes en todo el proceso que acabó con la abolición de las corridas de toros en Cataluña, aprovechando la ocasión para reconocer la trascendencia de la información taurina en el territorio catalán. Además, he querido profundizar en la historia de estos dos medios para destacar su influencia en la sociedad catalana y, en concreto, poner el foco en la sección taurina para examinar la cobertura informativa que ejercieron sobre los festejos en Barcelona. Esto ha sido posible con un detallado ejercicio de consulta bibliográfica para reconstruir una historia desconocida y que es novedosa en el panorama editorial catalán.

Por todo ello, mi voluntad con este libro es investigar el periodismo taurino catalán, enriquecer los conocimientos de la tauromaquia en esta comunidad y justificar la importancia de los dos periódicos seleccionados en la prensa impresa catalana. Todos ellos son contenidos lo suficientemente interesantes ante la escasa presencia de trabajos sobre esta especialización periodística.

1.1. Interés y oportunidad del tema

El objetivo de esta obra nace a partir de la observación de la agonía que padeció la información de las corridas de toros barcelonesas en los dos principales diarios catalanes desde que Barcelona se declaró contraria a las corridas de toros (2004) y hasta que el Parlamento catalán aprobó su prohibición en Cataluña (2010). Durante estos siete años, de manifiesto proceso para su abolición, y donde es evidente en la sociedad el poder de los resortes de la comunicación, la actitud que *La Vanguardia* y *El Periódico de Catalunya* mantuvieron al abordar la información de la temporada taurina en la Monumental de Barcelona fue muy diferente a la que habían ejercido tiempo atrás, sobreviviendo a duras penas la actualidad de estos festejos entre el desinterés generalizado de la mayoría de ciudadanos y la resignación de sus autores.

En Cataluña, donde la fiesta de los toros acumuló hasta 624 años de historia y escribió capítulos imborrables para la tauromaquia, las corridas de toros se mostraron hasta el último cuarto del siglo xx como un bastión inexpugnable, tanto desde el ruedo como desde el papel impreso, leídas a diario sus crónicas en catalán y en español por los lectores. Después, sobre todo en la última década de siglo, fue todo mucho más difícil, convirtiéndose el asunto taurino en una mercancía comunicativa expuesta a los intereses que mueven los flujos informativos y sometida a un ejercicio de supervivencia y solitaria lucha ante las continuas adversidades provocadas por la mala gestión de la empresa, las nuevas ofertas de ocio para los ciudadanos y las constantes presiones políticas y acciones de las plataformas antitaurinas a través de ordenanzas e iniciativas legislativas populares. Adversidades todas ellas, históricas y sociales, que provocaron que los medios proporcionasen una imagen de la fiesta a la opinión pública diferente a décadas anteriores y en franco retroceso.

En el tratamiento informativo de esta última década de la temporada taurina en Barcelona se percibió que la decisión que tomó su Ayuntamiento en el 2004 trazó una línea en la prensa escrita catalana donde nada volvió a ser como antes. Los lectores presenciaron, bien iniciada la primera década del siglo XXI, cómo la información de la fiesta de los toros en Barcelona perdía poco a poco su fuerza como género periodístico (crónica y crítica) y su liturgia como acontecimiento taurino (corrida de toros), para ser tratada, principalmente, desde otro ángulo informativo. Los medios de comunicación se preocuparon de los asuntos taurinos a través del impacto mediático de una sola figura, o bien bajo las temáticas animalista, política, social o cultural, antes que de informar ampliamente sobre la actualidad de la temporada de toros en la plaza Monumental de Barcelona como habían hecho en años anteriores. Presionados por la acción política y por los derechos en favor de los animales, la mayoría de medios de comunicación ejerció una discriminada cobertura periodística, dejando la información taurina en un preocupante abandono.

Mientras en Cataluña se blindaban los *correbous*[1], los festejos taurinos de las novilladas y corridas de toros y rejones transita-

---

1. Los encierros con toros y vaquillas en las calles son una tradición popular muy habitual, sobre todo, en el sur de Cataluña.

ron por los ruedos en el segundo lustro del siglo XXI como un territorio del pasado y no del futuro. Nada tuvo apenas relevancia para mantener una tradición centenaria y preservar al aficionado ante el juicio y acoso de los políticos, los defensores de los animales y algunos intelectuales. La sensibilidad animalista, cada vez más extendida, y el manifiesto apasionamiento político de la confrontación identitaria, plasmaron un escenario delirante durante la incertidumbre del futuro de la tauromaquia catalana: quien se negaba a cuestionarse esta tradición de muchísimos años estaba tan mal visto en la calle, al igual de quien acudía personalmente al coso de la Monumental de Barcelona a defender su derecho a la libertad.

El taurinismo catalán fue arrinconado sutilmente desde los años ochenta. En 1988 fue aprobada la Ley de protección de los animales y se prohibió matar toros en plazas que no fuesen de obra. En 1997, la Comisión de Justicia del Parlamento catalán aprobó una resolución que emplazaba a la Generalitat de Cataluña a impedir la entrada a los niños a las plazas de toros. En abril de 1999, el Gobierno catalán aprobó un decreto en este sentido, pero el Tribunal de Justicia de Cataluña lo anuló en octubre del año siguiente. En el año 2003, el Parlamento catalán aprobó una nueva Ley de protección de los animales que logró implantar una iniciativa que llevaba seis años intentado ejecutar: prohibir la entrada a los menores de 14 años en las plazas catalanas. El año 2004, con la postura adoptada por el Ayuntamiento de Barcelona, se inició un proceso flagrante contra la fiesta de los toros que acabó con su definitiva abolición en Cataluña en el año 2010.

La embestida de los contrarios a los toros dejó en el olvido una historia escrita a partir de grandes y pequeños episodios. Con momentos de gloria y tragedia. Una historia ahora finalizada después de la persecución verbal, judicial y legislativa de políticos y asociaciones antitaurinas, que consiguió acabar con la poca resistencia de los aficionados taurinos catalanes y de todas las plataformas o asociaciones creadas en defensa de la fiesta. Estos defensores fueron los primeros que reconocieron hace muchos años, en términos reales, que los festejos en esta comunidad autónoma ya estaban en vías de extinción por el acoso de grupos contrarios a la fiesta y por la inoperancia de la propia empresa por atajar el manifiesto desmantelamiento del espectáculo taurino. Pero también fueron los primeros en señalar el terreno de la política[2] como el responsable que erosionó desde la transición los cimientos taurinos de Cataluña hasta derrumbarlos y alcanzar su objetivo final.

Por tanto, las razones de interés de la obra son claras y concluyentes por el tema abordado, el papel de los medios y el espacio geográfico donde se desarrolla. Esto se debe a que el interés más allá del aspecto artístico de la fiesta de los toros obliga a una interpretación social, política y comunicacional de la misma. Además, actualmente la sociedad está más comprometida por el cuidado de los animales, mientras la tauromaquia deambula por el anacronismo del espectáculo, haciendo que cualquier noticia taurina de actualidad abra un debate entre partidarios y detractores y muestre el incierto futuro de la fiesta. Si a todo esto añadimos que muchas de las decisiones toma-

---

2. De todos los partidos políticos catalanes, el Partit Popular de Catalunya (PPC) y Ciutadans (C's) fueron los únicos que siempre defendieron la fiesta de los toros. En la otra cara de la moneda, Esquerra Republicana de Catalunya (ERC) y la coalición Iniciativa per Catalunya Verd y Esquerra Unida i Alternativa (ICV-EUiA) siempre manifestaron su rechazo. En cambio, Convergència i Unió (CiU) y el Partit dels Socialistes de Catalunya (PSC) mostraron una ambigüedad en su discurso que acabó traduciéndose en la libertad de voto a sus diputados el día de las votaciones en el Parlamento catalán para prohibir por ley las corridas de toros en Cataluña.

das desde Cataluña son vistas en el resto de España como un ataque al patriotismo español por parte del "hecho diferencial catalán"[3], confirmamos todavía más la expectación de estas páginas.

Con la información, los datos y el análisis que se mostrarán en adelante, se aportarán más luces a un tema polémico y que puede repetirse en un futuro en otras comunidades españolas, ahora que la pervivencia del espectáculo taurino está en el punto de mira en algunas capitales del Estado español que contaron con el mismo arraigo y tradición que Barcelona.

1.2. Enfoque del tema y elección de los dos diarios

El libro estudia el tratamiento de la información taurina, una especialidad periodística que como otras muchas está destinada a un público minoritario, desde tres grandes puntos de vista que están íntimamente ligados al proceso de abolición de los toros en Cataluña. Uno de ellos es el histórico-cronológico del binomio tauromaquia y medios de comunicación catalanes, lo que nos acerca al conjunto de la historia del periodismo taurino. Otro se centra en el estudio de dos modelos de prensa generalista con información taurina para comprender su protagonismo en la vida catalana, su influencia en la opinión pública y la importancia que la información de los toros tuvo en sus sumarios. Y un tercero, sobre la frecuencia y el contenido en el periodo seleccionado de las informaciones taurinas (denominadas también

---

3. El hecho diferencial catalán ("el fet diferencial català") es una expresión recuperada por el expresidente de la Generalitat de Cataluña Jordi Pujol para decir que Cataluña es un hecho diferencial dentro de España por determinadas singularidades: lengua y cultura, memoria histórica, mentalidad social y económica, etcétera.

como unidades periodísticas, con independencia del género o la sección del diario), eligiendo como eje central la temporada de toros en Barcelona para conocer su trascendencia mediática durante los años del fin de la tauromaquia catalana.

Con este panorama descrito, se estudian en esos siete años (2004-2010), más unos años previos, las informaciones taurinas de los festejos celebrados en la Monumental de Barcelona publicados en *La Vanguardia* y *El Periódico de Catalunya*, del Grupo Godó y Grupo Zeta, respectivamente, para inferir sobre el papel de los medios en la prohibición de los toros en Cataluña. Se descarta, por desinterés para los resultados, la última temporada antes de que entrase en vigor la prohibición[4].

La elección de estos dos diarios de prensa escrita no es aleatoria ni gratuita. La prensa diaria catalana durante los años analizados se circunscribió, principalmente, a *La Vanguardia* y *El Periódico de Catalunya* por varias razones: eran las cabeceras diarias de información general que se publicaban en Cataluña de mayor tirada y prestigio; suponían dos modelos distintos de hacer periodismo; representaban diferentes perfiles de lectores e ideologías; tenían vocación de proyección exterior, y mostraban un indiscutible rol entre los medios de referencia, acentuado por el papel que tienen en la vida política catalana. Es cierto que se podría haber recurrido a la prensa editada en Madrid, con delegaciones en Cataluña, caso de *ABC*, *El País*, *El Mundo*, *Público* o *La Razón*, o la prensa en lengua catalana, local y nacionalista, caso de *Avui* y *El Punt*, pero entonces la investigación hubiese sido inabarcable y escasamente precisa en sus resultados, debido al manifiesto

---

4.   La prohibición taurina aprobada en julio de 2010 por el Parlamento de Cataluña entró en vigor el 1 de enero de 2012, por lo que todavía durante todo el año 2011 se pudieron celebrar festejos taurinos en el coso de la Monumental, única plaza catalana en funcionamiento y que pudo organizar la temporada taurina en Cataluña, la última de su historia.

posicionamiento de estos dos modelos de diarios desde 2004 a 2010, centralista y taurino para la prensa madrileña, excepto *Público*, y nacionalista y antitaurino para la local.

De este modo, con un universo de cabeceras muy extenso, la selección partió de los siguientes criterios: medios privados y catalanes, proyección, difusión, percepción del lector y orientación ideológica e informativa catalana. *El Periódico de Catalunya* y *La Vanguardia* superaron en aquellos años la cuota de difusión de 200.000 ejemplares, tuvieron muy claro el perfil de lector sobre el que proyectaron sus contenidos, fueron medios privados y lograron una fuerte implantación en la comunidad autónoma catalana; todo ello acabó en la decisión final de escoger estos dos importantes periódicos[5], ya que respondieron a estos criterios y fueron las publicaciones de mayor protagonismo en número de lectores y mayor influencia desde el punto de vista informativo y empresarial dentro de la prensa diaria escrita catalana; dos medios de comunicación que demostraron, en según qué tiempos, una sensibilidad hacia el mundo taurino que valieron merecidísimos elogios por parte de intelectuales y aficionados. Pero que también tuvieron que soportar, en otros momentos, intencionados intereses editoriales, familiares, políticos y sociales, que se entremezclaron con el mundo de los toros. Factores, todos ellos, decisivos en el análisis del tratamiento informativo, indicativos de la fragilidad de este especialización periodística en los periódicos catalanes y clarividentes de los muchos de los males de los que acabó padeciendo la información de las corridas de toros en Cataluña.

En definitiva, no cabe duda de que el tratamiento informati-

---

5. Como se ha mencionado al inicio de este libro, hubo un componente profesional importante para escoger *El Periódico de Catalunya* al colaborar yo en este medio desde el año 2005. Esto facilitó el acceso a la hemeroteca del periódico y a fuentes orales que me hicieron avanzar en mi estudio y análisis.

vo que se dedica al mundo de los toros está condicionado no solo por las lógicas limitaciones de espacio y tiempo a las que se enfrentan los medios de comunicación, sino también por las políticas ideológicas de cada empresa informativa, marcadas por numerosas circunstancias culturales, sociales y políticas que rodean a la fiesta de los toros. Este innegable hecho facilitó la elección de estos dos diarios, porque el enfrentamiento de dos puntos de vista diferentes podía aportar más luces al escaso eco que la temporada barcelonesa dejó de tener en los años que se sometieron a estudio: *La Vanguardia*, conservador, barcelonés y de vocación nacional; mientras *El Periódico de Catalunya*, populista, periférico y con una clara vocación global, pero desde una perspectiva catalana y progresista[6]. Esto encaja bien con el perfil del aficionado taurino que acudía a las plazas de toros: barcelonés, de catalanismo moderado y burgués; emigrante, castellanoparlante y del cinturón industrial de Barcelona. Haber ampliado el estudio a otros medios de comunicación catalanes hubiese excedido desde el punto de vista cuantitativo y hubiese acentuado la complejidad del tema debido a la cantidad de medios de comunicación impresos o con delegaciones en Cataluña. Además, la implicación que en el proceso tuvieron las decisiones tomadas por los políticos convergentes y socialistas de la Generalitat de Cataluña y el Ayuntamiento de Barcelona no oculta el interés que supone comparar a ambos diarios por definir su territorio ideológico afín a Convergència i Unió (CiU), *La Vanguardia*, y al Partit del Socialistes de Catalunya (PSC), *El Periódico de Catalunya*, excluyendo al resto por representar otras tendencias políticas claramente definidas en su posicionamiento sobre el asunto taurino en Cataluña y que

---

6. PERDIGÓ SERRA, J. M. "Rigor desde el compromiso". En VV. AA. *Comprometidos. El Periódico, 35 años de historia.* Barcelona: Grupo Zeta, 2013, p. 38.

no hubiesen aportado grandes resultados a la investigación. Examinar *La Vanguardia* y *El Periódico de Catalunya* requiere, también, significar dos modelos periodísticos diferentes, presentes cada uno de ellos en el tratamiento de los textos que redactaron los responsables de la información taurina. Al periodismo sin estridencias, a tono con el sosiego y acomodo del espíritu de la burguesía industrial y comercial catalana del diario de la familia Godó, se contrapone el carácter aperturista, populista y atrevido del rotativo del Grupo Zeta[7]. Dos fórmulas editoriales compartidas por sus lectores y que deben analizarse para profundizar en el conjunto de la información taurina, tanto a través de sus textos como del perfil de cada uno de sus colaboradores, recogiendo la opinión de sus responsables para contrastarlos y comentarlos.

Sin embargo, cabe aclarar que el objetivo no es tanto una comparación de cabeceras como una constatación de los rasgos comunes en sus coberturas informativas. Es una investigación histórica con una parte empírica que consiste en un análisis cuantitativo y cualitativo de las informaciones taurinas publicadas desde 2004 a 2010 en los periódicos escogidos. Estas informaciones o unidades periodísticas que son objeto de estudio se refieren a las corridas de toros de la temporada taurina barcelonesa, sean crónicas o críticas, especialmente por tratarse de la narración habitual de esta especialidad, y todas las noticias, entrevistas, reportajes, artículos de opinión y otras piezas periodísticas que los dos diarios publicaron esos años sobre los festejos en la plaza Monumental.

No es casual la decisión de establecer este criterio informativo para el estudio: acota la investigación en el universo de

---

7. FUENTES ARAGONÉS, J. F., y FERNÁNDEZ SEBASTIÁN, J. *Historia del Periodismo Español*. Madrid: Síntesis, 1998, pp. 323 y 324.

textos taurinos publicados en los dos medios y supone una pauta fundamental para la percepción que tiene un ciudadano de la actividad taurina en su población. Se completa con la inclusión de la figura del diestro José Tomás[8], principal impulsor de la fiesta de los toros en Barcelona durante esos años y elemento esencial de la actualidad informativa taurina en la prensa catalana. Valorar todas estas informaciones será el objeto del capítulo dedicado al análisis aplicado, que permite una interpretación transversal de las áreas temáticas que se han visto implicadas en las corridas de toros celebradas en la Monumental de Barcelona: política, cultural, social y comunicativa.

En cuanto al periodo establecido para el estudio de la actualidad taurina en la prensa, era necesario acotar y perfilar la investigación aunque resultase muy difícil por la relevancia e impacto que tuvo el final de los toros en Cataluña. No cabe duda de que, años antes, la actitud de los medios de comunicación escogidos fue distinta a cómo se ejercía en épocas anteriores. Aquí se da cuenta de ello, incorporando como antecedentes todos los referentes históricos que pudieron influir en la estrategia que los medios tomaron para el asunto taurino en la recta final de la desaparición de los toros en Cataluña, en concreto

---

8. Son numerosas las referencias bibliográficas y las informaciones publicadas que explican el idilio de José Tomás con la afición catalana. El compromiso del torero de Galapagar con las corridas de toros barcelonesas se remonta al año 1998. Desde aquella temporada siempre fue aclamado en el coso de la Ciudad Condal en cada una de sus apariciones. Además, derivó en numerosas acciones en favor de la fiesta de los toros en Cataluña. José Tomás, durante los últimos años de la primera década del siglo XXI, de la mano de su apoderado, el crítico taurino Salvador Boix, escogió la Monumental de Barcelona para su regreso a los ruedos en 2007, toreó por temporada dos o tres corridas, se encerró con seis astados en el 2009 y ayudó económicamente a la Escuela Taurina de Cataluña.

esos años que hemos llamado "proceso de abolición" y que manifestaron los signos que hoy amenazan más a la fiesta: decreciente afición, anacronismo del espectáculo, concienciación social contra el maltrato de los animales y manifiesto cinismo político. Esta recta final que se ha establecido para el estudio tiene una muestra temporal comprendida entre los años 2004 al 2010, etapa decisiva por la emergencia que tuvieron las decisiones tomadas durante esos años para el futuro del taurinismo catalán, con la declaración antitaurina del consistorio barcelonés y con la definitiva prohibición de las corridas de toros en todo el territorio catalán.

1.3. Finalidad e hipótesis sobre la prensa y los toros

Este libro centra su interés en la obtención de unos resultados que ayuden a comprender el tratamiento informativo de *La Vanguardia* y *El Periódico de Catalunya* sobre el asunto taurino en Cataluña desde 2004 a 2010. Para conocer el grado de comprensión e incidencia que la cobertura periodística tuvo en la sociedad se emplea una línea de análisis que trata de demostrar los criterios que han imperado a la hora de cubrir la noticia taurina, estudiar sus autores, examinar su presentación y profundizar en su información, tanto desde el punto de vista formal como de fondo. Una línea de análisis enfocada, fundamentalmente, en los procesos comunicativos y en la información especializada y sus efectos en las audiencias. Así, puede arrojar luz a si existió una sólida estructura periodística taurina catalana durante todo el siglo XX y si, realmente, estos medios de comunicación se atuvieron a las formas tradicionales de "informar, formar y entretener" o faltaron por exceso, defecto o presión en sus obligaciones.

Partiendo de esta base, y como bien afirma el profesor de periodismo Ramón Reig, "de las estrategias informativas, de la forma en que se presentan los mensajes, de su intencionalidad, de los arquetipos que se crean, se deriva una actuación social"[9], se establece como objetivo general de la obra analizar el trata-miento informativo de la temporada taurina barcelonesa en *La Vanguardia* y *El Periódico de Catalunya*, contemplado desde as-pectos temporales (historia del toreo), mediáticos (importan-cia de los medios), temáticos (complejidad de la especializa-ción) y culturales (tradición catalana).

Una vez realizado se confirmará, o no, nuestra hipótesis de trabajo sobre la prohibición en los toros en Cataluña que es la siguiente:

• El periodismo taurino de *La Vanguardia* y *El Periódico de Ca-talunya*, con sus rasgos propios informativos y contra la volun-tad de sus autores, contribuyó al fin de la fiesta de los toros en Cataluña. Con relación a ello, mantenemos que estos dos dia-rios barceloneses, importantes por su presencia e influencia en la sociedad catalana, mostraron desde el año 2004 al 2010 un progresivo empeoramiento de la información de la temporada taurina en la plaza Monumental de Barcelona y reprodujeron en sus páginas la tensión que rodeaba el mundo de los toros.

No hemos querido cerrar aquí el tema. Relacionada con esta hipótesis, deducimos y nos proponemos confirmar:

• *La Vanguardia* y *El Periódico de Catalunya* dedicaron en sus páginas menos espacio a la actualidad taurina, empujados por presiones externas e intereses informativos.

---

9. REIG GARCÍA, R. *Medios de comunicación y poder en España*. Barcelo-na: Paidós, 1998, p. 12.

• Los dos periódicos únicamente le dieron la proyección adecuada a la temporada barcelonesa cuando el torero José Tomás ocupó un lugar relevante en su información taurina.
• El periodismo taurino catalán no tuvo la adecuada divulgación en *La Vanguardia* y *El Periódico de Catalunya* para acercarse con eficacia al público en general.

Para la consecución de dichas hipótesis, se profundiza en las características propias de la especialización periodística taurina y su evolución en los medios de comunicación escogidos; los cánones de la tauromaquia y su paso a través de los tiempos, expresada en esa triple clave de toros, toreros y aficionados; la historia de los dos diarios y de los toros en Cataluña; los fundamentos del periodismo taurino catalán a través de las crónicas y sus autores, y el entorno económico, político, social y periodístico del periodo analizado.

1.4. La cobertura informativa y sus delimitaciones

En este libro se toma como base que durante la primera década de siglo XXI a la opinión pública no le interesó la fiesta de los toros en Cataluña[10] y ello puede atribuirse, en parte, al

---

10. El Instituto Gallup (IG-Investiga) se dedicó desde el año 1971 a realizar sondeos periódicos sobre el interés por las corridas de toros. En agosto de 2008 indicaba que el 73,2% de los catalanes no mostraba ningún interés por las corridas taurinas y tan solo el 22,5% de la población de esta comunidad manifestaba tener algo o mucho interés por estos espectáculos taurinos. Un dato importante es que en la primera encuesta de 1971 reflejaba que el 55% de los españoles mostraba interés por los toros frente al 43%; en cambio, el sondeo de 2008 invertía los porcentajes: el 67,2% aseguraban no tener interés frente al 22,5% En: *Instituto Gallup*. www.gallup.es [consulta: 6 de agosto de 2012].

tratamiento informativo ofrecido por los medios de comunicación. Son las distintas formas en las que se lleva a cabo, si se hace, la publicación de la información taurina sobre el papel impreso en los dos medios escogidos, todo bajo la aparente objetividad y exhaustividad que muestran los periódicos.

En el periodismo taurino, como en el resto de áreas especializadas, "lo que no está en la prensa no existe, y lo que existe es solo bajo la forma en que ella aparezca"[11]. Es decir, de una información pueden extraerse técnicas de desinformación para que no se publique o llegue sin la comprensión debida. Incluso, ocultando los intereses mismos que tiene el propio medio, puede ofrecerse una visión de la realidad como si se tratara de la realidad misma. Esta utilización de malas prácticas por parte de los profesionales puede llevarse a cabo con una mínima elaboración de las noticias —provocando confusión para la comprensión y valoración de las mismas—, por redundancia, trivialización o la homogenización del tratamiento informativo. Incluso puede empeorarse con el empleo de un vocabulario no comprensible al lector o con una ubicación incorrecta en el periódico.

Por oposición a la desinformación, se impone la información: la buena práctica del ejercicio periodístico, generalmente recogida en los libros de estilo de los diarios. El acontecimiento está presente en la agenda, puesto que su presencia y tratamiento marcan la prioridad de intereses: tiene preferencia sobre lo que no está y crea opinión pública.

Por tanto, para aproximarse a la objetividad es necesario mostrar la realidad desde diferentes puntos de vista, recogien-

---

11. MARTÍN SECO, J. F. *Réquiem por la Soberanía Popular*. Madrid: De Temas de Hoy Ensayo, 1998.

do toda la información sobre un mismo tema, en este caso la fiesta de los toros, y a través de varias fuentes, o sea *La Vanguardia* y *El Periódico de Catalunya*. Siempre conscientes de los intereses a los que responden quienes ofrecen esa información[12].

En la tarea que comporta la selección de la información se toma como base la *agenda-setting* o teoría de la construcción de la agenda temática, por la capacidad que tienen los mass media para graduar la importancia de la información que se va a publicar entre los lectores y por la manera de jerarquizar los contenidos que presentan los dos diarios seleccionados. La *agenda-setting* estudia la capacidad de los medios para definir la agenda de los temas públicos. Maxwell McCombs y Donald Shaw propusieron la idea de que los medios, por su selección de noticias, determinan las materias sobre las que el público piensa y habla. Se refieren a la influencia que los contenidos de los medios ejercen sobre las preocupaciones de los receptores, sobre sus argumentos de debate, sobre la gestión de sus intereses, etcétera[13].

De esta manera, según la muestra escogida, la selección de noticias por parte de los medios magnifica o pone en primer plano unas cuestiones y disminuye u oculta la importancia de otras. Además, permite evaluar el equilibrio de todas las notas

---

12.   G.A.C. (Grupo de Aprendizaje Colectivo). *Técnicas para la desinformación. Manual para la lectura crítica de la prensa*. Omegalfa (Biblioteca Libre). http://www.omegalfa.es/downloadfile.php?file=libros/tecnicas-de-desinformacion.pdf [consulta: 7 de agosto de 2012].

13.   RODRÍGUEZ VIRGILI, J. Y SÁDABA GARRAZA, T. "La construcción de la agenda de los medios. El debate del Estatuto en la prensa española". *Ámbito. Revista Internacional de Comunicación*. Año 2007, n° 16. http://ambitoscomunicacion.com/numeros-anteriores/ambitos-16-20/ [consulta: 8 de agosto de 2012].

publicadas[14], la presentación de la noticia y el espacio (sección) designado por el medio de comunicación.

La percepción que tiene la audiencia sobre qué es lo más importante de entre todos los acontecimientos sociales tiene una relación directa y casual con el contenido de los medios. Puede que los medios no tengan la capacidad necesaria de que el lector tome una determinada conciencia sobre la noticia, pero sí es factible que impongan determinados temas, dejando otros en un segundo plano para lograr así una manipulación directa.

La selección constituye una parte en el estudio de la representación mediática de la realidad. El tratamiento que se da a los acontecimientos es el siguiente paso que se debe tener en cuenta: los contenidos no solo fijan la agenda, sino que, según su enfoque, espacio y cobertura, dictan implícitamente al

---

14. El equilibrio informativo no es un concepto estudiado por los teóricos de la comunicación. En un trabajo sobre análisis de contenido del tratamiento informativo del periódico salvadoreño *El Diario de Hoy*, publicado en el año 2010 en el Departamento de Periodismo de la Universidad de San Salvador, por tres alumnos aspirantes a la licenciatura de Periodismo, se cita a Stelling Maryclen, autor de un trabajo presentado en Caracas (Venezuela) en un foro sobre mediocracia y crisis de representación en el año 2003, como creador de este concepto. Equilibrio informativo representa un carácter de criterios explícitos de noticiabilidad e imparcialidad que aplican los medios de comunicación en el tratamiento de construcción de su agenda informativa. Se trata, por tanto, de la imparcialidad, objetividad, credibilidad, veracidad y oportunidad informativa. En AYALA RODRÍGUEZ, S.; LOZANO ELIAS, D., y MARTÍNEZ CANALES, K. *Análisis de contenido del tratamiento informativo del periódico El Diario de Hoy a las actividades de los candidatos presidenciales Mauricio Funes (FMLN) y Rodrigo Ávila (ARENA) durante el periodo de campaña electoral comprendido del 3 de febrero al 11 de marzo de 2009.* San Salvador: Universidad de El Salvador, 2010. http://ri.ues.edu.sv/566/1/10136120.pdf [consulta: 10 de agosto de 2012].

público una forma de pensar sobre ciertos asuntos[15]. En este contexto, hay unas herramientas muy útiles en todo el proceso desde la elaboración y recepción de la noticia para que en la transmisión de las informaciones aumenten las perspectivas, revelen entendimientos particulares sobre los eventos y terminen transformando la forma de pensar del público sobre un asunto[16]. Es la relevancia teórica y empírica del concepto de encuadre noticioso (*news frame*)[17] y la investigación sobre el efecto del *framing* (o encuadre). De este modo, el tratamiento informativo (*framing*) que *El Periódico de Catalunya* y *La Vanguardia* hacen del asunto taurino puede tener una alta influencia en la percepción de la opinión pública hacia los toros.

El marco teórico del enfoque (*framing*) está siendo muy utilizado en los estudios de comunicación para analizar el comportamiento de la prensa. Los medios tienen un gran impacto al construir la actualidad y proporcionar los marcos de referencia que la audiencia usa para interpretar y discutir los asuntos que

---

15. IGARTUA PEROSANZ, J. J., HUMANES HUMANES, Mª L. *Teoría e Investigación en comunicación social*. Madrid: Síntesis, 2004, pp. 43, 51 y 53.

16. ARUGUETE, N. "Framing. La perspectiva de las noticias". *La Trama de la Comunicación*, vol. 15. Rosario: UNR Editora, 2011. http://www.fcpolit.unr.edu.ar/wp-content/uploads/Framing .-La-perspectiva-de-las-noticias.pdf [consulta: 22 de agosto de 2012].

17. El concepto de encuadre noticioso hace referencia a un proceso por el cual los medios de comunicación encuadran los acontecimientos a partir de la selección de algunos aspectos de una realidad percibida y asignándoles unas palabras, expresiones e imágenes para conferir un punto de vista, enfoque o ángulo en una información. Robert Entman es uno de sus principales exponentes y sustenta que cuando un medio o periodista encuadra una noticia selecciona algunos elementos de una realidad percibida para sugerir un punto de vista específico del hecho.

son públicos. Teresa Sádaba[18] incluso afirma que esta teoría intenta dar respuesta al modo en que las personas conocen su entorno social y le otorgan un significado.

Se ha establecido que los encuadres noticiosos pueden jugar diferentes roles, en particular, actuando como variables dependientes o como variables independientes. Como variables dependientes los encuadres están contenidos en las noticias y son resultado de los procesos de producción de las mismas en los medios de comunicación. Desde esta perspectiva, se ve cómo en la información taurina los medios enfatizan aspectos positivos o negativos en sus enfoques. Como variables independientes, los encuadres son concebidos como propiedades de los textos noticiosos que condicionan los procesos de recepción e impacto de las noticias en la formación de juicios y actitudes en los sujetos[19]. Los *frames* o los enfoques de una determinada noticia (titulares, firmas, fuentes, géneros, fotografías, etc.), pueden destacar unas ideas y ocultar otras.

En esta obra se ha tenido en cuenta para el análisis la importancia y el emplazamiento de las unidades periodísticas, su presencia en las secciones y páginas que están ubicadas, su extensión, los componentes del titular, la presencia del acompañamiento gráfico, los recursos tipográficos y el contenido de

---

18.   SÁDABA GARRAZA, T. *Framing: el encuadre de las noticias. El binomio terrorismo-medios*. Buenos Aires: La Crujía Ediciones, 2008, p. 55.

19.   IGARTUA PEROSANZ, J. J.; OTERO PARRA, J. A.; MUÑIZ MURIEL, C.; CHENG, L., y GÓMEZ ISLA, J. "Efectos socio-cognitivos de los encuadres noticiosos de la inmigración. Una investigación experimental". En: "V Jornadas de Comunicación "Medios de comunicación, inmigración y sociedad. Retos y propuestas para el siglo XXI" (Salamanca, 7, 8 y 9 de marzo de 2006). *Observatorio de Estudios Audiovisuales*. Salamanca: Universidad de Salamanca, 2006. http://www.asociacionmarroqui. com/ Articulos/Efectos_Cognitivos.pdf [consulta: 18 de febrero de 2013].

las mismas a través del género empleado. El receptor de la información organiza su conocimiento del tema de acuerdo con lo que proponen los medios, que son quienes determinan los asuntos que merecen mayor atención, actuando, en este caso el diario, como un espejo que refleja la realidad social. Es obvio, que los temas penetrarán con mayor facilidad entre la audiencia si se incrementa su frecuencia, convirtiéndose la reiteración en un elemento influyente en el proceso de memorización de la información y, por tanto, que interviene sobre los efectos de la *agenda-setting*.

La información emitida en los medios de comunicación produce una opinión compartida, la que Walter Lipmann definió "opinión pública"[20], y esa opinión influye sobre los ciudadanos. Por tanto, si un tema es tratado solo en una perspectiva o ni aparece publicado en los medios, los ciudadanos no sabrán qué opinar, o solo sabrán la visión partidaria de quien ha conseguido marcar agenda. Entonces, la opinión pública, si no hay una verdadera pluralidad informativa, cae en una espiral del silencio[21] causada por la imposición mediática de una sola perspectiva del tema.

Al estudiar estas teorías relativas al análisis de contenido, centrándose en el tema taurino, no solo es importante el análisis de la presencia o ausencia de las corridas de toros de la temporada barcelonesa en la agenda temática de los medios, sino su encuadre y énfasis serán determinantes a la hora de comprender la percepción del tema por parte del público. Para ello,

---

20. LIPPMANN, W. *La opinión pública* Madrid: Cuadernos de Langre, 2003.

21. Teoría introducida por la socióloga alemana Elisabeth Noelle-Neumann que se refiere a la interacción entre la opinión pública y las posiciones individuales. En: NOELLE-NEUMANN, E. *La espiral del silencio. Opinión pública: nuestra piel social*. Barcelona: Paidós, 1995.

se ha diseñado una metodología apropiada cuyos resultados tengan validez y significado para los objetivos marcados en este estudio, fundamentalmente empírico y con un planteamiento aparentemente sencillo, escogiendo unas variables para abordar la propuesta y obtener resultados que atiendan al interrogante que sugieren las hipótesis.

Con el análisis de las referidas categorías, después de un proceso de recopilación, catalogación y análisis, mostramos cómo los medios encuadran y seleccionan la información para que los lectores perciban estos temas y puedan generar estados de opinión. En este sentido, el uso que hacen los dos periódicos de la información taurina de la temporada de toros en Barcelona aporta unas conclusiones detalladas, con un alto grado de fiabilidad, que deja constancia de una respuesta informativa suficiente o insuficiente sobre la tauromaquia en Cataluña desde el 2004 al 2010.

En cuanto a la delimitación espacial, se circunscribe a la comunidad autónoma de Cataluña, concretamente a las corridas de toros de Barcelona, uno de los lugares de España con mayor apasionamiento taurino durante décadas del siglo XX. Tanto es así, que la temporada de toros en Barcelona logró que de 1914 a 1923 la capital catalana fuese la única ciudad del mundo con tres plazas funcionando a la vez[22], además de convertirse con el tiempo en la localidad española que más festejos celebraba al año. Su importancia se justifica, además, por convertirse la Monumental de Barcelona en esos años de estudio en la única plaza con notoriedad y una actividad regular en los festejos taurinos del territorio catalán.

Respecto a la delimitación temporal, el enfoque del estudio está en el análisis del tratamiento informativo que estos dos

---

22. CALDEIRO LÓPEZ, L. *La Cataluña taurina. ¿La última estocada a la Fiesta?* Cerdanyola del Vallés: Printcolor, 2009, p. 21.

medios impresos dieron a la temporada taurina de Barcelona entre 2004 y 2010[23], periodo comprendido entre la declaración antitaurina del Ayuntamiento barcelonés y la aprobación del Parlamento de Cataluña para prohibir las corridas de toros en su comunidad. Debido al interés de obtener una mayor perspectiva en los resultados del estudio sobre la temporada en la plaza Monumental, en esta horquilla temporal se incluyen los resultados más representativos del análisis de unos años previos, concretamente 1984, 1989, 1994, 1999 y 2003, los dos últimos con un intervalo de cuatro años y no de cinco como los primeros, decisión adoptada para tener una visión general de la temporada 2003 al ser el año precedente a la declaración antitaurina del Ayuntamiento de Barcelona en 2004.

1.5. El análisis periodístico de la temporada barcelonesa

El análisis de contenido, en la definición de Wimmer y Dominick, "es un método de estudio y análisis de comunicación de forma sistemática, objetiva y cuantitativa con la finalidad de medir determinadas variables"[24]. Estas variables pueden ser muy amplias.

El análisis llevado a cabo se ha estructurado a través de una

---

23.   El hecho de no haber extendido los años de investigación a las primeras ordenanzas antitaurinas que desencadenaron el proceso, como fue en 1998 la aprobación de la Generalitat de Cataluña de un decreto que prohibía a los menores de 14 años la entrada a las corridas de toros, no habría modificado el enfoque ni los resultados de este libro.

24.   WIMMER, R., y DOMINICK, J. *La investigación científica de los medios de comunicación. Una introducción a sus métodos.* Barcelona: Bosch Comunicación, 1996, p. 170.

investigación exploratoria, descriptiva e interpretativa. Exploratoria[25], por representar uno de los primeros acercamientos al tratamiento de la prensa catalana sobre el asunto taurino. A través de este tipo de estudio se proporciona una comprensión del problema, ya que indaga en las causas o fenómenos que han llevado a los medios catalanes a darle históricamente un protagonismo a la actualidad taurina en sus páginas. De esta manera, se logra dar una mejor idea o comprensión del tema investigado a partir de documentar experiencias, y se examina la información taurina catalana por estar escasamente estudiada o apenas abordada anteriormente.

Por otra parte, el libro sigue una lógica descriptiva[26] de la información taurina publicada que mayor interés tiene como herramienta fundamental para el análisis de contenido. El objetivo ha sido desarrollar una representación del problema planteado sometiéndolo a un análisis cronológico comparativo para responder a una serie de cuestiones formuladas. De ahí, que para comprender el caso se emplee este tipo de investigación de enfoque cuantitativo y cualitativo de los contenidos publicados por los dos medios de comunicación impresos. Mientras la aproximación cuantitativa del análisis de contenido se fundará en la frecuencia de las informaciones taurinas de los festejos programados por influir sobre el proceso de memorización de la información y convertirse en un elemento más que interviene sobre los efectos de la agenda temática, el método cualitativo recurrirá a indicadores no frecuenciales susceptibles de permitir inferencias.

---

25.   HERNÁNDEZ SAMPIERI, R.; FERNÁNDEZ COLLADO, C., Y BAPTISTA LUCIO, P. *Metodología de la investigación*. 4ª ed. México: McGraw-Hill/Interamericana Editores, 2006, p. 58.

26.   RODRÍGUEZ MOGUEL, E. *Metodología de la investigación*. México: Universidad Juárez Autónoma de Tabasco, 2008, p. 24.

Finalmente, conviene señalar que el estudio se vale de la interpretación[27], porque el investigador se implica y del elemento analizado pretende extraer unas consecuencias para comprender e interpretar la realidad. Se tratará de probar si las hipótesis planteadas no son contradictorias o si son empíricamente verdaderas.

El enfoque responde a la tradición europea de estudios de contenido que toma como elementos de análisis la presentación de los mensajes; la valoración, titulación, emplazamiento y compaginación como categorías de medición, y los aspectos estructurales, la morfología del medio y las unidades redaccionales[28]. En este sentido, aplicando unas fichas para el análisis se recogen datos de las dos cabeceras durante el periodo comprendido (2204-2010), se desglosa cada uno de los periódicos para analizar y comparar distintos campos de la información que tratan las cuestiones de diseño (color, fotografía, elementos de titulación, recursos tipográficos) y las cuestiones editoriales, como secciones, orden de aparición o distinción del género (información, interpretación y opinión). Así, a través del análisis de contenido se obtienen unos resultados fiables y válidos para evaluar objetivamente el tratamiento de las unidades periodísticas taurinas en estos dos periódicos.

La técnica metodológica que se ha utilizado está basada, principalmente, en el análisis comparado, por lo que el estudio se sustenta en el cotejo de las informaciones publicadas en los dos periódicos escogidos a partir de la actualidad de la temporada taurina barcelonesa. En concreto, se cuantifica el número de uni-

---

27. ARNAL AGUSTÍN, J.; DEL RINCÓN IGEA, D., y LATORRE BELTRÁN, A. *Bases metodológicas de la investigación educativa.* Barcelona: GR92, 1996.
28. KRIPPENDORFF, K. *Metodología del análisis de contenido. Teoría y práctica.* Barcelona: Paidós, 1990.

dades periodísticas dedicadas a los festejos taurinos publicados en *La Vanguardia* y *El Periódico de Catalunya* desde el 2004 al 2010. El número resultante es importante porque es una referencia fiable de la importancia que le da el medio a un asunto dado.

Además de contabilizar el número de informaciones publicadas, se analiza el tratamiento ofrecido a todas esas informaciones para que ofrezcan elementos de juicio suficientemente claros acerca de la política informativa llevada a cabo por *La Vanguardia* y *El Periódico de Catalunya,* pues en la manera de editarlo puede variar sustancialmente su impacto en el lector. Todos aquellos textos secundarios que, aun encontrándose en esas cabeceras en el intervalo de tiempo seleccionado, no aportan información clave para la investigación, son excluidos del análisis para no desvirtuar los resultados. Son informaciones dedicadas a cogidas, enlaces matrimoniales, divorcios, fallecimientos y otras circunstancias taurinas accesorias.

De esta manera, el análisis está enfocado en el tratamiento de los festejos taurinos[29] celebrados en la plaza de toros Monumental de Barcelona durante la temporada[30] y publicados en *La Vanguardia* y *El Periódico de Catalunya* entre los años 2004 y 2010, tomando como unidad de análisis el hecho noticioso de la corrida, entendido en un sentido amplio que incluye todos los textos periodísticos de carácter informativo, interpretativo y evaluativo. En este sentido, servirá para el tema investigado

---

29. Los festejos taurinos a analizar incluyen corridas de toros, novilladas y rejoneo programados en la temporada. O sea, todos aquellos que se basan en la muerte pública del toro en el ruedo. No se tienen en cuenta, si los hubo, festejos de recortadores o toreo cómico, poco habituales en Barcelona.

30. La temporada de toros en Barcelona ha variado en su duración. En las últimas décadas lo más normal fue que se iniciase a principios de abril y finalizase con la Mercè, el 24 de septiembre.

desde el texto del propio festejo a cualquier información relacionada con el mismo, antes o después de la función.

Estas son las informaciones escogidas para el análisis de
contenido:

1. Los festejos taurinos de la temporada de toros en Barcelona
desde el año 2004 al 2010. No solo se trata de la crónica o crítica
de la corrida, sino también incluye la cobertura temporal que el
medio decide dedicarle a lo largo de la semana, los resúmenes
de temporada y la gala taurina de la Federación de Entidades
Taurinas de Catalunya, por abordar este acto la actualidad previa o posterior de la temporada taurina en la Monumental.
2. La figura de José Tomás en la temporada barcelonesa como
elemento mediático y reactivador de la fiesta taurina catalana
en pleno proceso de presión en contra de los toros. Se escogen
dos corridas en la Monumental: su reaparición el 17 de junio
de 2007 tras largo tiempo alejado de las plazas, y el encierro
con seis astados el 5 de julio de 2009, primera corrida de este
tipo que afrontó el diestro en toda su carrera profesional.

La frecuencia de aparición de los ítems y el análisis cualitativo facilitan la comprensión de las estrategias informativas que
establecieron los medios seleccionados durante el proceso de
abolición, adaptando su discurso al contexto informativo del
momento, y que permiten valorar el eco que tuvo la fiesta de
los toros en Cataluña. También, permiten distinguir elementos
incluidos en esas unidades periodísticas para comprender el
esfuerzo de esta investigación: el grado de especialización existente en los dos medios y el tipo de tratamiento dado a la información taurina desde la temporada 2004 a la 2010.

Del análisis quedan excluidos los espacios de publicidad por
dos razones: se estudia solamente las informaciones editoriales

y su inclusión depende de los criterios de la empresa organizadora y no del medio. En cambio, se tiene en cuenta su presencia, ocasionalmente, para la comprensión de algunas de las decisiones que se llevaron a cabo en uno de los dos medios estudiados.

Dado que la base del análisis consiste en evaluar la evolución que ha experimentado la cobertura de las corridas de toros en Barcelona desde el 2004 al 2010, para que la metodología utilizada obtenga unos resultados que tengan validez y significatividad para los objetivos marcados, ha sido necesario incluir en la investigación una submuestra de cinco años anteriores para comparar el tratamiento informativo que las corridas de toros tuvieron en los dos diarios seleccionados. Se han escogido para este submuestreo complementario unos años previos, concretamente, 1984, 1989, 1994, 1999, todos ellos con un intervalo de cinco años, y 2003, año anterior a la declaración del Ayuntamiento barcelonés. La elección ha sido arbitraria, pero con una intencionalidad de hacer coincidir el año posterior a la Ley de protección de los animales (1988) por ser el único año de cierta trascendencia entre todos los trascurridos desde 1984 hasta la declaración del Ayuntamiento barcelonés (2004). Esta ampliación del periodo de estudio del tratamiento periodístico tiene una función comparativa para determinar con mayor precisión si la cobertura informativa durante los años de abolición (2004-2010) contribuyó a una desinformación que facilitase en la sociedad catalana el rechazo a las corridas de toros.

La propuesta metodológica se realiza sobre un análisis de contenido mediante unas fichas de análisis cuantitativo y cualitativo. Se ha trabajado con un universo de 342 informaciones publicadas en las dos ediciones impresas y suplementos (se excluyen Dominicales por incluirse en estrategias de otros dia-

rios de la empresa editorial, caso del Grupo Zeta), de las cuales
159 corresponden a *La Vanguardia* y 183 a *El Periódico de Catalunya*. En primer lugar, se ha realizado un estudio cuantitativo a
través de unas fichas que consiste en un vaciado de crónicas
taurinas por temporada (año) para confirmar su presencia en
los dos diarios. Este método cuantitativo busca contar con información suficiente sobre el tratamiento de la información
taurina en Cataluña desde un punto de vista temporal (años y
evolución), por diarios (*La Vanguardia* y *El Periódico de Catalunya*), por especialización (temática) y por relevancia dentro del
medio (ubicación). Además, el análisis se puede hacer desde su
globalidad (número total de informaciones), como de manera
parcial (por diarios), tanto contemplándolo estáticamente (año
a año) o dinámicamente (evolución a través del tiempo o a través de los diarios analizados).

Después, se ha hecho un análisis cualitativo a partir de una
ficha homogénea, lógica, completa y adecuada a la finalidad
perseguida, siguiendo un criterio temporal y a partir de unas
variables sobre la organización jerárquica de los temas taurinos
en cada medio.

El estudio del tratamiento informativo se ha completado
con unas entrevistas. El exdirector de *El Periódico de Catalunya*
Antonio Franco nunca contestó a los correos enviados para
mantener una conversación. Otros, como su sucesor, Rafael
Nadal o el escritor taurino Antoni González, se limitaron a un
breve comentario telefónico[31]. Javier Godó, presidente de *La*

---

31. En el caso de Salvador Boix, se ha aprovechado una entrevista que
preparé para publicar en *El Periódico de Catalunya* el 5 de julio de 2009, con
motivo de la corrida en solitario de José Tomás, que finalmente el diario decidió no publicar. En ese encuentro, con grabadora en un bar del barrio de
la Barceloneta, estuvimos comentando la precaria situación del periodismo
taurino catalán y cuáles habían sido los factores principales de su deterioro.

Vanguardia, fue inaccesible, remitiéndose siempre su secretaria a Màrius Carol, responsable de prensa del Grupo Godó durante la redacción de mi estudio. Pero, en general, quienes accedieron a hablar mostraron desde un primer momento un cierto estupor por el tema propuesto, exhibiendo un manifiesto desinterés por las preguntas formuladas. Las pocas entrevistas obtenidas, entendidas también en su escaso número por el desánimo personal que causaba la situación actual del periodismo y, en particular, del periodismo taurino catalán, apoyaron las hipótesis planteadas durante el estudio.

1.6. Documentos para el periodismo taurino

Los estudios publicados hasta la fecha sobre periodismo taurino son modestos y bien escasos, tanto desde el punto de vista de la Historia del Periodismo Español como de la propia Historia del Toreo. Siempre se parte de los tomos de la monumental enciclopedia taurina *Los Toros*, de José Mª Cossio[32] y de las reediciones que se han publicado últimamente, destacando para el periodismo taurino el volumen ocho de su gran obra titulado, genéricamente, *Literatura y Periodismo*. En cuanto a publicaciones especializadas, destacan el primer índice de prensa especializada, la catalogación *El periodismo taurino. Índice de periódicos taurinos de 1819 a 1898*, de Luis Carmena y Millán. También algunas esporádicas aportaciones, mencionadas por Mª

---

32.   Del escritor vallisoletano José Mª Cossio (1892-1977) se han publicado reediciones de su monumental tratado taurino y se han organizado exposiciones sobre su importancia bibliográfica para el mundo de los toros. Su producción literaria ha sido tan importante para la tauromaquia, que hasta el crítico taurino Antonio Díaz-Cabañete llegó a bautizar en su día su enciclopedia taurina como la "biblia de los toros".

Verónica de Haro[33] en su estudio sobre periodismo taurino, como las de Gómez Aparicio, Alejandro Pizarroso, Néstor Luján, Fernando Gómez de Bedoya y Fernando Claramunt, entre otros. Si se trata de la cuestión catalana, entonces es necesario dirigir la atención, principalmente, a los libros de Antoni González, *Bous, Toros i Braus. Una tauromàquia catalana*, y de Raúl Felices, *Catalunya taurina*, o los artículos que Rafael Cabrera Bonet ha dedicado a las publicaciones taurinas catalanas. Todos ellos muestran directamente, sobre todo para el caso catalán, la estrecha relación entre la fiesta de los toros y el periodismo, la importancia de la fiesta de los toros como información especializada y la capacidad de influencia que la crónica o crítica taurina ha tenido en el devenir de la tauromaquia.

Esta relación toros y medios de comunicación se ha ido consolidando en estos últimos tiempos por los numerosos estudios y debates que se han realizado con gran rigor y profesionalidad en revistas científicas y en aulas universitarias. Sobre todo, también, a través de muchas de las espléndidas tesis doctorales[34] que se han leído últimamente y que han servido para documentar mejor el periodismo taurino. Entre otros,

---

33. DE HARO DE SAN MATEO, V. "El estudio del periodismo taurino: revisión y actualización bibliográfica". *Doxa Comunicación*, n° 13. Madrid: Universidad San Pablo CEU, 2011.

34. Un trabajo publicado por Julia Rivera, Licenciada en Ciencias de la Información por la Universidad Complutense de Madrid, en el que vincula universidad y toros, repasa las tesis doctorales taurinas leídas hasta la actualidad. En: RIVERA FLORES, J. "El periodismo taurino en las Universidades españolas e hispanoamericanas". *Revista de Comunicación de la SEECI* (Sociedad Española de Estudios de la Comunicación Iberoamericana), n° 21. Madrid: Universidad Complutense de Madrid, marzo de 2011, pp. 122-144. http://www.seeci.net/revista/hemeroteca/Numeros/Numero%2021/5.%20JRivera.%20seeci.pdf [consulta: 20 de noviembre de 2012].

José Luis Ramón defendió su tesis *La revista El Ruedo, 33 años de información taurina en España (1944-1977)*; Miguel Ángel Moncholi lo hizo con *Las retransmisiones taurinas en televisión en la Comunidad de Madrid (Periodo 1992-1996)*; Olga Pérez Arroyo se centró en la figura del crítico Gregorio Corrochano en *La crónica taurina: Gregorio Corrochano y su época (1914-1920)*; Juan Carlos Gil presentó *Evolución histórica y cultural de la crónica taurina. De las primitivas reseñas a la crónica impresionista*; Mª Verónica de Haro leyó su tesis doctoral titulada *6 Toros 6, revista de actualidad taurina*; María Almudena Hernández expuso *J. M. Arroyo Joselito. Análisis de sus actuaciones en la plaza de Las Ventas: las crónicas de ABC y El País*; Santiago Celestino Pérez defendió *Periodismo taurino: la crónica taurina en El Debate de 1910 a 1936*, y recientemente, Noa Carballa desveló el tratamiento periodístico que siete diarios nacionales mantuvieron sobre la noticia de la prohibición de los toros en Cataluña durante los días previos y posteriores a su votación. Una tesis muy en la línea de lo que fue mi trabajo de investigación y que la doctora Carballa tituló: *La prohibición de la Fiesta en Cataluña. Calidad informativa y framing*.

En Cataluña tampoco han faltado algunas investigaciones docentes acerca del tema del periodismo taurino. Eso sí, son escasas y lejanas, como un trabajo final de carrera de Ricardo Huertas López, equivalente a una tesina, presentada en la Escuela Oficial de Periodismo de Barcelona, y que lleva por título *Historia del periodismo taurino*, donde el autor enumera y comenta las publicaciones especializadas de toros editadas en Cataluña; o la tesis de Amparo Tuñón San Martín, profesora de la Facultad de Ciencias de la Información de la Universitat Autònoma de Barcelona, titulada *Connotaciones culturales de la prensa de élite. Análisis de un acontecimiento de El País. La muerte de Paquirri*. La lectura más reciente, pero ya alejada de la temática del periodismo, es la de Marilén Barceló[35], con una tesis defendida el año 2004 en la Universitat Ramon Llull de Barcelona titulada *Análisis cualitativo de narrativas autobiográficas de profesionales del toreo*, donde la autora se aproxima a la identidad de los profesionales que escogen un oficio de riesgo como es el de ser torero.

En cuanto a obras que se ocupen de la tradición taurina catalana, destacan aportaciones imprescindibles de intelectuales y periodistas de la talla de Néstor Luján, Antonio Santainés, Fernando Vinyes, Juan Segura Palomares, Rafael Manzano, Fernando del Arco o Antoni González[36], por destacar algunos.

Este panorama bibliográfico permitió que, entre unos y otros, reuniese numerosas fuentes bibliográficas y documentales para llevar a cabo el proceso de gestación, definición y realización del libro. Especialmente, seleccionase una bibliografía en la que

---

35.   Marilén Barceló Verea es psicóloga, escritora, vicepresidenta de la Federación de Entidades Taurinas de Cataluña e hija del matador de toros Luis Barceló, quien tomó la alternativa en Barcelona el 18 de julio de 1968. Esta acérrima defensora de los toros siempre destacó durante todo el proceso de abolición de las corridas por su compromiso con la fiesta en Cataluña y su militancia en instituciones taurinas.

36.   Sobre la Cataluña taurina se han escrito pocos libros, pero muy válidos. No hay más de una docena de obras que documenten fielmente la actualidad taurina de Cataluña. A raíz de la prohibición, Raúl Felices publicó su completísima obra *Catalunya taurina. Una historia de la tauromaquia catalana de la Edad Media a nuestros días* (Edicions Bellaterra, Barcelona, 2010) para demostrar la relación del pueblo catalán con la fiesta de los toros. En un trabajo pormenorizado y concienzudo, el autor, como hizo en 1996 el escritor Antoni González en *Bous, toros y braus. Una tauromaquia catalana*, ofrece un índice temático muy útil para comprender la tradición taurina catalana. En el epílogo (p. 406), Fernando del Arco de Izco, socio fundador del círculo taurino Amigos de la Dinastía Bienvenida de Barcelona, enumera las 12 publicaciones de referencia para comprender y reafirmar la tradición taurina catalana.

más se imbrica la fiesta de los toros con los medios de comunicación y la actualidad.

En este sentido, se reconoce también la importancia de la disponibilidad de las hemerotecas digitales de *La Vanguardia* y *El Periódico de Catalunya*. Además, se ha recurrido a través del género de la entrevista a la opinión de algunos personajes que desempeñaron puestos de responsabilidad en la información taurina de los dos diarios escogidos (autores, jefes y directores), y de aquellos testigos con voz y notoriedad dentro de la fiesta taurina catalana. Son testimonios que han aportado una perspectiva muy valiosa para comprender mejor la trayectoria de la información taurina catalana. Tampoco ha faltado la consulta de otros documentos, estudios e informes editados por los propios periódicos seleccionados y por otros medios especializados en tauromaquia y periodismo.

La mayoría de las fuentes consultadas son libros y documentos centrados en el ámbito español, lógico por la temática escogida, aunque también se ha incorporado alguna fuente extranjera para el marco teórico.

También, destaca el protagonismo que Internet ha tenido por la facilidad de uso que ofrecen archivos, hemerotecas e informaciones digitalizadas, y por la rapidez que permite su uso para la búsqueda y consulta de documentos. Hoy por hoy, se presenta como una herramienta imprescindible por tratarse de una puerta de acceso a innumerables recursos, documentos y estudios.

Todo ello se ha reflejado con un exhaustivo trabajo de citación, haciendo un esfuerzo para homogeneizar el resultado final a fin de que la presentación de la información al lector sea ordenada y coherente.

PARTE II
Marco teórico

2. Consideraciones generales de la infomación en la prensa escrita

Los periódicos, como el resto de los medios de comunicación, representan un papel importantísimo en la adquisición de conocimientos por parte de los ciudadanos de la realidad que les rodea. En el encuentro diario de los lectores con la prensa de papel hay una seductora estrategia informativa por parte de las empresas editoras que se elabora cada día para estimular la lectura, familiarizar el medio y presentar la información. Los textos periodísticos, debido a la heterogeneidad del sector de lectores, buscan lograr a través de los periódicos un alto nivel de claridad expositiva que puede estar al alcance de una persona de cultura media, agrupándose de manera ordenada y estructurada por secciones para facilitar su lectura.

2.1. Los mensajes informativos

La claridad y la concisión de las palabras escritas son condiciones imprescindibles del buen lenguaje periodístico escrito, y todo lo que no conlleve su uso puede representar para el medio de comunicación un texto escasamente periodístico, pues obligará al lector a detenerse para reflexionar sobre el sentido de una oración o el significado de una palabra.

Pero este lenguaje, puramente redaccional, no puede considerarse el único lenguaje periodístico que llega al receptor. Hoy, las nuevas tecnologías han dimensionado la elaboración de los mensajes que aparecen en la prensa diaria haciendo que otros tipos de lenguaje, como es el visual, se incorporen en esta concepción de lenguaje periodístico a partir de componentes visuales no lingüísticos y componentes visuales paralingüísticos.

Esta formulación para dar forma adecuada a los mensajes informativos que se canalizan a través de los periódicos impresos es descrita por Martínez Albertos para analizar los sistemas de signos que entran a formar parte en los mensajes informativos de estos diarios. Para el catedrático emérito de la Universidad Complutense de Madrid, los elementos que se descubren en un periódico parten del esquema analítico de Umberto Eco[37] para estudiar los mensajes televisivos y de los tres sistemas de signos que concurren en los medios masivos impresos que fueron descritos por Eliseo Verón[38]. De esta manera, establece las siguientes correspondencias para la adscripción de los variados elementos que se pueden encontrar en las páginas de los periódicos y que deben ser considerados para el estudio del mensaje dentro del saber periodístico:

---

37. ECO, U. "Para una indagación semiológica sobre el mensaje televisivo". En: ECO, U.; FREDMANN, G., HALLORAN, J. (*et al.*). *Los efectos de las comunicaciones de masas*, Buenos Aires: Editorial Jorge Álvarez, 1969, pp. 133-135.

38. VERÓN, E. "Ideología y comunicación de masas: la semantización de la violencia política". En: EKMAN, P.; MASOTTA, O; VERÓN, E. (*et. al.*).*Lenguaje y comunicación social.* Buenos Aires: Nueva Visinó, 1969, pp. 146 y 147.

Serie visual lingüística: Textos informativos y publicitarios desarrollados de forma lineal y discursiva. Serie visual para-lingüística: Conjunto de cabezas (o *titrage*), pies de fotos, mensajes publicitarios en los que predomina el componente icónico, chistes integrados por un componente icónico y un componente escrito, gráficos, planos, etc.

Serie visual no lingüística; Recursos tipográficos de la confección y armado de los periódicos, fotografías y dibujos y chistes sin acompañamiento literario, elementos cromáticos introducidos en las páginas, etc[39].

José Ignacio Armentia Vizuete y José María Caminos Marcet[40] siguen para el estudio de los mensajes la línea de Martínez Albertos y afirman que hay que referirse a la utilización de un lenguaje periodístico visual en los medios de comunicación. Para ellos, todos los componentes comunican al lector indicios de la importancia del mensaje: el componente lingüístico sería el texto escrito, el componente visual no lingüístico estaría formado por las imágenes (fotografía y gráficos) y el paralingüístico por los elementos de diagramación, el tamaño, la ubicación de la noticia y la tipografía.

Aunque la preocupación de este lenguaje periodístico sea obtener del receptor la máxima comprensibilidad del mensaje a través de los componentes comentados, muchas veces en los textos redactados aparece vinculada la lengua literaria en determinadas formas de expresión que tienen como referente

---

39. MARTÍNEZ ALBERTOS, J. L. *Curso General de Redacción Periodística*. Madrid: Thomson, 200, p. 92.

40. ARMENTIA VIZUETE, J. I., y CAMINOS MARCET, J. Mª. *Fundamentos de periodismo impreso*. Barcelona: Ariel, 2002, p. 16.

fundamental la belleza estilística. La eficacia del impacto de los mensajes que busca producir el periodista en este tipo de texto, practicado en determinados géneros periodísticos, como es la crónica taurina, no difiere de la efectividad y el buen uso del lenguaje que se imponen en la redacción periodística. Que el lenguaje periodístico no sea estrictamente un lenguaje literario no quiere decir que sean incompatibles y que deba renunciar en su intencionalidad informativa a la elegancia de la prosa, la mesura de las palabras, la sobriedad narrativa o la riqueza del léxico: "Lo que está correcta, clara y concisamente escrito, empleando las palabras propias y diciendo exactamente lo que se quiere decir, es periodístico y literario"[41].

Gabriel Galdón, catedrático de Periodismo, señala que el periodista, en su permanente búsqueda de la verdad y su comunicación adecuada, utiliza el lenguaje y los modos apropiados, denominados *sentido retórico*, y que el autor define como "aptitud que, amén de requerir unos conocimientos y destrezas de orden lingüístico y narrativo, comporta el reconocimiento persuasivo inherente a toda la información y la actitud de hacerlo valer, sin engaños ni componendas, en el discurso"[42].

Según María Jesús Casals, "el periodismo tiene dos vertientes esenciales: la narración y la opinión. En ambas ha de existir ese conocimiento del lenguaje y del pensamiento que les anima y en ambas trabajamos con el concepto de la verisimilitud"[43].

---

41. GONZÁLEZ RUIZ, N. *El Periodismo. Teoría y práctica*. Barcelona: Noguer, 1953, p. 130.

42. GALDÓN LÓPEZ, G. *Desinformación. Método, Aspectos y Soluciones*. 3ª edición. Barañáin: Ediciones Universidad de Navarra (EUNSA), 2001, p. 203.

43. CASALS CARRO, Mª J. "El universo retórico del periodista". En: SÁNCHEZ CALERO, Mª L. *Géneros y discurso periodístico*. Madrid: Fragua, 2011, p. 70.

2.1.1. Funciones y estrategias comunicativas de la prensa

Los medios impresos a través de este lenguaje periodístico cumplen tres objetivos: informar, formar y recrear. Informan al facilitar un mejor conocimiento de las grandes cuestiones de la actualidad; forman al mostrar puntos de vista sobre los acontecimientos que inciden en la sociedad, ayudando a tomar conciencia sobre ellos, y recrean al entretener o divertir. A estas tres funciones sociales tradicionales que identifican los autores Salomé Berrocal y Carlos Rodríguez[44], la catedrática Mar de Fontcuberta añade una cuarta: la tematización, por la cual los medios de comunicación seleccionan un tema y lo ponen en conocimiento de las audiencias.

Por tematización se entiende el mecanismo de formación de la opinión pública en el seno de la sociedad postindustrial a través del temario de los medios de comunicación. Denominamos temario al conjunto de contenidos informativos y noticiosos existentes en un medio. Hay un temario en cada ejemplar de diario y revista, en cada informativo radiofónico y en cada telediario. La suma y análisis de los sucesivos temarios acaba definiendo la personalidad de cada medio[45].

La fijación de la agenda en los medios conduce a la tematización de la realidad o fenómeno de tematización, teoría desarrollada por Niklas Luhmann y por los investigadores italianos

---

44. BERROCAL GONZALO, S., y RODRÍGUEZ-MARIBONA DÁVILA, C. *Análisis básico de la prensa diaria. Manual para aprender a leer periódicos.* Madrid: Universitas, 1998, p. 19.
45. FONTCUBERTA BALAGUER, M. *La noticia. Pistas para percibir el mundo.* Barcelona: Paidós, 1993, p. 35.

Rositi, Grossi y Marletti, cuya finalidad es mostrar cómo mediante la acción determinante de los medios de comunicación se orientan los procesos de comunicación política en las sociedades modernas. La noción de tematización incide en la opinión pública e implica seleccionar, jerarquizar y disponer de criterios argumentativos para valorar si un tema merece ser incluido en la agenda de la colectividad.

Mauro Wolf[46] definió la tematización como un proceso informativo perteneciente a la hipótesis de la *agenda-setting* o teoría de la construcción de la agenda temática, que significa que el medio de comunicación coloca un tema en el orden del día y le concede una importancia adecuada y subraya su centralidad y significatividad respecto a la información no tematizada. Cuanto mayor sea el énfasis de los medios sobre un tema, mayor es la importancia que los integrantes de una audiencia le concederán. Tematizar consiste en una operación compleja de seleccionar ítems de actualidad y ponerlos en conocimiento de la opinión pública para centrar su atención en asuntos de importancia social y política.

En el caso del periódico, tematizar una serie de acontecimientos se traduce en situarlos en portada, dedicarles editoriales o espacios de opinión, asignarles varias páginas diarias desbrozando el tema desde distintos puntos de vista (entrevistas con expertos o personajes relevantes, crónicas de enviados especiales...)[47].

---

46.   WOLF, M. *La investigación de la comunicación de masas. Críticas y perspectivas.* Barcelona: Paidós, 1991.

47.   VÁZQUEZ BERMUDEZ, M. A. *Noticias a la carta. Periodismo de declaraciones o la imposición de la agenda.* Sevilla: Comunicación Social, 2006, p. 163.

Por su parte, Enric Saperas hace la siguiente definición de tematización: "El proceso de selección y de valoración de ciertos temas de interés insertados, de manera contingente, en la opinión pública"[48]. De este modo, los aspectos tratados en los medios fijan los temas de interés para la audiencia, excluyendo los que son silenciados, generando, de esta manera, opiniones dentro de sus mismas páginas, concentrando la atención pública y movilizando determinados grupos para imponer soluciones.

Este extremo conectaría con la teoría de la espiral del silencio, concepto que tiene su origen en la teoría desarrollada por Elisabeth Noelle-Neumann[49] sobre cómo la percepción de la opinión pública puede influir en el comportamiento de un individuo.

Los medios intervienen en la espiral del silencio confirmando la percepción acerca de las opiniones. Establecen cuál es la opinión dominante, cuál es la opinión que está incrementando su consenso y cuál es la opinión que el individuo puede manifestar en público sin sufrir aislamiento. Esta teoría, si bien coincide con la *agenda-setting* en que la opinión pública se constituye a partir de un tema que predomina el escenario de lo público, difiere de esta en que pone en juego la aprobación o desaprobación de opiniones y comportamientos, pues para la *agenda-setting* lo importante es la imposición del tema desde los medios sin importar qué postura se adopta al respecto.

La elaboración de la agenda temática se convierte, por tanto, en una actividad muy compleja en cada una de las redacciones. Para su elaboración intervienen numerosos factores, algunos ajenos a la información y vinculados con la línea ideológica

---

48.   SAPERAS LAPIEDRA, E. *Los efectos cognitivos de la comunicación de masas*. Barcelona: Ariel, 1987, p. 10.

49.   NOELLE-NEUMANN, E. *Op. cit.*

que el medio de comunicación defiende. Los medios encaminan la atención del público hacia determinados temas a la hora de preparar la agenda temática. El objetivo es lograr la mejor relación con sus lectores para que el medio pueda ampliar su influencia social y orientar así al público qué ha de pensar y sobre qué. Y esto se consigue tras un laborioso proceso interpretativo y jerarquizador de información para decidir las noticias que se incluyen y excluyen de acuerdo con lo que cada medio considera de mayor interés para su público[50].

Los medios de comunicación se convierten en los conductores de informaciones para que las personas conozcan, discutan y opinen de la actualidad. Ya no solo son mediadores entre la población y la realidad, con esa capacidad de aumentar el conocimiento de los lectores sobre un determinado tema también tienen el poder de generar estados de opinión y reforzar o disminuir determinadas actitudes que sostienen los ciudadanos. Los medios crean su propia realidad, contando cómo es ese mundo o información, destacando sus temas y transfiriéndolos para que se reproduzcan en las mentes de las audiencias. El término agenda se acuña en un sentido metafórico para expresar cómo las agendas o temas considerados relevantes por los medios son correspondidos en su trascendencia en las agendas de la audiencia. "Las personas no solo reciben información a través de los medios sobre determinados temas o asuntos que ocurren en el mundo y son considerados prioritarios, sino que también aprenden de ellos la importancia y el énfasis que les deben dar"[51].

---

50. ARMENTIA VIZUETE, J. I., CAMINOS MARCET, J. Mª. *Op. cit.* p. 125.

51. RODRÍGUEZ DÍAZ, R. *Teoría de la Agenda-Setting. aplicación a la enseñanza universitaria.* Alicante: Observatorio Europeo de Tendencias Europeas (Obets), 2004, p. 15.

El análisis del tratamiento informativo conecta con las teorías de la *agenda-setting*, la tematización y el encuadre noticioso (*framing*). La *agenda-setting*, presentada en sociedad por McCombs y Shaw, como hemos visto en el capítulo *La cobertura periodística y el espacio-temporal*, donde parte de la tesis del poder de los medios para influir y determinar el grado de atención que el público otorga a ciertos temas sometidos a la atención colectiva. De este modo, la selección previa de asuntos que realizan los medios canaliza la mente de los ciudadanos hacia unos temas de interés público en detrimento de otros que no son mencionados o destacados.

Para hablar del efecto de la *agenda-setting* se tiene que producir una relación entre la agenda temática de los medios y del público. En una manera de provocar un efecto en las actitudes y opiniones de otros a través de sus intenciones de actuar, según la teoría de la *agenda-setting*, los medios pueden influir, por tanto, a través de las fuentes y sus recursos propios en los temas que pueden considerar de mayor relevancia. Los medios proporcionan los temas sobre los que pensar, discutir y opinar. Las personas no solo recibirán información a través de estos sobre algunos asuntos, sino que también aprenderán de ellos la importancia y el énfasis que le deben dar. Por consiguiente, como consecuencia de la acción de los medios, el público prestará atención o ignorará, enfatizará o pasará por alto ciertos acontecimientos de la realidad.

En términos generales, la teoría de la *agenda-setting* tiene las siguientes características[52]:

- Es el estudio del conjunto de temas de actualidad (*issues*)

---

52. McCOMBS, M. *Estableciendo la agenda. El impacto de los medios en la opinión pública y el conocimiento*. Barcelona: Paidós, 2006.

presentes en los media en un determinado período de tiempo.
• Se investigan varios tipos de agenda: personal (qué piensa una persona), interpersonal (de qué habla), mediática (de qué informan los medios) y pública (lo qué piensa la gente de temas comunes) para determinar las influencias de unas a otras.
• En la agenda mediática se evalúa su proceso de selección, jerarquización, *framing* y marco temporal de los temas diarios presentes en los medios.
• Se establece una influencia entre el énfasis e importancia que le dan los medios (agenda mediática) en la gente (agenda pública).
• Se revisan tales suposiciones sobre análisis cuantitativos: cantidad de unidades periodísticas, número de titulares, espacio de la información, fotografías como elementos para determinar el establecimiento de la agenda, el modo en cómo los temas se presentan y sus efectos (encuadre noticioso).
• Se proponen resultados para explicar cómo los medios mediante la selección y el tratamiento de la información estructuran la agenda de temas públicos.

La *agenda-setting*, en cuanto a la fuente noticiosa de los medios, tiene por tanto muchas variantes que están relacionadas con el efecto que tienen las informaciones sobre la audiencia: en cada paso del proceso de comunicación se toman decisiones, se incluyen o excluyen informaciones, se escriben grandes titulares y se decide la ubicación, la extensión de la noticia y el enfoque periodístico que recibirá. Y en esto cuenta mucho la construcción de un temario para la valoración que hace un medio de los aconteceres de la realidad y el propósito de trasmitir al lector ese orden de importancia para que lo haga suyo. Por consiguiente, los medios tienen la capacidad de organizar, elaborar y dar tratamiento a la información relativa a los asuntos noticiosos a través del ofrecimiento de diferentes enfoques o puntos de vista sobre el mismo tema[53].

Estas teorías se encuentran estrechamente vinculadas a la construcción social de la realidad. Solo existe aquello que existe en los medios. El receptor de la información organiza su conocimiento de acuerdo con lo que propone la prensa. Cada uno de los pasos para decidir el tratamiento de la noticia es, en esencia, la imposición de un encuadre. Este es el planteamiento básico que establece la teoría del encuadre o del *framing*, haciendo que algunos aspectos de la realidad sean más sobresalientes en narración comunicativa y otros queden relegados, imposibilitando al lector a tener acceso a otros puntos de vista a través de las informaciones.

El *framing* se utilizó en sus orígenes en el campo de la psicología y sociología, pero no fue hasta las décadas de los setenta y ochenta cuando se trasladó al campo de los medios de comunicación. El primero en hablar del encuadre noticioso fue Gaye Tuchman al referirse metafóricamente de la noticia como una ventana por la cual ver la realidad y cuya perspectiva varía "si la ventana es grande o pequeña, si tiene muchos o pequeños cristales, si el vidrio es opaco o claro, si la ventana da cara a una calle o a un patio. La escena también depende de dónde se ubica uno, lejos o cerca, forzando el cuello o mirando hacia adelante"[54]. Su estudio se centrará en el efecto que sobre las noticias tienen tanto el periodista como la organización en la que desarrolla su trabajo. O sea, los medios con los que cuenta

---

53. IGARTUA PEROSANZ, J. J., y HUMANES HUMANES, Mª L. *Op. cit.*

54. TUCHMAN, G. *La producción de la noticia*. Barcelona: Gustavo Gili, 1983, p. 13.

un periódico para dar cobertura a una información (enviado especial o agencia de noticias), condicionará el producto final que ofrece a los lectores. También los modos de trabajar, el estilo, el lenguaje, las fuentes o el lugar.

Tankard propone un análisis del formato y del contenido para ver lo que muestra y no la noticia. Para él, los *frames* o los enfoques de una noticia, tales como los titulares, antetítulos, subtítulos, fotografías, lid, etcétera, subrayan unas ideas y ocultan otras. Así, a través de estos elementos visibles que se muestran en las páginas se puede evidenciar cómo se ha enfocado o encuadrado una determinada información[55].

Apoyándose en los postulados de la teoría del *framing*, y centrándose en las rutinas periodísticas para elaborar noticias, Durhan dice que los encuadres "hacen el mundo más reconocible y comprensible"[56]; para Semetko, Valkenburg y de Vreese se trata de "una forma particular a través de la cual el periodista compone o construye una noticia para optimizar la accesibilidad de la audiencia"[57].

Para Pilar Giménez Armentia, las noticias que se publican no son un reflejo de la realidad, sino una representación de la misma. Según ella, "las mismas secciones de los periódicos, los

55.   TANKARD, J. W. "Media Frames. Approaches to Conceptualization and Measurement", En: *Annual Convention of the Association for Education in Journalism and Mass Comunication*. Boston: Communication Convention, 1991.

56.   Frank D. Durham citado en MUÑIZ MURIEL, C.; IGARTUA PEROSANZ, J. J.; OTERO PARRA, J. A., y SÁNCHEZ HERNÁNDEZ, C. "El tratamiento informativo de la inmigración en los medios españoles. Un estudio comparativo de la prensa y televisión". *Perspectivas de la Comunicación*. Vol. 1, N° 1.Temuco (Chile): Universidad de la Frontera, 2008, p. 98.

57.   Patti M. Valkenburg, Holli A. Semetko y Claes H De Vreese citados en: *Ibid*. p. 98.

editoriales, la extensión, la página donde se ubique, el diseño, las fuentes de información, los titulares, las fotografías, son todos ellos formas que tienen los periódicos de enmarcar y encuadrar las informaciones"[58].

Es evidente que el elemento visible del formato es un indicio para conocer cómo enfoca la información un determinado medio de comunicación o un periodista. Pero también se debe tener en cuenta, dónde la noticia y el modo de enfocarse adquieren todo su sentido.

Para autores como McCombs[59], el *framing* sería un segundo paso en la *agenda-setting*, ya que encuentra una fuerte consonancia teórica entre ambos. Esto enlaza directamente con las nuevas revisiones de la formulación clásica de la *agenda-setting*, que giran, principalmente, a que si en un primer nivel se fija el orden temático y la transferencia de prominencia de los asuntos desde los medios al público, en un segundo nivel se amplía esas transferencia a los aspectos o las características de los temas de actualidad.

La explicación del segundo nivel de *agenda-setting* se relaciona, entonces, con el concepto de *framing*, como un paso más allá de la selección periodística: la *agenda-setting* se centra en la selección temática como herramienta fundamental para la percepción sobre la relevancia de los temas y el *framing* se centra en la forma particular en que esos tópicos son presentados a la audiencia. El concepto de *framing* queda vinculado al análisis del tratamiento periodístico (sería el *cómo* informativo) y la

---

58. GIMÉNEZ ARMENTIA, P. "Una nueva visión del proceso comunicativo: la teoría del Enfoque (framing)", *Comunicación y hombre*, n° 2. Vitoria: Universidad de Vitoria, 2006. p. 57.

59. McCOMBS, M. y EVATT, D. "Los temas y los aspectos: explorando una nueva dimensión de la Agenda-setting", *Comunicación y Sociedad*, vol. VIII, n° 1. Pamplona: Universidad de Navarra, 1995, pp. 7-32.

agenda-setting a la selección periodística (sería el qué informativo).

2.1.2. El aspecto visual de la información

El diario tiene como objetivo que los lectores conozcan hechos y opiniones para conseguir el máximo beneficio para su negocio: ganar dinero y tener la máxima influencia y difusión[60]. La combinación de estos dos aspectos da como resultado la construcción de un temario de informaciones presentadas en los géneros tradicionales del periodismo, que en este estudio clasificamos en tres grandes grupos: informativos (noticia, reportaje objetivo y entrevista), interpretativos (reportaje interpretativo, crónica y análisis) y de opinión (artículo, editorial, crítica, columna, suelto y cartas al director).

Una vez que el medio de comunicación ha seleccionado el acontecimiento según criterios de valoración[61], el periodista debe volcarse tanto en los contenidos como en los tratamientos más adecuados para el público al que se dirige. Esta fase, acabada la selección y elaboración de la noticia, se caracteriza por la jerarquización en su presentación. Para ello, los periódicos ofrecen su información en un contexto formal que implica una determinada arquitectura donde contenido y forma están

---

60. BERROCAL GONZALO, S., y RODRÍGUEZ-MARIBONA DAVILA, C. *Op. cit.* p. 41.

61. Carl Warren señala diez aspectos que suelen formar parte de la composición final de un hecho que se considera noticia: actualidad, proximidad, consecuencias, relevancia personal, suspense, rareza, conflicto, sexo, emoción y progreso). WARREN, C. *Géneros periodísticos informativos.* Barcelona: ATE, 1979.

muy relacionados. Es lo que Berrocal y Rodríguez-Maribona denominan "la estética de la información"[62]. El aspecto visual cobra mucha importancia y facilita a los lectores el acceso a la noticia y establece su valoración.

La elección de un formato, el diseño de las páginas, la valoración tipográfica para destacar cada noticia, tanto por el cuerpo, número de columnas, emplazamiento y otros recursos periodísticos (recuadros, imágenes, gráficos...), crean al lector ciertos hábitos de fidelidad hacía el periódico y contribuyen a entender la realidad que le rodea. El objetivo es producir una comunicación visual que sea eficaz y funcional para explicar una información y se presente esta de la manera más clara y sencilla para la audiencia. El medio de comunicación necesitará para lograr este fin una estrategia informativa responsable que ayude al lector a ordenar y entender los enfoques, hechos y elementos noticiosos que son valiosos para todos los ciudadanos. Emplea las secciones para ordenar las unidades periodísticas según proximidad temática y, de este modo, para facilitar al público la búsqueda de los datos y su mejor comprensión y retención.

Cada periódico emplea un criterio intencionado en su ordenamiento e impone una identificación y jerarquización de las informaciones que son asumidas por los lectores. Para Francisco Sancho, "la idea de la jerarquización como concepto de coherencia informativa debe prevalecer. El lector raramente recuerda informaciones aisladas si no puede situarlas en su contexto y relacionarlas con las otras"[63]. Así, la audiencia detecta

62. BERROCAL GONZALO, S., y RODRÍGUEZ-MARIBONA DAVILA, C. *Op. cit.* p. 63.
63. SANCHO CRESPO, F. *En el corazón del periódico*. Pamplona: Ediciones Universidad de Navarra (EUNSA), 2004, p. 46.

rápidamente cuáles son los temas más importantes del día, cuáles son los más destacados de cada una de las secciones publicadas y cuáles son considerados secundarios desde un punto de vista informativo.

2.1.3. La importancia de los titulares

Uno de los elementos que forman parte de la estructura de la noticia, que puede considerarse como de los más importantes y que se convierte en la mejor herramienta para jerarquizar las informaciones en un diario, es el titular. Aunque se pueda resumir como el conjunto de palabras que encabeza cualquier texto informativo, además de recibir apelativos tan diversos como "el señuelo de la noticia", "la incitación periodística", "el escaparate de la información" o "la puerta de la noticia", entre otros, nos remitiremos a la definición que hace Van Dijk: "Los titulares son la parte más importante del texto"[64].

De la trascendencia del titular queda la definición de algunos teóricos[65], para quienes los titulares constituyen las únicas secuencias leídas por los lectores. Josep Lluís Gómez Mompart[66] afirma que "el título presenta la noticia"; Lorenzo Gomis[67], apunta en la misma línea para recordar que "es la

---

64.   VAN DIJK, T. A. *Racismo y análisis crítico de los medios*. Barcelona: Paidós, 1997, p. 134.

65.   LÓPEZ HIDALGO, A. *El titular: manual de titulación periodística*. Madrid: Fragua, 2001.

66.   GÓMEZ MOMPART, J. L. *Los titulares en prensa*. Barcelona: Mitre, 1982, pp. 9 y 10.

67.   GOMIS SANAHUJA, L. *Teoría del periodismo. Cómo se forma el presente*. Barcelona: Paidós, 199, p. 31.

sustancia de la noticia"; el doctor en Comunicación Albert Sáez, subdirector de *El Periódico de Catalunya*, dice que "el titular es la esencia del periodismo. El punto de encuentro entre la claridad y el rigor"[68], mientras que, entre las últimas aportaciones sobre este elemento periodístico, la definición de Javier Mayoral, profesor de la Facultad de Periodismo de la Universidad Complutense de Madrid: "Un título equivale a un nombre propio o a un determinado documento de identidad"[69].

Esta puerta de acceso a la lectura del texto que se consigue con el titular, también llamado encabezamiento, al ser el primer nexo de unión entre el público y el contenido, se convierte en un elemento fundamental para el alcance que se le quiera dar en el mosaico de la página a la noticia (tipo de letra, estilo y cuerpo, así como número de palabras). El redactor ha de ser consciente de que se juega mucho en los componentes de la titulación, al ser el titular el principal elemento identificativo del texto periodístico y por tener una gran importancia en la concepción global del periódico.

Si la función primaria del titular es identificar los textos que encabezan y, en muchas ocasiones, desempeñar una función apelativa para atraer el interés del lector, también es el lugar predilecto para las opiniones implícitas. El análisis de los titulares puede proporcionar, según Emilio Alarcos, "datos de interés acerca de los valores e ideologías de los periodistas y de los periódicos, y, especialmente, de la manera como los lectores entenderán, memorizarán y usarán la información de la noticia

---

68.   SÁEZ I CASAS, A. "Así se escribe El Periódico". En: VV. AA. *Comprometidos. El Periódico, 35 años de historia*. p. 22.

69.   MAYORAL SÁNCHEZ, J. *Redacción periodística. Medios, géneros y formatos*. Madrid: Síntesis, 2013, p. 49.

para la elaboración de su conocimiento y opiniones acerca de la realidad"[70].

Los titulares se componen de un antetítulo, título y subtítulo. Según la publicación y la importancia atribuida a la noticia, el titular reunirá el mayor número de componentes e incorporará otros, según maqueta, como el cintillo, epígrafe, ladillo, etcétera. El Libro de Estilo de *La Vanguardia* dice: "El titular de un artículo está compuesto por el título y, opcionalmente, por otros complementos titulares como el antetítulo, el subtítulo, el epígrafe, el cintillo, el destacado y el ladillo"[71]. En cambio, *El Periódico de Catalunya* habla de titulación distinguiendo elementos que deben tener sentido por sí mismo[72]. De este modo, es importante tener en cuenta que estos componentes no deberán tener entre sí una relación sintáctica y que todos deben redactarse de modo que puedan leerse por separado.

El título es la parte principal de un titular y nunca puede faltar. Es un elemento fácilmente identificable por imprimirse siempre en letras de mayor tamaño que el resto de la información. Existen diferentes tipos en relación con el texto que encabezan. Hay títulos informativos, propios de las noticias, que explican el sujeto de la acción, la acción misma y sus circunstancias, con el verbo en voz activa, y que aparecen publicados con unas características hemerográficas (en bandera y no centrados, o en redonda y no en cursiva) diferentes de otros tipos de títulos, como los temáticos, propios de géneros opinativos,

---

70. ALARCOS LLORACH, E. "Lenguaje de los titulares". En: LÁZARO CARRETER, F. (ed.). *Lenguaje en periodismo escrito*. Madrid: Fundación Juan March (Serie Universitaria), 1977, p. 139.

71. *La Vanguardia. Libro de redacción*. Barcelona: *La Vanguardia* Ediciones y Ariel, 2004, p. 58.

72. *Libro de estilo de El Periódico de Catalunya*. Barcelona: Ediciones B, 2003, p. 315.

que son los que enuncian el tema de la información, aunque permiten identificar la noticia, carecen de verbo y acostumbran a ser más cortos. También hay títulos expresivos, apelativos o de seducción, propios de géneros de interpretación, como la crónica o el reportaje, que acostumbran a ir con menos palabras y en un cuerpo mayor para lograr despertar el interés de los lectores.

En el caso de los géneros periodísticos típicos del área temática taurina, la crónica y la crítica, estas son las referencias que ofrecen los dos libros de estilo de los medios. Para *La Vanguardia*, el título se regirá a partir del siguiente criterio:

> Según cada género, seguirá unas pautas determinadas: en el caso de las noticias y crónicas, debe ser informativo, claro, directo y de fácil comprensión. [...] En las tribunas, análisis, críticas y opiniones en general, el título es valorativo [...]. En todos los casos, el título puede ir acompañado de complementos titulares, siempre según la maqueta del diario y los criterios informativos[73].

El Periódico de Catalunya hace referencia en su libro de estilo al titular en el género de la crónica, omitiendo el género de la crítica, tanto en sus normas fundamentales como en su glosario: "Los títulos de crónicas, reportajes, entrevistas y semblanzas acentúan el carácter imaginativo. En ese caso, los subtítulos han de ser informativos, y en ellos se ha de explicar claramente la noticia"[74].

El tipo de título escogido muchas veces viene condicionado por el modelo de diario. En este sentido, si se trata de prensa

---

73. *La Vanguardia. Libro de redacción. Op. cit.* p. 62.
74. *Libro de estilo de El Periódico de Catalunya. Op. cit.* p. 315.

informativa-interpretativa lo más habitual es el empleo de titulares informativos, directos, menos creativos y bien construidos sintácticamente; pero si el modelo es de diario popular o servicios, son titulares igual de rigurosos, pero no tan alejados de la manera de hablar de la gente, con más imaginación, expresividad y gancho.

Como elementos opcionales y complementarios que acompañan al título se emplean, principalmente, el antetítulo y el subtítulo. El antetítulo tiene la función de completar el título a partir de una serie de informaciones que sitúan el texto periodístico tanto en el espacio como en el tiempo. "Es un enunciado concreto que proporciona al lector las coordenadas de situación de una información específica que no tiene continuidad"[75], dice el *Libro de Estilo de El Periódico de Catalunya*. Para el diario del grupo Godó: "Cumple la función de enmarcar la información del título que se lee seguidamente"[76].

La insistencia en destacar el concepto de antetítulo en los dos medios es por el uso que hacen de él para clasificar el tema de los toros, claramente demostrado en *La Vanguardia* y *El Periódico de Catalunya*. La clara voluntad de centrar la materia y tratar la información cuando en una misma página hay varias temáticas diversas, es lo que hace que, por lo general, los dos diarios presenten las unidades periodísticas sirviéndose del uso de otro elemento de titulación: el epígrafe. En este sentido, el periódico de Godó encabeza los artículos de opinión en páginas de información bajo este pequeño titular no noticioso, que sirve para encuadrar textos por temas, y que para el caso de la información taurina se recoge como "CRÍTICAS":

---

75. *Ibid.* p. 66.
76. *La Vanguardia. Libro de redacción. Op. cit.* p. 62.

El epígrafe es la palabra o grupo de palabras que precede al título o entradilla. Puede ser un sintagma, pero no una oración. En informaciones de Sociedad, por ejemplo, se usan epígrafes de una sola palabra que hacen alusión al tema genérico de la noticia: CIUDADANOS, CONSUMO, SANIDAD, SUCESOS... En las páginas de Vivir, los epígrafes pueden datar la información: REUS, BALAGUER, TOSSA DE MAR... o señalar la comarca: CONCA DE BARBERÀ, NOGUERA...[77].

El subtítulo, elemento que sigue al título, tiene como objetivo apuntar datos relevantes de la noticia que adelanta el título o bien aclarar un título expresivo o apelativo. Este subtítulo es frecuente en las páginas de *El Periódico de Catalunya*, donde por el empleo reiterado de títulos de los géneros interpretativos que publica, por representar el tipo de modelo de diario que es, debe ser "informativo y explicar claramente la noticia"[78], como explica su libro de estilo.

Hay otros elementos complementarios, aparte del epígrafe, que también merece destacarse, por ejemplo el cintillo y la cartela. El cintillo es un tipo de título en lo alto de la página y se emplea para englobar y dar coherencia a una serie de informaciones sobre un mismo asunto. Unifica la mirada del lector extendiéndose en otras páginas de un diario que traten un mismo tema y permite dar continuidad a las grandes referencias informativas en ediciones distintas. Puede estar formado por una primera parte común y por una segunda parte que irá variando en función del contenido de cada página de la misma información. La cartela es un pequeño titular no noticioso, similar al

---

77.   *Ibid.* p. 62.
78.   *Libro de estilo de El Periódico de Catalunya..* *Op. cit.* p. 315.

epígrafe, pero se diferencia porque va dentro de un recuadro, que puede llevar un fondo de color.

2.1.4. El periodista especializado y sus principales fuentes

En el mundo de los toros, como en cualquier otra especialidad, la información requiere de conocimientos técnicos que el periodista generalista de un diario raras veces posee o que, en cualquier caso, no tiene en todos los ámbitos. Ante esta situación, el recurso a las fuentes especializadas que hace el medio de comunicación es necesario para llegar a entender el fondo de las informaciones y hacerlas comprensibles a los lectores.

Para ello, es necesaria la especialización del emisor, el experto que gracias a sus conocimientos y aptitudes cuenta las cosas con profundidad. Este autor especializado se convierte en un elemento trascendental en el proceso comunicativo del tema a abordar. Es un profundo conocedor de la parcela que escribe, trabaja rigurosamente con fuentes especializadas y actúa como un *gatekaper* de la información, hasta el punto de que llega a ser, incluso, su propia fuente informativa[79]. Todo ello lo debe realizar con un gran sentido periodístico para que sea leído y entendido por la audiencia a quien se dirige.

Las fuentes informativas que vayan a ser utilizadas son imprescindibles para contextualizar, explicar, interpretar y valorar las informaciones. Para Serafín Chimeno, las fuentes "son materiales consultados por un autor al objeto de documentar-

---

79. ESTEVE RAMÍREZ, F.: "Fuentes expertas". En: CAMACHO MARKINA, I. (coord.). *La especialización en el periodismo. Formarse para informar.* Sevilla: Comunicación Social, 2010, p. 19.

se y servirse de los contenidos obtenidos en las mismas, para la configuración de unidades redaccionales"[80]. El periodista localiza las fuentes y hace uso de ellas teniendo en cuenta que su identificación confiere al relato noticioso fiabilidad y credibilidad.

En el caso de la información taurina, es evidente que el experto, no siempre un periodista especializado, se convierte en fuente generadora de información por ser testigo directo del acontecimiento (corrida de toros) y por las aptitudes que reúne e interés por la actividad taurina. Su compromiso con los sujetos receptores es una labor de divulgación y difusión de la fiesta de los toros, demostrando una sólida formación taurina que le posibilite la comprensión de la tauromaquia, un espíritu crítico que le ayude a la interpretación y análisis, independencia, libertad de juicio y rigor valorativo (sin dejarse llevar por filias o fobias), dominio del vocabulario, curiosidad y una buena dosis de observación. Busca que el lector entienda el qué, el cómo y el porqué de la noticia, y le ayuda a formarse su propia opinión de los hechos. En la comprensibilidad de su mensaje se encuentra el gran problema del género: al tratarse de una audiencia selectiva, ya que los receptores de esta área de especialización suelen ser conocedores de los contenidos, su mensaje requiere un especial tratamiento de codificación que posibilite la necesaria comprensión de los receptores, por lo que reduce y delimita la audiencia.

Este experto confía en sus conocimientos y archivo personal, y acostumbra a escribir sus textos no mencionando las

---

80. CHIMENO RABANILLO, S. "Las fuentes en el proceso de la información periodística especializada". En: ESTEVE RAMÍREZ, F. (coord.): *Estudios sobre información periodística especializada*. Valencia: Fundación Universitaria San Pablo CEU, pp. 43-60.

fuentes, sin menoscabo de afectar el rigor informativo y su honestidad intelectual, sin perder credibilidad alguna. Eso no le priva que para escribir una crónica taurina deba de conocer previamente la corrida de toros que ha de juzgar para disponer de todos los elementos de juicio respecto al desarrollo de la misma. Es imprescindible asistir al acontecimiento y también resulta de interés recabar la opinión de los protagonistas de la lidia.

Entre las diversas fuentes que puede utilizar el cronista taurino para escribir sobre una corrida encontramos, principalmente, su propio archivo y las fuentes que dependen de entidades, organismos, empresas, ganaderías o personas individuales. Pero por la ampliación del radio de acción de la información taurina, al abarcar otros aspectos de la realidad social como puede ser el económico, político o social, el buen dominio de otras fuentes se convierte en imprescindible para la labor intelectual del autor. En este caso, la diversidad de estas fuentes hace que el profesional especializado recurra a ellas ejerciendo un criterio selectivo y procurando una dosificación adecuada en su medio de comunicación.

La mayoría de las veces que el tratamiento informativo que decide privilegiar el periódico no es la noticia de la corrida de toros, el experto taurino es desplazado en el tema por un redactor de la sección que, sin un conocimiento profundo en el género, se ocupa de construir la información. Este redactor generalista —periodista—, recurre a diversos tipos de fuentes y utiliza la atribución directa dando a conocer la información. Por tanto, recoge y transmite los datos, los testimonios y las opiniones sin ánimo intencional, los atribuye a través de citas directas o indirectas, no toma partido en el relato informativo y actúa como un simple canal para la difusión de los hechos y de los juicios que tienen un interés colectivo. El resultado final es un texto elaborado con eficacia, veraz y que a través de las citas legitima al medio. Como dice Héctor Borrat, partiendo de la disponibilidad y atribución de fuentes, "cuanto mayor sea la cantidad, la calidad y la diversidad de las informaciones que comunica y de las fuentes que cita, tanto mayor será su credibilidad y, por lo tanto, su influencia"[81].

De las muchas clasificaciones que se pueden hacer para las fuentes informativas que utilizan los periodistas, la más esencial sería la que distingue las fuentes documentales o escritas (registros, archivos, documentos públicos, bancos de datos etc.), y las fuentes personales (protagonistas directos o indirectos de los acontecimientos, públicos o privados, que tienen acceso a determinadas informaciones que desea el periodista.). Tampoco se puede excluir para las agendas de los medios de comunicación otra clasificación basada en la procedencia de la fuente: institucionales, empresariales, organizaciones sociales, gabinetes de comunicación, espontáneas (testigos de sucesos), ruedas de prensa, agencias e Internet.

La propuesta de Francisco Esteve Ramírez y Javier Fernández del Moral[82] es de dos tipos: fuentes oficiales (organismos e instituciones de titularidad pública) y fuentes privadas (particulares o instituciones). Montserrat Quesada[83] señala fuentes documentales o escritas (archivos, libros, textos de libre consulta, documentación varia, bancos de datos) y fuentes orales (oficiales y extraoficiales u oficiosas). Y Giovanni Cesareo[84],

---

81. BORRAT, H. *El Periódico, actor político*. Barcelona: Gustavo Gili, 1989, p. 54.

82. ESTEVE RAMÍREZ, F., y FERNÁNDEZ DEL MORAL, J. *Áreas de Especialización Periodística*. pp. 66 y 67.

83. *Cf.* QUESADA PÉREZ, M. *La investigación periodística. El caso español*. Barcelona: Ariel, 1987, pp. 97 y 98.

84. *Cf.* CESAREO, G. *Es noticia*. Barcelona: Mitre, 1986, pp. 69-77.

fuentes primarias (protagonistas y testigos), centros de carácter documental, fuentes definidas (agencias, empresas, etc.), fuentes institucionales, fuentes activas (fuentes estables centrales y fuentes estables territoriales), y fuentes pasivas (fuentes estables territoriales y fuentes de base o eventuales).

2.2. La lectura de las informaciones en los periódicos

Uno de los rasgos característicos de la prensa española es que no todos los periódicos son iguales. Es decir, que en la prensa diaria se observa una serie de modelos de prensa escrita diferentes en cuanto a contenidos, presentación formal, tamaño y número de páginas.

2.2.1. El modelo de periódico

La oferta informativa parte del criterio y tratamiento que el diario establezca para la producción de su contenido. Las unidades periodísticas en un periódico deben distribuirse en un espacio de una sección o de una página. Este procedimiento, que en prensa se denomina paginación, jerarquiza las informaciones que han sido aceptadas, previamente, por la mesa de redacción. "Cuando se ha procedido a seleccionar-incluir-excluir y jerarquizar el material, es obligado establecer prioridades para que cada noticia tenga su espacio"[85].

Las secciones en un periódico son grandes o pequeñas áreas

---

85. LÓPEZ LÓPEZ, M. *Cómo se fabrican las noticias. Fuentes, selección y planificación*. Barcelona: Paidós, 1995, p. 124.

temáticas para ordenar la realidad y presentar de manera accesible la información. Son esos espacios que José Martínez de Sousa considera "cada una de las divisiones de una publicación periódica donde se agrupan informaciones o temas de un mismo género"[86]. La tradicional asignación de las grandes secciones de internacional, política nacional, local, economía, sociedad, cultura, deportes y espectáculos, se han mantenido para algunas y se han micronizado para otras en la búsqueda de un tratamiento informativo más específico y profundo. El objetivo del periódico con su estrategia por secciones es cumplir actualmente con las cuatro funciones esenciales en la prensa: informar, interpretar, servir y entretener.

Esta decisión de estructurar organizativamente el diario a partir de un mayor número de bloques informativos, con el objetivo de dar respuesta a las cuatro funciones anteriores, está relacionada con la aparición a principio de los años ochenta del siglo pasado del modelo de diario de servicios frente al modelo informativo de interpretación u opinión[87] que se venía publicando en España. La aparición del modelo de servicios[88] ha provocado que muchos medios de comunicación hayan dina-

---

86. MARTÍNEZ DE SOUSA, J. *Diccionario general del periodismo*. Madrid: Paraninfo, 1981, p. 468.

87. En el modelo informativo-interpretativo existe una relación directa entre la importancia que el periódico otorga a una noticia y su situación en la página. Son diarios que huyen de recursos llamativos y de grandes titulares. Además, marcan una clara distinción entre los géneros periodísticos, sobre todo la información de la opinión. En: ARMENTIA VIZUETE, J. I., y CAMINOS MARCET, J. Mª. *Op. cit.* p.153.

88. Originario de Estados Unidos, impulsado por el diario *US Today*, el periodismo de servicios se caracteriza por un tipo de información que seduce por su diseño, por la pedagogía de las imágenes y por las informaciones útiles que buscan el bienestar del consumidor.

mitado grandes bloques informativos —o subáreas de especialización— para obtener una mayor planificación informativa. El resultado ha sido plantear propuestas formales más fragmentadas para atraer la atención de los lectores y responder con inmediatez a los intereses de lo que se ha dado en llamar la "sociedad del bienestar".

Muchos y muy variados han sido los elementos que han confluido para la implantación de este nuevo modelo de diario. Los cambios sociales que se han producido en los últimos años en la dirección de consolidar lo que se ha conocido con el nombre de sociedad del bienestar y el consiguiente desarrollo de la cultura del ocio; el estancamiento de los índices de lectura de prensa escrita; los importantísimos cambios tecnológicos aplicados también, cómo no, a la producción periodística; los cambios en el interés temático operado por los lectores; la influencia del mundo audiovisual en las nuevas audiencias que se van incorporando a la lectura de prensa escrita, etc., son todos ellos elementos que subyacen en las nuevas estrategias que va adoptando la prensa escrita desde hace ya más de dos décadas[89].

La prensa de servicios, también denominada de masas o popular, modelo practicado por *El Periódico de Catalunya*, se dirige a la sociedad en general, poco exigente y que busca en los medios de expresión escritos un divertimento informativo[90].

---

89.   ALBERDI EZPELETA, A.; ARMENTIA VIZUETE, J. I., CAMINOS MARCET, J. Mª, y MARÍN MURILLO, F. "La remodelación de *El Periódico de Catalunya*: hacia el modelo de prensa de servicios". *Ámbitos. Revista de Estudios de Ciencias Sociales y Humanidades*, nº 9-10. Sevilla: Universidad de Sevilla, 2003, p. 279.

90.   LÓPEZ LÓPEZ, M. *Op. cit.* p. 24.

Son diarios esforzadamente trabajados en su diseño, vistosos, con temáticas de interés humano, del día a día de la vida personal de los receptores, muy ligadas a las preocupaciones e inquietudes cotidianas de la gente. Sus editores huyen de convencionalismos y recurren para contar las informaciones a un lenguaje coloquial en textos poco extensos, al uso y abuso de elementos iconográficos, a una gran variedad de titulares y a un equilibrio entre superficies impresas y las que no lo son. La paginación de los contenidos se presenta a partir de un núcleo fuerte basado en las secciones de Sociedad, Espectáculos y Deportes, que en el caso de *El Periódico de Catalunya* se denomina para los asuntos sociales las Cosas de la Vida, con temas como la inmigración, el medio ambiente o la salud, y donde llegó a ubicarse la cultura y la comunicación. Política y Economía tienen presencia, pero quedan relegadas, no en la distribución paginal del diario, sino en número de páginas o importancia en la portada.

La prensa informativa de interpretación u opinión, que también se ha identificado en una tipificación más global como prensa escrita de prestigio, referencia o de élite, se caracteriza por el dominio del texto sobre la forma. Modelo propio de *La Vanguardia*, su punto fuerte está en una definida radiografía temática para fortalecer un *target* de audiencia y focalizar sus señas de identidad. Esta ordenación racional y sistematizada se caracteriza por dos grandes aspectos: una presentación gráfica poco ambiciosa, con un lenguaje periodístico muy cuidado y nada vulgar, sin abusar de los grandes titulares ni recrearse en el diseño de la página impresa; y por un núcleo fuerte temático convencional (Internacional, Nacional, Economía, Sociedad, Cultura y Opinión) y secciones sin tanta importancia, pero con presencia para responder a un perfil algo menos exclusivo (Espectáculos, Deportes, Televisión, Gente o Motor). El objetivo de este enfoque informativo es ofrecer una imagen de homogeneidad íntegra y unas secciones con estructura sólida de fuerte continuidad[91].

Tanto en la prensa popular, caso de *El Periódico de Catalunya*, como en la de prestigio, caso de *La Vanguardia*, en su modelo de diario informativo-interpretativo, prevalece en la ordenación temática un esquema lógico y concienzudo. La estrategia parte de un criterio informativo jerárquico y se observa con mucha facilidad en la forma la importancia que el periódico le da a las informaciones, respetando siempre una proporción entre columnas, fotos, titulares y cuerpo del texto. La principal diferencia entre estos dos modelos, además de la multiplicación de contenidos y secciones, es que en la prensa de servicios se produce un impacto visual mayor que en el diario informativo-interpretativo al preocuparse de optimizar todos los recursos tecnológicos disponibles para fortalecer el alcance de la noticia y la rapidez de lectura. Este distanciamiento se ha reducido en ambos modelos al existir desde los años noventa una evolución hacia el cambio formal de los diarios tradicionales, una hibridación que ha hecho que *La Vanguardia* haya virado hacia unos esquemas informativos que abogan por un diseño que facilite la lectura y que haga equilibrar el fondo con el contenido y acerque a los lectores informaciones locales y más cotidianas, como lo demuestra la sección Vivir, con formato de suplemento diario, de cuyas 16 páginas corresponden cinco a servicios y once a unidades periodísticas

---

91.   LEÓN GROS, T. "Radiografía de los grandes diarios", *Tendencias 06. Medios de Comunicación.*, Madrid: Ariel y Colección Fundación Telefónica,   2006.   www.infoamerica.org/TENDENCIAS/tendencias/tendencias06/pdfs/11.pdf [consulta: 2 de mayo de 2013].

que remiten a espectáculos, comunicación, gente, inquietudes sociales, etcétera.

Esta tendencia hacia nuevos enfoques informativos, las formas de expresión de la prensa de servicio (color, infografía[92], titulares grandes...), la facilidad de comprensión y las estrategias comerciales, con contenidos más populares, se ha generalizado en numerosas empresas periodísticas y redacciones como buen uso de la presentación e información que debe tener un medio escrito. Además, ha supuesto un aumento de la oferta complementaria de suplementos semanales o de mayor periodicidad de un tipo de información que había sido desconocido (medio ambiente, sanidad, digital...).

2.2.2. Jerarquización y ubicación de las informaciones: las secciones

El medio impreso impone en cualquiera de los dos modelos de periódicos un ordenamiento temático que llega a constituirse en un elemento importante de su fisionomía. Cuando ha decidido qué informaciones se incorporan al sumario del diario, entonces se distribuyen por las páginas por orden de importancia según criterio del jefe de sección y se presentan con el objetivo de ayudar al lector a percibir de una manera sencilla los aspectos fundamentales de cada tema. Según Galdón, "parece lógico pensar que la selección y el tratamientode la información no

---

92. La infografía es la expresión gráfica de una información y está considerada como un género exclusivo de los medios de comunicación. Se utiliza masivamente desde la aparición de programas de diseño gráfico por ordenador y se basa en la combinación de elementos verbales e icónicos para mejorar la comprensión de las informaciones.

pueda realizarse de cualquier forma, sino dependiendo de criterios y pautas que vienen marcados por la finalidad informativa"[93].

Con toda la información que compone la página, habiendo escogido tipografías, colores e imágenes, se vuelca en su interior y se sigue un criterio jerárquico, colocando la información de arriba hacia abajo por orden de importancia. La jerarquización y valoración de las unidades periodísticas se realiza a través de diferentes procedimientos en la prensa impresa: espacio que ocupa, número de columnas, cuerpo tipográfico del titular, ubicación dentro de la sección y posición en el reparto de contenidos dentro de la página. Cuanto más al principio esté situada una noticia, más trascendencia le está concediendo el periódico a esa información. Lo mismo en cuanto al emplazamiento en la página, pues está estudiado y demostrado que adónde psicológicamente se dirige la mirada del lector al abrir una publicación y pasar la página de la misma es a la derecha y, más concretamente, al ángulo superior derecho. Así, siguiendo las zonas de prioridad de lectura (triángulo de Haas[94]) se puede establecer la importancia de su colocación de la siguiente manera: en la página par (izquierda) tiene menor alcance y valoración que en la impar (derecha), donde acostumbra a ir la primera mirada del lector al abrir una doble página; y situación parecida si en su interior se ha decido colocar la información en la parte superior derecha de las páginas impares y superior izquierdo de las pares. Todo lo que sea en las caras inferiores internas de las páginas adquieren escasa relevancia.

Para facilitar la jerarquización, también existe una serie de

---

93.   GALDÓN LÓPEZ, G. *Op. cit.* p. 150.

94.   El triángulo de Haas demuestra cómo en páginas enfrentadas la lectura prima las páginas impares sobre las pares, así como las zonas de salida de página sobre las zonas de las caras internas. En: BERROCAL GONZALO, S., y RODRÍGUEZ-MARIBONA DÁVILA, C. *Op. cit.* p. 75.

recursos dentro de la arquitectura de la página para considerar que una información es más o menos relevante: el número de columnas, la incorporación de fotografías, infografías o gráficos y el uso de determinados cuerpos de letra en los titulares, principalmente.

La ubicación de las informaciones en los diferentes espacios que los medios deciden contribuye a mostrar la jerarquización que la prensa da mayoritariamente a cada uno de los temas. La división temática que hacen los diarios tiene por objetivo ofrecer al lector la información sobre temas concretos de una forma ordenada que facilite su búsqueda y lectura. La continuidad en este ordenamiento[95], dentro de una lógica en los contenidos, es vital para ganar en equilibrio, interés y fidelización.

De este modo, la identidad del periódico es la que impone los criterios de selección, tratamiento y ubicación de las informaciones. Son muchas las variables que pueden converger en una misma información y que hacen que cada periódico aplique un criterio diferente para ubicarla, sin que pueda imponerse una regla por encima de otra. Sancho[96] señala que en los criterios de ubicación que aplican los periódicos prevalecen la naturaleza del contenido informativo y la repercusión o el origen local del contenido.

Los periódicos organizan, ordenan y nombran las secciones según sus propios criterios. Sus secciones más habituales son Internacional, Nacional, Local, Economía, Sociedad, Cultura, Opinión, Deportes y Radio y Televisión, aunque la aparición de la prensa de servicios o la línea editorial populista de algunos

---

95.   Cuando se habla de lógica se entiende que no pueden darse brincos en la información, como por ejemplo pasar de Internacional a Espectáculos o de Opinión a Deportes.

96.   SANCHO CRESPO, F. *Op. cit.* p. 174.

diarios hizo que se empezase a recurrir por unos nombres de secciones más sugestivos, pero tratados siempre con la misma dignidad y trascendencia que cualquier acontecimiento político nacional o internacional. Todas estas secciones están dotadas de un diseño particular de acuerdo con sus contenidos y la personalidad del lector, diseño que es compatible con la estructura global del diario y que no implica en absoluto que una sección pueda ir por libre. Esta coherencia, que debe prevalecer cada día, hace que las informaciones al publicarlas queden contextualizadas en secciones, obligando a clasificar los hechos dentro de unos marcos globales que no siempre resultan fáciles, pues al incluirse una unidad periodística en una sección determinada puede limitar su alcance y su relación con otros contenidos.

Las secciones dependen de un redactor jefe, o director de área, que es el responsable de organizar la sección para su buen funcionamiento y es el que auxilia al director en la elaboración del diario. Los jefes de sección son los que distribuyen el trabajo diario y asignan los temas a cada periodista. Ellos sopesarán la importancia de las informaciones para determinar el tratamiento que tendrán y el lugar que ocuparán dentro de la sección. Un editor gráfico o jefe de información gráfica acompañará estas labores para convertir la unidad periodística en un elemento informativo visual.

Dentro de cada sección de un periódico caben muchas subsecciones o áreas temáticas, son contenidos con identidad propia y que confirman que las posibilidades de especialización en el periodismo son ilimitadas. El tema taurino es un ejemplo, sin la relevancia suficiente en muchos medios para constituirse como sección como tal, pues por las propias características del género casi siempre ha sido considerado un texto secundario dentro de la jerarquía informativa de la prensa escrita.

También los diarios publican monográficos especiales sobre

un tema concreto de actualidad y cuadernillos sobre un área temática. El objetivo es ofrecer un tratamiento diferenciado un día determinado de la semana que tiene un mayor interés para el lector, caso de Espectáculos en los fines de semana o Deportes cada lunes. Estas páginas especiales suelen colocarse en el centro del diario y llevan una paginación independiente del resto de contenidos. Además de tratar un tema que se considera de cierto interés para los lectores, los suplementos especiales suelen obedecer a intereses comerciales, pues suponen un soporte de gran valor estratégico para la inserción de publicidad especializada.

Como decimos, la mayoría de los diarios publican las informaciones taurinas como una subsección de las secciones de Espectáculos y Cultura. La excepción es cuando desaparece de algunas de estas dos grandes secciones para encuadrarse bajo cualquier otra, como cuando se ubica en el apartado Local, al referirse el acontecimiento taurino a una fiesta tradicional de la localidad donde se edita el periódico; o cuando aparece en Sociedad, al incluir temas que afectan o interesan a los ciudadanos. Tampoco extraña que adquiera rango de sección en muchos periódicos, por ejemplo en *El País*, *La Razón* o *ABC*, empleándose en numerosas ocasiones los términos Toros, Fiesta Nacional o la propia fiesta local (San Isidro, Las Fallas, Sanfermines, Feria de Abril...), que en su ordenación jerarquizada de temas agrupa la información taurina como un área específica, con un mismo lugar en la paginación del diario, pero por la temporalidad de los festejos taurinos hace que no tenga la frecuencia de aparición que exige cualquier sección para constituirse en uno de los núcleos fuertes del medio de comunicación.

Estas secciones están dotadas del diseño particular que el medio atribuye a sus páginas, a partir de elementos gráficos, recursos tipográficos u otras fórmulas que se quieran emplear. El objetivo es crear un buen efecto óptico sobre las informaciones publicadas para que el lector identifique el tema de forma rápida y comprenda en pocos segundos los aspectos esenciales de la información. O sea, que no solo complemente la noticia, sino que la traduzca en imágenes y exponga de una manera muy clara y directa aquello que sería muy complejo de decir solo con palabras. Se trata de determinar la importancia que el texto periodístico va a tener en el discurso informativo y en la perspectiva del diseño del periódico. Empezando desde la portadilla, que es como se denomina a la primera página de la sección, donde se acostumbra a avanzar las informaciones más importantes del día en una ventana o rataplán superior, además del tema principal, que tiene un tratamiento más diáfano. Después, a lo largo de estas páginas temáticas, los responsables de la redacción distribuyen las unidades periodísticas en orden de importancia por muy diferentes motivos, salvo que el diario tenga establecido unos subtemas que siempre están ubicados en el mismo número de página de dicha sección.

2.2.3. La fotografía: información y complemento para la estética

Aunque ya se ha destacado la relevancia que tiene la estética de la información, es necesario detenerse brevemente en los aspectos gráficos de las unidades periodísticas. En el caso de las informaciones taurinas no se reducen únicamente a la fotografía, pues dibujos, en otros tiempos, e infografías, gracias a las nuevas tecnologías, también cuentan mucho en las mesas de redacción. Nosotros nos centraremos en la fotografía, por ser el elemento gráfico más usado para nuestro periodo de estudio y por constituir un elemento fundamental en la información publicada, ya que tiene como objetivos la fuerza que le da en el texto al poder de la palabra y la jerarquía visual que otorga a la noticia dentro de la estética del periódico.

La importancia de la fotografía periodística es tan importante que está presente casi en todas las facetas de nuestra vida. Nuestra memoria retiene fotos agradables y desalentadoras, pero que forman parte de nuestro ser y de la realidad. Y es esa presencia en todo lo humano la que ha hecho de la fotografía un arte[97].

La fotografía aparece en la prensa como complemento visual de la información escrita y en el referente icónico e índice de realidades percibidas, registradas y testimoniadas por el fotógrafo. Para el doctor y profesor Félix del Valle Gastaminza, la fotografía no debe ser tan solo un elemento estético o un simple recurso para romper la monotonía de la página, sino que debe formar parte de la configuración general del periódico y debe ser un aspecto más de la información, constituyéndose en información por sí misma[98]. También en esta línea insiste Mayoral: "El texto no se puede concebir en muchas ocasiones con independencia de las imágenes. Y viceversa. Las imágenes conviven con los textos. Si se ignoran lo lingüístico y lo icónico, el conjunto resultará mucho más pobre y menos significativo"[99].

97. DE QUINTANA GARCÍA, A. "La fotografía periodística: un arte a subasta". *ASRI - Arte y Sociedad. Revista de Investigación*. n° 1. Málaga: Grupo Eumednet de la Universidad de Málaga, 2012. http://asri.eumed.net/1/aqg.html [consulta: 27 de marzo de 2013].

98. DEL VALLE GASTAMINZA, F. "El análisis documental de la fotografía". *Cuaderno de Documentación Multimedia*, vol. 2. Madrid: Universidad Complutense de Madrid, 1993. http://multidoc.ucm.es/CDM/Documentos%20compartidos/El_Analisis_Documental_de_la_Fotografia.pdf [consulta: 27 de marzo de 2013].

99. MAYORAL SÁNCHEZ, J. *Op. cit.* pp. 77 y 78.

Si bien la imagen es el medio que asimila el mensaje con mayor rapidez y sintetiza el contenido de una información periodística con gran autenticidad y poder de convicción, esta credibilidad icónica está expuesta a la subjetividad del momento que se toma la fotografía (encuadre, angulación, perspectiva, enfoque, etc.), y a la selección que hace el periódico. Según Berrocal y Rodríguez-Maribona la selección es fundamental por el número de fotografías que llegan a la mesa de redacción. Para ellos, se hace necesario que para su publicación responda a los siguientes criterios: "Valor informativo de la imagen, su calidad estética, el estilo y la intención del propio periódico y, fundamentalmente, la exclusividad"[100].

Un tratamiento adecuado en la página del diario también cuenta mucho para hacer más atractivo e inteligible el mensaje del texto. Hay que pensar que el lector fijará así mejor sus ojos y podrá tener en ese momento una comprensión adecuada de la información que acompaña a la imagen. Así, mantendrá la información tratada en la memoria y podrá construirse una percepción global del tema.

En el caso de los toros, todo esto es de suma importancia. La intención de quien escoge la fotografía puede crear un proceso comunicativo sobre la fiesta taurina que, según la idea que exprese (sangre, arte, afición, etc.), se convierte en un elemento de gran importancia para su percepción. El mérito estriba en estar en el momento oportuno y saber el instante que se debe disparar. No obstante, su interpretación dependerá de la esfera cultural del intérprete y del poder evocador de las relaciones de sentido que, subjetivamente, encuentre.

---

100.   BERROCAL GONZALO, S., y RODRÍGUEZ-MARIBONA DÁVILA, C. *Op. cit.* p. 122.

3. El tema taurino como área especializada

Para juzgar el tratamiento informativo de la temporada taurina barcelonesa en *La Vanguardia* y *El Periódico de Catalunya* durante los años 2004-2010 hay que partir inicialmente de cuáles son las características básicas de la información periodística taurino. Es fundamental describir los conocimientos generales y las habilidades precisas de esta área temática para observar si cumple con los requisitos genéricos propios de su especialización. Asimismo, servirá para comprobar si los medios de comunicación catalanes ejercieron la información taurina como periodismo especializado.

3.1. Aproximación a la información taurina como especialidad periodística

Curiosamente, la información taurina, una de las especialidades periodísticas más antiguas de todas las que se publican en la prensa española en la actualidad, no logró hasta el año 2005 el reconocimiento de especialización periodística por el Instituto de Estudios de la Comunicación Especializada

(IECE)[101]. Impulsada por la importancia, afianzamiento y perspectivas que ofrecía el periodismo especializado en España, ya no solo como una demanda de las audiencias, sino como una necesidad de los medios de comunicación, la información taurina fue considerada por el IECE como una modalidad periodística equiparable a la información deportiva, económica, social o política, por ejemplo.

3.1.1. Fundamentos de la especialización periodística

El asentamiento de una nueva forma de hacer periodismo en la prensa española emergió en la segunda mitad del siglo pasado. La información taurina, como otras muchas, a pesar de que su desarrollo fue propio del siglo XX, y que ya tomó consistencia en el último tercio del siglo XIX, se encontró en la prensa diaria una estrategia periodística diseñada para profundizar en su tratamiento y responder a los intereses y expectativas de las audiencias. El objetivo principal de divulgación de las informaciones halló una explicación plausible en la respuesta dada por los medios a la creciente complejidad y especificidad que provocaba la saturación informativa con la irrupción de las nuevas tecnologías. Se hizo obligado reorientar la

---

101.   El Instituto de Estudios de Comunicación Especializada (IECE) fue creado en el año 1990 y está compuesto por un equipo de profesores universitarios de las Facultades de Ciencias de la Información/Comunicación de las universidades públicas y privadas españolas. Tiene como principales objetivos potenciar el estudio y la investigación de las diversas áreas de la especialización periodística, intercambiar experiencias docentes y editar publicaciones de periodismo especializado. *Instituto de Estudios de Comunicación Especializada (IECE)*, www.iece.es [consulta: 4 de octubre de 2012].

labor periodística hacia la consecución de una cobertura de calidad en el tratamiento de la información, reflejada progresivamente en una cada vez mayor especialización metodológica, haciendo que los tradicionales medios de comunicación cumpliesen la función de ser instrumentos integradores del conocimiento, capaces de reflejar con fidelidad la información para su comprensión, desarrollo y mantenimiento. Si a todo esto le añadimos que en las Facultades de Comunicación el periodismo especializado es una asignatura troncal dentro de los planes de estudio desde 1991 (Real Decreto 1.428/1991), podemos afirmar, de acuerdo con diversos investigadores, que nos hallamos ante la "era del periodismo especializado".

Partimos de la base de que la especialización periodística es uno de los fenómenos más significativos del periodismo actual. La abundancia y complejidad de flujos informativos que reciben constantemente los usuarios requieren una estructura encargada de establecer una ordenación para darle una mayor profundidad en la información e interpretación de los acontecimientos. Los medios de comunicación son conscientes de estas necesidades y de las posibilidades que ofrecen las nuevas tecnologías para dar una eficaz respuesta a los distintos contenidos informativos.

A la hora de determinar qué se entiende actualmente por periodismo especializado, hay bastante disparidad a la hora de acordar una definición, unos conceptos, unas categorías y unos modelos. Esteve Ramírez y Fernández del Moral sostienen que el periodismo especializado nace para profundizar en los tratamientos informativos de los diferentes contenidos especializados, afirman:

El Periodismo especializado es aquella estructura informativa que penetra y analiza la realidad de una determinada área de la actualidad a través de distintas especialidades del saber; profundiza en sus motivaciones; la coloca en un contexto amplio, que ofrezca una visión global al destinatario, y elabora un mensaje periodístico que acomode el código al nivel propio de la audiencia, atendiendo a sus intereses y necesidades[102].

En 1974, Pedro Orive y Concha Fagoaga ya se referían al periodismo especializado como "una estructura que analiza la realidad proporcionando una interpretación lo más acabada posible de la realidad. Adaptando, además, el lenguaje".[103] Estas primeras aportaciones a la disciplina también encontraron continuidad en Mª Rosa Berganza:

> El Periodismo Especializado es aquella práctica que los profesionales de la información ejercen sobre un área del saber en la que son expertos que exige la puesta en práctica de unos métodos de trabajo que persiguen eliminar la dependencia de las fuentes oficiales de información y que se caracteriza por analizar, explicar e interpretar procesos con rigurosidad utilizando para ello el nivel de lenguaje adaptado a las necesidades del público receptor[104].

Sin dejar de asumir los aciertos definitorios de estos autores, hay que reconocer que la formación universitaria, la profesio-

---

102. ESTEVE RAMÍREZ, F., y FERNÁNDEZ DEL MORAL J. *Fundamentos de la información periodística especializada.* Madrid: Síntesis, 1996, p. 98.

103. ORIVE RIVA, P., y FAGOAGA DE BARTOLOMÉ, C. *La especialización en el periodismo.* Madrid: Dossat, 1974, p. 69.

104. BERGANZA CONDE, Mª R. *Periodismo Especializado.* Madrid: Editorial Urmelia Textos, 2005, p. 54.

nalización del periodista y la investigación teórica y empírica han permitido que la disciplina haya avanzado y se haya asentado como una oferta formativa en el marco de las directrices generales propias del Periodismo y en títulos propios. Leopoldo Seijas[105] reconoce que el periodismo especializado, como área consolidada del conocimiento científico, dirige sus objetivos hacia el conjunto de saberes metodológicos que permiten la adecuada capacitación de los estudiantes como futuros periodistas. Para materializar esta información especializada debe tenerse en consideración las fuentes como medios fundamentales para obtener y valorar las informaciones, la actuación del profesional, el lenguaje y los canales de difusión de los contenidos del periodismo especializado. Por este motivo, es necesario profundos conocimientos en la materia y una aguda capacidad de discernimiento en la información para no verse el profesional convertido en un objeto manipulado.

3.1.2. La tauromaquia como área de especialización

Aunque la saturación actual de la información, la escasa profundización de los temas y las nuevas tecnologías han acelerado el proceso de especialización en el Periodismo[106], para hablar de la información taurina como área periodística especializada no hace falta acudir a los textos actuales que aparecen publicados en la prensa para descubrirse ante una nueva especializa-

---

105.   SEIJAS CANDELAS, L. *Estructura y fundamentos del periodismo especializado*. Madrid: Universitas, 2003.

106.   QUESADA PÉREZ, M. *Periodismo Especializado*. Barcelona: Line Gràfic, 1998.

ción. La comunicación en el mundo de los toros es casi tan antigua como la lidia misma. A lo largo de la historia, desde los orígenes de las corridas de toros, escritores nunca han faltado para redactar páginas taurinas, textos que han ido evolucionando en su discurso según las épocas y también los medios de comunicación (periódicos, revistas, radios, cine, televisiones e Internet), provocando que el propio género informativo se adaptase a los gustos de los lectores y expectativas del medio (crónicas, reseñas, noticias, reportajes, retransmisiones, tertulias, etc.)[107].

Ya desde sus orígenes, la historia del periodismo taurino, con sus características y su lenguaje específico, ha dado unas señales de identidad al mundo de los toros, hasta el punto de entenderlo hoy como un área especializada en el campo de la comunicación. El periodismo taurino, desde la perspectiva propia de las Ciencias Sociales, nació en el siglo XIX y se desarrolló plenamente en el siglo XX. Fueron periódicos especializados y publicaciones de información general los que se ocuparon, específicamente o en parte de sus páginas, de cuanto aconteció en el mundo del toro, tanto de sus aspectos artísticos, empresariales, sociales y culturales. Cuantificaron primero los hechos y luego contaron de lo que veían el qué y el porqué, con el apasionamiento que les caracterizaba y con una literatura de calidad.

Cualquiera de estos textos taurinos publicados en la prensa española no solo sirvió para interesados por las relaciones entre periodismo y literatura, estudiosos de la realidad sociopolítica y cultural de España y aficionados que querían conocer la

---

107.   RÍOS PÉREZ, R. "La Comunicación taurina según el medio". En: GÓMEZ Y MÉNDEZ, J. M. (ed.). *Tauromaquia, otra forma de comunicar*. Madrid: Egartorre Libros, 2005, p. 78.

dimensión de la fiesta, sino que, además, cumplió con las características básicas del periodismo especializado, haciendo que la información taurina esté considerada hoy por hoy como una especialidad periodística profesional, con una personalidad y características muy particulares[108].

Sin entrar en si se trata de un área temática o de un género periodístico, como los autores según han querido clasificar, el periodismo taurino es una de las especialidades que más recorrido ha tenido en la prensa española. La bibliografía taurina tiene ejemplos excelsos que ponen de manifiesto que el ejercicio del periodismo taurino, con sus luces y sus sombras, se mantuvo siempre presente en la prensa nacional.

Su trascendencia como materia académica, igual que otras informaciones especializadas, es manifiesta por su respuesta a las premisas básicas que impone la especialización periodística: información interrelacionada por unos mismos contenidos e intereses similares; intención educativa y didáctica; estilo personal e individualizado, y lenguaje propio y expresivo. Un lenguaje especializado el de los toros que dentro de la lengua española presenta la curiosidad de una doble función: designar elementos y situaciones de la corrida, y la creación de un lenguaje alegórico que ha servido de material lingüístico para que muchos hablantes españoles expresen diariamente ideas y sentimientos.

La constancia de que la información taurina es una especialidad periodística se sustenta en unas determinadas características que requieren un tratamiento especializado. La propia

---

108.   El Instituto de Estudios de Comunicación Especializada (IECE) aprobó por unanimidad en abril de 2005 declarar el periodismo taurino como una especialidad periodística de la actividad profesional de la información.

lectura es una de ellas: desde siempre leer de toros ha sido para algunos autores una circunstancia señalada, ilustre, incluso elitista, que ha atribuido a sus prosélitos de un aire de singularidad solo por el hecho de hacerlo —aunque para Esteve y Fernández del Moral, "la especialización periodística representa el término medio entre el elitismo y la vulgaridad del conocimiento"[109]—. Rafael González Galina, en el prólogo del libro de Juan Carlos Gil González, *Evolución histórica y cultural de la crónica taurina*, destaca el grado selectivo del periodismo taurino:

> El que lee ya es especial, da igual lo que lea, cómo lo recuerde y estructure, en qué medida condicione eso nuevas lecturas y, desde luego, cuánto afecte a su proceso productivo. Leer es *ser*, hoy —que es accesible a cualquiera, ¡qué paradoja!— más que nunca. Y la crónica taurina no podía escapar a este fenómeno clasista. Si antes lo que leían, sabían y *se sabían* conocedores del mundo de los toros eran un grupo selecto, hoy pueden ser una suerte de casta tocada por la exquisitez o por la extravagancia: cuatro locos o cuatro viejos[110].

La coherencia temática, el tratamiento específico y un vocabulario concreto son los elementos que Fontcuberta cita para que "se dé un área de IPE (Información Periodística Especializada)"[111].

---

109. ESTEVE RAMÍREZ, F., y FERNÁNDEZ DEL MORAL, J. *Áreas de especialización periodística*. Madrid: Fragua, 1999, p. 12.

110. GONZÁLEZ GALINA, R. Prólogo. En: GIL GONZÁLEZ, J. C. *Evolución histórica y cultural de la crónica taurina: de las primitivas reseñas a la crónica impresionista*. Madrid: Siranda Editorial Visionnet, 2007, p. 13.

111. FONTCUBERTA BALAGUER, M. "Propuestas sistemáticas para el análisis y producción de Información Periodística Especializada". En: ESTEVE RAMÍREZ, F. (ed.). *Estudios sobre Información Periodística Especializada*. Valencia: Fundación Universitaria San Pablo CEU, 1997. p. 21.

Son aspectos, junto con los contenidos, que permiten reafirmar la prensa taurina como un periodismo especializado. Para los autores Esteve y Fernández del Mora, "la especialización periodística responde a la especialización de los contenidos informativos, pero su cometido no se limita exclusivamente a la mera exposición de los hechos, sino que pretende profundizar en la fenomenología de los contenidos"[112]. Para ellos dos, la especialización del periodismo taurino está contenida en la propia definición que se hace de la información periodística especializada:

> Información Periodística Especializada es aquella estructura informativa que penetra y analiza la realidad de una determinada área de la actualidad a través de las distintas especialidades del saber, profundiza en sus motivaciones; las coloca en un contexto amplio, que ofrezca una visión global al destinatario, y elabora un mensaje periodístico que acomode el código al nivel propio de la audiencia, atendiendo sus intereses y necesidades[113].

El problema surge cuando la especialización crea unos estados incomunicados. Para Miguel Ángel Moncholi, la tauromaquia es una de estas áreas desde que implica un conocimiento previo para su comprensión:

> El mundo taurino padece una incomunicación acrecenta-

---

112.   Cita de Francisco Esteve Ramírez y Javier Fernández del Moral empleada por Miguel Ángel Moncholi. En: MONCHOLI CHAPARRO, M.A.: "Periodismo especializado". *Las retransmisiones taurinas por televisión en la CAM*. Tesis Doctoral. Universidad Complutense de Madrid, 2004, p. 2.
113.   ESTEVE RAMÍREZ, F., y FERNÁNDEZ DEL MORAL, J. *Fundamentos de la Información Periodística Especializada.* p. 54.

da por las vinculaciones ancestrales de la tauromaquia a determinada forma de cultura. El neófito aficionado a la tauromaquia necesita adquirir determinados conocimientos para comprender en su totalidad un festejo y, mucho más, una información especializada que exponga un análisis profundo[114].

De esta manera, como afirma Moncholi[115], no basta con que la información taurina responda a las premisas de la información periodística especializada, son otros factores, como el variado uso de géneros, la actualidad, el factor lingüístico, el propio medio y el público para el que se trabaja, los que permiten afirmar que el periodismo taurino es un ejemplo claro de periodismo especializado, al que se le demanda el mismo rigor, credibilidad y profesionalidad que a cualquier otra especialidad periodística.

La información taurina muestra en sus textos la personalidad de su autor, una persona que debe reunir en su narración el estilo periodístico y los conocimientos de la tauromaquia. Sobre todo en los tiempos actuales, donde la sociedad de la información precisa de una mayor parcelación del saber para que los periodistas puedan dar una respuesta eficaz a unos receptores cada vez más exigentes y formados ante la superabundancia de la información y los nuevos canales de comunicación. Esta nueva audiencia, más segmentada y selectiva en función de sus intereses, demanda un tratamiento más especializado de los mensajes que solo un perfil del emisor con una amplia formación específica garantizará una mejor codificación.

Considera Moncholi que "el Periodismo Especializado surge para posibilitar que el periodismo penetre en el mundo de la

---

114. MONCHOLI CHAPARRO, M.A. *Op. cit.* p. 1.
115. ESTEVE RAMÍREZ, F., y MONCHOLI CHAPARRO, M. A. (eds.). *Teoría y técnicas del Periodismo Especializado.* Madrid: Fragua, 2007, p. 324.

especialización científica: para hacer de cada especialidad algo comunicable periodísticamente"[116]. Por tanto, al divulgarse depende como cualquier otro contenido de la necesidad de formar a profesionales de la comunicación capaces de transmitir estos mensajes a la opinión pública en sus contextos pertinentes. En el caso del periodismo taurino, sabedores de que el intrusismo de la firma ha sido frecuente, justificada por su carácter vocacional antes que el académico, con mayor dificultad que en cualquier otro.

Juan Cantavella recupera una cita del cronista José Sánchez de Neira de su *Gran Diccionario Taurómaco*[117] para explicar la complejidad que tiene ejercer el oficio de informar de toros:

> Para escribir de toros es indispensable estudiar minuciosamente los preceptos del arte, conocer bien las condiciones de las reses y ser de todo imparcial [...]. El aficionado que gusté del arte en toda su pureza y quiere saber cómo se verificaron las suertes, preferirá siempre el relato de quien con formalidad y sin rodeos le explique minuciosamente la manera en que aquellos se realizaron, de qué modo y si se cumplieron o no los preceptos del arte[118].

El segundo problema que se encuentra el periodismo especializado en la prensa de papel generalista surge cuando se pro-

---

116.   *Ibíd.* p. 193.
117.   La obra del escritor taurino José Sánchez de Neira y Álvarez de Toledo, *Gran Diccionario Taurómaco*, se publicó el año 1896 y consta de dos volúmenes con todas las voces técnicas del arte de los toros.
118.   CANTAVELLA BLASCO, J. "La crónica en el periodismo: explicación de hechos actuales". EN CANTAVELLA BLASCO, J., y SERRANO OCEJA, J. F. (coord.). *Redacción para periodistas: informar o interpretar.* Barcelona: Ariel, 2008, p. 416.

duce una fragmentación de la información. Mantener una línea narrativa de toda una temporada taurina se convierte en una tarea informativa imposible para los medios convencionales, lo que obliga a que numerosas unidades periodísticas taurinas y festejos celebrados desaparezcan de su planilla de contenidos, provocando que el grado de comprensión de la fiesta de los toros y su consolidación en los periódicos sea sumamente frágil. De esta manera, la participación se resiente por la intermitencia informativa que muestra la prensa escrita diaria en esta parcela periodística y convierte el periodismo taurino en una de las especialidades destinadas a un público cada vez más minoritario.

Piedad Fernández Toledo recupera un artículo de José Carlos Arévalo, director de la revista taurina *6 Toros 6*, para demostrar que esta fragmentación informativa es impensable en otras actividades periodísticas especializadas y se ha convertido en uno de los mayores peligros para el desarrollo del periodismo taurino:

> Arévalo mantiene que "se cuentan con los dedos de una mano los soportes informativos a través de los cuáles se puede seguir el hilo de la temporada" y que "por lo común, ofrecen una versión fragmentaria, gratuitamente seleccionada, de la realidad taurina". Hecho que le hace cuestionarse qué pasaría si en un campeonato de liga se informara de unos encuentros y de otros no, si en una vuelta ciclista se obviaran la mitad de sus etapas o si los libros se vendieran incompletos, para concluir que "esa es, informativamente hablando, la situación de la Fiesta de los toros: una ceremonia de la confusión en cuanto a valoración de sus jerarquías y una desorientación supina de su realidad debida a un fragmentario tratamiento de su actualidad"[119].

---

119. FERNÁNDEZ TOLEDO, P. *Rompiendo moldes. Discurso, géneros e hibridación en el siglo* XXI. Sevilla: Comunicación Social, 2009, pp. 51 y 52.

Todas estas reflexiones expuestas sirven para poner la atención en el diferente tratamiento que tiene la información según el canal de comunicación. Las posibilidades que las revistas especializadas ofrecen para ejercer la información de esta área temática, así como los portales taurinos y los blogs, no son las mismas que con la prensa generalista. El discurso al contexto informativo postmoderno actual se adapta mejor a partir de la información contextualizada de la realidad taurina que presentan las publicaciones especializadas o el flujo continuo y nuevas narrativas de portales y páginas digitales. No la tradicional información de los medios en papel, desorientada en la actualidad en la jerarquía temática de la paginación y en su grado de comprensión.

Así, la información taurina, especialidad periodística que como otras muchas está destinada a un público cada vez más minoritario, ha experimentado una caída en los medios tradicionales de la prensa diaria escrita en estos últimos años que ha sido justificada por la propia intermitencia (la fragmentaria atención que dedican a la fiesta), y escasa adaptación de un discurso informativo que tenga un grado de comprensión en la sociedad postmoderna. Surge, de este modo, para que obtenga un eco mediático, la necesidad de formar profesionales capacitados para llegar a la opinión pública y el esfuerzo por conseguir una mayor continuidad de la información. Dos factores que, unidos a la innegable existencia de numerosas circunstancias culturales, sociales y políticas que son desfavorables a esta manifestación artística, hacen que la parcela informativa taurina en la prensa diaria escrita se convierta en un hecho noticioso de otra trascendencia o en un festejo taurino irrelevante, solo al alcance de una minoría.

3.2. El texto taurino: información, opinión y literatura

La prensa española y la fiesta de los toros han compuesto un binomio indisociable en la historia del periodismo español. La información taurina que publicaron *La Vanguardia* y *El Periódico de Catalunya* desde el año 2004 al 2010 fue un especialización periodística heredada de un proceso histórico de creación, lectura y continuidad de la información de las corridas de toros. Un relato fruto de una serie de transformaciones experimentadas desde los primeros textos del siglo XVIII hasta las crónicas actuales, sujeto a una narración subjetiva y libre, y condicionada por el tiempo que les tocó vivir a sus autores.

Una información permanecida a lo largo de los siglos y que demuestra que el oficio de escribir de toros ganó predicamento en la prensa española. Pero esa información escrita fue adaptándose a cada etapa del toreo, caracterizando a su área periodística y manteniendo sus virtudes y defectos a través de sus autores.

Los escritores que se ocuparon de la información taurina se esforzaron al máximo por la calidad de su vocabulario y por despertar el interés del lector con sus narraciones. Ejercieron periodismo literario a través de informaciones personales y documentadas que, a partir de su propia creatividad, consiguieron convertirse en piezas indiscutibles para la prensa escrita. La presencia del tema taurino se consolidó por la continuidad y regularidad de un tipo de relato híbrido, de contenidos informativo, interpretativo y de opinión, definitorio de la crónica como género periodístico, capaz de mantener puntualmente en la prensa una vinculación de cierta familiaridad entre el autor y sus lectores.

El periodismo taurino español tuvo en el siglo XIX y los primeros lustros del siglo XX un gran auge. Tanto el folletín, la revista, la crónica y la crítica, los géneros propios de esta especialidad periodística donde el relato se manifestó, fueron modalidades adaptadas a las circunstancias de su tiempo. Géneros que demostraron durante su época como la fiesta de los toros fue consolidándose como un fenómeno urbano y como el espectáculo de masas más importante en España. Las narraciones estuvieron condicionadas en su tratamiento y consolidación a las tres etapas del periodismo moderno: periodismo ideológico, periodismo informativo y periodismo de interpretación. Cada una adaptada a los gustos y necesidades que les exigían los cada vez más numerosos lectores. En la etapa ideológica, con el comentario y la opinión como géneros predominantes; en la etapa informativa, a partir de la Primera Guerra Mundial con la aparición de las agencias, con la noticia clara y concisa para posibilitar al lector un intercambio de hechos, ideas y opiniones; y en la etapa interpretativa, con el interés de presentar los hechos de forma que los receptores pudieran entenderlos, adaptarse a ellos y modificarlos[120].

El texto taurino, como explica María Celia Forneas[121], discurrió en el periodismo moderno entre las dos primeras etapas, en muchos casos entremezclados y confundidos. Adquirió la subjetividad y el comentario de la prensa ideológica y el tono impersonal y el carácter noticioso de la prensa informativa. El texto publicado con la pauta del telegrama impuso un primer modelo de prosa seca y precisa, donde los escritores se sometieron al canon que imponía la propia prensa taurina, pero que

---

120.   GIL GONZÁLEZ, J. C. *Op. cit.* pp. 30 y ss.
121.   FORNEAS FERNÁNDEZ, Mª C. *Orígenes y evolución de la crónica taurina. Estudios sobre el Mensaje Periodístico*. Madrid: Universidad Complutense de Madrid, 2007, p. 392.

con el tiempo comenzó a incorporar la subjetividad al dato verificable. No bastaba con cuantificar los hechos y relatar lo que uno veía, sino también comentarlo de una manera personal, con ingenio para redondear el juicio. Esto es fundamental para la consolidación del género periodístico de la crónica taurina en la prensa de papel, porque el autor especializado llegará un momento que ya no se conformará con quedarse al margen de los hechos para limitarse a publicar una relación sin apenas valoraciones, sino que decidirá pasar a ser un sujeto que participa y recurre a la apreciación crítica.

El reto máximo de este escritor especializado en el marco de la Tauromaquia Moderna y a finales del siglo XIX ya no será contar escuetamente lo que pasa con un lenguaje específico, buscará cada vez más abrir un cauce a la interpretación más literaria y subjetiva de la corrida. Quiere figurar en el texto aunque esconda en ocasiones su nombre, cuida el buen estilo narrativo, domina un riquísimo repertorio del léxico taurino y se impone al acontecer noticioso a partir del análisis. No concibe sus escritos, entonces, sin el periodismo de opinión, informativo y literario de sus crónicas, otorgando a estos textos un papel trascendental dentro de la información de los toros, convirtiendo la crónica taurina en un elemento informativo especializado que es hoy la identidad principal del periodismo taurino.

3.2.1. La autoría de la información del mundo de los toros

Uno de los rasgos definitorios que ha permitido que evolucionase históricamente y culturalmente la crónica taurina ha sido la firma. La valía del firmante de estas crónicas, como escritor y creador, hace de la crónica un género de estilo peculiar y diferente. El narrador, presente en el acontecimiento, es capaz de relatar cronológicamente y creativamente todo cuanto observa de la corrida, ofreciendo una interpretación a partir de los hechos y una valoración personal, demostrando su preparación y conocimiento en el tema[122].

La misión del informador taurino de contar sobre todo lo sucedido en una función de toros ha sido lo que provocó con el tiempo que evolucionasen sus escritos y su propia denominación en la forma y en el calificativo. El vocablo con el que se identifica el modelo narrativo personal de sus textos, según en qué época, descubre la propia longevidad de más de cinco siglos del tema taurino impreso, consiguiendo que con el paso de los años la información del mundo de los toros tuviese unas características propias especiales y que el espectáculo pudiera entenderse como es en la actualidad.

Estos informadores se limitaron a contar el tema taurino en los reinados de Carlos V (1516-1556) y Felipe II (1556-1598) a unas cuantas apariciones excepcionales en las relaciones. No fue hasta el reinado de Felipe III (1598-1621) cuando comenzaron a circular estas relaciones con mayor periodicidad y cierta continuidad temática. La tarea diaria de estos relacioneros fue la que gestó la prehistoria de la crónica taurina contemporánea y permitió que hoy se pueda identificar la prensa taurina especializada. Ellos, en sus textos, se ocuparon hasta finales del siglo XVIII de hacer alusión directa o indirecta de temas taurinos, relacionándolos casi siempre con la realeza[123].

No fue hasta el siglo XIX cuando comenzó a informarse de

---

122. GIL GONZÁLEZ, J. C. *Op. cit.* p. 81.

123. PÉREZ ARROYO, O. *Prehistoria del género periodístico crónica taurina. Revista Enlaces.* N° 1. Año 2004. CES Felipe II Comunicación Audiovisual. http://www.cesfelipesegundo.com /revista/numeros.html [consulta: 25 de enero de 2012].

forma periódica y se empezó a considerar el tema taurino como un hecho noticioso. Los elementos formales comenzaron a incorporarse en unos textos redactados a través de una prosa seca y precisa de cuanto sucedía en un festejo. Eran reseñas y estadillos, donde se cuantificaban todos los hechos o se relataba pormenorizadamente las fases de la faena, con pocas palabras, adoptando la forma de un cuadro sinóptico en el caso de los estadillos o bien como un texto técnico-informativo para las reseñas.

En esta pauta de telegrama se describía el comportamiento de cada toro, la suerte de varas, el tercio de banderillas, etcétera. Como se sabía del interés del aficionado y el espacio del papel estaba muy limitado, se recurría a un lenguaje que, a pesar de su brevedad, fuese lo suficientemente expresivo para hacerse comprensible. Así, a través de un amplio repertorio de palabras, precisas y atinadas, se fue creando el léxico taurino que después le ha proporcionado a la lengua castellana vivas expresiones en su diccionario[124].

Luego, cuando el narrador comenzó a enfrentarse a los hechos con un afán más subjetivo, demostrando su conocimiento en la materia, los diarios decidieron difundir en la parte baja de sus páginas las corridas de toros a través de los folletines taurinos. Fue en la década de los años treinta del siglo XIX, principalmente, con el objetivo de ganar lectores. El toro, en manos de escritores con una formación intelectual capaz de poder narrar ingeniosamente el espectáculo taurino sin centrarse únicamente en lo sucedido en la arena, se convirtió en el

---

124. GONZÁLEZ TROYANO, A. "Cronistas y literatos". *Diariosevilla.es*, 8 de mayo de 2011. Sevilla: Grupo Joly, 2011. http://www.diariodesevilla.es/article/opinión/969634/cronistas/y/ literatos.html [consulta: 22 de junio de 2011].

epicentro de textos donde el contenido periodístico que impuso la actualidad y la inmediatez de la corrida sobresalía al contenido literario que caracterizaba a los folletines novelescos.

En la segunda mitad del siglo XIX, el relato taurino abandonó la ubicación que le había destinado los diarios años antes de que los escritores pasasen a denominarse revisteros. Estos, entonces, además de entender de toros, narraron escrupulosamente las corridas, ya con un aire literario, sin hacer referencias a otros aspectos que no fueran puramente taurinos. El revistero no fue un crítico, fue más bien un informador. En sus textos describía morfológicamente el toro, las suertes de la lidia y el comportamiento del público. Este género se agrupó ya en una página y fue el germen de lo que con el tiempo significó la sección taurina en un diario.

En la revista nació la corriente crítica que se desarrolló luego en la crónica, pues mostraron un leve pensamiento crítico los elementos valorativos del revistero[125], elementos que estuvieron sujetos a la correspondencia de lo relatado, con unas normas fijas que se sustentaron en conceptos técnicos y estéticos. Fue a finales del XIX y a comienzos del XX, donde la descripción detallada del festejo y la opinión crítica del autor incidieron, en numerosas ocasiones, sobre la trayectoria del torero.

3.2.2. La modalidad de la crónica taurina

El género de la crónica, donde el autor escribe una reseña con lo bueno y lo malo, con más o menos imaginación, emitiendo

---

125. LÓPEZ "EL VITO", V. J. "La crónica taurina". *Venezuela taurina*. http://www.venezuela taurina.com/2009/06/la-cronica-taurina.html [consulta: 20 de junio de 2012].

juicios pero sin dejar de mencionar lo más importante de todo lo sucedido, es lo que ha hecho de este texto periodístico un género informativo, literario y de opinión, donde la creatividad del autor se impone por encima de todas las cosas. Si la naturaleza de la revista fue estática, la de la crónica es dinámica y sugiere una relativización de los conceptos de calidad o de belleza, de triunfo o de fracaso.

El género periodístico de la crónica tiene una finalidad informativa que se consigue mediante un texto interpretativo que incluye una valoración del periodista. Es una forma mixta de información, interpretación y opinión, que para el caso de la crónica taurina permite unas libertades valorativas que no contemplan crónicas de otras temáticas. La crónica es una narración directa de una noticia, que va más allá porque incluye la visión personal del autor. En ese ejercicio que incluye elementos noticiosos con elementos de análisis está la habilidad del buen cronista: introducir los aspectos interpretativos de tal modo para que el lector conforme su propio juicio.

Cantavella afirma que todos los géneros sirven para informar de toros, pero es la crónica el texto más utilizado en los medios de comunicación por las características que la definen:

> La crónica taurina tiene como misión el explicar el desarrollo de la corrida par que el lector no solamente se quede con la noticia de los primeros percances, sino que conozca el espíritu que sobrevoló durante las actuaciones de los matadores, en un acontecimiento en que público, toros y toreros forman un conjunto singular. Como en todos los demás, no debe caerse en un exceso de información, de la misma manera que tampoco es lícito que la valoración personal se convierta en una pura opinión[126].

---

126.   CANTAVELLA, J., y SERRANO, J. F. *Op. cit,* p. 416.

Esta concepción personal del toreo que expresa el periodista hace que su texto tenga un estilo especial y se convierta en una narración que permite ciertas libertades al valorar o criticar sin reparos. El narrador, considerado como un creador, sale del anonimato para asumir a través de sus crónicas su responsabilidad a la hora de enjuiciar la fiesta de los toros. Esto no significa que la prensa no recurra a otros géneros periodísticos para abordar la actualidad taurina, sino que la crónica taurina, como pieza periodística-literaria de opinión, se convierte con el paso del tiempo en el género más característico y representativo del periodismo taurino. La narración directa e inmediata de la corrida, como juego literario y poco objetivo, convierte el texto en una mezcla de información, literatura y opinión, de un nivel intelectual de gran calado. El cronista taurino ve, oye, toma contacto con los hechos, los mezcla con su conocimiento y experiencia, a veces participa en ellos como protagonista o antagonista. Una vez ha reunido todo ese material informativo, entonces lo interpreta, escribe, comunica, opina y sentencia con una actitud crítica.

El esquema estructural de la crónica parte de un encabezamiento original y atractivo que sitúe al lector en la información; sigue un cuerpo que desarrolle descriptivamente e interpretativamente datos y detalles, para cerrar con un último párrafo que resuma la exposición de los hechos o reflexione para el futuro. Esta crónica se caracteriza por estar sujeta a la periodicidad del acontecimiento taurino, por la gran libertad del uso del lenguaje y por la especialización de sus autores.

El cronista taurino, en su búsqueda de la verdad, convierte su texto en un ejercicio de subjetividad que es aceptado por su audiencia. Este público receptor, formado por el colectivo de aficionados y profesionales taurinos, considera al narrador una voz muy respetada y una opinión muy concreta por las características especiales que tiene para describir la corrida de toros[127]. Esta agudeza de la percepción para observar clarísimamente una porción de hechos y circunstancias que al profano le pasan desapercibidas, eleva la tauromaquia a información especializada, con postulados, principios y fundamentos. El lector, entonces, espera con avidez los sesudos artículos de los narradores que aparecen en la prensa, muchas veces en lugares preferentes de los periódicos, bajo grandes titulares, para saber si la corrida le ha gustado o no. Estos textos son crónicas redactadas muchas de ellas sin importar que ciertos lectores no iniciados puedan tener problemas de comprensión. Martínez Albertos incide en ello, confirmando la crónica taurina como género especializado:

> Tiene acogida en los grandes diarios de información general, dentro de las secciones tipificadas por su alto grado de especialización. Se dirige por tanto a un público teóricamente tan amplio como puede ser una audiencia concreta de cada periódico. Trata los temas con mentalidad propia de una verdadera información de actualidad y con un estilo genéricamente periodístico, basado en los métodos propios de lo que se entiende por vulgarización[128].

No se podría entender tampoco este género periodístico sin las filias y fobias que puede manifestar el narrador en sus textos hacia los protagonistas de la fiesta. La actualidad tauri-

---

127.   HERNÁNDEZ PÉREZ, Mª A.: "La crónica taurina, reflejo de la afición de su autor: Vicente Zabala (ABC) y Joaquín Vidal (El País)". En: FERNÁNDEZ, J. J.; RUBIO, A. L., y SANZ, C. *Prensa y periodismo especializado*. Guadalajara: Asociación de la Prensa de Guadalajara, 2012, p. 415.

128.   MARTÍNEZ ALBERTOS, J. L.: "Periodismo Especializado". En: *Gran Enciclopedia Rialp*, Tomo XVIII. Madrid: Rialp, 1972, p. 319.

na, ajena o no al contexto político, social, cultural y económico, ha mostrado en muchos de sus textos informativos trazos
a favor y en contra de los _ntegrantes de las corridas. Un claro
ejemplo fue durante buena parte del Franquismo, donde no
existió apenas diferencias entre información y propaganda de
pago.

3.2.3. La matización terminológica de la crónica: la crítica de toros

La mirada del experto en el festejo taurino y la libertad de juicio que emite han hecho que crónica y crítica se empleen indistintamente para calificar el trabajo y perfil del autor. Si ya hemos visto la definición de crónica, encuadrado en el género de
la interpretación, por crítica se entiende el artículo de opinión
que analiza, disecciona, desmenuza y elogia o censura una obra
artística cultural, por lo que la crítica taurina entraría dentro de
los géneros de opinión.

La crítica es la reseña valorativa de una obra humana —literaria o artística—, de un espectáculo. Todo el periodismo
interpretativo y valorativo —artículos y comentarios— es
eminentemente crítico; pero cuando se habla de crítica se
entiende la referida a los sectores del quehacer humano que,
una vez expuestos al público, requieren el oportuno juicio
del experto que interpreta y valora. La crítica periodística, al
par que juzga, informa. En el periodismo moderno son habituales las críticas de teatro, cine, libros, música, etcétera[129].

---

129.   MARTÍN VIVALDI, G. *Géneros periodísticos.* Madrid: Paraninfo, 1973, p. 301.

Después de esta definición, es evidente la dificultad que existe a la hora de diferenciar los conceptos cronista taurino y crítico taurino. Hemos de tener presente que si por designación popular a los cronistas taurinos se les llama críticos taurinos es porque a la hora de dictar opiniones y sentencias, en la búsqueda de la verdad de la corrida de toros, queda al descubierto en sus textos la subjetividad del autor. Como dice la doctora en Periodismo Almudena Hernández: "De ahí que se utilicen prácticamente como sinónimos los conceptos de cronista y críticos taurinos"[130].

Esta confusión o sinonimia que provoca la subjetividad se debe, principalmente, por la similitud entre los dos géneros. Así, la crónica taurina toma todos los elementos del género: es una afirmación del criterio personal, un producto inmediato y actual, manifiestamente literario, híbrido por su estilo informativo y editorializante, que se acoge a una narración cronológica de los hechos, mantiene una cierta continuidad de la persona o de los temas tratados, predomina la subjetividad mezclada con el dato verificable y tiene un tono definidamente didáctico. La crítica juzga, clasifica y acredita a los protagonistas taurinos según las faenas realizadas y comenta los momentos más relevantes, dejando de lado los detalles no esenciales y que cree el autor que no vale la pena destacar.

El crítico, pues, conoce al diestro íntegramente, profundamente, absolutamente, y en teoría no hay registro del toreo que no domine [...]. En posesión de la verdad, el crítico es una eminencia que consagra las reputaciones o decreta los ostracismos de los diestros, que por esa causa respetan al

---

130. HERNÁNDEZ PÉREZ, Mª A. *Op. cit.* p. 415.

crítico cuando no lo temen. Como muchos diestros adquieren la categoría de dioses, y los críticos no dejan de ejercer sobre ellos su tutela, se sigue de aquí que la categoría de muchos críticos es semejante a la de un dios de dioses, como especies de Wotan en el Walala[131].

El problema en la confusión de conceptos surge cuando de la crónica taurina emana la crítica como expresión de un juicio sobre lo ocurrido, principal función, pero que a la vez también busca orientar a los equivocados, educar a los entusiastas y enseñar a los ignorantes. Entonces, las diferencias entre crónica y crítica son bien escasas.

Martínez Albertos afirma que no hay críticos taurinos. Son cronistas, y esa matización terminológica se basa en que la dimensión cultural e ideológica que adquiere se debe reservar a otras actividades humanas y no a la taurina[132]. El escritor taurino Carlos Crivell complica un poco más el

---

131. Al hablar de Wotan se refiere a uno de los personajes del ciclo de cuatro operas épicas de *El anillo del Nibelungo*, compuestas por Richard Wagner, basadas en la mitología germana. En el prólogo, Wotan, soberano de todos los dioses, el equivalente germano de Zeus o del dios romano Júpiter, ha contratado a los gigantes Fasolt y Fafner para construir el Walhalla de los dioses, el edificio que representa el eterno de su poder y de su gloria. Faltando a su palabra, y no pudiendo pagar por ello, les ofrece a Freia, su hermana, diosa de la juventud. Durante la obra, Wotan representa el orgullo de raza, el poder y la autodeterminación total. Posee una gran firmeza de carácter, valor, arrogancia y voluntad. En: "Los críticos taurinos".*Heraldo Deportivo*. N° 564. Madrid, 1931, pp. 26-27. http://diario ilustrado.wordpress.com/2009/07/27/el-oro-del-rin [consulta: 27 de junio de 2012].

132. MARTÍNEZ ALBERTOS, J. L. *Curso General de Redacción Periodística*. p. 353.

tema reconociendo que el crítico utiliza la crónica para ejercer este tipo de información: "En nuestros días, el papel de la crítica se ha modificado de manera llamativa. Es evidente que ya no se influye de forma decisiva en la trayectoria de un torero o una ganadería por medio de la crónica"[133]. Y Forneas aún va algo más lejos y afirma que la razón principal de esta confusión entre cronista y crítico se debe principalmente al hecho de que la crónica taurina ha sido siempre opinión, fundada y documentada, en algunos casos hasta caprichosa. "Pretender convertir, en género informativo e interpretativo, el relato de una función de toros del siglo XXI es, en mi modesta opinión, una utopía y un error"[134].

Si bien hay autores que han hecho un esfuerzo por diferenciar los conceptos de reseña, estadillo, revista, crónica y crítica taurina, la frontera entre las dos últimas, por tanto, es prácticamente inapreciable. Incluso, el gran pensador español del siglo XX José Ortega y Gasset ya decía que la crítica era un sacramento de muy difícil administración. Por lo que lo más justo es entender la crónica como el texto que incluye la descripción detallada del espectáculo y la opinión crítica del autor. Así se entiende que las publicaciones siempre durante el siglo XX denominaron a los escritores taurinos cronistas y críticos indistintamente, demostrando que ninguno de los diferentes términos debe excluir al otro. Incluso, los propios autores de estos

---

133.   CRIVELL REYES, C. "La crítica taurina". *Torosdos*. 4 de julio de 2010. http://www.torosdos.com/indez.php?option=com_content&view=-article&id=893:qla-critica-taurinaq-articulo-de-carlos.crivell-&catid=3:-cronicas&Itemid=4 [consulta: 29 de junio de 2012].

134.   FORNEAS FERNÁNDEZ, Mª C. *Op. Cit.* p. 391.

textos muchas veces prefieren cualquiera de los dos conceptos para identificar su ejercicio periodístico[135].

Los libros de estilo de los diarios se han limitado a generalizar cuando definen los géneros de la crónica y de la crítica, sin abordar la matización terminológica entre crítico y cronista taurino.

Para nuestro estudio, en las normas fundamentales que *La Vanguardia* ordena para la labor periodística de sus redactores se puede apreciar una voluntad del diario por clasificar, o aproximar, la temática de los toros dentro del género de la crítica, en cuanto se puede entender como manifestación artística:

Crítica. Artículo analítico y juicio de valor sobre un libro, un espectáculo o una manifestación artística. En la gradación que va de la información a la opinión, ocupa el penúltimo puesto de los géneros periodísticos, antes de la tribuna de opinión. Siempre debe ir firmada y con la correspondiente ficha [...]. Un caso especial lo constituyen los textos sobre exposiciones y la reseña, que incluirán siempre una ficha con

---

135.   Hay numerosas referencias en la prensa de papel del uso compartido de cronista y crítico para identificar a un periodista taurino. Por ejemplo, el 15 de febrero de 2012 el diario *La Opinión* de Málaga publicaba una noticia de la muerte de José María Vallejo con el siguiente título: "Los toros pierden a un cronista irrepetible", para continuar la noticia en el primer párrafo de la siguiente manera: "El mundo del toro en Málaga perdió ayer a uno de sus componentes más queridos. A los 71 años fallecía en su domicilio a causa de un fallo cardiaco el crítico taurino José María Vallejo Barranco". En: "Los toros pierden a un cronista irrepetible". *La Opinión de Málaga*, 15 de febrero de 2012. Málaga: Prensa Ibérica, 2012. http://www.laopiniondemalaga.es/cultura-espectaculos/2012/02/15/toros-pierden-cronista-irrepetible/485318.html [consulta: 19 de junio de 2012].

los datos esenciales del objeto de crítica, comentario o análisis, un servicio que nunca hay que escatimar al lector[136].

La definición de crónica es clara en la confusión terminológica del periodismo taurino:

> Crónica. Artículo informativo con elementos interpretativos y de análisis. Ocupa el lugar central de los géneros periodísticos, con una mezcla de elementos informativos y valorativos [...]. Busca claridad informativa con la ayuda de algunas interpretaciones y juicios de valor[137].

Sin aportar el libro de estilo del diario de los Godó más datos aclaratorios sobre el uso adecuado del término que identifique los textos taurinos, como sucede en los manuales de otros diarios (solo *El País* hace referencia a cronista taurino), tomaremos como referencia el hecho de que *La Vanguardia* desde los años noventa ha querido encuadrar el tema de los toros bajo el título de "Crítica de Toros", demostrando el interés de juzgar la corrida como un texto valorativo de una manifestación artística[138], igual que hace para el teatro, el cine o los conciertos. *El Periódico de Catalunya*, en cambio, no mantiene un criterio lógico para el uso de los epígrafes "crítica" y "crónica"[139], empleándolos indistintamente cuando lo ha hecho en sus páginas, alejándose de cualquier identificación al género de la interpretación o de la opinión. Al fin y al cabo, en el propio Libro

---

136. *La Vanguardia. Libro de redacción. Op. cit.* p. 37.
137. *Ibid.* p. 137.
138. Entrevista a Llàtzer Moix realizada el 9 de julio de 2013 [ver Anexo 3.3.].
139. Entrevista a Iosu de la Torre realizada el 10 de julio de 2013 [ver Anexo 3.1.].

de Estilo de *El Periódico de Catalunya* no se hace referencia alguna a las definiciones de crónica y crítica, ni cualquier otra alusión al periodismo taurino.

3.2.4. El lenguaje específico de la información taurina

Entre las características de la información taurina hay que
destacar, como la mayoría de las áreas de especialización periodística, la posesión de una terminología propia que tiene
un papel muy relevante para comprender la fiesta y que ha
enriquecido la lengua con numerosas aportaciones lingüísti-
cas. El lenguaje taurino se ha convertido en un referente para
el idioma español a partir de expresiones y construcciones
fraseológicas que tienen una gran incidencia en el vocabulario cotidiano y no crean ningún problema de comprensión
entre los interlocutores. Independientemente de su postura
acerca de los toros, es evidente que la sociedad española no
puede sustraerse de la influencia lingüística de los toros sobre su propio lenguaje[140].

Este lenguaje especializado presenta una gran curiosidad
entre partidarios y contrarios de la fiesta: mientras supone un
pequeño universo metafórico para la mayoría de los ciudadanos cuando describen numerosas actividades y situaciones de la
vida diaria, es complicado en su contexto temático para quien
desconoce la fiesta de los toros, dificultando su comprensibili-

---

140.   LUQUE DURÁN, J. D., y MANJÓN POZAS, F. J. *Fraseología,
mensaje y lenguaje taurino.* Universidad de Granada. En: http://www.ganade-
roslidia.com/webroot/pedefes/lenguaje_taurino.pdf [consulta: 11 de marzo de 2013].

dad y no cumpliendo con uno de los cometidos principales del periodismo especializado, que es facilitar la comunicación entre el área temática y la sociedad.

Con un gran valor simbólico e icónico, este propio lenguaje ha sido uno de los motivos principales para que la información taurina no haya llegado a un mayor número de lectores. La comprensión de los mensajes enviados en la crónica taurina se hace complicada para que reaccione el lector que no conoce los pormenores de la fiesta de los toros. El narrador no procura en la mayoría de las ocasiones que el eruditismo de su narración tenga un fuerte carácter divulgativo, accesible a la mayor parte de las audiencias, existiendo entonces una clara dificultad en presencia e incidencia sobre la mayoría de lectores que no conoce la especialidad. Muchas veces este distanciamiento entre emisor y receptor no solo se debe por el uso de una terminología excesivamente técnica, sino también puede ser provocado por un mero virtuosismo literario del autor.

Dentro del vocabulario taurino hay numerosos referentes que por su mecanismo alegórico deriva en otras interpretaciones. El ejemplo más manifiesto y perverso para el caso que estudiamos es el concepto de "Fiesta Nacional". De inevitable equivalente patriótico para quienes arremeten con la politización de los toros, para la Real Academia Española la Fiesta Nacional es una "Fiesta oficial"[141], como puede ser cualquier otra que se celebra en España; para el mundo de los toros se trata del "espectáculo de la corrida de toros que consiste en lidiar varios toros bravos, a pie o a caballo, en un recinto ce-

---

141. REAL ACADEMIA ESPAÑOLA. "Fiesta". *Diccionario de la Lengua Española* (22° ed.). 2001. http://lema.rae.es/drae/?val=fiesta%20 oficial [consulta: 11 de marzo de 2013].

rrado para tal fin, la plaza de toros. En la lidia participan varios personas, entre ellas los toreros, que siguen un estricto protocolo tradicional, reglamentado regido por la intención estética"[142].

Sin entrar en el universo metafórico que ejerce el repertorio de fraseología relacionada con el mundo de los toros, sí es necesario para la comprensión de los toros en Cataluña y su tratamiento informativo detenerse en el concepto de Fiesta Nacional como sinónimo de fiesta de los toros y como valor simbólico e icónico, especialmente representativo de lo español. No resulta fácil evadirse del término cuando la identificación que tienen los toros con este concepto ha provocado que sea articulado por muchos catalanes como un símbolo o un icono de la España de Franco —o vinculado a un régimen determinado—, y no como un patrimonio cultural, animados todos ellos por la defensa de una cultura autóctona ajena al mundo de los toros y por la presión de los partidos nacionalistas que no consideran como propias las corridas de los toros. La explicación de esta lectura está en las vicisitudes históricas y sociales que el espectáculo taurino ha debido pasar, especialmente, durante el Franquismo, donde el control de la dimensión informativa de la fiesta para integrar interesadamente la imagen del rito taurino al ideario de la cultura oficial del régimen alcanzó su máximo exponencial. Durante todo ese periodo, el trasfondo político que adquirió el espectáculo taurino estuvo en el énfasis con que el Franquismo adjetivó al concepto de Fiesta Nacional, confundiendo pasodobles con himnos y aplausos con palmas extendidas, para conseguir que la exalta-

---

142.   BARRANDERO. "La fiesta nacional. Definición". *Toros, La Fiesta Nacional*, 2 de abril de 2010. http://www.lafiestanacional.com/2010/04/la-fiesta-nacional-definicion.html [consulta: 11 de marzo de 2013].

ción del término nacional y todo aquello que se identifica con España se convirtiese irremisiblemente en un elemento identificativo de una época y fuese desdeñado en el proyecto reivindicativo de los nacionalismos.

El hecho de que la fiesta taurina se conozca como fiesta nacional se debe para muchos investigadores de la tauromaquia a que se asocia a un elemento más de la cultura popular española y a que durante muchos años fue el espectáculo de masas más popular de España sin importar la época. En este sentido, para el doctor Antonio Rivero Herráiz[143], profesor de la Universidad Europea de Madrid, los toros no solo fueron considerados fiesta nacional durante el Franquismo, también en la Restauración, la Dictadura de Primo de Rivera y la Segunda República, convirtiéndose en una parte fundamental de la fiesta y cultura de numerosos pueblos de la geografía española, situación que se ha prolongado hasta la actualidad.

El blog Aula Taurina de Granada[144] recoge una página publicada en 1950 por la revista *El Ruedo* con un artículo del escritor y periodista alicantino Francisco Bonmatí de Codecido, titulado "La primera corrida de toros que tuvo categoría de fiesta nacional". En este texto, el autor califica los festejos de "limpio linaje hispánico" y se pregunta cuándo conquistaron jerarquía y acento de espectáculo y fiesta nacional. La respuesta la sitúa en el año 1135 en Varea (Logroño), en un festejo autorizado y presi-

---

143. RIVERO HERRÁIZ, A. "Los orígenes del deporte y las fiestas taurinas". *Revista Kronos*, n° 6. vol. III. Madrid: Universidad Europea de Madrid, Julio-Diciembre 2004. pp. 29-33. http://www.revistakronos.com/docs/File/kronos/6/kronos_6_4.pdf [consulta: 11 de marzo de 2013].

144. FABAD. "Fiesta Nacional... desde 1135". *Aula Taurina de Granada*. 27 de septiembre de 2010. http://aulataurinadegranada.blogspot.com.es/2010/09/fiesta-nacional-desde-1135.html [consulta: 19 de marzo de 2013].

dido por el rey Alfonso VII, que al sentir tanto placer al contemplarlo acabó dándole valor de oficialidad[145].

Pero ha sido el historiador valenciano José Aledón quien más ha estudiado la etimología del concepto de Fiesta Nacional. Habla del uso que se hizo desde Isabel II del adjetivo "nacional" y reproduce en una carta original del alcalde de Valencia —y su transcripción—, de 1846, sacada del Archivo de la Diputación provincial valenciana, la utilización de la expresión en su sentido inicial: lo nacional como aquello que pertenece al pueblo, a todos. Para él, incluso más que fiesta nacional, debería de hablarse desde la instauración de la monarquía constitucional en la persona de Isabel II (1833-1868) de "función nacional", pues todo pertenece a la nación, incluso la Corona, justo lo opuesto a lo que sucedía en el Antiguo Régimen; en ese contexto, el toreo pasó, pues, de ser un privilegio real o aristocrático a convertirse en "función nacional", o sea propiedad de la nación.

Aledón cita a diversos autores de los siglos XVIII y XIX que ya aplicaron el adjetivo "nacional" a la fiesta aunque variando el sustantivo:

Aunque ya Jovellanos usara el término nacional en un sentido geográfico [la llama diversión nacional] y la mayoría de autores posteriores mantienen esa acepción [el Conde de las Navas con "El espectáculo más nacional", etc.], es de capital importancia señalar esa otra vertiente, tan importante desde la instauración del liberalismo en España, que na-

---

145. Francisco Bonmatí de Codecido reconoce en el texto publicado en *El Ruedo* que no recuerda de dónde extrajo la información de este festejo. Según él, fue buscando un artículo suyo en *La Nación*. En: http://aulataurinadegranada.blogspot.com.es/2010/09/fiesta-nacional-desde-1135.html [consulta: 6 de agosto de 2013].

cionaliza y, por ende, democratiza, hechos e instituciones hasta entonces inexistentes o pertenecientes al Real Patrimonio, (Biblioteca Real / Biblioteca Nacional; Real Museo de Pintura y Escultura / Museo Nacional de Pintura y Escultura / Museo del Prado; Milicia Nacional, etc.).

Ello, para disgusto de aquellos que, malévolamente, asocian toreo y Antiguo Régimen, e incluso, con evidente ignorancia o mala fe, con el Franquismo, demuestra que, a diferencia del toreo caballeresco, el toreo a pie, nuestra actual corrida de toros, tiene un origen netamente democrático por ser precisamente nacional, hasta el punto de que coinciden plenamente en el tiempo la Tauromaquia Completa de Paquiro (1836) en la que se sientan las bases del toreo moderno, con su interesante capítulo "Reforma del espectáculo" y la Constitución Española de 1837.

O sea, que la corrida de toros que aún conocemos hoy, con los cambios que el transcurso del tiempo exige de todo lo vivo, fue creada por el pueblo (siendo su expresión política la Nación) para el pueblo.

Basados en esa acepción, sería perfectamente aceptable llamar también Fiesta Nacional al toreo en los países hispanoamericanos en los que se practica desde que adquirieron su carácter de naciones soberanas, reconocidas como tales por España precisamente en diciembre de 1836[146].

---

146.   A partir de un texto de José Aldeón titulado "La cultura del toro y la cultura del Arte del toreo", publicado en una web taurina, se aporta más luces sobre las raíces culturales de la fiesta. En: "El concepto de Fiesta Nacional interpretado como Función Nacional". *Taurologia.com. Cuadernos de actualidad, análisis y documentación sobre el Arte del toreo,* 12 de octubre de 2010.   http://www. taurologia.com/el-concepto-de-fiesta-nacional-466. htm [consulta: el 11 de marzo de 2013].

El bibliófilo taurino José Mª Moreno Bermejo escribió en la web *Burladero.com* una definición de Fiesta Nacional que hizo el escritor, ensayista, periodista y filósofo catalán Eugenio D'Ors, en un artículo titulado "Estética y Tauromaquia" en el suplemento del 6/6/1943 del diario *Arriba*, órgano periodístico oficial de Falange Española, donde explicaba el significado de nacional con las siguientes palabras:

> Nacional quiere decir, hija de la íntima fuente, popular y espontánea de un grupo humano, que encuentra ahí la expresión inconfundible de su "carácter"; cual si la asistencia de aquella y su estilo fuesen dictados por la misma naturaleza; no la naturaleza en general, esta vez; sino la diferencial, la que da al grupo en cuestión una histórica solidaridad de casta[147].

En definitiva, si se incide en el concepto de Fiesta Nacional responde únicamente a la identificación como símbolo patriótico que tiene el término y que muchos catalanes asocian y han hecho de él para argumentar posturas separatistas o responder a la ofensiva patriótica y castiza del término. La propia periodista Pilar Rahola, en un artículo publicado en *La Vanguardia*, titulado "La chusma"[148], respondió a las críticas del locutor Carlos Herrera en su programa "Herrera en la Onda" con el argumento de que el concepto de Fiesta Nacional fue un invento de Franco.

---

147. MORENO BERMEJO, J. Mª. "Cataluña taurina; políticos volubles". *Burladero.com*. Salamanca: 3 de octubre de 2011. http://www.burladero.com/aficioncultura/culturamasnoticias/ 116905/cataluna-politicos-taurina-voluble [consulta: 19 de marzo de 2013].

148. RAHOLA MARTÍNEZ, P. "La chusma". *La Vanguardia*, 27 de septiembre de 2011, p. 21.

3.3. Otros géneros para comunicar de toros

Si el género periodístico más utilizado en el área informativa de los toros suele ser la crónica, también se emplean otros géneros para informar de la amplia y diversa actividad taurina, al poseer esta área de la especialización periodística de unas especiales connotaciones con otras áreas de la información debido a la estrecha relación que tiene el mundo de los toros con la política, sociedad, economía o prensa del corazón. Así, ocurre que por su estrecha vinculación con otros temas se ha hecho habitual una notable transformación del tratamiento informativo de los toros a partir de un uso mayor de otros géneros periodísticos para la cobertura de su información.

En este sentido, el medio de comunicación no es insensible al alcance que tiene el contenido taurino con otros sectores de la información y, cuando se produce una noticia en la que existen intereses encontrados, pasa del tratamiento exclusivo de la crónica a una información interesada según el punto de vista que se quiera dar. Noticia, reportaje, entrevista, análisis y cualquier pieza del género de opinión son los instrumentos utilizados entonces para ampliar la mayoría de las veces la cobertura del festejo con la voluntad de ofrecer una exposición atractiva y sugerente que el medio de comunicación desea transmitir.

Por tanto, aunque el principal fin sea la crónica del festejo, la información taurina puede ir más allá de un mero texto que reseñe lo acontecido en los ruedos. Los temas abordados en el mundo de los toros durante la temporada son diversos debido a los innumerables factores que rodean el espectáculo. Podemos agruparlos dentro de todas aquellas informaciones cuyo componente determinante es legislativo, conflictivo, profesional, reivindicativo, etcétera. De esta manera, el torero y su vida social, la feria en sí, la normativa taurina, la cobertura televisiva, las interferencias políticas o la conflictividad animalista, por citar unos cuantos, son temas que son tratados a partir del género informativo, interpretativo u opinativo.

3.3.1. La noticia

La noticia es el género informativo básico. Todo debe girar en torno a ella porque permite al lector conocer de forma clara, directa y rápida los principales hechos de la actualidad. Respetando las numerosas definiciones de noticia que se han formulado, sin entrar en controversia a la hora de marginar ninguna de ellas, y utilizando de forma indistinta, como hacen muchos autores, los términos noticia e información[149], tomaremos la definición que hace Martínez Albertos de noticia, realizada en términos empíricos y explicativos:

Noticia es un hecho verdadero, inédito o actual, de interés general, que se comunica a un público que puede considerarse masivo, una vez que ha sido recogido, interpretado y valorado por los sujetos promotores que controlan el medio utilizado para la difusión[150].

---

149.   El propio José Luis Martínez Albertos dice que la información, en cuanto a género, es la forma literaria más corta para presentar una noticia. Y precisa todavía más: "La información es la noticia de un hecho con la explicación de sus circunstancias y detalles, expuestos en orden inverso a su interés". En MARTÍNEZ ALBERTOS, J. L. *Guiones de clase de Redacción Periodística*. Pamplona: Instituto de Periodismo, 1962, p. 22.

150.   MARTÍNEZ ALBERTOS, J. L. *La información en una sociedad industrial*. Madrid: Tecnos, 1972, p. 37.

Compartimos la definición y añadimos que se trata de un texto periodístico en el que se abordan los hechos de forma narrativa y descriptiva y carece en muchas ocasiones de profundidad y extensión. Para que estos hechos sean valorados como noticia existen unos elementos importantes que se deben tener en consideración: la actualidad, el impacto, la cercanía, los conflictos, la novedad, la curiosidad y el tema.

La noticia se estructura de más importante a lo menos relevante de los datos, en un proceso a través de dos partes: el lid (entradilla o comienzo o primer párrafo) y el cuerpo o resto de la misma. El lid, que viene a ser el resumen total, está formado por las respuestas a las cinco preguntas o *W's* de los periodistas norteamericanos: *what, when, where, who* y *why* (qué, cuándo, dónde, quién y por qué). El cuerpo desarrolla los datos que se aportan en el lid y ampliados posteriormente en el resto de la información. En este sentido, ha de entenderse que se debe realizar mediante una narración coherente, fluida y adecuada, que comprenda el resto de los datos y detalles de la noticia siguiendo la estructura tradicional denominada pirámide invertida: orden decreciente de importancia, colocando al principio las partes de mayor interés y que desarrollan las cinco respuestas expuestas en el lid. El título de la noticia deberá desprenderse del primer párrafo al representar la condensación máxima de los elementos informativos más importantes de la información.

Estas noticias son producciones discursivas elaboradas a través de un proceso concienzudo de selección, tratamiento y jerarquización de los acontecimientos por parte de los medios de comunicación. La prensa diaria construye el temario cada día a partir de la selección de las noticias según la demanda de la información del público, el interés en darlas a conocer al lector y el propósito de distintos sectores sociales de informar a la audiencia de determinados hechos que sirven a sus intereses.

Según Fontcuberta, "la síntesis de estas tres razones decide el contenido final del medio"[151].

En el deseo de aclarar estas noticias para mostrarle al receptor la relación existente entre los hechos y revelarle por qué sucedieron las cosas, y no limitarse a describir simplemente qué ocurrió, se impone la interpretación de los hechos. No será cuestión de un abuso y uso subjetivo de la noticia, sino que la interpretación de los mensajes se hará con la mayor objetividad posible, aunque prevalezca inconscientemente un juicio subjetivo, pues la impersonalización categórica del relato es prácticamente imposible.

Luis Núñez Ladevéze[152] afirma que para la interpretación periodística de la noticia concurren tres tipos de operaciones distintas: la elaboración del texto informativo, en la que se demuestra la habilidad narrativa del periodista; la segunda hace referencia a la interpretación que hace el autor dirigida a situar los acontecimientos en su contexto, y la última se orienta a colocar u ordenar la noticia en el espacio informativo material.

3.3.2. El reportaje

El reportaje es otro de los géneros empleados para la información taurina. Es una narración informativa de actualidad, de estilo netamente periodístico y un lenguaje no tan sobrio y escueto como la noticia. El periodista amplía y profundiza en la noticia, trabajando mejor y en mayor número las fuentes y tiene un margen mayor para expresarse con estilo propio, sin faltar

---

151.   FONTCUBERTA BALAGUER, M. *Op. cit.* p. 42.
152.   NUÑEZ LADEVÉZE, L. *Manual para periodismo.* Barcelona: Ariel, 1991, pp. 177 y ss.

a la más rigurosa objetividad. Según Alex Grijelmo: "El reportaje es un texto informativo que incluye elementos noticiosos, declaraciones de diversos personajes, ambiente, color y que, fundamentalmente, tiene carácter descriptivo"[153].

La estructura del reportaje es parecida a la estructura de la noticia, pero hay mayores posibilidades de variación al no estar tan sujeta a la rigidez de esta. La apertura o lid puede ser de diferentes tipos, valorándose su poder de atracción a través de la imaginación y originalidad del autor. Tras la entradilla, el relato ha de encadenarse con una estructura y lógica internas sin tener necesidad de responder a la estructura de la pirámide invertida de la noticia para no provocar la pérdida de interés de la información en el texto narrativo. Finalmente, el último párrafo sirve como resumen y colofón de todo lo relatado anteriormente.

Igual que la noticia tiene su género interpretativo en la crónica, el reportaje informativo también puede experimentar una transformación hacia la interpretación[154]. En ellos, el enfoque sustancial parte de elementos opinativos, dejando en un segundo plano la información: el periodista reconstruye y revive la noticia contando los hechos tal como los ha visto, describiendo el ambiente, los personajes, las situaciones, etcétera. Narra con total libertad de estilo, pero estructurándolo bajo un esquema de globalidad: el texto debe tener un comienzo y un final.

Existen numerosas tipologías de distintos teóricos que han analizado el reportaje. Siguiendo a Juan José Verón Lassa y Fernando Sabés Turmo[155], estos proponen la siguiente clasifi-

---

153. GRIJELMO GARCÍA, A. *El estilo del periodista*. Madrid: Taurus, 2001, p. 65.

154. GRIJELMO GARCÍA, A. *Op. cit.* p. 119.

155. SABÉS TURMO, F., y VERON LASSA, J. J. *La eficacia de lo sencillo. Introducción a la práctica periodismo*. Sevilla: Comunicación Social, 2006, p. 34.

cación: común, cronológico, especializado y de fuentes. Común es el reportaje que pretende exponer al lector lo que ha sucedido, pero haciendo hincapié en el cómo y en las causas; cronológico, construye un texto a través de la plasmación temporal de los hechos; especializado, está destinado para publicaciones especializadas y se basa en estudios, informes y un lenguaje periodístico propio de su área temática, y el reportaje de fuentes se basa en el contacto directo con las personas, las fuentes o los protagonistas de la historia narrada.

El reportaje, género mayúsculo del periodismo, ha perdido presencia en los periódicos desde finales del siglo XX. El coste económico que implica un buen trabajo final y el conflicto con el que puede entrar con el medio si defiende intereses ajenos a este, lo han desplazado a las páginas de los suplementos de la prensa diaria o a revistas especializadas. Igual ha sucedido con el reportaje taurino, un texto condicionado su interés divulgativo a los asuntos polémicos y limitado, además de los dos factores anteriores, a la falta de autores que aborden el asunto taurino con la habilidad periodística y los conocimientos necesarios para llegar al lector.

3.3.3. La entrevista

La herramienta tradicional del periodismo que ha existido como fuente de información es la entrevista. A través del diálogo establecido, en la mayoría de los casos, se generan informaciones que se publican luego en los medios de comunicación. El periodista informa al lector a través de la entrevista de aspectos interesantes del pensamiento de algún personaje relevante, priorizando lo que dice en las declaraciones, pero sin olvidar que también es importante quién lo dice.

Para Víctor Rodríguez Jiménez, "la entrevista es una forma de reportaje de máximo interés porque nos pone en contacto directo con el mundo particular y privado de unas personas que destacan sobre el común por sus cualidades intelectuales, artísticas, humanas, etcétera"[156]. Este género responde, más o menos, textualmente, a una conversación entre el periodista y el personaje. El periodista reproduce con fidelidad el contenido de la conversación bajo el estilo periodístico, es decir la manera de escribir correctamente empleando la claridad, concisión y comprensión.

La entrevista debe presentarse en el formato habitual del género: a través de la fórmula pregunta y respuesta o a través de una noticia o reportaje entrecomillado, es decir con citas. Debe redactarse con un primer párrafo o entradilla que sirve para presentar al personaje y justificar su interés. En este primer párrafo se incluirá el nombre del entrevistado, edad, lugar de nacimiento, actividad o cargo y relación con el tema que se está abordando. A continuación, seguirán las preguntas y respuestas sin opinión del periodista que darán transcripción de la entrevista mantenida entre ambos.

Esta fórmula objetiva de la entrevista se transforma cuando este género informativo da cabida a la interpretación y descripción bajo la modalidad de la entrevista-perfil. En este caso, ya no interesa tanto el personaje como experto de una materia, sino que interesa más por su trayectoria personal, mundo interior o entorno. En esta entrevista interpretativa la visión del periodista intercede en el texto narrativo, combinando respuestas entrecomilladas con descripciones muy personales del personaje o la explicación de unos hechos que justifiquen su interés.

---

156. RODRÍGUEZ JIMÉNEZ, V. *Manual de Redacción*. Madrid: Paraninfo, 1991, p. 160.

En cuanto a los diferentes tipos de entrevista, que no es lo mismo que formatos, se pueden identificar las entrevistas de declaraciones (la opinión sobre un hecho noticioso), de personalidad (lo importante es conocer a la persona, su vida sus peculiaridades más destacadas), de cuestionario (las mismas preguntas a distintos personajes), de autor (con espacio fijo y un formato determinado) o el cuestionario Proust (modalidad para sacar el perfil de un personaje conocido).

Al tratarse de un género informativo de gran aceptación popular y que ofrece en los medios de comunicación una sensación de cercanía e inmediatez con la información, la inclusión de las entrevistas taurinas en las páginas de los diarios se publican especialmente con el fin de obtener las declaraciones de un personaje relacionado con un tema actual del mundo de los toros que tiene interés colectivo. En cambio, la entrevista que tiene por interés la personalidad del personaje es una modalidad poco utilizada en los periódicos, salvo en aquellos suplementos o revistas especializadas que disponen de variadas secciones para acoger esta información y género con un tratamiento en mayor profundidad. Pero no es de extrañar que en la prensa generalista, de vez en cuando, se incluya una entrevista a alguien relacionado con el mundo de los toros por el alcance mediático que tiene para la audiencia por diferentes motivos, desde su vida privada o exitosa trayectoria profesional, a la coincidencia del inicio de una temporada o el debate generado por algún tema controvertido para la fiesta de los toros.

3.3.4. Los complementos opinativos

Las piezas periodísticas que se engloban en los géneros de opinión no tienen el fin principal de informar al lector, sino formar su opinión sobre hechos importantes de la actualidad. Su característica fundamental es la subjetividad, y habitualmente explican y argumentan opiniones expresadas. Así, el lector busca en los diarios no solo la noticia, sino la interpretación, explicación, valoración y orientación sobre lo que sucede a diario y le interesa saber.

Sin entrar en el género de la crítica, ya visto en un capítulo anterior, destacan también para abordar el tema de los toros el uso en la opinión de los editoriales, sueltos (o billetes), tribunas y columnas. Si bien los dos primeros citados —editoriales y sueltos[157]— son la opinión del periódico, las tribunas y columnas aportan la autoridad del análisis o comentario de un especialista o firma conocida. De esta manera, ya se ve una primera diferencia entre los dos primeros y los dos segundos: la visibilidad del autor, obligatorio en columnas y tribunas, y la desaparición de la firma en los textos redactados por el periódico.

Nada mejor que escoger una de las definiciones clásicas de editorial para comprender el alcance que tiene esta pieza periodística en la prensa: "Artículo periodístico, sin firma, que explica, valora e interpreta una noticia de especial trascendencia y representa la postura ideológica del periódico"[158].

El editorial es la voz del medio de comunicación hacia sus lectores para reclamar la atención sobre un tema y hacerle entender mejor la realidad y las causas que la producen. De ahí,

---

157. No debe identificarse con suelto el artículo breve o comentario que se publica en el algunos diarios, como por ejemplo "La Tronera", de Antonio Gala en *El Mundo*. El hecho de que lleve un título figurativo, esté firmado siempre por el mismo autor y no represente la opinión del diario, son elementos suficientes para no identificar este breve texto como suelto. Este tipo de artículo debe considerarse como una pequeña columna.

158. MARTÍN VIVALDI, G. *Op. cit,* p. 340.

que el texto esté bien trabajado y las afirmaciones expresadas estén concienzudamente justificadas, de forma clara, concisa y contundente. Borrat dice que el editorial es "la opinión del periódico respecto a cualquier tema, incluso respecto a temas que no están expresa o directamente ligados a las noticias que publica"[159]. Por su parte, José Manuel Rivas Troitiño es mucho más categórico en la importancia de este género: "El editorial está considerado como el buque insignia de un medio de comunicación"[160].

Los periódicos están señalando con sus editoriales las informaciones que ellos creen de interés y sobre las que establecen un juicio de valor para que los lectores puedan saber la línea ideológica de la redacción. Para redactar emplean un estilo muy uniforme y fijo, tanto en el lenguaje como en la estructura, que se distribuye en un título que indica el tema y un cuerpo de la exposición que consta de tres partes: introducción, comentario y conclusión. No van firmados.

La versión menor del editorial es el suelto (o billete): un pequeño editorial, que acostumbra a ir a bloque, sin párrafos, y muy directo al desarrollar en un espacio reducido una idea o una noticia. Luisa Santamaría ofrece una definición para este género propio del estilo editorializante: "Reflexión breve sobre algún asunto de actualidad que apunta un tema sin agotarlo, con una extensión que abarca de cien a trescientas palabras, y que algunos periódicos utilizan como medio a través del cual expresar su ideología"[161].

159.   BORRAT, H. *Op. cit.* p. 138.

160.   RIVAS TROITIÑO, J. M. "El editorial, la opinión institucional del medio". En: SÁNCHEZ CALERO, Mª L. *Géneros y discurso periodístico.* p. 183.

161.   SANTAMARÍA SUAREZ, L. *El comentario periodístico. Los géneros persuasivos.* Madrid: Paraninfo, 1990, p. 101.

La diferencia entre el editorial y el suelto no está únicamente en la extensión, se manifiesta sobre todo en una argumentación y en unos rasgos estilísticos que en el suelto adoptan un lenguaje opinativo más enérgico, agresivo y directo. Este tono que adquiere el suelto y que le diferencia del editorial tiene su explicación para Martín Vivaldi: "Es un 'ojo' avisador de un posible riesgo; una flecha indicadora de una dirección mental; una señal prohibitiva o de peligro para el tránsito existencial"[162].

Cuando el artículo trata de formar opinión bajo la responsabilidad del autor que lo firma, aparece regularmente en la misma sección del periódico y llega a los lectores con una presentación y extensión similares, estamos ante la columna o la tribuna. "El columnista firma sus trabajos y lo que escribe vale por lo que valga su firma: es una opinión individual que usa las páginas del periódico para expresarse", afirma Bartolomé Mostaza[163]. Mientras que Martínez Albertos considera la columna un comentario "razonador, orientador, analítico, enjuiciativo o valorativo, según los casos, con una finalidad similar a la del editorial. Se diferencia básicamente en el comentario es un artículo firmado y su responsabilidad se liga tan solo al autor del trabajo"[164].

El articulista o columnista es siempre individual, firma con su nombre o seudónimo, tiene libertad en la elección del tema (en ocasiones hay un desplazamiento de temas de los editoriales y sueltos a estos articulistas para formar opinión en los distintos campos o secciones que el periódico no ha podido abarcar), y muestran su personal visión, convirtiéndose en un juez que dictamina sobre el estado de la cuestión.

---

162.   MARTÍN VIVALDI, G. *Op. cit.* p. 164.

163.   MOSTAZA RODRÍGUEZ, B. "Editoriales". En: GONZÁLEZ RUIZ, N. *Enciclopedia del Periodismo.* Barcelona: Noguer, 1966, p. 181.

164.   MARTÍNEZ ALBERTOS, J. L. *Curso General de Redacción Periodística.* p. 372.

Lo que define a la columna es la periodicidad y fijeza de su aparición en un espacio determinado del diario, ocupado casi siempre por la firma de un mismo escritor o periodista, factores que hacen que el lector se identifique con mayor facilidad con la opinión individual del columnista. Esta opinión es un punto de vista que casi siempre es compartido por el periódico[165] y que, por tanto, lo compromete, pues es el medio que usa el autor para expresarse.

La tribuna libre es el artículo de opinión que hace la función de foro de ideas para el periódico. Según Grijelmo, "un espacio que el periódico cede a opiniones ajenas al diario y a sus colaboradores habituales"[166]. Estos colaboradores no son siempre habituales, en ocasiones acostumbran a ser personas significativas en su actividad, verdaderos especialistas en su materia, que son invitados para que escriban sobre un asunto que el diario o ellos consideran conveniente para los lectores. El resultado es un artículo formativo sobre un tema puntual o no, a través de un texto extenso y razonado donde se manifiesta claramente la posición que el autor adopta de los hechos. La característica monotemática de la tribuna es lo que diferencia este género periodístico de la columna.

3.3.5. Un género menor: las cartas al director

Dirigidas al periódico, insertada en las páginas dedicadas a la opinión y con una importancia vital por haber constituido an-

---

165. A pesar de que los periódicos advierten de que las opiniones expuestas en sus páginas son responsabilidad de sus autores, lo cierto es que la mayoría de diarios acuerdan la colaboración de estos columnistas porque estos sintonizan con las ideas y la estrategia informativa del medio.

166. GRIJELMO GARCÍA, A. *Op. cit.* p. 134-135.

tes de la llegada de Internet el canal tradicional comunicativo que ha tenido la prensa escrita con sus lectores, las cartas al director (o Cartas de los lectores en *La Vanguardia*, o Lectores en *El Periódico de Catalunya*), están consideradas un género de opinión menor en el periodismo. Sirven para crear un *feedback* a partir de textos cortos que los lectores envían exponiendo su puntos de vista sobre un tema que les interesa.

José Rodríguez Vilamor[167], en su propuesta de clasificación de géneros periodísticos, incluye las cartas al director entre los géneros de opinión. En cambio, José Javier Muñoz[168] las clasifica dentro de un grupo de géneros denominado de periodismo ambiguo-mixto de interpretación y opinión. Para otros autores como Rafael Yanes Mesa, se trata de un género anexo al periodismo entre los que se clasificaría también la publicidad, los pasatiempos las notas informativas y la literatura periodística[169]. Su razonamiento se debe a que, aunque sean considerados parte indisoluble del periodismo, son textos que por su estilo distan muchos de los géneros periodísticos.

Estas cartas aparecen publicadas en el espacio libre que destina el diario para recibir opiniones, sugerencias, protestas o críticas de colaboradores puntuales y ajenos a la actividad profesional de la información. Ellos disponen de esta plataforma de debate público que el diario les ofrece, sin estar en su narra-

---

167.   RODRÍGUEZ VILAMOR, J. *Redacción periodística para la generación digital.* Madrid: Universitas, 2000, p. 52.

168.   MUÑOZ GONZÁLEZ, J. J. *Redacción Periodística.* Salamanca: Librería Cervantes, 1994, p. 125.

169.   YANES MESA, R. "La sección 'Escrito por el público' en el semanario Alrededor del Mundo (1899), un género anexo al periodismo". *Estudios sobre el mensaje periodístico*, vol. 12, Madrid: Universidad Complutense de Madrid, 2006, pp. 477-485. http://revistas.ucm.es/index.php/ESMP/article/view/ESMP0606110477A/12396 [consulta: 25 de marzo de 2013].

ción sometidos a las reglas estilísticas del medio y con la libertad total de expresar sus ideas que, generalmente, concuerdan con la línea editorial del medio, posiblemente porque el mismo lector que compra y lee el diario tiene una forma de compartir sus mismos puntos de vista.

No obstante, debe tenerse en cuenta que en la selección de las cartas se mantiene la línea coherente que quiere la publicación. Esto se debe a que son textos expuestos al criterio e interés del medio en su selección y sometidos en su edición al estilo impuesto en sus páginas, por lo que su publicación final adquiere un modelo de coautoría claro.

Alejandro Córdova Jiménez identifica este aspecto de interpretación subjetiva y añade un segundo punto que demuestra el carácter persuasivo de estas cartas. Se trata del efecto sobre la audiencia del periódico, con muchos más seguidores este género por la variedad de temas y libertad expositiva que cualquiera otra lectura firmada por un periodista del medio:

Se ha señalado dos características que diferencian las cartas del director de los demás tipos de cartas y que resulta importante considerar: la coautoría y la audiencia de la carta. La primera se presenta como producto de la edición y de la incorporación de la carta en el mundo periodístico, la segunda es consecuencia de la estructura que posee la carta (como una carta tradicional), que explícitamente va dirigida al director, implícitamente tiene como remitentes a los demás lectores del medio de prensa al ser publicadas[170].

---

170. CÓRDOVA JIMÉNEZ, A. "Las cartas al director como género periodístico". ZER *Revista de Estudios de Comunicación*, n° 30, vol.16. Bilbao: Universidad del País Vasco (Euskal Herriko Unibersitatea), 2011, pp. 189-202. http://www.ehu.es/zer/hemeroteca/pdfs/zer30-10-cordova.pdf [consulta: 25 de marzo de 2013].

PARTE III

Contextualización
de la tauromaquia

4. Revisión histórica de la fiesta de los toros

Estas líneas son un breve repaso a la fiesta de los toros para justificar su existencia y las particularidades que fue tomando a partir de su evolución y trascendencia en territorio español hasta configurarse como protagonista de la cultura española. Un recorrido que se inicia en los orígenes de las corridas y que esquiva la milenaria complejidad simbólica del toro y la especificidad ritual de las fiestas que remontan los juegos festivos de los toros a supuestas celebraciones sagradas del Oriente Próximo y de las culturas clásicas del Mediterráneo.

4.1. Panorámica del universo de la tauromaquia y su influencia

El primer antecedente histórico de la fiesta de los toros en España lo constituye las llamadas Funciones Reales, celebradas generalmente con motivo de un acontecimiento de la Corte: una boda regia, un bautizo, un triunfo militar, una solemnidad religiosa. Hay constatada una referencia en el año 1080, en Ávila, donde se celebraron con toros los desposorios de Sancho de Estrada con doña Urraca de Flores; aunque la primera referencia comprobada documentalmente se remonta al año 1135 con motivo de la coronación de Alfonso VII el Emperador en Varea (Logroño), donde tomaron parte caballeros de renombre y de cuya acontecimiento ya hemos dado cuenta en la página 115 del capítulo *El lenguaje específico de la información taurina*, cuando hablábamos del concepto Fiesta Nacional. Estos festejos fueron fiestas esporádicas, donde la nobleza se divertía a caballo esquivando al toro y alanceándole hasta la muerte.

Durante mucho tiempo los toros fueron un pasatiempo de privilegiados. Se caracterizaban los festejos por un toreo a caballo basado en la movilidad y en la doma para poder burlar al toro y así someterle al castigo de la suerte suprema: la lanzada. Se ejecutaba desde el caballo y su finalidad era atravesar con la lanza el cerviguillo del toro, causándole la muerte en el acto. Este tipo de corridas era a gusto de los caballeros, porque les permitía mostrar su valor, al tiempo que les servía como entrenamiento militar.

Pero este juego en el campo cuando fue transformándose en espectáculo pasó a la plaza pública y el caballero precisó de sus ayudantes. Este hecho fue trascendental para la aparición del toreo a pie, que surgió impulsado también con el cambio de dinastía monárquica de los Austrias a los Borbones, cuando la nobleza abandonó las plazas y el toreo a caballo al verse empujada por la desfavorable opinión que tuvo Felipe V de Borbón (1700-1746) sobre este tipo de festejos. Esta retirada de los nobles del rejoneo nobiliario dio el pistoletazo de salida a los "chulos" y los "pajes", que empezaron a torear a pie en el albero. Los toros se hicieron cada vez más populares en el sentido de que los toreros de a pie que ayudaban al caballero en plaza fueron cobrando importancia, invirtiéndose entonces los papeles: el caballero —futuro picador— pasó a un segundo plano, preparando al toro para el lucimiento y realización de todas las suertes por parte del torero.

4.1.1. La mutación de la fiesta: lidia a pie e información en el siglo del origen de La Vanguardia

Una nueva época arrancó en los últimos años del siglo XVIII marcada por el final del toreo aristocrático a caballo y el acceso del pueblo al protagonismo en las plazas. La fiesta de los toros parecía sensible a las evoluciones sociales, y en este cambio en lo taurino y en lo social se constituyó la lidia a pie, tal y como se conoce en la actualidad. Bartolomé Valle indica que poco a poco la fiesta transitó hacia una especialización de los protagonistas, una individualización de los actores y la profesionalización de los mismos: "En definitiva, hacia una total mutación de la fiesta en espectáculo, a la sustitución del correr los toros por la lidia de los mismos, formalizándose conforme a los cánones y normas que se contienen en todas las Tauromaquias"[171].

Este nuevo rumbo, como veremos más adelante en otro capítulo, también afectó en la información. Con la publicación en el *Diario de Madrid* de la primera crónica taurina escrita por un espontáneo (*Un Curioso*), el 20 de junio de 1793, se puso fin a la época de los textos taurinos contenidos en las Relaciones del siglo XVI y XVII y se dio inicio a la costumbre de que los periódicos dedicasen un espacio en sus páginas al comentario de este espectáculo. De esta manera, las Relaciones de siglos anteriores fueron sustituidas a finales del XVIII por una información taurina que conquistó terreno poco a poco en la prensa perió-

---

171.   VALLE BUENESTADO, B. "Las plazas de toros andaluzas". *PH: boletín del Instituto Andaluz del Patrimonio Histórico*, Año XII, n° 49. Sevilla: Instituto Andaluz del Patrimonio Histórico, 2004. http://www.juntadeandalucia.es/cultura/iaph/portal/Productos/Textos_e/index.jsp?pag=/portal/Contenidos/Textos_e/2004/boletin49/UrbanismoYplazasToros [consulta: 8 de junio de 2009].

dica y que surgió en las revistas como un nuevo fenómeno con autonomía auténtica.

La fiesta en el siglo XIX cogió, definitivamente, el gusto por el toreo a pie gracias, en parte, a que todos sus elementos se habían gestado en el siglo pasado a través de tres primeras figuras, como dice Francisco López Izquierdo: "La triada tauromáquica del XVIII: Joaquín Rodríguez *Costillares*, José Delgado *Pepe-Hillo* y Pedro Romero"[172]. Ellos consiguieron con su toreo a pie una edad de oro del toreo, la época goyesca. Fueron los primeros matadores que reglamentaron las diferentes habilidades y destrezas que deberían realizarse en las corridas de toros, así como la táctica y el desarrollo[173]. Iniciaron el periodo de la tauromaquia moderna, más técnica y profesional que la anterior, que había estado marcada por la total anarquía de sus primeros toreros, entre ellos Francisco Romero, primer lidiador de a pie que logró verdadera fama, con cuadrillas de lidiadores procedentes de los más bajos fondos sociales y con técnicas para matar toros muy diversas: espadas, puñales y medias lunas[174].

Estos tres diestros, figuras de su tiempo, hicieron que triunfase el gusto por el toreo a pie y que se organizase y ordenase la lidia tal como se conoce en la actualidad: el capote, las banderi-

---

172. LÓPEZ IZQUIERDO, F. "La triada tauromáquica del XVIII. Costillares, Illo y Pedro Romero". En: VV.AA. *Aula de tauromaquia II. Curso académico 2002-2003*. Madrid: Universidad San Pablo CEU, 2004, p. 7.

173. FERNÁNDEZ TRUHÁN, J. C. "Orígenes de la Tauromaquia". En: "X Congreso Internacional de Historia del Deporte (del 2 al 5 de noviembre de 2005)". *CAFYD, Portal de las Ciencias de la Actividad Física y del Deporte*. Sevilla: Universidad Pablo Olavide de Sevilla, 2005. http://www.cafyd.com/HistDeporte/htm/pdf/6-0.pdf [consulta: 26 de enero de 2012].

174. La media luna era un tipo de punta de flecha con esta forma que se utilizaba para cortar cabos y cuerdas.

llas, la muleta y la estocada como suertes esenciales, y la primacía del toreo a pie respecto al de a caballo. Su coincidencia histórica fue significativa al afirmarse los fundamentos de las dos
escuelas que dividieron para siempre el porvenir de la tauromaquia: la rondeña y la sevillana. La escuela rondeña, encabezada
por Pedro Romero, se caracterizó por la pulcritud y la hondura.
La sevillana, representada por la figura de *Pepe-Hillo*, autor de
Tauromaquia (1796), el primer tratado serio del toreo moderno y
que descubre algunas peculiaridades del toreo de entonces,
concibió la lidia desde un concepto pinturero y alegre.

Las primeras tres décadas del siglo XIX asistieron, sin embargo, a un importante decaimiento del arte de los toros a causa
de las prohibiciones de Carlos IV y por la muerte del torero
Pepe-Hillo en 1801. Faltaban en esos años figuras taurinas de
interés, y las pocas que destacaban se prodigaron escasamente
en los ruedos a causa de la prohibición que imperaba en aquellos tiempos.

Con las retiradas de Pedro Romero y *Costillares* y la muerte
de *Pepe-Hillo* nadie impuso un toreo que justificase la atención de quien quisiera notar la evolución de las suertes y ma-
neras de la lidia. Ni Francisco González *Panchón*, José Ulloa
Tragabuches, Rafael Pérez de Guzmán o Curro Guillén. Tan
solo se salvó Jerónimo José Cándido Hernández "que era un
buen lidiador y se había quedado como figura indiscutible del
cotarro"[175].

Cándido[176] (1770-1838) intentó fundir los procedimientos

---

175. SEGURA PALOMARES, J. *Desafío al presente*. Madrid: Espasa-
Calpe, 1990, p. 150.

176. No hay que confundir a Jerónimo José Cándido Hernández con
José Cándido Expósito, que era su padre y que pasó a la historia por ser el
primer torero a pie profesional cuya muerte en una plaza está documentada, concretamente en El Puerto de Santa María el año 1771.

de los toreros Romero y *Pepe-Hillo* continuando sus tácticas y preludió con su eclecticismo la arrolladora aparición de Francisco Montes Reina *Paquiro*. Adoptó un sistema mixto de los recursos de los toreros sevillanos sobre la base de su información genuinamente rondeña. El objetivo fue aumentar el adorno y desarrugar el ceño de la escuela de Ronda durante todo su carrera taurina, un toreo largo que le acabó afectando en su salud (afección reumática) y que provocó que dejase los ruedos en 1822. Eso no impidió que se olvidase por completo del mundo del toreo: pasó a ocupar la subdirección de la Escuela de Tauromaquia de Sevilla, creada el 28 de mayo de 1830 y dirigida por el rondeño Pedro Romero.

4.1.2. El nacimiento de la tauromaquia moderna de la mano de Francisco Montes 'Paquiro'

Hubo que esperar a bien entrado el siglo XIX para darle de nuevo un empujón a la fiesta. Fue con la irrupción de un torero excepcional: Francisco Montes Reina *Paquiro* (1805-1851), llamado el "Napoléon de los toreros" o el "Gran legislador". La primera vez que se anunció en un cartel fue en 1830, coincidiendo con los comienzos del movimiento cultural y político del Romanticismo. Inició con su toreo un reinado taurino corto, pero brillante y de una incontestable dictadura torera, hasta el punto de convertirse, junto a la corrida, en el mito romántico e hispano por excelencia. La trascendencia de su arte para la tauromaquia moderna dejó huella, como bien cita Juan Segura Palomares: "Para Ortega y Gasset, Montes fue el verdadero arquitecto de la actual corrida, y si hemos de hacer caso a Néstor Luján tuvo como li-

diador unas condiciones como ningún otro habrá tenido"[177].
Montes fue el alumno más brillante de la Escuela de Tauromaquia de Sevilla. En 1836 publicó *Tauromaquia* —obra redactada por Santos López Pelegrín *Abenamar*—, todo un compendio de su pensamiento taurino, donde se atrevió a combinar por vez primera los elementos técnicos con los fundamentos tácticos de la lidia, y estos, a su vez, con la primera organización seria de las cuadrillas y las funciones de cada uno de sus participantes en las suertes reglamentadas para cada uno de los tercios en que se divide la corrida: varas, banderillas y muerte. Con ella se consagró la forma de consumirse el espectáculo hasta el punto de que es la base de la reglamentación taurina que en gran parte llega hasta nuestros días. De esta forma, cualquier duda que pudiera suscitarse sobre la interpretación de determinados artículos del reglamento pueden esclarecerse acudiendo al tratado de *Paquiro*[178].

Alumno también de la Escuela de Sevilla fue el madrileño Francisco Arjona *Cúchares* (1818-1868), que dejó para la posteridad la equiparación del arte de torear con "el arte de Cúchares", cuando le correspondió esa honra a *Paquiro*. Lo que son las cosas, le ocurrió a *Paquiro* lo mismo que a Colón, o sea que al Nuevo Mundo no le llamaron Colombia, como parecía de justicia, sino América. Y es que siempre se ha dicho que *Cúchares* hizo igual que Américo Vespucio, si este descubrió el significado del continente que después llevará su nombre, el diestro madrileño descubrió las posibilidades de un toreo que también después llevó el suyo.

---

177.   SEGURA PALOMARES. *Op. cit.* p. 156.
178.   COSSÍO Y MARTÍNEZ FORTÚN, J. Mª de. "Herederos. La Fiesta". En: *El Cossío. Los Toros*, vol. 4. Madrid: Espasa-Calpe, 1996, p. 135.

4.1.3. La prensa se posiciona: el enfrentamiento entre dos diestros como elemento informativo para el cronista

Desde el 29 de septiembre de 1865, día que tomó la alternativa el cordobés Rafael Molina Sánchez *Lagartijo*, hasta 1890, cuando se retiró de los ruedos el granadino Salvador Sánchez *Frascuelo*, cifran los historiadores la primera Edad de Oro del toreo, marcada por el enfrentamiento de estos dos diestros en las plazas españolas, que no en la vida privada, donde fueron grandes amigos. Con ellos, hasta la llegada en 1912 de *Joselito el Gallo*, se culmina el ciclo que se podría denominar clásico, abriendo las puertas a la revolución de Juan Belmonte.

En *Lagartijo* sobresalió el arte, en *Frascuelo* el valor. Y entre los dos, enfrentados continuamente en el ruedo, lograron para la fiesta un esplendor extraordinario, ya que acentuando cada vez más el aspecto artístico y el arrojo dramático consiguieron mantener el interés y la pasión de los aficionados. Encauzaron la fiesta y la engrandecieron. Ellos mandaron en el orbe taurino y cuando abandonaron la profesión no faltó quien dijera que al irse ellos se había acabado la fiesta de los toros.

El testigo pasó a otras manos. Desde 1888, año que tomó la alternativa Manuel García *El Espartero*, y desde 1887, en que hizo lo propio Rafael Guerra *Guerrita*, se venía hablando de estos dos toreros pese a estar todavía en activo *Lagartijo* y *Frascuelo*. Ambos lograron una verdadera legión de admiradores y tomar el relevo de sus antecesores. *El Espartero* por su arrojada valentía y *Guerrita* por su poderío. Pronto se convirtieron en ídolos de una afición ansiosa de encontrar nuevos enfrentamientos, pero lo malo fue que al torero cordobés *Guerrita* le resultó difícil alcanzarle cualquier otro competidor.

Entre una pléyade de espadas de extraordinaria categoría

(Luis Mazzantini, Ricardo Torres *Bombita*, Rafael González *Machaquita*, Rafael Gómez Ortega *El Gallo*, etc.), la personalidad y arte supremos de *Guerrita* se alzaron soberanos y poderosos. Su carrera fue rápida y brillante, pero no jalonada en los triunfos. Supo de la amargura de sus detractores, quienes, acusándole de exigir ganaderías y hacer negocios a la sombra de los contratos, no le perdonaron nunca ni un solo instante de desmayo hasta hacerle imposible la vida en el ruedo[179].

El nuevo califa cordobés fue el dueño y señor de la fiesta en la última década del siglo después de que el 27 de mayo de 1884 se quedase sin competidor: en la plaza de toros de Madrid, cuando *El Espartero* entró a matar al toro "Perdigón", de la ganadería de Miura, este le asestó una cornada mortal. La muerte provocó que el panorama taurino se quedase entre "guerristas" y "antiguerristas". *Guerrita* mandaba y exigía porque no tenía a nadie que le presentara batalla. Quizá por este motivo, porque los aficionados, sabedores de su poderío, cada vez le pedían más, después de haber toreado 892 corridas y de haber matado a 2.339, se retiró definitivamente de los ruedos en 1899.

Con su retirada llegó la crisis. Ni Antonio Montes, a quien el propio *Guerrita* había casi nombrado su sucesor, ni la pareja formada por el sevillano *Bombita* y el cordobés *Machaquita* hicieron que el público regresase e los tendidos. La fiesta entró en una fase decisiva y crítica. El arte de los toros bravos pareció haber llegado a un punto insalvable. Solo hubo un torero genial en el horizonte, que precisamente fue testigo de la llamada Edad de Oro del toreo durante la década de 1910: José Gómez Ortega *Joselito el Gallo* (1895-1920), de gran personalidad fuera y dentro del ruedo.

---

179.   COSSÍO Y MARTÍNEZ FORTÚN, J. M. En: *El Cossío. Los Toros*, vol. 5. Madrid: Espasa Calpe, 1997, p. 87.

4.1.4. *Joselito el Gallo* y Belmonte: una nueva forma de entender y escribir de toros

Joselito el Gallo debería de haber gobernado está nueva Edad de Oro si no hubiese sido coetáneo de quien habría de ser su pareja y principal competidor, Juan Belmonte. Pero como torero inteligente y poderoso vio con tal claridad el futuro del toreo que se adaptó a la fuente que le aportaba el sevillano Belmonte. Con 20 años, *Joselito El Gallo* (*Gallito* o *Joselito* para sus seguidores) fue ya un maestro consumado y mostró una madurez milagrosa. Entró en unos terrenos que desde siempre habían sido respetados y temidos por inaccesibles para el torero. Fue un diestro ortodoxo, el primero que entró en las ganaderías para buscar el toro que le permitiera una lidia más duradera. Desde el primer capotazo ejercía un toreo total, con un conocimiento exacto de los terrenos, dominando la muleta y con una extraordinaria habilidad con la espada. Su presencia cambió el campo y auspició para el futuro del espectáculo la construcción de grandes cosos: las plazas monumentales. En cambio, frente a la ortodoxia de *Joselito el Gallo* se presentaba el toreo innovador de Juan Belmonte (1892-1962). De sus muñecas empezó a nacer un espectáculo taurino que sin él hubiera sido muy diferente. *El Pasmo de Triana*, como se le llamó a Belmonte, creó el toreo estético y estático, al convertir cada una de sus faenas en arte a partir de la quietud de los pies, la templanza y la despaciosidad en lo moderno. Consiguió dar el contenido artístico que faltaba al imponer las normas clásicas de parar, mandar y templar.

Ellos dos, *Joselito el Gallo* y Juan Belmonte, cambiaron e invadieron los terrenos del toro y rompieron los cánones de la tauromaquia de Montes. El público tomó conciencia de la más profunda revolución del arte de la tauromaquia desde sus orígenes.

Se crearon las estructuras, se buscó duración, la largura mantenida, ya sea en el toreo cruzado de Belmonte o en el largo de *Joselito el Gallo*. Comenzó a esbozarse lo que en adelante se conocería por "toreo moderno". Un toreo, además, donde la estética rebasaba a la eficacia, y que fue posible merced al mejoramiento de la casta del toro y la reducción de su tamaño y edad[180].

Ellos dos rivalizaron durante siete años formando una gran pareja que hizo dividir a los aficionados entre "gallistas" y "belmontistas". Igual que la historia de la tauromaquia había mostrado célebres enfrentamientos como las parejas decimonónicas de *Paquiro* y *El Chiclanero*, *Lagartijo* y *Frascuelo* o la más cercana que habían protagonizado *Guerrita* con *El Espartero*. Pero ninguno de estos dúos superó las cotas de fama alcanzadas por ellos dos. Un total de 258 tardes, entre 1914-1920, llegaron a torear *Joselito El Gallo* y Juan Belmonte, en unos mano a mano intensos y llenos de polémica para sus partidarios, hasta el punto de dividirse la afición en dos bandos irreconciliables.

Juan Belmonte se quedó solo en el Olimpo del toreo tras la prematura muerte con 25 años de *Joselito El Gallo*. Sucedió el 16 de mayo de 1920 en la plaza de toros de Talavera de la Reina, cuando el quinto toro de la ganadería de la señora viuda de Ortega le propinó una cornada mortal en el vientre. En un momento, toda aquella rivalidad se esfumó, pero sirvió para que la semilla del toreo germinase, ya no solo en las otras figuras de esa Edad de Oro, como Domingo González *Dominguín* o Ignacio Sánchez Mejías, sino en el número de toreros que empezaron a aparecer influenciados por la norma revolucionaria de ambos diestros. Eso sí, pese a ser grandes toreros toda esta nueva hornada, no llegaron a producir los nobles enfrentamientos de sus antecesores.

---

180.   ACQUARONI BONMATÍ, J. L. *La corrida de toros*. Barcelona: Noguer, 1960, p. 58.

Irrumpió Manolo Granero, después Manuel Jiménez *Chicuelo*, Marcial Lalanda, Domingo Ortega, Francisco Vega de los Reyes *Gitanillo de Triana*, y muchos otros que, como sucesores de este gran pareja, se ganaron con creces en los años veinte liderar la época llamada Edad de Plata: no tan trascendente como la anterior, pero sí más espectacular porque los toreros buscaron llegar más allá que los anteriores. Todos se enfrentaron a toros de peso y casta, fuertes y vareados, en unos años que fueron tan importantes como los pasados, ya que el toreo comenzó a modernizarse y perfeccionarse por lo que habían aportado el poderío de *Joselito el Gallo* y, en especial, el toreo de cortas distancias y pies asentados de Juan Belmonte. También crecieron, lamentablemente, en dos décadas, las muertes en la plaza: desde 1921 hasta 1940 hubo en la fiesta 103 víctimas de los toros (11 matadores de toros, 52 novilleros, 31 banderilleros y 9 picadores)[181].

La coyuntura del país tuvo también mucho que decir. Fueron años de revueltas, huelgas y altercados que desembocaron en 1936 en el inicio de la Guerra Civil. Antes, durante la República, en los ruedos cuatro puntales aseguraron la fiesta de los toros: Marcial Lalanda, Vicente Barrera, Manolo Bienvenida y Domingo Ortega. Este último conoció las dos épocas, anterior y posterior a la guerra, y supo mantenerse en todo instante como gran figura. Fernando Claramunt lo confirma en su estudio sobre la República y los toros: "A pesar de las intrigas de los políticos republicanos y antirrepublicanos, quien desde nuestro punto de vista manda en España en el tercer año del nuevo régimen sigue siendo Domingo Ortega"[182].

---

181. SERRANO ROMÁ, M. *Cien años de Tauromaquia (1892-1992)*, capítulo 3. Madrid: Videoteca Panorama, 1992, p. 68.
182. CLARAMUNT LÓPEZ, F. *República y toros*. Madrid: Egartorre Libros, 2006, p. 79.

Después del paréntesis obligado que significó la Guerra Civil, dejando la cabaña ganadera brava muy dañada, pues acabó con más de 30 de las mayores ganaderías de toros que venían manteniendo desde hacía años la fiesta, con los administradores imponiendo por razones económicas un toro disminuido en edad y casta para hacerlo más cómodo, y sin la regularidad de la celebración de festejos celebrados por el territorio español, las corridas reaparecieron en España de la mano de una figura cumbre como fue *Manolete*. Los toros se achicaron[183], pero el toreo no desmereció, sino que se llevó adelante la técnica iniciada por *Joselito el Gallo* y Belmonte: toreo más ceñido y vistoso, en el que se valoró más la faena con la muleta que la muerte del animal.

4.1.5. Del Franquismo a la Democracia: las nuevas reglas de juego para el cronista de toros

Manuel Rodríguez Sánchez *Manolete* representó la figura cumbre del mundo de los toros durante el Franquismo, y quién sabe si de la historia del toreo. Nacido en Córdoba el año 1917, tomó la alternativa en Sevilla en 1939 y sufrió la mortal cogida del toro *Isleño* de la ganadería Miura en la plaza de Linares el 28 de agosto de 1947. Ritmo, precisión, empaque, son palabras que pueden servir para reavivar la imagen de *Manolete*, pero resultan insuficientes para sugerir lo que fue su arte a las nuevas generaciones que no lo vieron nunca torear.

Manolete fue la figura más sobresaliente de su época, de tales

---

183.   El resultado de la desaparición de numerosas ganaderías con la Guerra Civil fue que hasta los años sesenta no se consiguió un equilibrio zootécnico ni una normalidad en la producción de reses bravas, por lo que el toro perdió fuerza y bravura.

dimensiones que muy bien puede ser calificado como uno de los grandes ases en solitario del toreo. Desde Juan Belmonte, el deseo de quedarse quieto existió en todos los toreros, pero ese sueño solo se consiguió hasta cuando llegó *Manolete*. Su personalísimo arte, sobre todo con la muleta, y el dominio con el estoque hicieron que la lidia perdiese interés en favor de un modelo de toreo que ha sido exaltado por críticos, cronistas, escritores y aficionados.

En aquella época de toros sin casta, sin el toro-toro, el toreo de "Manolete" culminó en su propia casta. Manolete basaba su toreo en tres aspectos fundamentales, que eran el torear con la muleta retrasada, torear al hilo de pitón y torear de perfil, con el compás cerrado y en una total verticalidad [...]. Su estilo, elegante y vertical, evolucionó el arte de la muleta toreando de frente y citando de perfil y si Chicuelo puso de perfil el toreo sevillano, años más tarde "Manolete" puso de perfil el toreo rondeño llevando a la máxima expresión la revolución de Joselito y la estética de Belmonte[184].

Su categoría de figura la confirmó en sus excursiones a México, Perú y Colombia, y en su poder mediático, que le permitió a través de su apoderado elevar la cuantía de los honorarios, lo que se reflejó inmediatamente en todos los toreros. Incluso quienes siempre acusaron a *Manolete* de aportar a la fiesta numerosos vicios y defectos (estoque de madera, el toro chico y afeitado), acabaron rindiéndose a su calidad torera.

---

184.   BAZÁN ZENDER, C. "El diestro que revolucionó el toreo". *Expreso.pe*, 13 de agosto de 2012. Lima: Diario Expreso, 2012. http:// www.expreso.com.pe/noticia/2012/08/13/el-diestro-que-revoluciono-el-toreo [consulta: 27 de agosto de 2012].

Es justo destacar de esa época, que la fiesta de los toros, como sucedió en décadas posteriores, se le atribuyó un carácter nacional y patriótico. La imagen de *Manolete* se instrumentalizó como propaganda de lealtad al régimen de Franco, justo en un momento en que se lidiaron animales jóvenes e incluso afeitados, muy distintos a los de otros tiempos. Pero también debe decirse que esos mismos toros eran los que despachaban todos los diestros de entonces y, sin embargo, ninguno consiguió los extraordinarios éxitos que alcanzó el diestro cordobés en los ruedos[185].

A los espadas que tomaron la alternativa en 1940 (Paco Cister, Pepe Luis Vázquez, Paquito Casado y *Gallito*), se incorporaron en los primeros años de la década de los cuarenta toreros de la talla de Pedro Barrera, Antonio Bienvenida o Luis Miguel *Domínguín*, entre otros. La afición transigió con la escasa presencia del ganado y los diestros desbordaron los terrenos que impuso Juan Belmonte sin la bronquedad del toro cuajado y con edad. Se toreaba más de cerca que jamás lo hiciera torero alguno. Y mejor, con una inspiración artística que llegó a unas calidades plásticas desconocidas hasta entonces. Nunca tuvieron los toreros una situación más cómoda y privilegiada[186].

Quien rivalizó con *Manolete* fue el diestro mexicano Carlos Arruza, un desconocido para los espectadores españoles, que a base de triunfos en los principales ruedos acabó siendo escogido por la afición como su rival. Lo que sucedió, como bien detalla el crítico Manuel Lozano, fue que quienes pretendieron que Carlos Arruza fuese la pareja de *Manolete* se equivocaron rotundamente, porque "jamás llegó a la altura del famosísimo cordobés

---

185.   LOZANO SEVILLA, M. "Los toros". *Enciclopedia Temática Ciesa*, vol. 17. Barcelona: Compañía Internacional Editora, 1967, pp. 42 y 43.

186.   GUTIERREZ ARAGÓN, D. *Los toros de la guerra y del Franquismo*. Barcelona: Luis de Caralt Editor, 1978, p. 109.

y, además, porque en realidad fueron un par de temporadas escasas las que tuvo ocasión de alternar con el malogrado diestro"[187].

Después de los años cuarenta, donde la fiesta de los toros padeció una degeneración por razón del ganado y el peso de los apoderados, que pusieron en buena medida a la crítica taurina a su servicio, en esos años llenos de fatigas y añoranzas, y en las primeras estribaciones de la década de los cincuenta, sin *Manolete* y Arruza en los ruedos, comenzaron a dar que hablar, y mucho, Agustín Parra *Parrita*, Rafael Ortega, Julio Aparicio y Miguel Báez *Litri*, estos dos últimos bien guiados por quien fuera apoderado de *Manolete*, José Flores Camará. Estos toreros centraron la atención de los aficionados y eclipsaron a novilleros y matadores de alternativa. Torearon con reses cómodas y muchas veces sospechosas, pero llenaron las plazas de toros que fue realmente lo que importó.

Fue una época de transición, en la que la tónica general fueron diestros que no encadenaron más de cuatro o cinco temporadas seguidas, donde la competencia comenzaba a ser feroz y cuando, en ocasiones, había más novilladas que corridas. El régimen franquista se preocupaba de que los españoles tuviesen de qué hablar y se divirtiesen, popularizando el tópico "Pan y toros"[188] para mi-

---

187.   LOZANO SEVILLA, M. *Op. cit.* pp. 43 y 44.

188.   La expresión "Pan y Toros" está inspirada en la locución latina peyorativa *Panen et Circenses* (Pan y Circo), que retrataba una manera de gobernar en la antigua Roma donde se hacía uso del espectáculo para acallar mediante la distracción las reclamaciones del pueblo. Su popularización en España fue a finales del siglo XVIII y principios del XIX a partir de un hiriente panfleto de denuncia social que se le atribuyó a Jovellanos, aunque realmente fue del erudito León de Arroyal, quien bajo el título *Pan y Toros* defendió irónicamente la educación y el progreso científico como locomotoras del país en contra de las viejas costumbres. La difusión de este tópico, cuyo texto fue publicado en Cádiz 1812, después de correr durante años en diferentes hojas clandestinas por media España, se extendió sobre todo gracias a haber dado título en 1864 a una zarzuela de Francisco Asenjo Barbieri.

nimizar los conflictos sociales y mantener una situación de atraso insoportable.

El rejoneo también tuvo su protagonismo. La amazona peruana Conchita Citrón consiguió desbancar a Álvaro Domecq de las preferencias del público en los años que el veterano cronista de la guerra española y escritor estadounidense Ernest Hemingway volvía a España. Fue el verano de 1953, justo cuando mandaba Antonio Ordoñez, hijo de Cayetano Ordóñez *Niño de la Palma*, el torero con quien tanta amistad había entablado el autor americano los días que le inspiraron la novela *Fiesta*[189]. De depurado estilo, Ordoñez hijo fue figura de tronío por su arte y hondura. Un artista por el que Hemingway también se fascinó, igual que sucedió con su padre, y para quien entregó su amistad y elogios: "La primera vez que vi a Antonio Ordoñez me di cuenta de que podía realizar todos los pases clásicos sin engaño, de que era capaz de matar bien si se lo proponía y de que era un genio con la capa"[190].

La fiesta de los toros transcurrió algo anodina durante los años cincuenta, con un panorama carente de especiales incentivos, siendo Antonio Ordoñez el capitán y Manolo Vázquez, Antonio Chenel *Antoñete* y Luis Miguel quienes completaron los carteles importantes. Destacaron el buen arte de Joaquín Bernadó, el pundonor de Jaime Ostos y los triunfos del novi-

---

189. El escritor Ernest Hemingway quedó prendado en los Sanfermines de 1925 del estilo puro y elegante del torero Cayetano Ordoñez *Niño de Palma*, hasta el punto que decidió que fuese uno de los protagonistas de *Fiesta*, la novela que estaba escribiendo y que vio la luz el año 1926. En: "La vida de Ernest Hemingway su relación con Pamplona". *Turismo de Navarra*. Pamplona: Gobierno de Navarra http://www.turismo.navarra.es/esp/propuestas/san-fermines/desarrollo/hemingway.htm [consulta: 8 de agosto de 2012].

190. HEMINNGWAY, E. *El verano peligroso*. Barcelona: Editorial De Bolsillo, 2005, p. 32.

llero Antonio Borrero *Chamaco*, de gran recuerdo en los cosos barceloneses.

La década de los años sesenta arrancó con tres nombres propios: Manuel Benítez *El Cordobés*, Diego Puerta y Paco Camino. Una década prodigiosa, otra edad de oro para muchos autores, con un toro recuperado y una vuelta al toreo clásico. En este orbe taurino brilló por encima de todos *El Cordobés*. Este torero se convirtió en el icono del aperturismo franquista, la base del negocio de los toros y en un ídolo de masas: estrella del cine, del espectáculo y la televisión, no solo por su original y revolucionario toreo, al que nadie pudo dar réplica, sino porque fue un hombre inteligente para administrarse la fama que le convirtió en un mito sin precedentes[191]. Pero el populismo vulgarizador del *cordobesismo* provocó en las estriberías del régimen franquista años de confusión, heterodoxia y retirada de grandes maestros de décadas anteriores.

Los inicios de los setenta fueron duros, como en la década de los veinte, porque la imagen de la fiesta se convirtió en exponente de la más rancia españolidad y porque no sucedió nada relevante entre toreros y toros. El fútbol, que junto a los toros servía de catalizador de la identidad nacional para el régimen de Franco, se impuso definitivamente como el espectáculo de mayor seguimiento entre los españoles, desplazando a las corridas de toros. Los últimos matadores significativos del Franquismo, como Francisco Rivera *Paquirri*, Santiago Martín *El Viti*, Rafael de Paula, Palomo Linares o Curro Romero, iniciaron este periodo compartiendo cartel con los hermanos Campuzano, José Ortega Cano, Luis Francisco Esplá, Emilio Muñoz, Paco Ojeda o José Cubero *El Yiyo*, entre otros, maestros todos ellos que cargaron con el arte taurino en unos años

---

191.   SERRANO ROMÁ, M. *Op. cit.* Capítulo 4, pp. 91 y 92.

que en España todo se estaba reinventando, los nacionalismos construían su discurso antitaurino y la izquierda desdeñaba el espectáculo al considerarlo próximo al ideario fascista. Además, muchos jóvenes empezaban a ver la fiesta como un espectáculo folclórico, trivial y sádico.

La deteriorada imagen de las corridas que había dejado el régimen franquista, sumado a la mediocre monotonía de todo lo que sucedía en el ruedo, manifestada por la flojedad de los animales, carentes de fuerzas y acometividad, y por el escaso tirón de las denominadas figuras, recibió una sorprendente respuesta del orbe taurino en los años ochenta. Durante toda esta década, la progresión antitaurina se detuvo por un proceso revitalizador que surgió desde dentro y fuera de los ruedos.

En esos años difíciles de la transición para la política y la sociedad surgió una nueva tendencia legitimadora en torno al espectáculo taurino. Este fenómeno, bien estudiado por Javier Vellón en su trabajo presentado en la V Aula de Tauromaquia de la Universidad CEU San Pablo[192], sostiene que la propia inercia taurina propició esta transformación a través de los siguientes factores: el mundo de los toros recuperó la imagen clasicista de la tauromaquia con el retorno de dos diestros veteranos, Antonio Chenel *Antoñete* y Manolo Vázquez; la fiesta vio la consolidación de una generación de nuevos toreros entronizados con la sociedad de su tiempo; la ciudad de Madrid emergió como el epicentro del arranque renovador a través del empresario de la plaza de las Ventas, Manolo Chopera; apareció un nuevo periodismo escrito, radiofónico y audiovisual interesado en el mundo taurino como materia informativa; grupos sociales y personalidades públicas ajenos al espectáculo de

---

192.   VELLÓN LAHOZ, J. "La fiesta taurina: Imagen social y transformación. Una perspectiva histórica. En: CABRERA BONET, R (coord.). *Estudios de Tauromaquia (II)*. Madrid: CEU Ediciones, 2007, pp. 282-286.

los toros volvieron sus ojos a todo cuanto sucedía en los ruedos; los hechos trágicos, como la muerte de dos figuras del toreo, caso de *Paquirri* y *El Yiyo*, devolvió a la fiesta su impronta
original, y la aparición en escena del ganadero Victorino Martín demostró la autenticidad del toro encastado[193].

4.1.6. De la legitimación a la degradación

Entrada la década de los noventa, el toreo manifestaba un equilibrio entre lo veterano y la juventud. El espectáculo prestigiado
de la década anterior se vio herido por la comercialización y la
"vida rosa" de la fiesta de los toros que algunos toreros llevaron
hasta el extremo a través de las imágenes. El espectáculo taurino vivió durante los últimos diez años del siglo XX bajo la pauta
del mercado audiovisual, impulsado por la aparición de las televisiones privadas[194], que a base de programas y retransmisiones

---

193.   El punto de inflexión que rejuveneció a la fiesta, marcando un
antes y un después, fue el 1 de junio de 1982 en la que ha sido considerada
la "corrida del siglo". Aquella tarde de primavera, el ganadero Victorino
Martín mostró al mundo, con la puesta magnífica de seis toros de su hierro, que el verdadero toreo era algo muy diferente a los alardes de valentía
que se venía haciendo frente a animales moribundos y descastados. Los
aficionados se convencieron de que la fiesta de los toros podía ser algo
bien distinto a lo que estaban acostumbrados a ver y que podía tener mayor vitalidad que la demostrada en los últimos años.

194.   El 25 de agosto de 1989 el Gobierno socialista de Felipe González decidió otorgar las tres licencias de televisión privada que, de acuerdo
con la correspondiente ley aprobada durante el curso político anterior, en
medio de abundante controversia, habrían de estar en funcionamiento a
comienzos de 1990. Al sacar adelante esta ley el panorama de la televisión
cambió de manera radical en España. Por primera vez se permitió que empresas privadas tuviesen su propia cadena. Las tres primeras licencias concedidas ese día fueron para *Antena 3*, *Tele 5* y *Canal+*.

de corridas en plazas de segunda y tercera categoría hicieron de muchos toreros, especialmente de Jesús Janeiro *Jesulín de Ubrique*, un producto de márquetin audiovisual alejado de su identidad original y de la naturaleza propia del espectáculo taurino. Al mismo tiempo, el exceso de corridas televisadas condujo a una banalización de la fiesta de los toros y con ella a su pérdida de emoción.

Así transcurrieron esos años, entre la conversión de las corridas en una realidad asimilada por el discurso televisivo, los destellos de veteranos toreros, el carácter transgresor de jóvenes figuras, como *Jesulín de Ubrique*[195], los sonados triunfos de César Rincón, el éxito constante de Enrique Ponce, la irrupción del fenómeno José Tomás y la aparición de un jovencito llamado Julián López Escobar *El Juli*. Pero, también, continúo una campaña en búsqueda del toro íntegro, cada vez más en tela de juicio, desconocido para los nuevos aficionados que se habían acostumbrado al toro que se caía con solo mirarlo, y criticado por el escaso control del afeitado de los cuernos.

La fiesta de los toros, para lo bueno o para lo malo, estaba dejando el siglo revitalizada ante la opinión pública española como manifestación tradicional de la cultura popular. Para lo bueno, porque en 1991 eran 151 diestros quienes compusieron el escalafón[196] y en el año 1999 torearon hasta 223 matadores[197]. Para lo malo, porque los *jesulines, litris, caminos* o *riveras ordóñez,* empujando desde el ruedo y desde fuera (televisión y prensa del

---

195.   *Jesulín de Ubrique* pulverizó el año 1995 el récord de corridas estoqueadas con 161 festejos, superando a *Espartaco* y Enrique Ponce, que en esa misma década llegaron a superar el centenar de corridas en varias ocasiones.

196.   SERRANO ROMÁ, M. *Op. cit.* Capítulo I, p. 22.

197.   REVUELTA LAPIQUE, J. M. *Anuario El País 2000.* Madrid: Ediciones El País, 2000, p. 316.

corazón), conquistaron a una nueva afición que acudió a las ferias sin un mínimo conocimiento del toreo y que no fructificó, posteriormente, en un relevo generacional en los tendidos.

Llegados a los primeros años del siglo XXI, la afición vio como se toreó más que nunca; hubo corridas casi todos los días del año y, prácticamente, en todas las provincias de la península Ibérica hasta la temporada 2007. Desde 1999 el número de festejos celebrados en España siempre fue creciente, pasando de las 1.897 funciones de 1999 a las 2.171 de 2007, un máximo histórico en la tauromaquia española. El *tomasismo*[198] acabó de tomar cuerpo en este siglo por la pureza y autenticidad que demostró el diestro José Tomás dentro y fuera de los ruedos. Acaparó la actualidad por cada uno de sus movimientos y quehaceres. Primero, por la retirada en el año 2002 sin saber nadie si era momentánea o definitiva; luego, por su apoteósica reaparición en el 2007; y después, como siempre había venido haciendo, por interpretar excelentemente el arte del toreo, por sus exigencias para torear en las grandes ferias, por su permanente silencio, por su desapego a la televisión, por su idilio con Barcelona, o por sus terribles cogidas. En definitiva, por tratarse de un torero singular, auténtico, genial, que despertó expectación y misterio.

El Juli, Enrique Ponce y José Antonio Morante Camacho *Morante de la Puebla*, a debate los tres cuando se compararon con José Tomás, ocuparon también protagonismo esos años. Ellos, junto a todo el escalafón taurino, se enfrentaron a un toro de lidia que se mantuvo bien por debajo de lo exigido. Y es que en plena decadencia ganadera española, la res brava siguió mostrando una carencia injustificada para lo que demandaba la autenticidad de la fiesta.

---

198. Término acuñado por los aficionados seguidores de José Tomás. Buscan que el toreo que profesa se convierta en corriente, forma de hacer general o modelo a seguir.

Los toros demostraron que pasaban por un momento difícil. Pero la afición, también[199]. La impresión general es que el mundo del toreo estaba siendo víctima de una ofensiva que pretendía acabar con este espectáculo. Las amenazas llegaron desde las comunidades autónomas de Canarias, Cataluña y País Vasco. La fiesta estaba en la encrucijada por las numerosas asociaciones en defensa de los animales, sometida al embiste político por su enraizamiento con el pasado, desplazada por las nuevas diversiones de la juventud (fútbol, Internet, turismo y discotecas) y expuesta a la muy grave crisis económica, con restricciones de ayudas municipales y un preocupante excedente de toros en las dehesas. La cifra de espectáculos taurinos, además, bajó alarmantemente desde 2007 a 2010, 816 menos, concentrándose la caída especialmente en plazas de tercera categoría, con 752 festejos menos, reducción que se justificó, principalmente, por la crisis económica, por la prohibición de las plazas portátiles en la comunidad catalana y por la sobreoferta de los espectáculos que algunas figuras del escalafón taurino habían hecho en años anteriores[200].

El interés por las corridas de toros experimentó un descenso real y preocupante. Los taurófobos se apoyaban para pedir su supresión en las encuestas que desde 1971 publicaba el Instituto Gallup, empresa especializada en sondeos de opinión pública, sobre el grado de interés de los ciudadanos por la fiesta de los toros. En las cifras se plasmaba el deterioro que había causado el Franquismo, los años revitalizadores de los ochenta

---

199. Una encuesta de Gallup señalaba en el 2007 que solo el 27% de los españoles estaba interesado en la fiesta de los toros.

200. MEDINA GARCÍA-HIERRO, J. "110 años de toros en España. Evolución de la fiesta: la burbuja taurina frente a la burbuja económica y social". *Tauroeconomía*. 2010. http://escalafon.blogspot.com.es/2010/11/110--anos-de-toros-en-espana-1901-2010.html - [consulta: 3 de mayo de 2013].

y los nubarrones negros que se precipitaban sobre la fiesta. La primera encuesta realizada por Gallup en febrero de 1971 reflejó que el 55% de los españoles mostraba algún interés por las corridas taurinas, frente al 43% que no tenía ninguno. La balanza cambió en el siguiente muestreo (marzo de 1977), cuando los taurinos cayeron al 45% y los desinteresados por las corridas de toros subieron al 54%. Sin embargo, tres encuestas posteriores reflejaron una ligera mayoría de antitaurinos, pero a partir de septiembre de 1992 la cifra de aficionados a los toros se desplomó al 31%, con la mayor diferencia en 2006 (72% de antitaurinos frente a 27% de taurinos). A continuación, unos datos más al detalle de todas estas cifras:

¿Le interesan las corridas de toros?[201]

RESPUESTA	1971	1977	1980	1985	1987
MUCHO	22	17	17	17	19
ALGO	33	28	29	30	29
NADA	43	54	53	50	52

1992	1993	1999	2002	2006
14	18	10	10	7
17	20	22	21	19
68	61	67	69	72

Fuente: ICSA-Gallup

---

201. Información extraída de las encuestas de ICSA-Gallup sobre el grado de afición de los españoles a las corridas de toros. Se comprueba los repuntes que tuvo la fiesta de los toros en los años ochenta como resultado de su revitalización dentro y fuera de los ruedos españoles. En: *ASANDA (Asociación Andaluza para la Defensa de los Animales)*. Sevilla. http://www. asanda.org/documentos/tauromaquia/encuestas-sobre-corridas-de-toros/comparativa-icsa-gallup [consulta: 3 de mayo de 2013].

Nadie quería aventurarse a decir cuál sería el futuro de los toros con el panorama descrito. Pero, a pesar de todo, era evidente que el año 2010 las líneas de la tauromaquia del siglo XXI estaban trazadas y un póquer de figuras la abanderaban por su arte y fuerte tirón popular: José Tomás, Enrique Ponce, *El Juli*, José María Manzanares, Sebastián Castella, Alejandro Talavante y *Morante de la Puebla*, entre otros.

4.2. Las persecuciones de la fiesta de los toros

La persecución que los toros han sufrido en Cataluña durante los últimos años del siglo XX y la primera década del nuevo siglo no es una excepción en la historia de la tauromaquia. Nunca se ha entendido la fiesta sin las polémicas, prohibiciones y campañas antitaurinas que vienen de antiguo. Los toros siempre se han encontrado con un sinfín de obstáculos abolicionistas que sus detractores han ido sembrando en su camino con el tiempo para intentar acabar definitivamente con la tauromaquia. El debate, que se remonta a los orígenes del mismo espectáculo, ha hallado en medios intelectuales a encendidos polemistas y ha girado según la época a distintos criterios, ya fueran del orden religioso, moral, estético, cultural, económico, político o proteccionista.

Los estudios que hizo José Mª de Cossío[202], en su gran enciclopedia acerca de las polémicas sobre la licitud y conveniencia de la fiesta, identifican entre las causas principales de la persecución de los toros y la promulgación de numerosas prohibiciones las siguientes razones: religiosas, económicas y de sensibilidad.

---

202. COSSÍO Y MARTÍNEZ FORTÚN, J. Mª. "Polémicas sobre la fiesta". En: *El Cossío. Los toros*, vol. I. Madrid: Espasa-Calpe, 1997, p. 242.

Estos tres motivos críticos tuvieron como principal objetivo suprimir, en mayor o menor grado, los festejos taurinos. La cuestión es que las fiestas taurinas, a pesar de su antigüedad, no se regularon jurídicamente hasta el siglo XX, constatándose hasta entonces un buen número de normas prohibitivas o limitativas de los festejos taurinos. De esta manera, se constatan regulaciones en las Partidas del rey Alfonso X *el Sabio*, redactadas entre 1265 y 1325, aludiendo a los festejos taurinos para prohibir algunas conductas de religiosos y de quienes cobrasen[203]. La principal causa para que la Iglesia se opusiera a estas fiestas se debía, principalmente, al riesgo a morir. Se argumentaba que la exposición voluntaria de la vida de la persona que se enfrenta a un toro suponía toda una ofensa a Dios. El peligro de muerte voluntariamente provocado era inadmisible y muy denunciado por los teólogos en libros y predicaciones. Incluso, también, se acusaban los excesos y pecados que suponían las circunstancias del espectáculo: algarabía, sangre, etcétera.

4.2.1. Los motivos religiosos

La censura por razones religiosas tiene su mayor expresión el 1 de noviembre de 1567 con la bula del pontífice Pío V *De salutis gregis dominici*, que prohibía todos los juegos taurinos por considerarlos "sangrientos y violentos" y amenazaba de excomunión a quienes organizaran o participaran en corridas de toros.

---

203.   Sobre la normativa jurídica de la fiesta, ver FERNÁNDEZ DE GATTA SÁNCHEZ, D. "La encrucijada jurídica de la fiesta de los toros". *Taurología.com. Cuadernos de actualidad, análisis y documentación sobre el Arte del toreo,* 21 de julio de 2011. Madrid: Docol Mediática, 2011. www.taurología. com/imágenes%5Cfotosdeldia%5C1645_ensayo_la_encrucijada_de_juridica_de_la_fiesta_de_los_toros.pdf [consulta: 15 de abril de 2013].

El Papa, horrorizado por la crueldad de los espectáculos taurinos que se celebraban en algunos países suramericanos y en Portugal, España, Francia y especialmente, Italia[204], emitió esta famosa bula papal contra todos los príncipes cristianos y autoridades, civiles y eclesiásticas que permitieran la celebración de corridas; prohibió a clérigos, seculares y regulares asistir a dichos espectáculos; negó la sepultura eclesiástica a quienes falleciesen víctimas de los toros, y anuló con carácter retroactivo las obligaciones, juramentos y votos ofrecidos en honor de los santos o bajo cualquier otra circunstancia que se celebrasen con fiestas de los toros[205].

No cabe ninguna duda, como bien indica Jesús Mª García Añoveros[206], que la bula papal de Pío V fue un documento excepcional en la historia de la tauromaquia. La respuesta fue el cumplimiento inmediato en Italia, pero en Portugal tardó tres años en hacerse pública, consiguiéndose instaurar, únicamen-

---

204. Los espectáculos con toros que se organizaban en Italia se celebraban en el monte artificial de Testaccio, símbolo del poder de Roma, ya que según una tradición popular se formó su relieve con los restos de las ánforas que procedentes de todas las provincias traían el tributo que estas pagaban a Roma. Allá, en la orilla izquierda del río Tíber, durante las fiestas del Carnaval del Medievo, se despeñaban por las laderas del monte cerdos y toros después de las corridas. Luego, eran despedazados por los caballeros.

205. BADORREY MARTÍN, B. "Principales prohibiciones canónicas y civiles de las corridas de toros". *Revista Provincia*, nº 22, Julio-Diciembre 2009. Mérida (Venezuela): Universidad de Los Andes, 2009, p. 115. www.saber.ula.ve/bitstream/123456789/29792/1/articulo5.pdf [consulta: 27 de marzo de 2013].

206. GARCÍA AÑOVEROS, J. Mª. "La bula de Pío V (1567-1572) De Salute Gregis de 1 de noviembre de 1567". En: *Cuadernos de Actividades Culturales. Cuadernos de Tauromaquia*, nº 14, Madrid: CEU Ediciones, 2007, p. 13.

te, la costumbre, todavía hasta ahora presente, de despuntar los cuernos a los toros para evitar riesgos al torero; en Francia nunca llegó a publicarse, y solo se impuso después de muchos años tras la mediación de sus obispos (excepto en la zona sur, centro de la actividad taurina en la actualidad); en México se publicó, pero fue ignorada por los poderes públicos; mientras que en España se produjo una fuerte oposición por parte del pueblo a la prohibición de una fiesta que era casi exclusivamente de los reinos de España. De hecho, ni siquiera fue hecha pública y el rey Felipe II no dio trámite a la bula e intentó que fuese derogada, consiguiéndolo finalmente cuando Pío V falleció y su sucesor, Gregorio XIII, después de la constante presión española, atendió a los ruegos del monarca. De esta manera, el 25 de agosto de 1575 promulgó la Encíclica *Exponis Nobis*, mediante la cual levantó para España la prohibición de organizar espectáculos taurinos, mantuvo la prohibición de organizar festejos los días festivos, permitió a los laicos la asistencia a los festejos y continuó conservando la excomunión a los clérigos en contra de la voluntad de la mayoría de ellos[207].

---

207. De la respuesta rebelde que adoptaron los clérigos del claustro de la Universidad de Salamanca se desprende un curioso dato que no debe pasar desapercibido para el interés de los cursos de doctorado. Se trata del origen de uno de los términos de la tauromaquia que más relación ha tenido con el mundo docente: "doctor". Esto se explica porque el claustro de dicha universidad, compuesto su mayoría por religiosos, acudía prácticamente en pleno a las corridas de toros que los doctorandos tenían obligación de organizar y costear en la Plaza Mayor con motivo de la obtención del grado de doctor. De estos festejos extraordinarios, ha quedado que el diestro que recibe la alternativa se le llame "doctor", que el grado de doctor en tauromaquia sea "doctorando" y que la alternativa se denomine "doctorarse". En: COBALEDA HERNÁNDEZ, Mª T. *El simbolismo del toro*. Madrid: Biblioteca Nueva, 2002, p. 88.

De la encíclica de Gregorio XIII se pasó de nuevo el 14 de abril de 1586 a la anterior disposición de Pío V, ya que el papa Sixto V volvió a poner en vigor la bula de 1567 a partir del breve *Nuper siquidem*, donde denunció la actitud rebelde de los religiosos de la Universidad de Salamanca. La situación poco varió hasta que Felipe II aprovechó el papado de Clemente VIII, quien sí tomó una decisión emitiendo el 13 de enero de 1596 el decreto *Suscepti numeris*, donde reconoció las ventajas de la fiesta de los toros para los militares y las habilidades naturales de los españoles para este tipo de espectáculos, levantando todas los anatemas y las censuras, excepto a los frailes mendicantes y a los regulares de cualquier orden o instituto[208].

Nunca más volvió a interceder la Iglesia en la fiesta de los toros con la contundencia con la que actuó el papa Pío V. Únicamente, algunos consejos y más de una opinión amenazadora, como las pronunciadas por el cardenal Gasparri en 1920 calificando la fiesta de "sangrante y vergonzoso" espectáculo, o las del monseñor Canciani, consultor de la Congregación para el Clero de la Santa Sede, quien el 4 de junio de 1989 declaró la validez de la bula de Pío V al declarar que todos los que frecuentaban las fiestas de los toros como actores o espectadores estaban excomulgados.

4.2.2. Los motivos económicos

Los argumentos economicistas para prohibir la fiesta de los toros partieron de la voz de intelectuales ilustrados del siglo XVIII, quienes consideraron que la celebración de las corridas era per-

---

208.   GARCÍA AÑOVEROS, J. Mª. *El hechizo de los españoles. La lidia de los toros en los siglos* XVI *y* XVII *en España.* Madrid: Unión de Bibliófilos Taurinos, 2007, pp. 330-335.

judicial para la economía del país. Este cambio sobre la licitud moral de las corridas de toros se justificó por la pérdida de fuerza de un debate ético y religioso en un mundo cada vez más laico[209]. Los argumentos de quienes buscaban la prohibición de los toros se centraron fundamentalmente en la incompatibilidad de la cría del toro bravo y la agricultura. En este sentido, el político y poeta José Vargas Ponce o el escritor Gaspar Melchor de Jovellanos, considerado por los antitaurinos como el mejor referente intelectual contra la fiesta, preocupados por los problemas de España, defendieron enérgicamente los argumentos socioeconómicos para censurar las enormes extensiones de terreno apto para la agricultura que las ganaderías taurinas ocupaban. Además, encontraron que su corriente crítica contra los toros se reforzaba por las voces de quienes acusaban que el espectáculo taurino propiciaba una imagen negativa de España al exterior.

Las fiestas taurinas no gozaron del aplauso de los ilustrados españoles. Antes de subir al trono Carlos IV ya se trató de su abolición. Felipe V las miraba con repugnancia y también Carlos III, durante cuyo reinado se celebraron en Madrid 440 corridas y se dio muerte a 4.500 toros aproximadamente. La opinión ilustrada sobre las corridas de toros ha tenido continuidad hasta nuestros días, repitiéndose exactamente las mismas razones de los que ya entonces las rechazaban con repugnancia. Incluso la preocupación de los europeizantes españoles por el que dirán los extranjeros. '¿Cuál es la opinión de Europa en este punto? ¿No nos llamarán bárbaros porque conservamos y sostenemos la fiesta de los toros?', escribía Jovellanos en su Memoria sobre los espectáculos[210].

---

209.   BADORREY MARTÍN, B. *Op. cit.* p. 125.
210.   SUÁREZ FERNÁNDEZ, L. *Historia General de España y América*, vol. 10. Madrid: Rialp, 1990, p. 490.

El siglo XVIII estuvo marcado por el acoso de los Borbones y afrancesados sobre las corridas de toros. Felipe V impuso en 1723 a sus cortesanos la prohibición del toreo a caballo por considerarlo bárbaro y cruel, dando paso involuntariamente a que la plebe popularizase el toreo a pie. Pero esta popularización de la fiesta no evitó que los enemigos apoyasen la decisión de Carlos III, rey de España desde 1759 a 1788, de promulgar diversos decretos encaminados a suprimir las corridas. Influido por los argumentos economicistas y la opinión abolicionista del Conde de Aranda, ministro y presidente del Consejo de Castilla, prohibió en 1785 las fiestas de los toros de muerte en los pueblos del reino. Un año después ordenó la prohibición de todos los festejos sin excepciones con un decreto emitido el 7 de septiembre de 1786, incluyendo las corridas concedidas con carácter temporal o perpetuo a cualquier organismo o cuerpo del Estado.

Aun con la pragmática publicada, los españoles siguieron cometiendo infracciones al organizar festejos en cualquier rincón del territorio. Ante estos abusos, el rey Carlos IV emitió la Real Cédula del 10 de febrero de 1805 que supuso la promulgación más dura de las prohibiciones sobre toros. En ella, decretó la absoluta prohibición de las fiestas de los toros y novillos de muerte en todo el reino escudándose en argumentos económicos: que los toros bravos perjudicaban a la agricultura y a la ganadería mansa, de la que se obtenían beneficios para la nación, y que las corridas eran nocivas para la industria por los jornales que se perdían los días de corrida.

La Real Cédula quedó en intento, porque aunque fue más eficaz y tajante que los anteriores decretos, el pueblo no se dio por aludido y siguió manteniendo en pie su afición a base de no hacer caso o pedir permisos para organizar festejos. Así, por ejemplo, la afición española vio cómo durante la Guerra de la Independencia (1808-1814) un monarca extranjero, José Bonaparte, eclipsaba y olvidaba la prohibición durante su reinado al otorgarle una autorización a Madrid para que pudiese celebrar corridas.

Tras el final de la guerra, la restauración absolutista del monarca Fernando VII devolvió al pueblo español la fiesta de los toros, derogando las prohibiciones anteriores e incluso fundando escuelas de tauromaquia. Eso sí, se inició un debate en el Parlamento a favor y en contra de los toros, que se mantuvo de forma intermitente hasta bien entrado el siglo XIX, pues el hemiciclo incluyó una y otra vez en el orden del día las discusiones sobre la prohibición de las corridas de toros, casi siempre por iniciativa de los gobiernos liberales de entonces. Entre las últimas propuestas firmes, destacaron las emitidas en 1833 por el político y periodista Javier de Burgos y en 1877 por Fernando de Quiñones de León y de Francisco-Martín, Marqués de San Carlos.

La prensa jugó un papel importante en este debate al convertirse en portavoz de las opiniones favorables y adversas sobre el tema de los toros. Estos agitados discursos antitaurinos se sustentaron principalmente en la crueldad de las cogidas, siendo neutralizadas estas protestas en diarios y revistas especializadas por los partidarios de la fiesta. Las discusiones en contra de las corridas quedaron en simples tentativas porque las autoridades no se atrevieron ya a prohibir una costumbre tan arraigada entre los españoles y que solo podía modificarse por voluntad del pueblo[211].

---

211.   BADORREY MARTIN, B. *Op. cit.* p. 134.

4.2.3. Las razones de sensibilidad

A partir del siglo XX, las hostilidades hacia la fiesta se definieron por razones de pura sensibilidad. Esto hizo que aumentase mucho más la polémica en el país y que el debate se trasladase a la calle y entrase en campaña a través de dos grupos bien definidos: los sectores intelectuales y las sociedades protectoras de animales.

La Generación del 98, tras el desastre colonial, y empujados por su afán de europeizar España, se convirtió en una corriente intelectual detractora de los valores españoles, las tradiciones y, cómo no, los toros y el flamenco. Salvo Valle-Inclán y Pérez de Ayala, el resto de escritores y filósofos recuperaron la tradición antitaurina de los ilustrados del siglo XVIII y abominaron de las corridas, culpándolas del atraso que sufría la sociedad española y de la decadencia moral del país. Hasta tal punto, que hicieron de la fiesta de los toros una metáfora de ignorancia y frivolidad en su afán regeneracionista para sacar a España de su decadencia.

Uno los críticos más duros fue Miguel de Unamuno, quien nunca rechazó la fiesta por su crueldad, sino por dos motivos: razones económicas, ya que decía que la crianza de toros de lidia favorecía la improductividad de los latifundios, y razones culturales, acusando a la gente de pasarse mucho tiempo hablando de toros, lo que perjudicaba su formación cultural[212].

Los primeros años del siglo XX fueron de una firme oposición a las corridas de toros, llegándose a crear un debate entre

---

212. VALDIVIESO RODRIGO, M. "¡Pan y toros! Las corridas de toros como símbolo de decadencia española en la literatura y la pintura de la generación del 98". En: *Arte e Identidades culturales: actas del XII Congreso Nacional del Comité Español de Historia de Arte*. Oviedo: Universidad de Oviedo, 1998, p. 344.

partidarios y detractores que provocó la celebración de numerosos actos públicos. La manifiesta crítica de la Generación del 98 hacia el mundo taurino tuvo su continuidad las décadas siguientes a través de uno de los escritores antitaurinos más activistas y representativos de la historia: Eugenio Noel[213]. Este escritor madrileño fue un hombre de ideología republicana y que estaba convencido de que la decadencia de España se debía a la incultura, la excesiva influencia del clero y la afición a los toros y al flamenco. Emprendió individualmente entre los años 1909 y 1915 una intensa campaña antitaurina por pueblos y ciudades de España, donde despotricó de todo lo relacionado con el taurismo, acusando, principalmente, la crueldad y sinrazón del espectáculo. Sorprendentemente, en su libro *El flamenquismo y las corridas de toros*, para arremeter contra la tauromaquia acuñó el término de identidad nacional, argumento importante casi un siglo después en el debate sobre la abolición de los toros en Cataluña, pero considerando la fiesta el único rasgo enteramente nacional: "Solo la afición a los toros une a las regiones y hace andaluz al éuskaro y extremeño al catalán y castellano al andaluz"[214].

---

213. El madrileño Eugenio Noel (1885-1936), seudónimo de Eugenio Muñoz Díaz, considerado como el epígono de la Generación del 98, fue novelista y ensayista. Atacó las corridas de toros y el flamenco, que a su juicio atenazaban culturalmente la vida española de su tiempo. De la misma manera, cargó contra el caciquismo y defendió la modernización del país. Es autor del ensayo *Pan y Toros* (1913), una afilada crítica a las injusticias sociales en 48 textos. Dicen que su postura en contra de los toros se debió a que había querido ser torero y fracasó en el intento. En: RELANCE: "Actualidad taurina". *La Fiesta Brava*, Año XI, n° 454. Barcelona: 1 de mayo de 1936, p. 4.

214. RÍOS RUIZ, M. *Aproximación a la Tauromaquia*. Madrid: Itsmo, 1990, p. 94.

La réplica al prohibicionismo que movilizó Eugenio Noel la abanderó el filósofo José Ortega y Gasset que, sin ser aficionado, estudió con detenimiento el significado de la fiesta y la trascendencia del espectáculo taurino de España. En su calidad de espectador excepcional supo apreciar que el festejo taurino era algo más allá del mero espectáculo y le dio importancia de primer orden en los dos últimos siglos de la historia de España, hasta el punto de que siempre consideró que los españoles no podían conocer la historia de su país sin tener en cuenta las corridas de toros. A su lectura instructiva de la fiesta, se unieron argumentos artísticos y castizos para enfrentarse a los defectos y fallos morales que los antitaurinos estaban profesando.

Tras la Generación del 98, apenas transcurridos 30 años y olvidadas las penas patrias, surgió una generación que había aprendido de lecciones pasadas, y que apoyada por un torero humanista como fue Ignacio Sánchez Mejías tuvo una relación muy íntima y cordial con el mundo taurino. Fue la Generación del 27, cuyo apoyo y gusto por la tauromaquia se manifestó abiertamente en la mayoría de sus miembros. De entre estas filas, surgió el tratado *Los toros*, de José Mª de Cossio e, incluso, Federico García Lorca y Rafael Alberti dejaron testimonio de la importancia capital que tuvo Sánchez Mejías para la generación con el testimonio en las espléndidas elegías dedicadas a su muerte. Ellos, como después hicieron otros personajes durante el régimen de Franco, demostraron la fascinación intelectual que podía llegar a ejercer el toreo y supieron de forma eficaz argumentar su opinión sobre la fiesta de los toros.

La polémica sobre la fiesta recobró toda su dimensión después del Franquismo. Tras la caída del régimen, se produjo una especie de reacción histórica a la mediación sufrida durante la dictadura franquista, que se vio impulsada por la masiva presencia en los medios de comunicación de numerosos artistas y eruditos. En la década de los ochenta, representantes de las nuevas generaciones de intelectuales, tanto de izquierdas como de derechas, catalanes o no, aprovecharon el espacio de la prensa nacional o local para reflexionar sobre temas taurinos, como hicieron Fernando Sánchez Dragó, Antoni de Moragas, Armando de Miguel, Luis Carandell, Maria Aurèlia Capmany, Federico Sopeña, Alfonso Sastre, Antoni Ribas, etcétera.

La oposición a los toros prosperó a pasos agigantados a través de los flujos informativos en el momento que muchos recuperaron argumentos pasados y se añadieron nuevas posturas. En este sentido, a las causas que siempre esgrimieron los antitaurinos —la crueldad, el significado retrógrado y los problemas económicos—, se añadieron el concepto nacional de la fiesta como elemento identitario y el respeto hacia los animales. Esta espiral argumentativa tendente a situar lo taurino en los aledaños de las acciones más crueles de la sociedad obtuvo respuesta por parte de los taurinos, quienes para enfrentarse a sus enemigos y promover una dimensión pública del espectáculo de los toros emplearon distintos argumentos, como la tradición de la tauromaquia, el carácter cultural y artístico del festejo y el fomento económico y laboral que representa. Pero, sobre todo, acusaron con el dedo extendido la doble moral de los defensores de los animales, la instrumentalización política de la fiesta y la prohibición violatoria al derecho de libertad.

5. La fiesta de los toros en Cataluña

No es cuestión de aumentar la falla catalana de la España taurina ni tampoco negar la identidad de la fiesta de toros en Cataluña, pero para comprender las particularidades de la afición
taurina en esta comunidad autónoma hay que conocer la evolución de la tauromaquia catalana y saber que las diversas formas tradicionales de participar con el toro existieron desde
muy antiguo en estas tierras mediterráneas.

5.1. La imagen taurina de Cataluña: siete siglos de historia

El ambiente crispado que se respiró en la Cataluña taurina durante la primera década del siglo XXI recordó en algunos aspectos a los episodios que se vivieron en la primera mitad del siglo
XIX y que reforzaron los argumentos de los antitaurinos para
que cualquier excusa provocase el cese de las corridas de toros.
Pero ya estos argumentos fueron otros, porque años atrás
quien despreciaba la fiesta no podía acusarla de española, turís-
tica y para inmigrantes. Como afirma el periodista y dirigente
taurino Segura Palomares: "Mucho antes de la llegada del tu-

rismo y de la inmigración masiva, nuestra ciudad era uno de los puntales de la Fiesta. Ello había sido posible gracias a familias de la más rancia estirpe catalana. Familias que, entre otras cosas, fueron los artífices que hicieron de Barcelona lo que es"[215].

Y es que la fiesta de los toros es una realidad presente en Cataluña, donde nunca han faltado toreros y aficionados importantes. Barcelona fue un referente de la tauromaquia nacional y mundial durante muchos años y tuvo su espacio en los capítulos más notables de la historia del toreo. Calificadas sus plazas como templos del espectáculo taurino, tampoco faltaron en muchos de los pueblos de la comunidad catalana el toro como elemento popular de la fiesta. Esta afirmación no deber sonar rara. El toro es un elemento clásico que forma parte de las fiestas de los países mediterráneos desde hace siglos. El mar Mediterráneo, generador de culturas, ha llevado desde Creta hasta las costas españolas la exaltación del toro, manifestándose en corridas y juegos populares y festivos, que con el tiempo han ido evolucionando. En Cataluña, hay constancia de la celebración de los populares *"correbous"* y correr toros, como mínimo, desde finales del siglo XIV. Pero no solo en Barcelona, también en Olot, Cardona, Ripoll, Camprodón, Figueres, Vallfogona, Sant Andreu de Llavaneres, Tortosa o Vic, localidades todas ellas donde se celebraron históricamente fiestas con toros.

El papel de Cataluña y los toreros catalanes en la evolución del arte de la tauromaquia fue notorio. Barcelona durante muchos años fue la ciudad taurina más importante del mundo, llegó a mantener con éxito tres plazas a base de organizar corridas semanales con carteles de primera fila, catapultó a la fama a las figuras del toreo y celebró más de 100 funciones al

---

215.   SEGURA PALOMARES, J. *Op. cit.* p.181.

año, con temporadas que empezaban en febrero y acababan para la Purísima, el 8 de diciembre.

El éxito respondió al interés popular. En un principio, las plazas las hacían construir y las financiaban los mismos espectadores, que se convertían en propietarios y administradores. Ellos hicieron posible que por los ruedos barceloneses toreasen grandes maestros de la propia tierra y de fuera. Diestros catalanes como el *Xora*, ídolo de la época de la Renaixença, Mario Cabré, Clavet, Bernadó, Patón, *Finito de Córdoba* o Serafín Marín; y figuras idolatradas como *Lagartijo*, *Guerrita*, Carlos Arruza, *Manolete*, Julio Aparicio, Paco Camino, *Chamaco*, *El Viti* o José Tomás. En Cataluña tomó la alternativa Ignacio Sánchez Mejías en 1919 y Domingo Ortega en 1931. Y en Barcelona toreo *Manolete* y Marcial Lalanda más que en cualquier otra plaza de primera.

Tampoco faltaron ganaderos que proporcionan reses para los populares *correbous*, como la actual de Pedro Fumadó *El Charnego* en Tortosa, ni grandes empresarios como Pedro Balañá Espinós (1883-1965), quien desde 1939 controlaba numerosas plazas, entre ellas las de Barcelona y Palma de Mallorca. Curiosamente, Balañá no fue aficionado a los toros, pero se interesó cuando vio el potencial empresarial que ofrecía este mundo, transformando en muy poco tiempo su gestión en un modelo de negocio para el sector taurino.

No solo Barcelona fue un centro taurino importante. En la provincia de Girona, por ejemplo, se tiene constancia de la celebración de fiestas con toros desde 1715. En este punto de Cataluña el espectáculo taurino se asentó finalmente en dos tipos de espectadores: una afición autóctona que acudía a la plazas de Girona, Figueres y Olot[216] y una afición de turistas extranjeros

---

216. La plaza de toros de Olot tiene el privilegio de ser la más antigua de Cataluña. Fue construida en 1859.

que llenaba las gradas de las jóvenes plazas de Lloret y Sant Feliu de Guíxols atraída por el imaginario colectivo del *typical spanish*[217].

5.1.1. La tradición taurina catalana: un hecho documentado

En los años previos a la aparición del periódico *La Vanguardia* (1881), había crecido la afición taurina catalana, que aunque se haya dicho e investigado poco de las fiestas de los toros en esta comunidad, sí mantuvieron una continuidad en el tiempo como para dar ejemplo de que esta era una tierra que participaba de los espectáculos taurinos con la misma antigüedad y entusiasmo que el resto de España[218].

La primera noticia histórica sobre un acontecimiento tauri-

217. Miquel Torns, Carme Vinyoles y Pau Lanao cuentan que la película *Pandora y el holandés errante*, interpretada por Ava Gardner, James Masson y el actor y torero catalán Mario Cabré, rodada en 1950 en la plaza Santa Eugenia de Girona, provocó que las comarcas gerundenses se convirtiesen en una especie de santuario taurófilo por donde veraneantes europeos y americanos acudieron esperando encontrar un torero en cada español. El éxito de la película generó una edad de oro de la tauromaquia en Girona desde los años cincuenta hasta mediados de los setenta. TORNS VILA, M.; VINYOLES CASES, C., LANAO REVERTER, P. "Passions contraposades entorn del toros". En: *Revista de Girona*, n° 141. Girona: Diputació de Girona, 1990, p. 29,

218. El antropólogo Manuel Delgado desvela intencionadamente la catalanidad de la fiesta a raíz de la Ley de Protección de Animales, aprobada por la Generalitat de Cataluña en 1988, cuando fueron amonestadas numerosas localidades que celebraban su fiesta con toros y que el *Govern* catalán desconocía. El autor a partir de este hecho defiende la tradición catalana taurina y muestra su rechazo a quienes la acusan de anticatalana. DELGADO RUIZ, M. *Diversitat i Integració. Lògica i dinámica de les indentitats.* Barcelona: Editorial Empúries, 1998.

no celebrado en la ciudad de Barcelona se constata en el siglo
XIV. Andrés Amorós, ensayista, crítico literario e historiador de
literatura española, en un artículo titulado *Una fiesta catalana* ya
atestigua la costumbre de correr toros bravos en Fraga y en
Barcelona bajo el reinado de Juan I (1379-1390)[219]. Esta constatación está corroborada por otros muchos autores que han
reconstruido los antecedentes del origen de la afición taurina
catalana, como Raúl Felices, que concreta todavía más e indica
que el primer festejo con toros documentado en la capital catalana fue en la plaza del Rey en 1387[220].

Después, se tiene constancia de las populares corridas de Barcelona del día de San Juan en 1554, convertido el festejo taurino
en una fiesta caballeresca[221]. Otro testimonio de la antigüedad de
la tauromaquia en Cataluña lo menciona Ricardo Huertas López
en su trabajo de final de carrera *Historia del Periodismo taurino en
Barcelona*, defendido en 1974 y dirigido por el escritor taurino
Rafael Manzano. El futuro graduado recurre al poema épico *El
Montserrate* (1587), del poeta valenciano Cristóbal de Virués, para
documentar el pasado taurino barcelonés con la siguiente cita:
"En cañas, toros, justas y troncos, / ocupa el regocijo en Barcelona / cualquier estado y suerte de persona"[222]. También en 1601

219.   AMORÓS GUARDIOLA, A. "Una fiesta catalana". *ABC*, 18
de diciembre de 2004, p. 3.
220.   FELICES, R. *Catalunya taurina: una historia de la tauromaquia catalana
desde la Edad Media a nuestros días*. Barcelona: Edicions Bellaterra, 2010, p. 32.
221.   CABRERA BONET, R. "Dos prohibiciones políticas de la fiesta taurina en la Barcelona del siglo XIX. En: VV. AA. *Aula de Tauromaquia
III*. Curso académico 2003-2004. Madrid: Universidad San Pablo CEU,
2005, p. 280.
222.   HUERTAS LÓPEZ, R. *Historia del periodismo taurino en Barcelona*.
Trabajo Final de Carrera. Barcelona: Escuela Oficial de Periodismo, 1974
(Col.legi de Periodistes de Catalunya), p. 7.

constata que se mataron varios toros en un improvisado coso en la actual plaza Palau de Barcelona para celebrar el nacimiento de la primera hija del rey Felipe III. También se documentan festejos en 1629, de 1754 a 1785 y de 1800 a 1805, destacando el año 1802, cuando se organizaron tres días de toros en la Ciudad Condal con ocasión de la llegada a la capital catalana de los Príncipes de Asturias para ratificar su matrimonio.

Si a lo largo del siglo XVIII se fueron estableciendo todos los elementos de las corridas modernas, entrado el XIX, coincidiendo con el asentamiento de la tauromaquia moderna en toda España, creció la afición por las corridas en Cataluña. Antoni González[223] recuerda con precisión como en la historia de Barcelona tuvo un capítulo destacado el éxito del espectáculo taurino en el primer cuarto del siglo XIX.

Estas corridas se celebraron en plazas ocasionales de la capital catalana. Los barrios de la Barceloneta, las Atarazanas o el Borne contaron con algún festejo durante esos años. Pero hizo falta un coso permanente, y este se consiguió gracias a la Casa de Caridad de Barcelona. Este organismo de beneficencia, con la intención de recaudar fondos para cumplir con su misión, recibió en 1827 el permiso de Fernando VII para organizar corridas de toros y edificar una plaza estable donde celebrarlas. Por culpa de la llamada Guerra dels malcontents (Guerra de los agraviados)[224] se demoró la construcción siete años y, al fin, bajo proyecto de Josep Fontseré i Domenech, el 26 de julio de

---

223. GONZÁLEZ MORENO-NAVARRO, A. *Bous, Toros i Braus. Una tauromàquia catalana*. Tarragona: El Mèdol, 1996, p. 119.

224. "La guerra de los agraviados", como se traduce al español, fue un levantamiento armado de carácter absolutista radical que sucedió en 1827 por considerar como inaceptables las tímidas medidas de signo moderado que el rey Fernando VII había adoptado. En: SECO SERRANO, C. *Historia de Catalunya*. Barcelona: Ediciones Primera Plana, 1992, p. 204.

1834 se inauguró el Torín en el barrio de la Barceloneta. El cartel de la corrida fue con toros del ganadero navarro Javier de Guenulaín, del famoso hierro de Carriquiri, para los toreros Juan Hidalgo y Manuel Romero Carreto.

Con mal pie inició el Torín su andadura en el mundo de los toros. El 25 de julio de 1835, 46 años antes del nacimiento de *La Vanguardia*, una corrida culminó en una revuelta popular espontánea que acabó con la quema de conventos. La Barcelona liberal había acudido a los toros a una corrida especial en honor del cumpleaños de la futura Isabel II. La ciudad estaba tensa: se acababa de saber que los carlistas de la partida del sargento Ramos habían asesinado en Reus (Tarragona) a cinco milicianos de Barcelona. Con la excusa de que los toros de la acreditada ganadería de Zalduendo mansearon y huyeron de los caballos, la gente comenzó a tirar objetos, luego a destrozar el mobiliario de la plaza, para acabar matando a cuchilladas al último toro y arrastrarlo por las calles al grito de "*El bou gros! El bou gros!*" (¡El toro gordo! ¡El toro gordo!), en alusión al capitán general de Cataluña, general Llauder, ausente en Barcelona. Por el itinerario callejero se fueron agrupando ciudadanos, se improvisaron discursos contra los frailes —en la onda carlista, ellos— y se empezaron a quemar conventos[225]. Un cántico popular, conocido como el "Dia de Sant Jaume", popularizó la protesta social: "El dia de Sant Jaume, de l'any trenta-cinc / va haver-hi bullanga dintre del Turín / Van surtir sis toros / que van ser dolents. / Això va ser causa / de cremar el convents"[226].

---

225. MARTÍNEZ TERUEL, G. *Barcelona rebelde*. Barcelona: Debate, 2009, p. 168.

226. "El día de San Jaime, del año treinta y cinco / hubo bullanga dentro del Torín / Salieron seis toros / que fueron malos / Esta fue la causa / de quemar conventos". En: GONZÁLEZ MORENO-NAVARRO, A. *Op. cit.* p. 194.

La mala corrida pudo ser el detonante de una situación que se estaba gestando desde hacía semanas en Barcelona. Pero sea como fuere, el resultado fue que las corridas de toros fueron suspendidas formalmente hasta 1850 al clausurarse al día siguiente la plaza de toros por la autoridad gubernativa, fundándose en aquellos trágicos sucesos que se habían iniciado en la plaza de toros. Fue un cierre formal porque, como bien ha investigado Rafael Cabrera, se fueron sucediendo espectáculos taurinos y numerosos intentos para convencer del interés de Barcelona por reanudar las corridas de toros. Así se sabe que en 1841 se dieron algunas funciones de novillos a beneficio del séptimo batallón de la Milicia Nacional. Es de ese año uno de los documentos de gran interés para la historia taurina catalana y la tauromaquia en lengua catalana: *Advertensias per los concurrents a la plaça de toros i reglas per entendre aqueiza clase de espectacles*[227].

El 29 de junio de 1850 se reanudaron las corridas en el Torín y siguieron celebrándose festejos taurinos, excepto los años 1851, 1854 y 1865 por atravesar críticas circunstancias, como la colocación de bombas alojadas por anarquistas, robos indiscriminados, enfrentamientos con la policía o detenciones de falsificadores de monedas. En 1871, además, se instituyeron las Fiestas de la Mercè, figurando entre los actos festivos una corrida en la que *Lagartijo* y *Currito* torearon seis toros del marqués de Ontiveros. A partir de entonces, salvo excepciones, siempre se incluyó un festejo importante el 24 de septiembre.

El Torín, que tampoco pudo celebrar corridas en 1873 por la guerra carlista, fue la primera plaza del mundo que impuso la

---

227. CABRERA BONET, R. "Dos prohibiciones políticas de la fiesta taurina en la Barcelona del siglo XIX". *Aula de tauromaquia III*. pp. 280-284.

costumbre hasta 1886 de pedir un toro más de los anunciados, un morlaco de gracia, con el fin de que no se repitiesen los episodios vividos 15 años antes. De estas corridas se publicaron sus correspondientes reseñas en las revistas que aparecían y desaparecían cada mes del año y en las secciones de los periódicos, como en el *Diario de Barcelona*, que estaban firmadas, nada más ni nada menos, que por el político, historiador y poeta catalán Víctor Balaguer, y leídas por una afición que aumentaba al mismo tiempo que crecía el número de detractores.

5.1.2. Impulso del tema taurino para la creación de una prensa catalana especializada

El año del nacimiento de *La Vanguardia*, 1881, la presencia de cronistas o revisteros catalanes, como se les ha querido llamar, fue notable. Ya no solo por la popularidad del catalanista Víctor Balaguer, sino de otros ilustres autores de la segunda mitad del siglo XIX que se hicieron populares con sus colaboraciones en los periódicos gracias a su presencia en revistas taurinas. Estos fueron Rossendo Arús, en *Pepe Hillo*; Miguel Moliné Roca, apodado *Caricias*, en la publicación *El Puntillero*; Mariano Armengol y Castañé, en *El Toreo en Barcelona*; Eloy Perillón i Buxó, en *El Jaleo*; Antonio Galiana *Tabardillo*, en *Sol y Sombra*; Juan Franco *Franqueza*, en *Barcelona Taurina*, o Enrique García Cellabo *Carrasclás*, en la prestigiosa revista *El Arte del Toreo*. La lista se hizo inacabable a finales de siglo y principios del XX. Fueron los años que desembocaron en la etapa de declive artístico de la fiesta en general, pero de consolidación en Barcelona: la fuerza expansiva de la ciudad, que pronto tendría un millón de habitantes, fue pareja al crecimiento de la afición a los toros. Hasta un reglamento taurino propio, *"El Reglamento para las corridas de toros que se celebren en esta provincia"*, promulgado por el gobernador Luis Antúnez el 10 de marzo de 1887, convirtió la capital catalana en la segunda ciudad de España que se dotó de un complejo redactado de disposiciones taurinas[228].

En poco tiempo, el Torín se quedó pequeño para seguir a *Lagartijo*, *Guerrita* o Mazzantini. Fue necesaria otra plaza de mayor aforo. Así, en 1900 se inauguró la plaza de las Arenas, obra del arquitecto August Font i Carreras, y desde 1901 se celebró aquí la corrida de la Mercè el 24 de septiembre.

La pasión por los toros favoreció la aparición de toreros catalanes. Joan Amades, en su libro *Històries i llegendes de Barcelona*[229], destaca que ya en el siglo XVIII se tienen noticias de toreros catalanes, como Ros o Mauri. En el siglo XIX el primer torero catalán que llega a doctorarse es Pere Ayxelà Torner *Peroy* (1824-1892)[230]. Este diestro, nacido en la localidad tarraconense de Torredembarra, aprendió a torear en Nîmes (Francia) y tuvo una particular forma de manejarse frente al toro. Reconocido más por su valentía y habilidad que por el arte, *Peroy* tuvo mucho éxito en Francia y América, donde vivió durante muchos años, pero donde se convirtió en todo un ídolo fue en Barcelona. Néstor Luján en su obra *Tauromaquia* al explicar la faena de muleta se detiene en el célebre acto del brindis para contar una curiosa anécdota del torero *Peroy*:

228. GONZÁLEZ MORENO-NAVARRO, A. *Op. cit.* p. 121.

229. AMADES I GELATS, J. *Històries i llegendes de Barcelona*. Barcelona: Edicions 62, 1989, p. 18.

230. *Peroy*, cuenta el autor, está considerado como el primer catalán que llegó a doctorarse como matador en contra de quienes atribuyen ese honor al ilerdense Juan Fernández, apodado *El Catalán*, 26 años más joven, pero que no llegó a tomar nunca la alternativa. En: GONZÁLEZ MORENO-NAVARRO, A. *Op. cit.* p. 138.

Toreaba en la plaza de toros de Barcelona, el 25 de mayo de 1862, a las órdenes de Curro Cúchares, y el público empezó a pedir que Cúchares le cediera el quinto toro. Los gritos de 'Que lo mate Peroy', atronaban en la plaza, y Cúchares cedió los trastos a 'Peroy' que, a petición del público, hizo el brindis en catalán. Fue el primer brindis en otra lengua que no fuera la castellana que se ha oído en una plaza de toros[231].

Después, en el siglo XIX, llegaron diestros catalanes importantes como Joaquim Sanz Almenar (1853-1887), Juli Aparici (1865-1897) y Rafael Dutrus (1892-1960). Del XX, entre otros, Manuel Granero (1902-1922), quien murió en el ruedo, Rafael Ponce Navarro (1912-1972) y Jaume Pericas (1916-1989). Y qué decir de Mario Cabré (1916-1990) o Joaquim Bernadó (1935), después profesor de la Escuela Taurina de Madrid.

Tampoco faltó a finales de siglo, en pleno estallido taurino catalán, la inauguración de las plazas de Girona, Figueres, Caldes de Montbui y Mataró, y la creación de la primera escuela taurina coincidiendo con el inicio de la Guerra de Cuba (1898)[232].

Con la entrada del siglo XX la tauromaquia pasó una etapa de declive, con una fuerte corriente de antitaurismo desatado por cierto sector de la nación y alentado por algunos intelectuales. A pesar de todo, en Cataluña se consolidó la tradición taurina y aumentó el número de publicaciones especializadas en toros. Es cierto que *Lagartijo*, el ídolo local, y *Guerrita* ya no estaban en los ruedos, que otros, como *Bombita*, toreaban poco en la ciudad, pero el estallido taurino en las gradas, la presencia de

231. LUJÁN FERNÁNDEZ, N. *Tauromaquia*. Barcelona: Nauta, 1962, p. 112.
232. GONZÁLEZ MORENO-NAVARRO, A. *Op. cit.* p. 124.

Pablo Picasso en las corridas y las faenas de buenos toreros catalanes acabaron siendo argumentos de peso para confirmar la existencia de una sólida y entendida afición taurina catalana. Entre 1912 y 1920 Barcelona se sumó a todas aquellas plazas españolas que se hicieron eco de uno de los grandes iconos de las edades doradas del mundo de los toros: la dualidad entre dos figuras. Los aficionados catalanes se dividieron, como todos sus contemporáneos, entre los partidarios de *Joselito el Gallo* y de Juan Belmonte, mientras a las plaza del Torín y las de las Arenas se le sumaba una tercera: el Sport.

El 12 de abril de 1914 se inauguró la tercera plaza en Barcelona, el Sport, la primera versión de la Monumental, con un aforo para 8.000 personas y una corrida con ocho toros del Duque de Veragua, estoqueados por Vicente Pastor, Manuel Mejias Bienvenida, Curro Vázquez y *Torquito*. Tan solo duró dos años, pues ante el éxito de público en cada festejo organizado y la creciente modernidad de Barcelona, el empresario taurino madrileño Julián Echevarría, conociendo el buen momento económico que vivía Cataluña por los beneficios que la Gran Guerra comenzaba a aportar, y a la vista de la enorme afición taurina, propuso a Pere Milá i Camps, propietario del terreno, ampliar el número de asientos. De hacerlo se haría con el arriendo y la explotación del negocio, como así fue. La plaza se amplió de manos de los arquitectos Ignasi Mas i Morell y Doménec Sugrañes con un magnífico resultado: enriquecieron el estilo modernista con un mestizaje neoárabe, siempre bien avenido con el mismo. Mediante unas pilastras añadieron un nuevo anillo de asientos al ya existente hasta obtener la capacidad de 20.000 espectadores, récord en este tipo de edificaciones[233].

---

233. MANZANO GONZÁLEZ, R. *Invitación a la tauromaquia con Cataluña al fondo*. Barcelona: Labor, 1993, p. 38.

Con el aspecto y aforo prácticamente igual al que se mantiene todavía hoy, se creó por puro criterio empresarial un escenario de la historia cultural de Barcelona para gentes de cualquier condición que respondió a la permanente ebullición, inquietud y cosmopolitismo de la ciudad:

> En el mismo sitio donde se edificó en 1914 la plaza 'El Sport', y aprovechando parte de los tendidos de ella, acaba de construirse [...], la plaza de toros llamada 'Monumental', sin duda por ser la de mayor capacidad del mundo.
> El insigne barcelonés D. Pedro Milá Camps [...] quiso dotar á Barcelona de una plaza grande, espléndida, y al mismo tiempo que digna de la importancia de la hermosa Ciudad Condal, suficientemente espaciosa para que á ella pudiesen concurrir todas las clases sociales, puesto que su extraordinaria capacidad permitiría al empresario poner precio al alcance de los más pecuniariamente modestos aficionados[234].

La Monumental se reinauguró el 27 de febrero de 1916 con toros de Benjumea para los diestros *Joselito el Gallo*, Francisco Posada y Julián Sainz Martínez *Saleri II*. La ciudad tenía tres cosos en funcionamiento e iniciaba su andadura hacia la capitalidad del mundo del toreo con un empuje desmedido que dos pontífices del toreo le darían en los años siguientes: los empresarios barceloneses Eduardo Pagès y Pedro Balañá[235].

A partir de ese momento y hasta la desaparición del Torín, clausurada por su estado en 1924 y demolida en 1944, se orga-

---

234. M.G.M. "Desde Barcelona. La Plaza de Toros Monumental". *Toros y Torero. Revista Taurina*, nº 1. Año 1. Madrid: Imprenta Española, 7 de marzo de 1916, p. 23.
235. SEMPRONIO. "Som els catalans al·lèrgics al toros?" *Avui*, 3 de julio de 1995, p. 49.

nizaron festejos continuamente en las tres plazas. La fuerza taurina de la capital catalana fue inmensa, la afición activa y desbordante[236] y la plaza Monumental la que más festejos daba a lo largo del año en toda España.

Incluso en aquellos tiempos, concretamente el 22 de mayo de 1916, debutó como torero bufo en la plaza de las Arenas el novillero barcelonés Carmelo Tusquellas *Relojero*. Imitando en el ruedo a Charles Chaplin y acompañado de una cuadrilla de enanos en sus actuaciones, este modesto diestro consiguió un notable éxito gracias al empuje que recibió del empresario Eduardo Pagès, quien supo explotar la vertiente más cómica de su espectáculo constituyendo una cuadrilla de toreros cómicos formada por el propio Tusquellas, apellidado ya como *Charlot*, Rafael Dutrús *Llapiserra* y José Colomer *El Botones*, que provocó una revolución en las plazas donde acudieron[237].

De todo este gran ambiente y de la importancia que tenía en 1916 la fiesta de los toros en Barcelona, se recoge el siguiente documento del 12 de marzo de ese año de la revista taurina *Toros y Toreros*:

La afición al espectáculo taurino en la Ciudad Condal, cada día adquiere mayores proporciones, pues este domin-

---

236.   Un grupo de aficionados barceloneses creó en 1909 el Club Mazzantini en honor al popular torero donostiarra Luis Mazzantini. Al fundarse, contó ya con 200 miembros, que reunidos en el local de la calle Sant Pau, 16, de Barcelona, debatían sobre temas taurinos. El empresario Eduardo Pagès ejercía de secretario en una junta presidida por Luis Moragues. En: "La afición en Barcelona, Club Mazzantini". *Los Toros*, n° 34. Madrid: Prensa Española, 30 de diciembre de 1909, p. 6.

237.   Este nuevo género del toreo bufo, en el cual Tusquellas representaba el papel de Charlot, fue conocido como "charlotada" entre los aficionados. De ahí viene el término "hacer charlotadas" cuando alguien se descuelga con cualquier payasada.

go, á pesar de venir hace tiempo atravesando un periodo de huelgas y crisis obreras importantísimas, festejaron su favorita diversión, entre sus dos plazas, más de 30.000 espectadores: unos trece millares en Las Arenas y cerca de diez y ocho en La Monumental.

Y si bien en esta última plaza la entrada más cara sólo costaba 1,60, en Las Arenas la más barata valía sus muy lindas 3 pesetas.

En los dos cosos agotáronse los billetes de sol algunas horas antes de empezar el espectáculo y, seguramente, de encontrarse Barcelona en época normal, se habría acabado el papel por completo en ambos circos[238].

Pero fue con la aparición del empresario Pedro Balañá Espinós, y con la plaza del Torín cerrada, cuando Barcelona alcanzó su cenit en el orbe taurino. La capital catalana se convirtió en el epicentro del mundo de los toros, tanto por la cantidad, con temporadas en las que llegaban a organizarse hasta un centenar de funciones, como por la calidad, acudían los mejores toreros del momento, quienes se anunciaban y triunfaban en alguna de sus dos plazas. Fernando del Arco de Izco, dueño de una de las bibliotecas taurinas mejores del mundo, confirma la excepcionalidad de la campaña taurina barcelonesa: "Algunos años la temporada se inició en enero y terminó a primeros de diciembre, y como norma duraba de marzo a octubre, ambos meses inclusive"[239].

---

238. DR. BARRABÁS. "Toros en Barcelona". *Toros y Toreros. Revista Taurina*, nº 3, Año 1. Madrid, 12 de marzo de 1916, p. 1.
239. DEL ARCO DE IZCO, F. *Toreros de Cataluña*. Baeza: Grupo M & T, 2006, p. 5.

5.1.3. La figura del empresario en la historia de la tauromaquia catalana: Pedro Balañá Espinós

Si hubo un empresario taurino que dio mucho que hablar para la prensa y alcanzó gran importancia en el negocio del toro, este no fue otro que Pedro Balañá Espinós. Tan respetado como temido, fundador de una saga de industriales que ahora controlan el negocio de los cines y los teatros por toda Cataluña, fue un hombre que entendió como nadie el espectáculo taurino. Un modelo de gestión para saber lo que el público quería. Quizá ese don divino lo provocó su esfuerzo diario y su integridad, generando tal expectación durante décadas "que mantuvo viva una afición forjada sobre la propia tradición taurina de Cataluña"[240].

Pedro Balañá Forts, su hijo y sucesor al frente de la empresa de las plazas Arenas y Monumental, explicó al periodista Lluis Permanyer, en un reportaje publicado en *La Vanguardia* el 15 de julio de 2007, cómo su padre se hizo con la gestión del negocio taurino catalán:

> En 1927 era ya comerciante de carne de toro y cada mañana iba al Escorxador, pegado a las Arenas: era entonces su mundo. Asistía a las corridas de toros porque estaba metido en el negocio, aunque enseguida se convirtió en un gran aficionado. Las tres plazas de toros de Barcelona las tenía arrendadas una sola empresa de Madrid, la misma que construyó y explotaba Las Ventas; puesto que perdía dinero, el gerente decidió venir a Barcelona para vender el contrato.

---

240. ORTIZ, L. "Toros en Cataluña. Crónica de un fin anunciado". *Osaca. Revista de ocio, salud y calidad de vida.* N° 260. Semana del 8 al 14 de octubre de 2011. Burgos: Opera Prima Comunicación, 2011, p. 10.

Estamos en 1927. Mi padre se declaró interesado, pero se vio obligado a quedarse las tres: los propietarios deseaban tener mayor seguridad al entenderse con un solo empresario, lo que simplificaba así la gestión; de ahí que hubieran exigido a Las Ventas que buscara a uno que aceptara un contrato único y mancomunado. Cada plaza tenía, eso sí, un precio distinto; el alquiler del Torín, en la Barceloneta, lo siguió pagando mi padre hasta que se derribó en 1946, pese a que allí ya no se celebraban corridas desde 1923. [...]. Así pues en aquel 1927 pasó a gestionar las tres plazas; y aunque tenía poco dinero, logró resolver el problema de la financiación; no es cierto que le ayudaran los Ruiseñada ni los Güell. Era atrevido, muy atrevido y durante toda su vida mantuvo aquel talante y personalidad. El tipo de negocio de los toros así lo exige. Si le dejaron dinero o lo resolvió de otra forma, no lo sé, pero la realidad fue que él tuvo el atrevimiento de lanzarse hacia delante[241].

Pedro Balañá Espinós nació el 9 de diciembre de 1883 en Barcelona, en el barrio de Sants. Tonelero de profesión, era propietario de un obrador que tuvo que cerrar a causa del crack de 1929. Comenzó a hacer fortuna vendiendo leche en la Rambla de Cataluña. La buena marcha del negocio le permitió comprar vacas holandesas y suizas que después revendía. Entró en política y en prensa. En 1915 fue el propietario del diario *El Poble Catalán*, del que se desprendió en 1918, y fue concejal de 1914 a 1920, volviendo a ocupar el cargo en 1963, dos años antes de su fallecimiento.

Balañá entendió como nadie el espectáculo taurino. En 1927

---

241. PERMANYER I LLADÓS, LL. "Balañá según Balañá". *La Vanguardia*, 15 de julio de 2007, p. 2 ([Vivir].

decidió hacerse cargo de la gestión de la Monumental y 20 años más tarde, en 1947, compró la plaza por 15 millones de pesetas. Fue el inicio de una de las empresas taurinas más importantes y fascinantes de la historia del toreo. Barcelona le supuso el trampolín para la gestión de otras plazas. Sevilla durante muchos años fue cogerenciada por la empresa catalana, también Zaragoza entre los cosos de primera que gestionó. La frenética y rentable actividad que Balañá estableció en la plaza de Barcelona le abrió otros negocios en el mundo de los espectáculos, como las salas de cine y los teatros más importantes de la ciudad. En todos ellos demostró su inteligencia, audacia, ingenio y humanidad.

Balañá, como reseña Segura Palomares, se caracterizó como empresario taurino por una fórmula infalible para el negocio taurino: "Dar siempre más corridas que nadie, mantener en el candelero al torero que triunfaba en sus plazas, llevar a ellas cuantas más veces mejor a sus figuras y, en cualquier caso, crear un acontecimiento cuando no lo había"[242].

Era un verdadero genio de la empresa taurina y fue el motor que llevó a todas las máximas figuras a la plaza Monumental, con llenos de "no hay billetes" durante décadas. Fue un empresario capaz de organizar tardes de toros con solo la ayuda del teléfono, pues conocía el curso de la fiesta, de sus protagonistas y de los toreros que podían llenar los tendidos. Llegó a celebrar hasta 1.085 corridas de toros y 913 novilladas, dominó como ninguno el circuito taurino de la posguerra y consiguió con corridas, los jueves y los domingos, y con tertulias taurinas que las calles barcelonesas hablasen de toros durante todos los días del año. Según el crítico Paco March, el método de Balañá consistía en "repetir al torero triunfador hasta que el público

---

242. SEGURA PALOMARES, J. *Op. cit.* p. 220.

decidiera que ya había bastante. Así lograba que los diestros se esforzasen, intentando triunfar para ganarse la repetición a la par que aumentaban su prestigio y cotización"[243].

Acabada la Guerra Civil, Barcelona tuvo la suerte de convertirse en la plaza de *Manolete*. En ningún otro coso del mundo, la gran figura del toreo lidió tanto como en Barcelona: 72 veces. Además, fue en la Ciudad Condal donde Balañá explotó en todos los sentidos la dura competencia entre el torero cordobés y el mejicano Carlos Arruza, con quien compartió cartel la mayoría de las tardes. Pero también torearon más que nunca *Chicuelo*, Marcial Lalanda, Domingo Ortega, Pepe Luis Vázquez, Vicente Barrera y Luis Miguel *Dominguín*.

Barcelona no fue ajena a los anodinos años de principios de los cincuenta. Esa etapa de transición tras la muerte de Manolete hizo que la capital catalana notase un cierto descenso de espectadores, huérfanos y desolados por su pérdida, pero también desencantados por el escándalo del afeitado de los toros y la actitud pasiva de los toreros, algo a lo que se resistió a reconocer Balañá que sucediese en su plaza[244].

Por fortuna para el aficionado barcelonés, la situación cambió con la aparición en 1954 de Antonio Borrero *Chamaco*. Antoni González reconoce que con su irrupción se recuperó "*la passió, l'emoció, la controversia*" (la pasión, la emoción y la controversia)[245]. Fue un fenómeno multitudinario que excedió ampliamente el ámbito taurino. Se le anunciaba cualquier día de la semana con dos toreros más y se agotaba en cuestión de minu-

243. MARCH CELAYA, F. "La Monumental, esplendor y ocaso". *Magazine de El Mundo*. Madrid: Unidad Editorial, 25 de septiembre de 2011, p. 26.

244. DEL ARCO ÁLVAREZ, M. "Mano a Mano. Pedro Balañá". *La Vanguardia*, 8 de marzo de 1953, p. 14.

245. GONZÁLEZ MORENO-NAVARRO, A. *Op. cit.* p. 127.

tos las taquillas de la Ciudad Condal. Además, Balañá explotó su toreo para repetir la estrategia empleada 10 años antes con *Manolete* y Arruza: el empresario catalán opuso al personalismo de *Chamaco*, la finura y arte de un diestro catalán de Santa Coloma de Gramanet, Joaquín Bernadó, el más importante matador que Cataluña ha tenido, y quien ya protagonizaría triunfales temporadas novilleriles con *Chamaco* dos años antes de tomar la alternativa en 1956.

Chamaco fue el último torero que hizo ganar dinero a Balañá. Su rivalidad con Bernadó fue la más importante para la ciudad que las de *Manolete* y Arruza. Fueron los últimos años gloriosos para el toreo de Barcelona, con la fuente de Canaletas convertida en el epicentro de las discusiones taurinas, al mismo tiempo que se fundaban peñas y escuelas taurinas.

Guillem Martínez recuerda simpáticamente cómo esa desaforada pasión taurina era de interés público, empujada por las inquietudes artísticas de otro grande del toreo catalán, Mario Cabré:

> El súmun del love story taurino en la ciudad ocurrió en los años cincuenta del siglo XX, cuando Barcelona perdía la chaveta por dos toreros catalanes: Mario Cabré —el torero un millón que se tiró a Ava Gardner— y Joaquín Bernadó, que era todo lo contrario —no sólo no se cepilló a la Gardner, sino que era más bien tristote[246].

La década de los sesenta fue dura en la Barcelona taurina. La muerte de Balañá en 1965 marcó el inicio de la decadencia. Las dos plazas de toros no se volvieron a llenar como antes, la afición no encontró un ídolo en quien identificarse y el nuevo

---

246.   MARTÍNEZ TERUEL, G. *Op. cit.* p. 170.

abanderado del toreo no vino más que a confirmar la desnaturalización de una fiesta genuina que decidió transformarse en una mercancía de consumo: estamos hablando de Manuel Benítez, *"El Cordobés"*[247].

El periodista catalán José Martí Gómez, en un reportaje publicado en *El País*, sustenta el declive de la fiesta a partir de la falsa imagen que se crea de los toreros. Destaca que, en su momento, Néstor Luján le explicó qué había cambiado en la Barcelona taurina:

> Lo de Chamaco era un fraude, como lo fue lo de *El Cordobés*. ¿La diferencia que podía haber entre ellos y Manolete? Muy sencilla: Manolete era un torero excelente, que se la jugaba. La prueba es cómo murió. Representaba además unas virtudes de señorito andaluz con las que podías o no estar de acuerdo pero que significaban una manera de entender la cultura. El toreo de los otros era teatro. Lo de Chamaco y *El Cordobés* fue una visión neocapitalista y calculadora del toreo. Los toros fueron en Cataluña, después de la Guerra Civil, de gran interés para una aristocracia textil que se sintió muy apasionada sobre todo por la figura casi aristocrática de Manolete, que representaba a sus ojos la España vencedora. Esa burguesía textil se encontró sin ídolo al tiempo que entraba en crisis. En Cataluña los toros han pasado a ser desde hace años un espectáculo residual[248].

No se equivocó Néstor Luján. El púrpura taurino barcelonés se acababa, pero nadie podía dejar de reconocer una evi-

---

247.   GONZÁLEZ MORENO-NAVARRO, A. *Op. cit.* p. 130.
248.   MARTÍ GÓMEZ, J. "Los Balañá (más o menos)". *El País*, 24 de diciembre de 2006, pp. 42 y 43.

dencia: la afición catalana, que comenzaba progresivamente a darle la espalda a las corridas, había demostrado desde el fin de la Guerra Civil que la fiesta de los toros en la Ciudad Condal gozaba de muy buena salud. Basta comprobarlo a partir de las estadísticas en el número de corridas programadas por temporada en los cosos barceloneses. Un dato que proporciona Antoni González, y que demuestra que no solo la euforia *manoletista* y la presentación de Arruza (1944) provocó la organización de numerosas funciones, sino que también hubo una incipiente actividad en temporadas sin una sola figura destacada (1952), disparándose, de nuevo, en 1955, con las actuaciones de *Chamaco* de novillero:

Año 1943   43 funciones (26 corridas y 17 novilladas)
Año 1944   55 funciones (32 corridas y 23 novilladas)
Año 1952   69 funciones (38 corridas y 31 novilladas)
Año 1955   84 funciones (16 corridas y 68 novilladas)
Año 1957   68 funciones (33 corridas y 35 novilladas)[249].

5.1.4. La fragilidad taurina en el contexto catalán de finales de siglo

El devenir de la fiesta en Cataluña a inicios de los años setenta fue evidente. Entre la muerte de Pedro Balañá Espinós y la apertura de las fronteras al turismo, Barcelona perdió todo su prestigio taurino. La pésima administración, heredada en 1965 por Pedro Balañá Forts, ofreció un absentismo irritante y una oferta infame. Apostó para la temporada por un espectáculo de desprecio al toro y a los aficionados, con menos festejos y

---

249.   GONZÁLEZ MORENO-NAVARRO, A. *Op. cit.* p. 128.

con precios abusivos, además de reses sin garantías y toreros sin ambición. Entre esta apuesta de bajar en calidad y cantidad y la llegada de los nuevos tiempos, con la entrada del turismo y las nuevas ofertas de ocio, provocaron que las gradas se llenasen durante la temporada barcelonesa de turistas de charanga y pandereta, mientras el número de los viejos aficionados bajaba alarmantemente. La afición local, la de toda la vida, empezó a retraerse y el resultado fue que Barcelona dejó de ser a finales de los sesenta la primera plaza del mundo al no poder mantener los principios que hasta el momento habían caracterizado a la gestión empresarial: novedad, calidad y emoción.

Un hecho que demostró el decaimiento de las corridas en Barcelona fue que a partir de 1977 la plaza de Las Arenas no volvió a organizar un festejo taurino[250], cerrando definitivamente sus puertas 10 años después. También es justo reconocer que el estado de las propias instalaciones, deterioradas y mal acondicionadas, fue una de las principales causas del final de este domicilio urbano de la plaza España.

Si en los años setenta comenzó a agonizar la fiesta en Cataluña, los ochenta supusieron el declive definitivo de la tauromaquia catalana, sin que Balañá hijo reaccionase ante la caída de Barcelona. Aferrado al modelo de toros para el turismo, la decadencia no pasó desapercibida al poder que, una vez recuperada la democracia y la autonomía política de Cataluña, inició una persecución del asunto taurino. Entregado a la causa

---

250. Fue el 9 de junio de 1977 la fecha que documenta el último festejo taurino en la plaza de Las Arenas. Se trató de una novillada lidiada por Miguel Espinosa *Armillita Chico*, Tomás Campuzano y José Manuel *Dominguín*, con toros de la ganadería salmantina de María Antonia Laá. Después, hasta su cierre definitivo el año 1987, solo abrió sus puertas para fiestas y circos.

en favor de los animales, el nacionalismo catalán encontró en la identificación toros y fiesta nacional que había alimentado el Franquismo un discurso para la identidad catalana[251], articulado a partir de la desinformación de sus lejanas raíces taurinas y orquestado para marcar diferencias con el resto de España.

El primer ataque directo contra la fiesta de los toros fue en 1984, cuando se supo que el Gobierno catalán de Jordi Pujol aceptó una denuncia por incumplimiento de una vieja ley de Primo de Rivera que todavía perduraba y que impedía en todo el Estado español el acceso a los cosos taurinos a los menores de 14 años[252]. La amenazante puesta en escena de esta antigua normativa inició una política institucional de asfixia a la tauromaquia que ya no dio tregua en suelo catalán.

Al cierre definitivo de la plaza de toros de Las Arenas, en 1987, se le sumaron las campañas en defensa de los animales y la primera iniciativa de declaración antitaurina de un municipio catalán, ejercida en 1989 por la localidad de Tossa de Mar (Girona). Pero el punto de inflexión más duro y contundente fue, concretamente, a principios de 1988. A través de sus leyes y

---

251.   El antropólogo Manuel Delgado evidencia en un ensayo cómo la simbiosis operada durante cuarenta años entre la tauromaquia y el programa de acción política franquista sirvió de coartada para las polémicas identitarias, cuyo resultado fue un importante retroceso en la proximidad social al fenómeno taurino. En: DELGADO RUÍZ, M. *Op. cit.*

252.   Las primeras leyes españolas para mejorar la calidad de vida de los animales se promulgaron en la Dictadura de Primo de Rivera (1923-1930), y la mayoría todavía continúan vigentes en la actualidad. En relación con las corridas de toros, se puso especial hincapié en que debía matarse al toro sin excesivo sufrimiento (como máximo dos estocadas) y que los menores de 14 años no acudiesen a las plazas de toros. Esta prohibición se aplicó con tibieza en los toros y el boxeo durante la Dictadura de Primo de Rivera, olvidada durante el Franquismo y derogada por el ministro del Interior José Luis Corcuera (1988-1993) bajo el Gobierno socialista de Felipe González.

sutiles mecanismos coercitivos, las instituciones hirieron de muerte a la fiesta de los toros: el 17 de febrero de 1988 el Parlamento catalán promulgaba una ley (Ley 3/1988) de protección de los animales, no afectando a las corridas de toros en plazas construidas, pero sí prohibiendo los festejos con muerte del animal en las plazas portátiles en todo territorio catalán[253].

Esta primera decisión legislativa mostraba los signos de la llegada al poder catalán en 1980 de una burguesía industrial y financiera, que desde la Transición fomentó su discurso político en un nacionalismo conservador que rechazaba el tema taurino por razones de ética, modernidad y humanismo, no manifestando abiertamente el motivo principal: la identificación de los toros con España. Además, al prohibir esta nueva ley la muerte del toro en plazas portátiles iniciaba un periodo turbulento en muchas localidades catalanes, lleno de tensión entre los partidarios de las fiestas populares y quienes defendían a los animales y acusaban de escaso pedigrí catalán soltar toros y vaquillas por calles y plazas.

El 11 de febrero de 1989 *La Vanguardia* publicaba una encuesta de la Generalitat de Cataluña que aseguraba que el 90% de la población catalana rechazaba parcial o totalmente las corridas de toros. El resultado del sondeo también indicaba que seis de cada diez catalanes estarían de acuerdo con la prohibición total de las corridas de toros y los *correbous*. La encuesta elaborada por la empresa Metra-6, por encargo de la Conseje-

---

253.   La histórica localidad de Cardona, en la provincia de Barxcelona, vio como sus tradicionales fiestas de los *correbous* tuvieron que someterse a la nueva ley que prohibía matar toros en plazas portátiles. Aun así, la resistencia de este municipio de la comarca del Bages provocó que fuese sancionado de 1988 a 1991 por la Generalitat al vulnerar la ley catalana de protección de los animales, ya que el alcalde socialista Gervasi Amaste ordenaba dar muerte a los novillos en una plaza que no estaba catalogada como estable.

ría de Agricultura, Ganadería y Pesca del Gobierno catalán, tenía como principal objetivo conocer la sensibilidad de los ciudadanos en relación a la defensa de los animales y el conocimiento de la Ley de Protección de los Animales aprobada un año antes por el Parlamento. El estudio dejó unos números alarmantes para los partidarios de la fiesta de los toros: el muestreo de 800 entrevistas llevadas a cabo puso de manifiesto que solo era partidario de los toros uno de cada diez encuestados, el 8,3% de la población; el 53% juzgaba que no había otra salida que suprimir los festejos taurinos; el 12,5% estaba simplemente en contra de los toros, y el 23% solamente estaba a favor de la fiesta en el caso de que no se matara al animal.

Por el resultado de la encuesta se deduce que los catalanes piensan que la Ley de Protección de los Animales aprobada unánimemente por todos los grupos del Parlamento realmente se 'quedó corta' en su objetivo proteccionista, puesto que los encuestados estiman que sería necesario, incluso, llegar más lejos. Otros sectores, por contra, opinan que ha sido la propia Ley, que constituye un precedente en España y Europa, la que ha generado una fuerte conciencia de protección de los animales y ha desencadenado comportamientos y actitudes radicales[254].

A finales de los ochenta y la década de los noventa la fiesta de los toros tomó algo de impulso en la Ciudad Condal. La prohibición de hacer funciones taurinas en la comarca del Baix Llobregat, en el cinturón de Barcelona, provocó un incremen-

---

254. "Una encuesta de la Generalitat asegura que el 90 por ciento de la población rechaza las corridas de toros". *La Vanguardia*, 11 de febrero de 1989, p.17.

to de la actividad taurófila en la capital catalana aumentando el número corridas y la vuelta de aficionados a los tendidos. Según el periodista Luis Caldeiro, "una mezcla de públicos y sensibilidades (profesionales y obreros, inmigrantes y catalanes de toda la vida), como no ocurría desde los lejanos tiempos de *Manolete* o *Chamaco*"[255]. Sucedió así, por ejemplo, en febrero de 1989, cuando se inició la temporada debido a que la Monumental organizó las corridas que en L'Hospitalet del Llobregat no podían celebrarse por la ley aprobada en 1988. No se iniciaba el año taurino en febrero desde el año 1967.

En 1989 se anunciaron por primera vez carteles en catalán y un año después, en 1990, se organizó la primera Feria de Julio de Barcelona, con carteles muy rematados que dejaron de manifiesto la seriedad y rigor que la empresa Balañá puso en esta ocasión para su organización. Esta primera feria contó, además, con un cartel diseñado por Mariscal, el autor de la mascota olímpica de Barcelona 92.

Con motivo de los Juegos Olímpicos de Barcelona 92, y ante la amenaza de que no se celebrasen corridas en la Monumental durante la competición olímpica, como así pretendieron algunas delegaciones internacionales, la empresa logró organizar una temporada, más reducida en número de festejos, pero con la misma intensidad que otros años. Por aquel tiempo, desde que se prohibieron los toros en la plaza portátil de L'Hospitalet del Llobregat en 1989, el extorero Manolo Martín ya había tomado la dirección de la primera parte de la temporada del coso barcelonés, gestión que prolongó hasta el año 2006, con la organización de novilladas y otros festejos.

No fue una época mala para el toreo en Cataluña. La afición, como ya había manifestado a finales de la década de los

---

255. CALDEIRO LÓPEZ, L. *Op. cit.* p. 41.

ochenta, pareció despertar del letargo en el que había estado sumida durante largos años gracias al entusiasmo que provocaban las noticias publicadas en la prensa del corazón, y no por la informaciones de las revistas taurinas. Una época, por tanto, que muchos espectadores acudieron por primera vez a la plaza barcelo de los jóvenes toreros de moda (*Jesulín de Ubrique*, *Chamaco* hijo, *Litri*, Rafi Camino, *Finito de Córdoba*, Rivera Ordoñez, Cristina Sánchez, etc.), presentes día tras día en los programas de televisión y que nadie quería perderse desde alguno de los nuevos palcos que la empresa[256] preparaba para cada ocasión. Así, en 1994 se celebraron hasta 77 espectáculos entre las cinco plazas catalanas en activo (Barcelona, Olot, Lloret de Mar, Tarragona y Girona)[257]. Esta revitalizada actividad permitió, concretamente en la Monumental, taquillazos con toreros como *Jesulín de Ubrique*, actuaciones memorables de Enrique Ponce o Paco Ojeda, entre otros, y el descubrimiento del último de los grandes mitos de la afición barcelonesa: José Tomás. Desde que en 1994 el diestro de Galapagar hizo su primer paseíllo como novillero en el coso barcelonés, la afición se entregó con él como cuando torearon *Manolete*, *Chamaco* o Bernadó, con faenas inolvidables como la del 13 de junio de 1999, con cuatro orejas cortadas, que desataron la pasión taurina e hicieron que muchos aficionados retornasen a los tendidos de la plaza de la capital catalana.

Fuera del ruedo también sucedieron durante los noventa hechos significativos para la fiesta taurina catalana. Muy relevante fue que en 1990 Cardona decidiese dejar de matar en

---

256. La Monumental en 1990 pasó a manos de Pedro Balañá Mombrú, tercera generación de la familia, con el mismo desánimo y sin ningún atisbo de reacción para bajar los precios y apostar por otro modelo de negocio.

257. GONZÁLEZ MORENO-NAVARRO, A. *Op. cit.* p. 133.

público al animal después de reiteradas sanciones de la Generalitat. O que en 1998 se iniciase el derribo de la plaza de toros de Sant Feliu de Guixols, 42 años después de su inauguración. Ese mismo año el Parlamento catalán aprobó un decreto que prohibió la entrada de los menores de 14 años a los espectáculos taurinos. La medida, por considerar la corrida de toros un espectáculo violento, suponía acabar con el relevo generacional de la fiesta. La demanda interpuesta por la Federación de Entidades Taurinas de Cataluña ante el Tribunal Superior de Justicia de Cataluña acabó dando la razón a los aficionados a los toros: los tribunales modificaron en el 2000 el Decreto de 1998 estableciendo entonces que los menores de 14 años podrían acudir a las plazas siempre que fuesen acompañados de un adulto.

Los impedimentos a los menores no obstaculizaron la revitalización de la fiesta, plasmada a finales de la década con la creación en 1998 de la Escuela Taurina de Cataluña, gracias a la colaboración de la Federación de Entidades Taurinas de Cataluña[258]. Entre los alumnos que salieron de las clases impartidas en los jardines de Montjuic y en el campo de fútbol del Gornal (L'Hospitalet), toreros consagrados como Serafín Marín, Raúl Cuadrado o Jiménez Caballero.

Aun así, la década acabó con otro desasosiego para el espectáculo de la tauromaquia. En septiembre de 1999, la Dirección General de Juegos y Espectáculos de la Generalitat prohibió la ópera *Carmen* en el ruedo de la Monumental que la compañía sevillana La Cuadra, dirigida por Salvador Távora, debía repre-

---

258. La Federación de Entidades Taurinas de Cataluña nació por la necesidad de coordinar aspectos comunes de las peñas, clubes y demás entidades que la muy numerosa afición catalana propiciaba. El objetivo fue siempre fomentar la fiesta en Cataluña y defender los intereses de los aficionados.

sentar el 15 de septiembre. La justificación fue que no autorizaba esta obra, mezcla de ópera, flamenco y tauromaquia, hasta que no se eliminase el rejoneo de un toro dentro del espectáculo, pues infringía la Ley de Protección de los Animales aprobada en el Parlamento catalán. El Supremo y el Tribunal Superior de Justicia (TSJ) acabaron dando la razón unos años después al director teatral Salvador Távora, condenando al ejecutivo autonómico a pagar una indemnización de 240.404 euros. La intención de Távora se repitió una vez más y de nuevo la Administración de la Generalitat decidió prohibirlo. En estas dos sentencias (en 2001 y 2003) el mismo TSJ de Cataluña desde su Sala de lo Contencioso falló en su contra por haberse inculcado un Derecho Fundamental recogido en la Constitución en su artículo 20 sobre la libertad de creación artística y la de expresión.

La realidad taurina barcelonesa con el cambio de siglo mostraba una imagen preocupante: una escasa afición para reforzar la catalanidad de los toros, el absentismo de la empresa Balañá y la pasividad del sector taurino centralista para salir al rescate del asunto catalán. Una situación que propició un panorama perfecto para que la campaña antitaurina acabase con la fiesta de los toros en la primera década del siglo XXI. Aunque el acoso se iniciase mucho antes, el cúmulo de noticias inquietantes y la debilidad de espectador impulsaron que el Ayuntamiento de Barcelona hiriese de muerte a la tauromaquia catalana tomando una decisión de una resonancia mediática inalcanzable: el año 2004 el Consistorio barcelonés declaraba a Barcelona ciudad contraria a los toros, 10 meses después de que el 25 de junio de 2003 el Parlamento de Cataluña aprobase una nueva ley de protección de animales (Ley 22/2003), que además de considerar a los animales organismos dotados de sensibilidad física y psíquica, revocaba el Decreto del año 2000 al restablecer la prohibición de acceder a las plazas de toros a los menores de 14 años.

Pero volvamos a la declaración de Barcelona ciudad antitaurina, decisión de gran impacto mediático para reforzar las tesis de los antitaurinos para poner fin a los toros en Cataluña. El 6 de abril de 2004 el Consejo Plenario del Ayuntamiento de Barcelona, gobernado en tripartito por el Partit dels Socialistes de Catalunya (PSC), Esquerra Republicana de Catalunya (ERC) e Iniciativa per Catalunya Verds (ICV), como lo estaba haciendo en la Generalitat en aquellos años, aprobó una declaración institucional para declararse contrario a las corridas de toros y en favor de los derechos de los animales. El Ayuntamiento, en manos del socialista Joan Clos, un político convencido de que Barcelona debía ser una ciudad abierta y cívica, decidió que la votación se realizase por voto personal y secreto, y no por grupos municipales como se acostumbraba a hacer, argumentado que las corridas de toros no se correspondían a una opción política, sino a la conciencia personal de cada uno.

Debido a tres ausencias, el censo ascendió a 38 votantes: 14 del Partit dels Socialistes de Catalunya (PSC), 8 de Convergencia i Unió (CiU), 7 del Partit Popular de Catalunya (PP), 5 de Esquerra Republicana (ERC) y 4 de Iniciativa Catalunya Verds (ICV). La votación arrojó el siguiente resultado: 21 votos a favor de la declaración, 15 en contra y 2 abstenciones. Votaron a favor los concejales de CiU (8), ERC (5) e ICV (4). En contra votaron los 7 ediles del PP. Los 14 concejales socialistas se dividieron: 4 a favor, 8 en contra y 2 abstenciones[259]. Los portavoces de CiU, ERC y PP explicaron que sus formaciones habían mantenido la disciplina de voto, las dos primeras opuestas a la fiesta y la tercera a favor. De esta forma, solo cuatro conce-

---

259. CALDEIRO LÓPEZ, L. *Op. cit.* p. 47.

jales socialistas estuvieron de acuerdo en hacer de Barcelona una ciudad antitaurina, siguiendo el camino trazado por la localidad de Tossa de Mar (Girona) en 1987.

En los argumentos no se mencionó la fobia taurina de los tenientes de alcalde Jordi Portabella (ERC) e Inma Mayol (ICV-EA), la proximidad de la celebración del Fórum Universal de las Culturas 2004 o la entrega el 25 de marzo de 250.000 firmas en contra de las corridas de toros, sino que se recordó la larga trayectoria de la ciudad en la protección de los animales y se dijo que en la época del alcalde Robert Bartomeu, en 1901, Barcelona ya se dirigió a las Cortes para que se erradicasen los toros en la ciudad. Tampoco faltaron una adhesión a la Ley de Protección de Animales de 2003 y algunos argumentos zootécnicos:

> El toro —bos primigenius taurus— es un mamífero con un sistema nervioso de similares características al de la especie humana, cosa que significa que comparte muchos aspectos del sistema de emociones de las persona [...] No es una especie diferente del toro reproductor y, por tanto, es un rumiante pacífico[260].

La reacción de los aficionados taurinos no se hizo esperar. A las primeras declaraciones sobre la nula competencia que podía tener el consistorio barcelonés sobre el gusto y la sensibilidad de los ciudadanos, se sumó unos días después una carta abierta firmada por numerosos intelectuales de prestigio y reconocimiento de la sociedad catalana dirigida al alcalde de Barcelona, Joan Clos, y que para asegurar su publicación se insertó

---

260. "Ciudad antitaurina". *La Vanguardia*, 7 de abril de 2004, p. 1 [Vivir].

como un anuncio en algunos diarios catalanes, entre ellos *La Vanguardia* y *El Periódico de Catalunya*:

Nos dirigimos a usted para hacerle patente la profunda inquietud que ha provocado en nosotros el hecho de que el Ayuntamiento presidido por usted se haya declarado contrario a las corridas de toros.

Nos inquieta que el Ayuntamiento de Barcelona, que representa al conjunto de los ciudadanos y es heredero de nuestra historia, haya aceptado condenar una determinada manifestación cultural que, como usted sabe muy bien, han compartido a lo largo de siglos, comparten hoy y seguirán compartiendo en el futuro un buen número de barceloneses. Al declararse antitaurino, el plenario del Ayuntamiento no hace otra cosa que distanciarse de Barcelona. Porque no puede decirse que Barcelona sea antitaurina: si lo fuera no tendría una de las plazas más importantes del país, ni una escuela de tauromaquia, ni un amplio conjunto de creadores en todos los campos de las artes —literatura, pintura, escultura, teatro, música, cine, fotografía, diseño, arquitectura...— que admiran y recrean el fenómeno taurino; ni contaría con una de las aficiones más entendidas y exigentes, ni poseería un público tan fiel como diverso, ni empresarios y trabajadores que encuentran aquí su trabajo. Pero tiene un Ayuntamiento que comete la impertinencia de condenar la taurofilia de Barcelona.

Declaraciones de esta índole, que tienen inevitablemente efectos descalificadores y estigmatizantes, no son lo que esperamos del buen juicio de nuestros representantes democráticos sino, muy al contrario, deseamos su amparo y su inteligencia para saber que la ciudad somos todos y no sólo las filias, las fobias y las obsesiones de unos cuantos. La declaración es un choque frontal que contradice plenamente la tradición de liberalidad, tolerancia, respeto a la diversidad y multiculturalidad, que tantas y tantasveces le hemos oído invocar a precisamente a usted.

Es preciso que sea consciente, señor alcalde, de que esta declaración gratuita ha ofendido y molestado a muchos ciudadanos. Con ella ha creado un problema allí donde no había ninguno. Nuestro Ayuntamiento, el de la capital de Catalunya, debería ser un ejemplo de comportamiento y trabajo riguroso y una lección de constante talante dialogante, democrático y convivencial. Por esto nos duele mucho que el Ayuntamiento dedique su tiempo y sus energías a sembrar malestar e incomodidad entre los ciudadanos. Lamentamos profundamente que, con tantos problemas que están pendientes de estar resueltos, la energía mubnicipal se dedique a fomentar otros nuevos, profiriendo condenas públicas que pueden comportar que una parte de los ciudadanos se sientan rechazados por la institución que les representa e, incluso, por otra parte de la ciudadanía.

Nos preocupa el brote de intransigencia que, como sucede con otras manifestaciones de lo que se ha dado en llamar políticamente correcto, se esconde detrás de este lamentable episodio creado, provocado y protagonizado por el Ayuntamiento de Barcelona. Se trata de un brote que la siempre frágil salud democrática obliga a contemplar con sumo cuidado para evitar que se reproduzcan situaciones contrarias al talante, el espíritu y la convicción de quienes nos consideramos ciudadanos libres en una ciudad libre.

Firmado: Joan Alavedra, Toni Albadalejo, Eduard Alltaba, Nuria Amat, Jordi Ambrós, José Eugenio Arroyo, Enric Avellán, Félix de Azúa, Salvador Balil, Lluis Barceló, Clara Bardón, Raimon Beregós, Albert Boadella, Salvador Boix, Jaume Boix, Esteve Bonell, Lluís Cabrera, Oriol Camprodón, Antonio Carrafa, Francesc de Carreras, Joan Castells, Alessandro Castro, José María Clavel, Club Taurino Cultural Serafín Marín, Maria Dolores Coma, Pep Cruz, Cristina de la Cruz, Tito Díaz, Elena Domínguez, Arcadi Espada, Silvia Farriol, Miquel Àngel Forniés, Neus Galí, Jordi Garcés, Joan Gardy Artigas, Alejandro Gasch, Rosa Gil, Miquel Giménez, Albert Gimeno, Victor Gómez Pin, Antoni González, Oscar Grau, Emili Gutiérrez, Joan Hernández Pijuan, Cruz Hernández, Jaume Josa, Robert Llimós, Ferrán Lobo, Juan José López Burniol, Ramon Madaula, Francesc March, Salvador Maresca, Serafín Marín, Jordi Martí Henneberg, Carme Martínez, Anna Martínez, Xavier Maureta, Sabino Méndez, Eduardo Mendoza, Enric Mir, Joaquim Molins, Maria Antonia Monés, Juan Carlos Montiel, Joan Mora, Marisol de Mora, Antoni de Moragas, Beatriz de Moura, Pep Munné, Silvia Munt, Néstor Munt, Pau Nadal, Rosa Novell, Jordi Obiols, Conxa Oliu, Leopoldo Ortega-Monasterio, José R. Palomar, Ramón Pasamonte, Enrique Patón, María Victoria Peláez, Lluís Permanyer, Josep María Prat, Maria Rosa Puig, Albert Ribalta, Alex Rigola, Noè Rivas, Joan de Sagarra, Valentí Sala, Robert Saladrigas, Fernando Salas, Arturo San Agustín, América Sánchez, Antonio Santainés, Juan Segura Palomares, Ramón Simó, Borja Sitjà, Jaume Sobrequés, Anna Soler, Juan Soto Viñolo, Enric Ubiñana, Soles Velázquez, Silvia Vicente, Jordi Vilafranca[261].

La aprobación de la resolución por la cual el Ayuntamiento de Barcelona declaró antitaurina la ciudad hizo que *El Periódico de Catalunya* encargase una encuesta a la empresa Vox Publica sobre la prohibición de los toros en la comunidad catalana elaborada entre los días 14 y 15 de abril. En los resultados publi-

---

261.   "Carta abierta al alcalde de Barcelona". *La Vanguardia*, 16 de mayo de 2004, p.54 y *El Periódico de Catalunya*, 16 de mayo de 2004, p. 69.

cados el 27 de abril de 2004, algo más de tres semanas después de la decisión del consistorio barcelonés, el 46% de los catalanes estaba a favor de la prohibición, opción que era rechazada por el 22,6%. Al 29,3% le resultaba indiferente. La consulta, publicada a una columna, se enmarcaba en una macroencuesta sobre las perspectivas electorales, por lo que la opinión de los encuestados se circunscribió a su ideología política, llegando el diario a la conclusión de que "la mayoría de los ciudadanos era partidario de la prohibición, excepto quienes se definían sólo españoles o más españoles que catalanes y de centro-derecha", sin comentar en ninguna de sus líneas las opiniones de otros partidos políticos o pensamientos de los ciudadanos. El resumen de la consulta del rotativo dirigido en aquel momento por Antonio Franco ofrecía los siguientes números:

De acuerdo con la prohibición
CiU: 44,9%   PSC: 43,7% PP: 13,5%   ERC: 74,4%   ICV: 50%
En desacuerdo con la prohibición
CiU: 20,5%   PSC: 21,2% PP: 40,5%   ERC: 7,7%   ICV: 17,9%
Indiferente
CiU: 31,8%   PSC: 32,9% PP: 45,9%   ERC: 17,1%   ICV: 30,4%
No sabe / No contesta
CiU: 2,9%   PSC: 2,1% PP: ---   ERC: 0,9%   ICV: 1,8%[262].

Del disimulo inicial de determinados sectores políticos y mediáticos de ignorar la fiesta de los todos, se pasó al ataque frontal durante toda la década. Los aficionados, entonces, comenzaron a acusar a los medios de comunicación catalanes, salvo excepciones, de desinformar o manipular la noticia taurina. Se acusó

---

262.   "El 46% de los catalanes a favor de que se prohíban los toros". *El Periódico de Catalunya*, 27 de abril de 2004, p.5.

de ser los responsables de la táctica seguida de ignorar los toros, o sea de no hablar de la temporada taurina barcelonesa, ni para bien ni para mal, provocando que la sociedad catalana no conociese la existencia de las corridas de toros en la capital catalana[263]. Sobre este tema, Juan Soto Viñolo, periodista taurino de *El Periódico de Catalunya*, ya avisaba años antes del aislamiento informativo de la actualidad taurina. Así, en una conferencia pronunciada el 15 de diciembre de 2001 en el salón de actos del Club Taurino Unión Extremeña de Sant Boi, bajo el título "Toros y Nacionalismo", donde afirmó que las políticas nacionalistas consideran españolista a la fiesta de los toros, opinó sobre el tema de los medios de comunicación y los toros con las siguientes palabras:

Los clarineros del Parlamento catalán prohíben la entrada de los menores a los espectáculos taurinos, tratando de esta forma de ejercer una limpieza étnica en Cataluña, que se ha complementado con la casi exclusión de la información taurina en los medios de comunicación locales, con lo que se niega a los aficionados el derecho a estar informados, vulnerando con ello el artículo VIII del Estatuto de Autonomía[264].

---

263.   En la carta de presentación de la Federación de Entidades Taurinas de Cataluña, firmada por su presidente de honor, Juan Segura Palomares, dice sobre la desinformación de la fiesta que "era como si se hubiera echado un velo de silencio". Incluso pone el ejemplo del caso de muchos taxistas que desconocían que en Barcelona se celebraban corridas cada año. SEGURA PALOMARES, J. "Presentación". *Federación de Entidades Taurinas de Catalunya*. www.federaciotaurinadecatalunya.es/la-federacion [consulta: 8 de mayo de 2012].

264.   JIMÉNEZ ANDREU, G. "Juan Soto Viñolo: A los taurinos en Cataluña nos han querido dar los tres avisos". *Toros Barcelona*. 18 de diciembre de 2001. http://www.elistas.net/lista/ torosbarcelona/ archivo/indice/2/msg/130/ [consulta: 8 de mayo de 2012].

Donde sí era manifiesta la exclusión de la información taurina fue en la televisión pública catalana. Si en TV3 nunca interesó la fiesta de los toros, en TVE de Sant Cugat se tomó por vicio desconectar la señal de Madrid para dar programación en catalán cuando se retransmitía una corrida de toros. Esta censura televisiva venía de años muy atrás y, en ocasiones, se extendía para el mundo taurino a otros medios de comunicación. El taurino Luis Mª Gibert Clols comentó esta situación el 11 de diciembre de 1988 en su programa radiofónico "Los toros en las ondas de de Radio L'Hospitalet":

[...] a nosotros los taurinos nos favorece este respetuoso silencio que se nos tiene en TV3 o en los otros medios de comunicación de Cataluña; cuando te asusta el diálogo con alguien le huyes o evitas su encuentro, con lo cual la otra persona se crece porque sabe que está en actitud superior; así pasa con nosotros. Los taurinos no tenemos nada que perder, en cambio TV3, *La Vanguardia*, *El Periódico*, etc., creen que tienen mucho que perder si hablan o dan noticias de toros, por tanto están en inferioridad en relación con nosotros: les podemos pisar el callo y se han de aguantar.

No he visto ni en TV3 ni en TV2 de Sant Cugat ni en los diarios mencionados ningún reportaje o artículo defendiendo Las Arenas de Barcelona como monumento histórico-artístico [...]; todo está en un respetuoso silencio y esta actitud les hace perder credibilidad ante el pueblo, que de tonto no tiene un pelo[265].

---

265. GIBERT CLOLS, L. Mª. *25 años de política y toros. Los toros en las ondas de Radio L'Hospitalet (1987-2011)*. Baracelona: Edicions Bellaterra, 2012, p. 33.

5.1.5. Las últimas estocadas a la fiesta de los toros en Cataluña

La primera década del siglo XXI vio como los pocos bastiones que quedaban en pie de la historia taurina catalana caían inapelablemente víctimas de intereses urbanísticos, proyectos empresariales o intereses políticos. Los olés arrancados por los nuevos ídolos locales[266], como Finito de Córdoba o Antonio Barrera, compartieron eco con el crujir de las piedras de los cosos más emblemáticos de la historia taurina catalana. El coso de Tarragona, con 125 años a cuestas, puso fin a su actividad taurina en el año 2005; la plaza de Girona y la de Lloret de Mar en 2006 iniciaron las obras de derrumbe, y Olot[267] en el año 2000 suprimió las corridas y en el 2004 se declaró localidad antitaurina. Igual sucedió en Ripoll, con plaza activa hasta 1952 y donde se daban festejos regularmente desde 1868.

La movilización taurina catalana tampoco se hizo esperar. Ante el acoso antitaurino se inició una batalla legal y de relaciones públicas a favor de la fiesta abanderada por la nueva Plataforma para la Defensa de los Toros, creada en el 2004 y dirigida por Luis Corrales, y que agrupaba a todos los estamentos taurinos para hacer frente al movimiento abolicionista. La plataforma, junto a la Asociación Nacional de Organizadores de Espectáculos Taurinos (ANOET), llegó a un acuerdo de cola-

---

266. Estos dos matadores siempre fueron considerador catalanes por los aficionados a pesar de llevar dos trayectorias diferentes. *Finito de Córdoba*, de nombre Juan Serrano Pineda, nacido en Sabadell (Barcelona), se fue de Cataluña para hacerse torero. Antonio Barrera, natural de Sevilla, desde muy niño se vino a Cataluña para hacerse torero.

267. La plaza de toros de Olot todavía hoy sigue intacta como hace 150 años y sirve de símbolo de una afición taurina secular de la ciudad. En: FELICES, R. *Op. cit.* p. 64.

boración para impulsar la recogida de firmas en favor de los toros durante la temporada 2005.

La declaración antitaurina no redujo el interés de seguir organizando festejos en Barcelona. Si en el 2004 se programaron 26 funciones en el coso de la Monumental, un año después se celebraron 24. Fueron dos años donde la afición catalana confirmó al catalán Serafín Marín como nuevo ídolo local. Discípulo aventajado de la Escuela Taurina de Cataluña, este torero nacido en la localidad barcelonesa de Montcada i Reixac, que ya había tomado la alternativa en Barcelona en el 2002, tuvo un tremendo éxito en las Ventas de Madrid el año 2003. Desde entonces, su figura se fue haciendo cada vez más grande y su protagonismo más inmenso dentro y fuera los ruedos, pues a las grandes faenas taurinas sumo una campaña de defensa de las corridas de toros en su comunidad. De esta manera, Serafín Marín reivindicó la catalanidad de la fiesta taurina acudiendo a televisiones, coloquios, instituciones, e incluso le echó valor para irrumpir en los ruedos de España con dos símbolos tan arraigados a Cataluña: la *barretina*, o gorro catalán, a modo de montera y la *senyera*, o bandera catalana, como capa de paseo.

Ese año taurino 2005, inaugurado con un encierro en solitario de Serafín Marín con seis toros en la Monumental el 17 de abril, donde cosechó un enorme éxito al cortar tres orejas y salir por la puerta grande, fue bien complicado al hacerse realidad el antecedente más directo de lo que sería la Iniciativa Legislativa Popular (ILP) que acabaría prohibiendo los toros en Cataluña. En abril, tanto ERC como ICV presentaron en el Parlamento catalán sendas proposiciones de ley para acabar con la fiesta de los toros, incluyendo los *correbous* en la de ICV. Los republicanos catalanes presentaron una propuesta de modificación de la Ley de Protección de los Animales de 2003 para prohibir los toros. Una vez votadas, la de ICV fue rechazada y la prohibición de los toros de ERC se admitió a trámite. La salida del Gobierno catalán de los republicanos, partido que promovía esa ley, el adelanto de las elecciones y la disolución del Parlamento hicieron que la propuesta no llegara más allá[268].

Mientras la temporada 2006 transcurrió con normalidad, celebrándose 25 festejos, uno más que en el 2005, lo que más marcó ese año fueron dos nuevas amenazas contra los toros: ERC volvió a anunciar en junio que llevaría al pleno del Parlamento la proposición de ley que guardaba desde abril del pasado año para modificar la Ley de protección de los animales y prohibir las corridas de toros que comportasen la muerte o la tortura del animal; y arreciaron los rumores sobre el futuro que le querían dar a sus negocios taurinos la familia Balañá porque el mundo de los toros ya no le daba beneficios. Respecto a esta segunda amenaza, incluso durante el año 2006 saltó la noticia en la prensa de que el futuro de la Monumental de Barcelona estaba en el aire debido a que el segundo alcalde de la ciudad, Jordi Portabella, estaba negociando con el grupo Balañá para que la plaza de toros dejase de acoger corridas a partir del año 2008 y se convirtiese en el nuevo hogar del mercado de Els Encants Vells[269]. La propuesta no prosperó, en parte por el firme rechazo que siempre mostró a esta propuesta el propio alcalde de Barcelona, Jordi Hereu, y la labor entusiasta que profesaron la Plataforma para la Defensa de la Fiesta y la Federación de Entidades Taurinas; sí, en cambio, la familia Balañá mantuvo su decisión de ceder la gestión taurina de la plaza. Finalmente, a finales de febrero de 2007 se hizo oficial la deci-

---

268. CALDEIRO LÓPEZ, L. *Op. cit.* p. 50.

269. Els Encants Vells, también llamado Mercat Fira de Bellcaire, es un mercado situado en la plaza de las Glorias de Barcelona, a pocos metros de la plaza de toros Monumental, ejemplo desde el siglo XIV del dinamismo comercial de Barcelona.

sión de la empresa de desvincularse de la gestión de la Monumental después de 80 años al frente del coso barcelonés[270]. La herencia del imperio Balañá pasó a manos de la familia salmantina García Jiménez, conocida como Casa Matilla, quien bajo el nombre de Funciones Taurinas, S.A., aseguró la continuidad de las corridas de toros en Barcelona más allá del año 2008, fecha límite para los toros como algunos quisieron hacer creer.

La primera temporada organizada por la nueva empresa no fue a la vieja usanza, o sea con festejos prácticamente todos los domingos a partir de mediados de abril hasta la fiesta de la Mercè. La Casa Matilla organizó una temporada mucho más reducida, con 18 festejos programados, siete menos que en el 2006, pero más rematada en sus carteles y con la presencia de un torero que reactivaría la tauromaquia en Cataluña desde ese momento hasta su prohibición: José Tomás, quien escogió la plaza barcelonesa para su reaparición el 17 de junio de 2007.

Las temporadas taurinas con la empresa salmantina al frente en la gestión de la plaza se caracterizaron los años 2008, 2009 y 2010 por menos domingos de corridas (se suprimieron las novilladas organizadas por Manolo Martín), pero con carteles de lujo, propias de una digna plaza de 1ª categoría, como era la Monumental. Continuó manteniéndose la tradicional Feria de Julio, instaurada por la empresa Balañá en 1990, pero que la nueva dirección decidió en el 2009 que se pasase a denominar la Feria del Mediterráneo. Ese año se organizaron 18 festejos,

---

270. La empresa con su silencio perpetuo nunca justificó la decisión de ceder la gestión. Pero sí es cierto que en aquellos años se rumoreaba que la empresa estaba muy presionada por las acciones de Esquerra Republicana. Incluso ese invierno el político republicano Jordi Portabella quiso forzar desde el Ayuntamiento de Barcelona un traslado de Els Encants a la Monumental para acabar con los toros después de 2007, tal y como se filtró a la prensa.

uno más que en el 2008. En la penúltima temporada en Barcelona, correspondiente al 2010, y en el que se vota la prohibición de los toros, la empresa volvió a organizar 17 funciones de nuevo y autorizó por voluntad de los aficionados que la Feria de la Mercè cambiase de nombre para llamarse a partir de entonces Feria de la Libertad Mercè 2010, en clara alusión a la prohibición de las corridas de toros en Cataluña que unos meses antes habían decidido los políticos catalanes.

Volvamos a los hechos que propiciaron el fin de los toros en Cataluña. Todo se precipitó a partir del 11 de noviembre de 2008 cuando la Mesa del Parlamento de Cataluña aceptó a trámite una ILP promovida por la Plataforma Prou! ("Basta", en catalán) para abolir las corridas de toros en Cataluña, al considerar que el objeto de esta iniciativa legislativa popular era una materia sobre la que la Generalitat catalana tenía reconocida su competencia y el Parlamento podía legislar[271]. Los promotores presentaron una proposición de ley de modificación del artículo 6 del texto refundido de la Ley de protección de los animales[272], aprobado por el Decreto legislativo 2/2008, de 15 de

271.   Artículo 1 de la Ley 1/2006, de 16 de febrero, de la Iniciativa Legislativa Popular: "Pueden ser objeto de la iniciativa legislativa popular las materias sobre las que la Generalidad tiene reconocida su competencia y el Parlamento puede legislar, de acuerdo con la Constitución y el Estatuto de autonomía, a excepción de las materias que el Estatuto de autonomía reserva a la iniciativa legislativa exclusiva de los diputados, los grupos Parlamentarios o el Gobierno, de los presupuestos de la Generalidad y de las materias tributarias".

272.   En ese artículo, la Generalitat catalana prohíbe el uso de animales en "peleas y espectáculos" si pueden ocasionarles sufrimiento o pueden ser objeto de "burlas o tratamientos antinaturales". Aun así, se excluyen expresamente de la prohibición las fiestas de toros en ciudades con plazas ya construidas (sin dejar acceder a menores de 14 años) y los tradicionales correbous, si no se daña a los animales.

abril, pidiendo que se prohíbiesen las corridas y los espectáculos de toros que incluían la muerte del animal, excepto las fiestas en las que el toro no moría.

Desde diciembre de 2008 hasta abril de 2009, los fedatarios acreditados estuvieron recogiendo por toda Cataluña el apoyo para demostrar lo que ellos consideraban que se estaba constatando en la sociedad catalana: un continuo y progresivo rechazo hacia el espectáculo taurino. La Plataforma Prou! invirtió 120 días para recoger las firmas a través de más de un millar de mesas informativas. Finalmente, presentaron en la Cámara catalana el 2 de julio de 2009 un total de 180.169 firmas, cuadriplicando el mínimo exigido legalmente de 50.000. Cosas del destino, la entrega de este masivo respaldo contra los toros fue en vísperas de que José Tomás llenara la Monumental para encerrarse con seis toros en una corrida histórica, en la que se llegó a pagar hasta 3.000 euros por una entrada.

El pleno del Parlamento del 18 de diciembre de 2009 decidió en una votación secreta por 69 votos a 59 que la ILP pasase el trámite parlamentario y se debatiera en las comisiones, rechazando las enmiendas presentadas por el PP, PSC y Ciutadans (C's). Este paso fue de suma importancia, ya que las fuerzas políticas, siendo representativas de la ciudadanía, permitieron que la ILP fuera debatida en profundidad en sede parlamentaria.

A partir de entonces, por si no lo había, acabó de desatarse una batalla entre taurófilos y taurófobos para decidir el futuro de los toros en Cataluña. Al margen de diferentes acciones populares, cada bando dispuso los días 3, 4 y 17 de marzo de 2010 de 15 comparecencias en la Comisión de Medio Ambiente del Parlamento de Cataluña para exponer de forma justificada las razones de su defensa, y que tuvieron por finalidad incidir en la decisión de los diputados. En la lista de comparecientes no faltaron en ambos bandos científicos, filósofos, etólogos, veterinarios, escritores, profesionales del Derecho, etcétera. Durante estas comparecencias, el periódico *La Vanguardia* publicó el domingo 14 de marzo un sondeo encargado al Instituto Noxa sobre la opinión de los catalanes acerca de la prohibición de las corridas de toros. El resultado publicado en sus páginas mostró la manifiesta división en la opinión pública catalana: el 43% aprobaba que se prohibiesen los toros, el 36% se oponía. Con los *correbous* las posiciones todavía eran más equilibradas: el 41% de los catalanes se inclinaba por su prohibición y el 40% se oponía a ella. El resultado también relacionaba las actitudes de los votantes con las posiciones políticas y los sentimientos identitarios. Así, a favor de la prohibición de las corridas se pronunciaban sobre todo los votantes de ERC (en una correlación del 63% frente al 24%) o de ICV (68% frente al 18%), pero también aquellos que se sentían "sólo catalanes" (69% frente al 15%) o "más catalanes que españoles" (59% frente al 23%). Por el contrario, los votantes del PP (56% frente al 23%) y quienes se sentían "más españoles que catalanes" (54%) o "sólo españoles" (66%) son los que se oponían con más fuerza a la prohibición. CiU (37% en contra de prohibir frente al 34% a favor) y PSC (43% a favor de que se prohibiesen frente al 35% en contra), mostraban una cierta ambigüedad en sus opiniones[273].

Convertida la ILP en un elemento de precampaña electoral ante la previsión de elecciones en Cataluña (confirmadas por el presidente de la Generalitat, José Montilla, el 6 de septiembre de 2010), los políticos soportaron durante tres meses todo tipo de comentarios, presiones, negociaciones y rumores sobre las

---

273. "División de opiniones sobre la prohibición de las corridas de toros". *La Vanguardia*, 14 de marzo de 2010, p.19

intenciones de votos de los partidos que podían decidir el futuro de los toros en Cataluña, concretamente CiU y PSC. La respuesta de estas dos formaciones no fue una declaración unáni-
me en sus filas y sí la libertad para que sus diputados decidiesen
a la hora de votar.

El 8 de julio el Consejo de Garantías Estatutarias, el ente
catalán que se encarga de estudiar —su dictamen no es vinculante— si las normas que van al Parlamento se adaptan a la
Constitución y al Estatuto de Autonomía[274], avaló el texto de
la prohibición de los toros que debía someterse a votación[275].
La decisión de prohibir los toros en Cataluña entró en el pleno
del Parlamento del 28 de julio de 2010. El último debate sirvió
de nuevo para que los partidos con el voto decidido a favor, PP
y C's, acusasen a los grupos nacionalistas de votar por motivos
identitarios, argumentando que los festejos taurinos catalanes
de los *correbous* quedarían blindados; mientras que los contrarios, ERC e ICV, argumentaron con detalle el sufrimiento del
animal en la plaza y el carácter retrógrado de la fiesta. Una vez

---

274.   Artículo 141.3 del Estatuto de Autonomía de Cataluña: "Corresponde a la Generalitat la competencia exclusiva en materia de espectáculos y
actividades recreativas, que incluye, en todo caso, la ordenación del sector, el
régimen de intervención administrativa y el control de todo tipo de espectáculos en espacios y locales públicos".

275.   Solo uno de los integrantes del Consejo de Garantía Estatutarias
que aprobó la constitucionalidad del texto de la prohibición de los toros
emitió un voto particular. Fue Julio Añoveros, quien consideró que la fiesta
se podía acometer desde diferentes prismas, ya que lo consideraba un "fenómeno histórico, cultural, social, económico y empresarial". Por tanto,
concluía el jurista, la prohibición invadía varias competencias del Estado y
era inconstitucional. ROGER, M. "La prohibición de los toros en Cataluña pasa el filtro del Consejo de Garantías". *El País*, 8 de julio de 2010. Madrid: Grupo Prisa, 2010. http://cultura.elpais.com/cultura/ 2010/07/08/
actualidad/1278540007_ 850215.html [consulta: 6 de junio de 2013].

expuestos los argumentos, se pasó a la votación a mano alzada dando como resultado la prohibición de los toros en Cataluña por 68 votos a favor, 55 en contra y 9 abstenciones. La primera ILP de la legislatura salió adelante en un pleno histórico, abarrotado de medios de comunicación nacionales e internacionales, gracias a los 32 votos de CiU, 21 de ERC, 12 de ICV-EUiA y 3 votos del PSC. A favor de las corridas votaron 31 del PSC, 14 del PP, 7 de CiU y 3 del grupo mixto. Las 9 abstenciones se repartieron en 6 de CiU y 3 del PSC. Los 3 restantes de CiU estuvieron en el hemiciclo pero decidieron no votar.

Los pronósticos no fallaron, y la libertad de voto a sus diputados que decidieron los dos grandes partidos, CiU y PSC, acabó decantando una votación histórica para Cataluña. Especialmente, a partir del sí de la mayoría de los diputados nacionalistas conservadores de CiU, entre ellos el líder de la oposición, Artur Mas, y los dirigentes Oriol Pujol y Felip Puig; los socialistas optaron principalmente por el no, con su presidente José Montilla a la cabeza. Pero la diferencia entre unos y otros resultó insalvable y puso fin a un proceso que el Parlamento catalán vivió intensamente durante un año y medio. La Ley entraría en vigor el 1 de enero de 2012, por lo que a los taurinos catalanes les quedaba año y medio para disfrutar de la última temporada de toros en la plaza Monumental, sin renunciar a su lucha para recuperar algún dia la fiesta de los toros en Cataluña.

Mientras esto sucedió fuera de los ruedos, las últimas temporadas taurinas trascurrieron dentro de la plaza con mucho esfuerzo y aguante. Con carteles muy interesantes, sobre todo en el mes de julio, los aficionados debieron disfrutar de ellos bajo los insultos previos de un grupo de antitaurinos que acudía cada domingo a la plaza para manifestarse en contra de la tortura de las corridas, tensando todavía más el entrentamiento entre ambos bandos.

Solo la fiesta se sintió reforzada cuando llenó la plaza barcelonesa José Tomás. El diestro de Galapagar sobresalió por encima de todos los demás para mantener la esperanza taurina entre los aficionados. Fue la última gran figura que ha dado el mundo del toreo a Barcelona. Muchos aficionados vieron en él durante unas temporadas el salvoconducto para librarse de la temida prohibición.

Cada corrida de José Tomás supuso un despliegue mediático ilimitado. Autocares llegados de todas partes, precios astronómicos por una entrada, acreditaciones de periodistas de todo el mundo. Verlo torear en Barcelona fue un acontecimiento excepcional por todo lo que representaba. Sus actuaciones devolvieron a Barcelona la capitalidad del toreo que había tenido tiempos atrás, sacaron de la atonía al público catalán y recuperaron las grandes faenas artísticas con las que siempre vibró el aficionado, sensible y emocionado hacia aquellas figuras que siempre tuvieron algo que decir en la fiesta de los toros. Como hicieron en su momento *Lagartijo*, Belmonte, *Manolete*, Arruza o *Chamaco*, José Tomás desató la locura en el coso barcelonés, alteró las rutinas de la prensa catalana y ofreció un rayo de esperanza a una afición que cada vez vivió más privada de su derecho por lo que más quería: el mundo de los toros. Sus gestos siempre fueron un guiño de complicidad con la ciudad: escogió Barcelona para su regreso a los ruedos en el 2007, toreo por primera vez en solitario en el 2009 y participó en el último festejo taurino que cerró para siempre la plaza Monumental, el 25 de septiembre de 2011, con toros de la ganadería El Pilar y la compañía de los diestros Juan Mora y Serafín Marín.

Aunque no sea parte de nuestro estudio, conviene señalar que con ese festejo se acabaron las corridas de toros en Cataluña. Seguidamente, la Federación de Entidades Taurinas de Cataluña puso en marcha una ILP en defensa de la fiesta. El 22 de marzo de 2012 presentaba en el Congreso de los Diputados 590.000 firmas como aval para declarar los toros Bien de Interés Cultural en toda España, aprobándose el 7 de noviembre de 2013, pero sin repercusión alguna para recuperar los toros en Cataluña. También hay un recurso en el Tribunal Constitucional para que se declare nula la decisión de los políticos catalanes. Hasta la publicación de este libro todavía nada se sabe del futuro de los toros en Cataluña, aunque la esperanza de que algún día vuelvan cada vez es más remota.

5.2. La relevancia de José Tomás en la temporada taurina barcelonesa

Está claro que por la trascendencia del personaje era necesario después de estas pinceladas que se han descrito en el capítulo anterior centrarnos en nuestro estudio en la figura de José Tomás. Él fue uno de los escasos matadores que consiguió que Cataluña mantuviese vivo en los medios de comunicación el latido de la tauromaquia durante los años del proceso de abolición. Irrumpió en una época de declive e hizo de la Monumental su ruedo preferido. Mantuvo un ilimitado idilio con la afición catalana e hizo de cada una de sus actuaciones que la fiesta de los toros recuperase sucompromiso y su autenticidad.

Aclamado hasta por gente que nunca había visto un toro en su vida, cada una de las funciones de José Tomás en el coso barcelonés engrandeció su leyenda torera y provocó que la Monumental se convirtiese por horas en la capitalidad de orbe taurino. *La Vanguardia* y *El Periódico de Catalunya*, como el resto de la prensa, se rindieron a sus virtudes taurinas y a una personalidad fuera de lo común: un don natural del toreo, lleno de valor, pureza, estética y autenticidad, y con una relevante vida personal, profundamente misteriosa y enigmática, marcada por una privacidad que hizo que le alejase del enfoque mercantil de la fiesta.

José Tomás jamás dejó que su imagen fuera objeto de especulación "rosa" ni que se hablara de él por otra cosa que no fueran sus méritos en el ruedo, y supo triunfar sin recurrir a otra popularidad que no fuera la derivada de su carisma taurino, sus heroicidades ante un toro y su magnetismo personal. Tampoco fue un torero que dejara que su intimidad fuera objeto de escarnio público, ni que accediera con facilidad a someterse a los dictados de la moderna sociedad de la comunicación, hecho que le granjeará notables enemigos entre los periodistas[276].

Este carácter silencioso e independiente le valió crearse numerosas enemistadas dentro y fuera de los ruedos. Sus exigencias con los derechos de televisión y su caché económico para entrar en el cartel de las grandes ferias españolas nunca le dieron buena fama fuera de los ruedos, especialmente, en algunos medios de comunicación nacionales que nunca transigieron con el criterio que impusieron el diestro y el apoderado. Esta situación no tuvo su correspondencia en Cataluña, donde gozó de buena comunión con los críticos y aficionados taurinos, que siempre trataron a José Tomás como hijo adoptivo de la ciudad y como nuevo símbolo de la tauromaquia catalana.

Hay que pensar que una corrida suya supuso un acto de resurrección para la fiesta, pero no solo el día siguiente del feste-

---

276. ABELLA MARTÍN, C. *José Tomás. Un torero de leyenda*. Madrid: Alianza Editorial, 2008, p. 17.

jo, sino antes, con una cobertura informativa relevante. En este sentido, el escritor Fernando González Viñas recuerda la reaparición de José Tomás el 17 de junio de 2007:

> Y a la vera de José Tomás acudieron ilustres personajes catalanes —Albert Boadella, Joan Manuel Serrat...— para acompañar la resurrección doble, la de José Tomás y la de la Barcelona taurina, apoyada por los aficionados llegados en penitencia de todo el mundo [...]. José Tomás, con una sola aparición, había logrado su primer triunfo social; había aireado la falacia de los argumentos que hablaban de una ciudad y una comunidad totalmente opuesta a ver los toros como fiesta propia. Las razones de su resurrección barcelonesa quedaban claras. Había un componente reivindicativo[277].

En cambio, también hubo una prensa que no quiso darle la trascendencia que tuvo la figura de José Tomás en la agenda informativa de la ciudad. Estos medios, en más de una ocasión, actuaron como venían haciéndolo con la temporada taurina barcelonesa: omisión total o proyección de una realidad sesgada sobre la fiesta de los toros. La televisión autonómica catalana fue un ejemplo de este tipo de comportamiento periodístico.

5.2.1. Al servicio de un mito

El hecho de que José Tomás contase desde el año 2006 con el apoderado catalán Salvador Boix, propició que, primero por

---

277.   GONZÁLEZ VIÑAS, F. *José Tomás. De lo espiritual en el arte*. Madrid: Berenice, 2008, p. 89.

cuenta propia y luego por cuenta ajena, existiese un volcán de encendidas pasiones entre el torero y la capital catalana. El diestro, muy diferente al resto de sus compañeros en sus relaciones personales, tomó una decisión arriesgada contratándole que solo una persona de su carácter hubiese sido capaz de tomar. Según Salvador Boix: "Lo conocí en 1999 a raíz de un programa que grabamos para Barcelona Televisió y nos hicimos muy amigos. Conectamos muy rápido y mantuvimos una relación personal durante muchos años. Después llegó la propuesta de ser su apoderado. Me sorprendió, pero al mismo tiempo me sentí muy orgulloso de que confiase en mi"[278].

Contrario a todo el barullo que genera el negocio de los toros, José Tomás acudió a este crítico e intelectual catalán para aumentar su ansia de libertad y tomar la decisión de emprender otra nueva aventura torera después de años alejado de las plazas de toros. Para Salvador Boix, "fue una decisión valiente. Yo aportaba conocimientos taurinos, como aficionado y crítico en medios de comunicación, y alguna experiencia en representaciones artísticas, pero como apoderado taurino, nada. Quizá por eso siempre muchos me consideraron un intruso, algo que me importó bien poco"[279].

La nula relación de José Tomás con los medios de comunicación y las exigencias en sus condiciones para torear reforzaron todavía más los lazos entre torero y apoderado. Ya no solo se trató de una relación profesional, pues era muy habitual que por un concierto, unas tapas o respirar el aire mediterráneo, el torero aceptase la invitación de su apoderado y se plantase cualquier día en la Ciudad Condal. Continuando con Salvador Boix: "Es muy riguroso con su metodología de trabajo, pero

---

278. Entrevista a Salvador Boix realizada el 22 de mayo de 2009.
279. *Ibid.*

cuando puede, aprovecha la ocasión para disfrutar de la vida barcelonesa, que le encanta"[280]. Quizá pasear por las calles del distrito de Ciutat Vella, alejado del glamour del toreo, y sabedor de la admiración que Barcelona tuvo siempre con los grandes artistas, fue una de las principales razones de esta atracción. "Aquí siempre se ha reconocido la genialidad de los grandes artistas. Nunca ha faltado en la ciudad un tipo de público de muy buen paladar artístico, igual de sensible con una faena taurina que con una ópera de Wagner"[281].

5.2.2. En lo más alto del escalafón

El ascenso de José Tomás a la cumbre del toreo se inició a partir de sus sorprendentes y exitosas faenas en la plaza de las Ventas de Madrid. Desde que el 14 de mayo de 1996 confirmó la alternativa en la plaza de la capital de España, el panorama del toreo contó con una nueva máxima figura dispuesta a dictar cátedra dentro y fuera de los ruedos. Como sucedió el 27 de mayo de 1997 en la Feria de San Isidro, donde después de una tarde memorable, en la que salió por la puerta grande, nadie dudó de que se trataba de un torero dispuesto a hacer historia y empezó a comparar su despliegue artístico con el de los maestros de otros tiempos, como *Joselito*, Belmonte o *Manolete*.

Los triunfos en Madrid tuvieron su eco en otras plazas españolas. Entre ellas Barcelona, cuya primera actuación fue el 4 de agosto de 1996, junto a *Chamaco* y Pepín Liria, con toros de El Sierro, y en la que no cortó ninguna oreja. Ese año no volvió a torear más en la Monumental. Su siguiente aparición en la Ciu-

---

280. *Ibid.*
281. *Ibid.*

dad Condal fue el 13 de julio de 1997, una semana después de haber toreado en Tarragona. Siguió sin obtener ningún trofeo, pero dejó una tremenda impresión en el público catalán.

El año 1998 cortó en la Monumental sus dos primeras orejas el 24 de mayo, abrió la puerta grande y volvió el 19 de julio sin obtener premio. En aquella temporada llegó a torear en España 72 tardes, una cifra considerable si se compara con el promedio que registró cuando volvió a los ruedos el año 2007 en la capital catalana.

Si Barcelona dejó huella en el diestro de Galapagar fue por la histórica temporada que realizó el año 1999. Llegó a la Monumental con vitola de figura y cortó 11 orejas en tres memorables funciones. Un éxito clamoroso que cautivó definitivamente a la afición catalana y que transformó la relación que mantenía el torero con esta ciudad en un "amor sin fisuras"[282]. También coincidió su irrupción en lel ruedo barcelonés con su proclamación por tercer año consecutivo como triunfador de la Feria de San Isidro y con el cambio de apoderado: dejó a Antonio Corbacho y se juntó con Enrique Martín Arranz, un peso pesado dentro de la industria de la tauromaquia y con quien elevó sus pretensiones económicas y su prestigio.

Desde 1999 el éxtasis por José Tomás en Barcelona no tuvo límites. El torero traspasó lo puramente taurino y llegó a interesar a los que no tenían ningún vínculo con la tauromaquia. Balañá vio en él un valor seguro para su negocio y consiguió que actuase cuatro tardes durante el 2000. El 23 de julio cortó dos orejas y el rabo al primero y las dos al quinto, saliendo por la Puerta Grande, la séptima conseguida en la Monumental. Barcelona, decididamente, lo escogía como su mesías y lo erigía en su protector ante el acoso de los enemigos de la fiesta de los toros.

---

282. GONZÁLEZ VIÑAS, F. *Op. cit.* p. 60.

Entre 2001 y 2002. José Tomás toreó seis veces más en Barcelona hasta que el 19 de septiembre de 2002, sin haber cumplido todavía 30 años, anunció a través de su portavoz, Olga Deva, que abandonaba los ruedos sin dar una razón concreta. Silencio absoluto y la mayor invisibilidad imaginable a partir de entonces de una decisión que si tuvo una gran verdad: su marcha dejó huérfano a los aficionados durante un lustro, tiempo que estuvieron preguntándose el porqué de su prematura retirada de los ruedos.

5.2.3. La recuperación de la capitalidad barcelonesa

Después de cinco años fuera de los ruedos, el 1 de marzo de 2007 la empresa Casa Matilla, gestora de la plaza de toros Monumental de Barcelona, anunció que José Tomás volvía a los ruedos y que reaparecería en la capital catalana el 17 de junio de ese año. El anuncio de su vuelta al toreo, con el nombramiento de Salvador Boix como nuevo apoderado, más la elección de Barcelona, alcanzaron un alto poder simbólico para la defensa de los toros en la comunidad catalana. Una decisión que dividió todavía más a taurófilos y taurófobos y que fue instrumentalizado según los intereses de cada grupo. El único que se quedó al margen fue el propio José Tomás, quien nunca quiso asociar su voluntad de torear en Cataluña como un desafío a las ideas nacionalistas, sino a su condición de torero, al placer de sentir el gusto del público barcelonés por la heterodoxia de su toreo y a sentirse parte de una tradición taurina catalana en esos momentos zarandeada. Así lo recoge González Viñas recordando su retorno en el 2007:

Quizá para evitar que este hecho se antepusiese a su condición de torero a secas, el diestro declaraba en octubre que 'hay gente que me ha querido utilizar políticamente con el tema de Barcelona, por ejemplo. Yo no toreo para luchar contra el nacionalismo. Yo toreo para hacer disfrutar a la gente que me va a ver en la plaza, y en Barcelona, lo que ha pasado este año ha sido una recompensa para ese público que ha dado tanto al toreo durante tantos años y a mi en concreto me ha dado tanto, que está pasando ahora un momento delicado... Ese día en la plaza estaban nacionalistas, de izquierdas, de derechas y toda esa gente se puede emocionar con lo que yo hago, y yo toreo para toda esta gente[283].

Desde la temporada 2007 hasta la prohibición de los toros en Cataluña en el 2010, el idilio del torero José Tomás y la afición catalana se prolongó a través de un sinfín de gestos, éxitos y compromisos dentro y fuera del ruedo de la Monumental. Sobre todo la tarde del 5 de julio de 2009, fecha escogida por el torero de Galapagar para torear en solitario y sin cobrar en la plaza de Barcelona. Era la primera vez que el diestro se encerraba con seis toros y, además, con el añadido de tratarse de un festejo de carácter benéfico.

Barcelona es algo muy especial para mí, pues en esta plaza he logrado los principales éxitos de mi carrera, y resulta que aquí se quiere coartar la libertad de los aficionados. Yo sólo puedo deciros gracias, y como sólo puedo agradecer este trofeo de la única manera en que sé hacerlo, os doy una primicia: el día 5 de julio próximo lidiaré, por primera vez en

---

283. *Ibid.* pp. 93 y 94.

mi vida, seis toros, y lo realizaré en Barcelona, ciudad a la que tanto quiero y debo[284].

Esta cita es una de las pocas declaraciones que José Tomás realizó públicamente sobre el acoso que la fiesta de los toros estaba sufriendo en Cataluña. Pero nunca hubo una declaración formal, ni una entrevista concedida ni una participación pública sobre la persecución de los toros en la comunidad catalana ni sobre cualquier otro asunto. Su apoderado, Salvador Boix, actuó de portavoz de los sentimientos y las voluntades del diestro, manifestados en su reiterada presencia en la Monumental: hasta 23 veces desde su presentación como novillero el 18 de agosto de 1994. En todo este tiempo, José Tomás abrió la Puerta Grande en 13 ocasiones y devolvió a Barcelona la capitalidad del toreo internacional por la repercusión mediática que generaba cada una de sus actuaciones para un sector que cada vez preocupaba menos a los medios de comunicación.

5.3. De la persecución a la prohibición de los toros

Nunca faltó una corriente antitaurina, liderada por intelectuales, en las manifestaciones más primitivas de la fiesta de los to-

---

284. Palabras del torero José Tomás la madrugada del 7 de marzo de 2009 en la Gala de los XV Premios Pedro Balañá Espinós, acto celebrado por la Federación de Entidades Taurinas de Cataluña. Ante casi medio millar de asistentes, el diestro de Galapagar anunció su decisión de torear en solitario tras recibir "La I Llave de Oro de Barcelona Taurina", de mano de Juan Segura Palomares, presidente de esta entidad. En DEL ARCO DE IZCO, F. "José Tomás recibe la I Llave de Oro de la Barcelona taurina en la gala de los XV Premios Pedro Balañá Espinós". *Sabios del Toreo*, 13 de marzo de 2009. http://www.sabiosdeltoreo.com/Salidas_asp/Noticias/ noticiasTaurinas.asp?Numerador=1553 [consulta: 22 de mayo de 2013].

ros en los medios impresos catalanes. Una voz crítica que siempre existió y que se expresó con total libertad en las primeras décadas del siglo XX, a través, sobre todo, de los intelectuales Eugeni D'Ors[285] y Eugenio Noel.

5.3.1. Protestas en contra de los toros

A pesar de las prohibiciones durante el siglo XIX, especialmente entre 1835 y 1850, donde se hace referencia en esta libro en el capítulo *La tradición taurina catalana: un hecho documentado*, en Cataluña permaneció siempre presente una corriente abolicionista que se mostró públicamente ante cualquier convocatoria esporádica o continuada que se organizase en las plazas de toros.

Entre las muchas actividades que se organizaron en contra de los toros desde principios del siglo XX destacar, por ejemplo, la que se celebró en enero de 1901 en el teatro Principal de Barcelona en un acto antitaurino, presidido por el doctor Bartomeu Robert y Yarzábal, en aquel momento alcalde de Barcelona y unos meses después presidente de la Lliga Regionalista[286].

---

285. Eugeni D'Ors (1881-1954) es uno de los mentores y referentes del movimiento del Noucentisme catalán. Ensayista, periodista, filósofo y crítico de arte, su principal aportación a la literatura catalana es el "Glosari", columna diaria, firmada con el seudónimo *Xènius*, en el periódico *La Veu de Catalunya*. Curiosamente, después de manifestarse antitaurino, fue uno de los intelectuales catalanes más destacados del régimen franquista para la difusión de la cultura española.

286. La Lliga Regionalista (Liga Regionalista, en español) fue un partido político de Cataluña conservador y catalanista, nacido en abril de 1901 como resultado de la unión entre el Centre Nacional Català y la Unió Regionalista. Desarrolló un papel importante en Cataluña hasta la proclamación de la Segunda República Española en 1931, cuando la hegemonía del nacionalismo catalán paso a manos de Esquerra Republicana.

En las conclusiones se llegó a pedir a las Cortes una ley en todo el territorio nacional prohibiendo la fiesta de los toros. También existió una oposición manifiesta el año 1903, cuando la Ley del descanso dominical fue aprovechada por las instituciones por entender que las corridas de toros debían entrar entre los trabajos a que alcanzaron las labores de tal ley. La reacción taurina fue grande. En Madrid se formó una comisión de la que formaron parte políticos, periodistas, ganaderos, empresarios, aficionados y toreros. Eusebio Herrera lo explica en detalle:

> Entre los políticos figuraban Canalejas, el Conde de Romanones, Rodrigo Soriano y el Marqués de Portago. Pronunció un mitin Don Pascual Millán, revistero taurino. La comisión y el discurso produjeron los efectos apetecidos y se permitieron las fiestas de los toros en domingo[287].

La fiesta de los toros fue vista por una buena parte de los ciudadanos catalanes en la segunda década del siglo XX como una señal inequívoca de atraso cultural. Una fiesta inmoral, contraria a la dignidad humana, símbolo del retraso social y económico de España. Ideas que sintonizaron muy bien con el pensamiento de la Generación del 98 y que estuvieron impulsadas en aquellos años por el escritor Eugenio Noel, quien desde 1911 a 1920 llevó a cabo una insistente campaña contra los toros y abrió una fuerte corriente antitaurina de la cual se hicieron eco las publicaciones anarquistas, progresistas e, incluso, algunos medios conservadores, caso de *La Vanguardia*.

---

287.   HERRERA TORRES, E. "Cataluña torera". *La Toga. Revista Online del Ilustre Colegio de Abogados de Sevilla*, nº 153, marzo-abril 2005. http://www.latoga.es/detallearticulo.asp?id= 110606191256&nro=153&nom=-Marzo/Abril%202005 [consulta: 6 de mayo de 2009].

En el diario de Godó colaboró el pintor, escritor y dramaturgo catalán Santiago Rusiñol, de quien el escritor y periodista Jorge Marín recogió el siguiente comentario en un artículo publicado en *La Vanguardia* el 25 de octubre de 1994:

> Entre el torero y el caballo estoy por el caballo, y entre el toro y el torero, por el toro', afirmaba el genial pintor y humorista Santiago Rusiñol. Y resumía su actitud diciendo: 'Si el torero mata al toro hay ovación. Si el toro mata al torero, en vez de respetarle la vida, se le echa otro torero. No hay juego limpio[288].

En el año 1912 la lucha contra los toros tomó mucha fuerza en Cataluña con la creación un año antes del Grupo Antiflamenquista Pro-Cultura[289]. Esta agrupación informal, entre los que estaban los redactores de la revista republicana y de extrema izquierda *Los miserables*, se dedicó regularmente a acudir a los aledaños de la plaza de las Arenas y, al grito de "Fora d'aquí Plebeus" ("Fuera de aquí Plebeyos", en español), repartir panfletos en protesta de las corridas de toros escritos por ellos mismos o por intelectuales como Eugenio Noel, Eugeni d'Ors, Martí Julià, Anselmo Lorenzo, Josep Comaposada o Marcel·li Domingo, entre otros[290].

---

288.   MARÍN, J. "Cogiendo el toro por los cuernos". *La Vanguardia*, 25 de octubre de 1994, p. 23.

289.   El poeta Joan Salvat i Papasseit, el bibliográfo Antoni Palau, el librero Emili Eroles y el escritor Joan Alavedra, a raíz de sus largas tertulias, constituyeron en 1911 en Barcelona un núcleo contestatario denominado Grupo Antiflamenquista Pro-Cultura, en la línea del activismo panfletario y revolucionario.

290.   ALAVEDRA I SEGURAÑAS, J. *El fet de dia d'ahir i d'avui*. Barcelona: Editorial Selecta, 1970. Citado en: MASJUAN BRACONS, E. *Medis obrers i innovacio cultural a Sabadell (1900-1939): l'altra aventura de la ciutat industrial*. Bellaterra: Universitat Autònoma de Barcelona, 2006, p. 121.

El hecho de que las campañas antitaurinas catalanas estuviesen especialmente relacionadas con las corrientes progresistas y los medios de comunicación obreros en los años veinte del siglo pasado está estudiado por Eduard Masjuan Bracons, quien analiza esta conexión y sitúa al diario catalán *Acción Cultural*[291] como una de las publicaciones más activistas en contra de los toros:

> La renovació cultural en els medis obrers els anys vint es pot constatar també en la represa de las accions antitaurines. En aquest sentit, una de les activitats rellevants d'*Acció Cultural*, fou la lluita per la supressió de les curses de braus, la cual cosa no era nova i entroncava amb les corrents de renovació il·lustrades i contemporànias[292].

Desde entonces, las campañas antitaurinas se identificaron con los movimientos de cultura popular. Además, se llegó a constituir una comisión contra las corridas de toros el año 1929 promovida por la Federación Ibérica de Animales y Plan-

---

291. *Acción Cultural* era un periódico de la localidad de Sabadell (Barcelona) que nació en 1926 como un boletín mensual del colegio laico Acción Cultural para fomentar la afición al excursionismo. Después se convirtió en uno de los ejes de la cultura popular, hasta el punto que fue considerado el continuador del diario republicano federal *Avenir*, suspendido por el régimen político de Primo de Rivera en 1925. El diario habló de naturismo, esperantismo, excursionismo y se ocupó de la renovación cultural y de la educación popular a través de los textos. También sirvió para iniciar a jóvenes e inexpertos en el ámbito de la prensa alternativa.

292. "La renovación cultural en los medios obreros en los años veinte se puede constatar también en la reanudación de las acciones antitaurinas. En este sentido, una de las actividades relevantes de *Acción Cultural* fue la lucha por la supresión de las corridas de toros, lo que no era nuevo y entroncaba con las corrientes de renovación cultural ilustradas y contemporáneas". En: *Ibid.* p. 120.

tas[293]. Antes, en la Dictadura de Primo de Rivera (1923-1930), se promulgó en defensa de los animales la protección del peto para los caballos y un grupo de asambleístas, encabezados por el Conde de Güell, presentó una moción pidiendo la prohibición de la asistencia de menores de 14 años a las corridas de toros. Dicha moción, tratada en el capítulo *La debilidad del tema taurino en el contexto catalán de finales de siglo*, fue aceptada por el Gobierno, que la hizo extensiva a los combates de boxeo[294].

El rechazo al espectáculo taurino se vio impulsado, indirectamente, a manera que fue avanzando el siglo XX por el descubrimiento y la práctica de los nuevos deportes, actividades que empezaron a arraigar entre los ciudadanos y que desde el mundo taurófilo siempre se vieron como una amenaza para los intereses de la fiesta de los toros:

> Y es, que, contra el aluvión de sports y espectáculos exóticos, con que los modernos snobs de la presente generación, pretenden ahogar la fiesta del color y la emoción, despierta el espíritu enérgico y alegre de la raza íbera, que, se desborda con ímpetus de riada nacional, arrastrando presas y muros de contención mal cimentados con la moderna avalancha de desplazados equivocados espectáculos, que jamás suplantarán a la lidia de toros: donde la máxima belleza y la máxima emoción, tienen su escenario y del cual es el español el único actor capaz de sentirlo y representarlo[295].

---

293.   *Ibíd.* p. 122.

294.   SABATER, J., y SANTIAS, J. "Bienestar animal en tiempos de Primo de Rivera". *ADDA Revista,* nº 14, Monográfico 1995. Barcelona: Asociación Defensa Derechos Animal. http://www.addarevista.org/article/colaboraciones/14/bienestar-animal-en-tiempos-de-primo-de-rivera-jordi-sabater-i-josep-santias/ [consulta: 24 de abril de 2013].

295.   "Desde mi atalaya taurina". *La Fiesta Brava,* nº 92. Barcelona: 11 de mayo de 1928, p. 2.

El activismo antitaurino se desactivo públicamente durante el Franquismo para volver con más fuerza si cabe tras la muerte de Franco. La corriente abolicionista se reactivó a través del discurso político, moral y animalista y, si bien continuó la misma senda de protesta que había alcanzado en épocas anteriores, esta vez contó con una nueva generación de gentes y con nuevas ofertas de ocio que potenciaron el rechazo de las corridas de toros. Los medios de comunicación empezaron a hacerse eco de la voz de los ciudadanos y prestaron las páginas de la sección de opinión, bien a través de columnistas o del apartado de cartas al director, a que fuese un espacio para los lectores y los colaboradores[296] que querían manifestar sus interpretaciones sobre la realidad de la fiesta de los toros. Una realidad polémica, que ajena al transcurso de la temporada taurina barcelonesa, ocupó las páginas de información taurina para exponerse al interés general de los lectores.

5.3.2. Una perspectiva del precedente canario

La sesgada revisión que se quiso hacer en algunas comunidades a la tradición taurina, las campañas en contra del maltrato de los animales y la identificación de la fiesta de los toros con un determinado régimen político, crearon en España a partir de la llegada de la democracia un caldo de cultivo para abolir la fiesta. La polémica taurina cuando fue actualidad tomo mayor importancia en las páginas de los medios de comunicación que lo que pasaba mientras en la temporada taurina local. Los me-

---

296.   Se entiende por colaborador, la firma fija que tiene el medio de comunicación contratada o la firma que esporádicamente escribe bien por iniciativa personal, bien por solicitud del propio periódico.

dios publicaron informaciones que alimentaron el debate entre taurófilos y taurófobos sobre la supervivencia de las corridas de toros.

De todas las comunidades autónomas que se vieron acosadas por los antitaurinos, la gran damnificada de la visión negativa de la fiesta fue, hasta el momento, Cataluña, no porque fuese más comunidad que cualquier otra, sino por el gran imperio taurino que supuso, superando en número de festejos a otras regiones españolas, y por la importancia que tuvo la inclusión de sus corridas para el calendario de la temporada taurina al tratarse hasta el último día su plaza de toros de un ruedo de primera categoría.

Hasta que Cataluña decidió acabar con las corridas de toros, la única autonomía que puso fin a la fiesta de los toros fue las islas Canarias. La Ley 8/1991[297] de Protección de los Animales de la Comunidad Autónoma de Canarias, publicada en el BOE número 152 de 26 de junio de 1991, decidió regular sobre animales domésticos y de compañía en el ámbito territorial de las Canarias, donde no se encuentra el toro bravo, sin mencionar explícitamente la prohibición de la fiesta de los toros.

El artículo 5 de la normativa recoge en su punto 1: "Se prohíbe la utilización de animales en peleas, fiestas, espectáculos y otras actividades que conlleven maltrato, crueldad o sufrimiento". Este punto, empleado como argumento para manifestar que Canarias prohibió los toros, fue replicado por los estamentos taurinos para afirmar que los toros acabaron en las Islas Canarias solo por falta de tradición, pues si bien señala este punto 1, sin aludir al toro, la crueldad de los espectáculos con

---

297.   "Ley 8/1991, de 30 de abril, de protección de los animales". *Noticias Jurídicas*. http://noticias. juridicas.com/base_datos/CCAA/ic-18-1991.htm [consulta: 10 de abril de 2013].

animales, en su punto 2 indica: "Podrán realizarse peleas de gallos en aquellas localidades en que tradicionalmente se hayan venido celebrando, siempre que cumplan con los requisitos que reglamentariamente se establezcan". De este modo, el criterio de la tradición popular se impuso y se salvaguardaron las peleas de gallos, espectáculo muy arraigado en Canarias, con un pasado que se remonta al siglo XVIII, y que sus ciudadanos lo consideran parte del acervo cultural de las islas.

Pero no cabe duda de que aunque la ley no aludiese en ningún momento en su articulado al toro bravo, el mensaje que transmitió a la opinión pública es que, en cierto modo, de forma casual, los toros quedaron abolidos en la comunidad. Así, la decisión tomada por unanimidad por el Parlamento de Canarias, apareció publicada en *La Vanguardia* bajo el titular: "El Parlamento canario prohíbe las corridas de toros"[298], explicando en un breve de una noticia de la Agencia EFE que la normativa prohibía, además, tiradas de pichón y peleas de perros.

El caso taurino de las islas Canarias que tomaron muchas formaciones políticas y medios de comunicación como precedente para la prohibición de los toros en Cataluña distó mucho de ser un ejemplo comparable a la decisión en el Parlamento catalán. La realidad es que en las Islas la ley no topó con oposición alguna y que tuvo escasa repercusión por la prácticamente inexistente afición y tradición taurina en todo el archipiélago canario. El costoso gasto que suponía organizar una corrida para un empresario al tener que transportar desde la Península las reses, ya que no se contaba con ganadería alguna en las islas, y el hecho de que hasta esa fecha solo se mantenían en pie la plazas de Santa Cruz de Tenerife y las de Telde y San Bartolo-

---

298.   "El Parlamento canario prohíbe las corridas de toros". *La Vanguardia*, 18 de abril de 1991, p. 31.

mé de Tirajana, en Gran Canaria, provocaron siempre escasas funciones. La última fue siete años antes de la normativa, el 7 de enero de 1984, con una corrida de toros en el ruedo de Tenerife, efeméride que quedó para siempre en el recuerdo por ser el último festejo que se organizó en las islas Canarias previamente a que el Gobierno tomase su decisión.

PARTE IV
Contextualización mediática

6. Historia de *La Vanguardia*

Hablar de prensa en Cataluña es hacerlo de Barcelona y, concretamente, de *La Vanguardia*. Estamos delante de un diario que nació liberal con sus fundadores y que sigue siéndolo de la mano de su presidente editor, Javier Godó. Un diario de moderado nacionalismo y acentuado centralismo informativo, instrumento de la sociedad catalana, que ha contribuido decisivamente a construir una percepción de la realidad y que ha sido de los más influyentes del Estado español por sus medios técnicos, por el tiraje, por los ingresos publicitarios y por su capacidad informativa. Un periódico marcado por dos hechos fundamentales: la propiedad, siempre de carácter familiar, y la definición del diario como un negocio, hecho que ha comportado siempre una actitud benevolente y comprensiva respecto al poder establecido.

6.1. Modelo informativo referencial en la prensa de Cataluña

El diario de la familia Godó, fundado el año 1881, apareció justo en el momento donde la vida periodística de Barcelona era inseparable de la trayectoria del *Diario de Barcelona*, el periódico fundado por Pere Pau Husson el año 1792 y vinculado a la familia Brusi desde 1814. De ahí, que los primeros pasos del diario de los Godó merezcan su equivalente con el medio de los Brusi para entender su presencia constante y decisiva a lo largo del siglo XX.

Tampoco hay que omitir que la fundación de *La Vanguardia* fue fruto de la diversidad del Partido Liberal y de la lucha contra el gobierno conservador de Cánovas. Así, una facción del Partido Liberal buscó con *La Vanguardia* un doble objetivo justo en los comienzos de la Restauración y a las puertas del pleno funcionamiento de la alternancia de los partidos en el poder: contrarrestar la hegemonía de su hermano liberal *El Barcelonés*, diario al servicio de Francesc de P. Rius i Tauler, entonces alcalde de Barcelona, y dar apoyo a las filas constitucionales de Práxedes Mateo Sagasta.

La Vanguardia fue al principio un diario de partido, pero muy pronto demostró que se trataba de una mercancía informativa capaz de generar beneficios y que iba a dominar el panorama informativo catalán. Para llegar a este carácter hegemónico debió desbancar el autoritarismo periodístico de *Diario de Barcelona*, y lo hizo a través de tres hechos fundamentales: primero, cuando Modesto Sánchez Ortiz en 1888 se hace cargo de la dirección de *La Vanguardia*; segundo, con la muerte en 1901 de Joan Mañé i Flaquer, el hombre que había hecho grande el diario de los Brusi, y tercero, tras la llegada al periódico de Miguel Santos Oliver, periodista del *Diario de Barcelona*, disconforme en 1906 con la política contraria a la Solidaridad Catalana. Fueron unos años importantísimos porque representan el comienzo de un dominio constante en la prensa catalana en todo el siglo XX, que solo a finales de la centuria pudo desestabilizar *El Periódico de Catalunya*, del Grupo Zeta.

La hegemonía de *La Vanguardia* no supuso únicamente un cambio de gustos por parte de los lectores, fue un fenómeno más complejo, basado, sobre todo, en una concepción de un diario como una auténtica empresa con todas las derivaciones industriales y comerciales que eso comportaba. Hasta el inicio de la Guerra Civil, en 1936, *La Vanguardia* experimentó un periodo de asentamiento definitivo como gran diario de Cataluña y, prácticamente, como un único gran medio catalán redactado en español. Desde el final de la guerra (1939) hasta la ley Fraga (1966), bajo una etapa de consignas, censura previa, y conformismos, el periódico de Godó continuó su presencia potente y se consolidó como símbolo de la sociedad civil catalana y española. Su valiente apertura encaminada a conseguir un diario plural y democrático, que representase el sentir de sus lectores en los últimos años del Franquismo, y el profundo cambio tecnológico que llevó a cabo Javier Godó, desembocaron en lo que hoy es *La Vanguardia*, tras 132 años de vida: un referente de diario moderno, cosmopolita e innovador, modelo de prestigio informativo y buque insignia aún de buena parte de la sociedad catalana.

6.1.1. Directriz empresarial e ideología política en los orígenes del diario

El 1 de febrero de 1881 apareció *La Vanguardia* de la mano de la que sería una de las dinastías periodísticas barcelonesas más importantes: los Godó. Si dentro del clima sereno de la Restauración borbónica el *Diario de Barcelona* defendía el conservadurismo de Cánovas del Castillo, la nueva cabecera de los Godó surgió por servir a los intereses del Partido Liberal de Sagasta que, precisamente, siete días después pasaba de la oposición al poder, formando el tercero de los gobiernos que él presidía dentro del sistema de "turno pacífico" que ideó l'*establishment*[299]. En el plazo de una semana, *La Vanguardia* tuvo que transformarse y pasar de un órgano hostigador del poder a defenderlos.

La Vanguardia había nacido en un local de la calle de Las Euras de Barcelona de la mano de Bartolomé Godó i Pié (1837–1894), político e industrial igualadino, de origen humilde, enriquecido en Barcelona con la explotación de una fábrica textil, al que muy pronto se unió en el negocio su hermano Carlos Godó i Pié (1884-1897). Fueron los responsables de poner en marcha este diario adscrito ideológicamente al Partido Liberal o Constitucional hasta el punto que su subtítulo era suficientemente aclarador: "Diario político de avisos y noticias. Órgano del Partido Constitucional de la Provincia".

Salió el primer día a la calle con mil ejemplares de tirada y un formato pequeño, igual que muchos otros periódicos de la época. Contó con una periodicidad diaria y con dos ediciones hasta el año 1890, una de mañana y otra de tarde (la portada matutina se destinaba enteramente a publicidad, en tanto que la vespertina contenía casi exclusivamente información). Era como un cuadernillo de mano, de formato reducido, de unas ocho páginas, aunque el primer número contó con 24, y con una difusión limitada a Barcelona. El contenido no tenía excesivas pretensiones a pesar de su carácter marcadamente político y propagandístico. El diario se ajustaba en su redacción a los géneros propios de la época (el comentario y la crítica), aunque también a los incipientes como la crónica. Se dividía en secciones, estéticamente poco trabajadas, donde tenían su es-

---

299.   SOLÀ I DACHS, LL. "Cent Anys de Diaris Barcelonins en cata-là". *Revista L'Avenç*, nº 18, julio 1979. Barcelona, L'Avenç, S.A., 1979, p. 23.

pacio en la primera página las informaciones meteorológicas, el santoral, los anuncios; en la segunda, la relación de espectáculos; después, dos o tres páginas de noticias de Barcelona, sin titulares, algún artículo de fondo, correspondencias, notas marítimas y alguna necrológica. No faltaba la información taurina, bien como anuncio o como texto, con su espacio reservado en muchas ocasiones en la página de portada y con los suficientes recursos tipográficos para resaltar el alcance de la noticia dentro del sumario de informaciones que publicaba el diario.

Tras una primera etapa manifiestamente política, inscrito el diario en la llamada prensa de opinión, donde la dirección cambió hasta cuatro veces de manos, Bartolomé y Carlos optaron por abandonar su inicial compromiso político e impulsar un periódico que actuase con independencia de criterio. La Exposición Universal de 1888 y la muerte de Rius i Taulet, que supuso el fin de la lucha de las dos ramas liberales, se prestaron como la oportunidad propicia para convertirlo en un diario informativo y de empresa, después de que la situación política se hubiese vuelto favorable y la razón del periódico hubiese dejado de existir. Además, el giro de la opinión a la información respondió a la tendencia dentro del periodismo moderno de trazar una línea divisoria entre estos dos tipos de prensa, aunque por momentos llegaron a confundirse.

6.1.2. Un periódico de empresa independiente y plural para los lectores

Desde la Restauración borbónica, en la persona de Alfonso XII, hasta la crisis colonial de 1898, la prensa española creció en la estabilidad de esa alternancia en el Gobierno de conservadores y liberales. La Ley de imprenta del 26 de julio de 1883 estableció un régimen jurídico definitivo para la actividad periodística que se mantuvo vigente hasta la Guerra Civil, solo alterada por las frecuentes suspensiones de garantías constitucionales, por la Dictadura de Primo de Rivera, que restableció la censura, y por la Ley de Defensa de la República.

La Vanguardia dejó de publicarse como órgano político el 31 de diciembre de 1887. El 1 de enero de 1888, bajo la propiedad de Carlos Godó i Pié, el diario de partido pasó a transformarse en un periódico de empresa, con nuevo formato (a medio camino entre el sábana y el futuro tabloide), un estilo calcado a los modelos conservadores de los "Times londinenses y neoyorquinos de la segunda mitad del siglo pasado"[300] y con una declaración de intenciones que supuso un cambio radical de planteamiento. A primera vista, ya sacaba el subtítulo que lo encuadraba políticamente como órgano del Partido Liberal. Y una vez leído, se comprobaba que este nuevo periódico de ocho páginas a cuatro columnas se trataba de un medio básicamente dedicado a la información[301].

El secreto de esta transformación tuvo nombres y apellidos: Modesto Sánchez Ortiz, un hombre andaluz, con don de gentes, que se había hecho amigo de todos los escritores y artistas barceloneses y que tuvo el acierto de atraerlos al diario[302]; y el administrador Antonio Moreno, un extremeño formado como funcionario de prisiones, primero en autorizar en 1890 una es-

300. CASTRO SANZ, C. *La reconversión tecnológica y empresarial en un periódico consolidado: el caso de La Vanguardia.* Tesis Doctoral, Universidad Autónoma de Barcelona, 2002, Anexo III, p. 9.

301. NOGUÉ I REGÀS, A., y BARRERA DEL BARRIO, C. *La Vanguardia. Del Franquismo a la democracia.* Madrid: Fragua, 2006, p. 15.

302. CALVET PASCUAL, A. *Història de La Vanguardia (1881-1936) i nou articles sobre periodismo.* Barcelona: Editorial Empuriés, 1994, p. 33.

quela, uno de los grande negocios para la empresa. Durante los 13 años que estuvo Sánchez Ortiz al frente de *La Vanguardia* modernizó el diario y consiguió captar la atención de la burguesía catalana fiel, deseosa de disponer símbolos permanentes, uno de ellos un medio de aire conservador. Logró que colaborasen escritores y dibujantes, haciendo que de un diario de segunda fila surgiese ahora uno muy importante. Además, convirtió la suscripción en un floreciente negocio, con unas primeras promociones originales: en 1893 se ofrecieron audiciones de ópera por teléfono a los suscriptores. El resultado fue una fórmula inédita de prensa local exitosa, tal como lo describen Anna Nogué y Carlos Barrera:

> Materializó un nuevo estilo de periódico, bien informado, escrito con viveza, ameno e interesante y que, además, presumía de ser independiente de cualquier grupo político. El nuevo director, consciente del interés de los lectores por la vida artística y literaria, fue captando lo más inquieto y significativo de la Barcelona intelectual, con especial atención de las jóvenes promesas, y las trajo hacia el periódico[303].

En el último cuarto del siglo XIX, *La Vanguardia* fue un claro exponente de lo que sucedió para el resto de publicaciones españolas. La prensa nacional vivió un período de renovación del periodismo industrial. Si los diarios de 1850 hacía falta leerlos, los de finales de siglo bastaba con darles una ojeada; eran diarios de seis y ocho páginas, de gran formato, con frecuentes suplementos temáticos y números extraordinarios. Se transformaron los titulares y las secciones, y aparecieron los repor-

---

303.   NOGUÉ I REGÀS, A., y BARRERA DEL BARRIO, C. *Op. cit.* p. 20.

tajes y las entrevistas como géneros nuevos y dominantes[304].

¿Y cómo era ese periódico dirigido por Sánchez Ortiz? La cobertura informativa cubría los ámbitos internacional, nacional, local, información económica y comercial. El diario incluía colaboraciones, información de sucesos y tribunales, notas religiosas, actualidad taurina y referencias a determinados espectáculos.

La Vanguardia se convirtió, entonces, en un diario más de los lectores. Intensificó su política de suscripciones e instauró el sumario y la primera esquela en portada, imponiendo el uso del obituario delante de todo, una práctica que duraría hasta 1929, cuando el fotograbado escondería esta funeraria presentación. El diario estrenó contenidos, como las secciones Notas cómicas, Sport y Literatura; o el folletín, que regalaba en forma de libro a quien se suscribía por un semestre, o los resúmenes anuales, publicados el primer día del año siguiente en formato suplemento. También convirtió las dos ediciones en una sola, matinal a partir del 21 de febrero de 1890.

El diario de los Godó a finales de siglo mantenía secciones, potenciaba nuevas y decidía acabar con uno de los temas que tantas líneas había ocupado hasta el momento: los toros. Política Interior, Política Extranjera, Asuntos Locales, Artes, Letras y Ciencia, Trabajos de Amenidad, Intereses Materiales y el folletín ocupaban las páginas del diario, donde sin explicación alguna ya no había ningún espacio para la crónica de la corrida de toros. Solamente se mencionaba el tema taurino para reseñar algún hecho relacionado con la fiesta de los toros (prohibición, reglamentación, etc.).

---

304. GUILLAMET LLOVERAS, J. *Història del Periodismo. Notícies, periodistes i mitjans de comunicació.* Barcelona: Universitat Autónoma de Barcelona, 2003, p. 131.

El periodista Josep Mª Huertas, cuando habla en su obra dedicada a *La Vanguardia* sobre este hecho, indica que en el reparto por secciones del diario no había espacio para el tema taurino por voluntad familiar: "Antonia Lallana, la vídua de Carlos Godó, era radicalment contrària a la 'festa nacional' i va procurar que un col·laborador, Bonaventura Riera, fes un article virulent contra la inauguració, el juny de 1900, de la nova plaça de Braus de les Arenes"[305].

Antonia Lallana, vasca, de fuerte carácter, siempre se mostró antitaurina. Primero influyó para que su marido Carlos Godó no se mostrase favorable a la fiesta de los toros, luego, consiguió, tras dedicarse en cuerpo y alma a vigilar muy de cerca la formación e intereses de su hijo Ramón, a que este despreciase definitivamente la información taurina en las páginas del diario. Su carácter le hizo ser hostil también al catalanismo, con un resentimiento inexplicable que contagió a su hijo hasta el punto de que en su casa nunca se habló la lengua catalana, y menos, como se puede comprender, de toros.

6.1.3. La función modernizadora de Ramón Godó

El 9 de julio de 1897 murió Carlos Godó y el diario pasó a manos de su esposa, Antonia Lallana, y a las de su hijo Ramón Godó. El cambio generacional supuso un gran transformación para *La Vanguardia*, pues Ramón Godó, calificado por la

---

305. "Antonia Lallana, la viuda de Carlos Godó, era radicalmente contraria a la 'fiesta nacional' y procuró que el colaborador del diario Buenaventura Riera hiciese un artículo virulento contra la inauguración en junio de 1900 de la nueva plaza de toros de las Arenas". En: HUERTAS CLAVERÍA, J. Mª. *Una història de La Vanguardia*. Barcelona: Angle Editorial, 2006, p. 33.

biógrafa de la familia, Vis Molina, "el 'Randolph Hearst de la época"[306], asumió todas las responsabilidades con gran acierto.

Ramón Godó (1864-1931), primer conde de Godó (título recibido de Alfonso XIII en 1916 por su lealtad a la causa monárquica), fue un hombre emprendedor, pero acomplejado y tremendamente influido por su madre. Era cojo y hablaba de forma poco clara. Joan Puig i Ferreter hizo de él un retrato en su novela *Servitud*: "Era un home petit, contrafet, tenia un braç arrapat al cos, com a mort, i la mà li penjava inerme [...] En conjunt, aquell home, poderosíssim pels seus milions, feia una mica de pena"[307].

Pues bien, Ramón Godó fue el verdadero impulsor y creador de lo que hoy conocemos como *La Vanguardia*. Cuando se puso al frente él solo a partir de 1902, concibió el periódico desde una perspectiva esencialmente empresarial, con todas las sombras, pero también con todas las luces que ello suponía. Fundó la empresa Papelera Godó, S.A., para asegurar el suministro de papel necesario para la tirada del diario y para huir del monopolio de Papelera Española; creó un servicio telegráfico de noticias propio; ofreció una hoja deportiva cada lunes, publicó a partir de 1914 la mejor información de la Primera Guerra Mundial con fotografías y las crónicas sobre el terreno de su redactor Agustí Calvet *Gaziel*, y en 1915 compró nuevas rotativas con capacidad para 32 páginas. Organizó durante su mandato la dirección del periódico a partir de la original fórmula de la dirección tripartita o cuatripartita, no solo para responder a su voluntad de actuar como editor, sino por el expre-

---

306. MOLINA MORALES, Mª V. *Los Godó. Los últimos 125 años de Barcelona*. Madrid: Martínez Roca, 2005, p. 53.

307. "Era un hombre pequeño, contrahecho, tenía un brazo enganchado al cuerpo, como muerto, y la mano le colgaba inerte [...]. En conjunto, aquel hombre poderosísimo por sus millones, daba un poco de pena". En: PUIG I FERRETER, J. *Servitud*. Barcelona: Llibreria Catalonia, 1926, p. 138.

so deseo de neutralizar el poder y la influencia de un director único. Y en ese puesto ya no estuvo Sánchez Ortiz (14-10-1901), quien dejó el cargo para iniciar su aventura política y porque sus relaciones con su nuevo propietario no fueron todo lo buenas que hubiese deseado.

De 1901 a 1931 se produjo en *La Vanguardia* la famosa época de la mesa triangular, una fórmula directoria dos veces repetida a lo largo de la historia del diario. Ezequiel Boixet, Alfredo Opisso y Miquel Santos Oliver fueron los herederos de Sánchez Ortiz y quienes se pusieron bajo la dirección personal y efectiva de Ramón Godó[308]. La mesa triangular resultó positiva por varias razones: el periódico, ya ubicado en la calle Pelaio número 28, modernizó su sistema de composición y supo aprovecharse de la huida de los valiosos colaboradores que el *Diario de Barcelona* estaba perdiendo debido a la actitud contraria de su propietario hacia el movimiento político de Solidaridad Catalana. Este hecho no solo favoreció que los Godó recogiesen lo mejor de la herencia que estaba dejando el *Brusi*, sino que reforzó su liderazgo y justificó vagamente, por primera vez, lo que su nombre, *La Vanguardia*, sugería: una posición delantera en el renacimiento espiritual catalán.

Durante estos años de dirección compartida, cuando el periódico se trasladó de la calle Les Heures a un edificio modernista en la calle Pelaio, sobresalieron dos nombres por encima de todos: Santos Oliver, procedente del *Diario de Barcelona* y que supuso su llegada al periódico de los Godó en 1906 un salvavidas tras unos años de estancamiento, y *Gaziel*, quien como director hasta 1936 llevó a *La Vanguardia* al primer puesto de la prensa española con una difusión cercana a los 200.000 ejemplares.

Con Santos Oliver, un catalanista moderado, monárquico y

---

308.   GUILLAMET LLOVERAS, J. *Op. cit.* p. 145.

conservador, *La Vanguardia* adquirió gran prestigio, entroncó profundamente con la vida de la capital catalana, creó una red de corresponsalías de gran altura e incorporó firmas de prestigio (Joan Maragall, Bonaventura Bassegoda, Ramiro de Maeztu, Benito Pérez Galdós, entre otros). Bajo su dirección, primero compartida, como hemos indicado, con Alfred Opisso y Ezequiel Boixet, y desde 1916 como director único, *La Vanguardia* vivió una etapa de gran brillantez cultural que le llevó a identificarse plenamente con los círculos más intelectuales de la ciudad.

Durante la época de la dirección compartida se consolidó uno de los géneros históricos del diario: las esquelas. La idea de poner una esquela en portada, si el cliente lo pedía, se remontaba al año 1890 cuando aceptó la propuesta Antonio Moreno, administrador bajo la época del mandato de Sánchez Ortiz.

La primera esquela que va merèixer els honors de la portada va ser la de l'advocat Eusebi Serra i Verdalet, el 13 de maig de 1890. Des d'aleshores, hi anirien guanyant terreny. El 26 de juny de 1900 i el 12 de maig de 1901, per esmentar només dues dates, ocupaven ja tota la portada, i desplaçaven les notícies a l'interior. Les esqueles a portada persistirien fins l'aparició de la portada en retrogravat, el 1927, i després es van mantener com un puntal entre publicitari i informatiu, sense comparació amb altres diaris[309].

---

309.   "La primera esquela que mereció los honores de la portada fue la del abogado Eusebio Serra i Verdalet, el 13 de mayo de 1890. Desde entonces irían ganando terreno en las páginas del diario. El 26 de junio de 1900 y el 12 de mayo de 1901, por citar dos fechas, ocupaban ya toda la portada y desplazaban las informaciones al interior. Las esquelas de portada persistieron hasta la aparición de la portada en huecograbado en 1927 y después se mantuvieron como un puntal entre publicitario e informativo, sin comparación con otros diarios". En: HUERTAS CLAVERÍA, J. Mª. *Op. cit.* pp. 40 y 41.

El protagonismo en esos años no solo se lo iban a llevar las esquelas. En 1914, *La Vanguardia* se enfrentó a unos de sus primeros grandes retos donde debía demostrar su capacidad profesional: se inició la Primera Guerra Mundial y envió corresponsales a las capitales de los bandos contendientes durante el conflicto bélico. El tratamiento que le dio el diario de Ramón de Godó, en su sección Guerra Europea, manteniendo una difícil imparcialidad, le situó en una tirada superior a los 80.000 ejemplares, muy por encima del resto de la prensa barcelonesa. Esa actitud reflejó muy bien las dos directrices que siempre impuso el propietario en su periódico: acatamiento a las instituciones triunfantes y defensa, sin discusión posible, del orden establecido.

El diario por aquellos años tenía, en ocasiones, hasta 24 páginas, había incorporado la fotografía en 1904, aparecía esporádicamente el uso del catalán en algunas esquelas e introducía la novedad de las hojas monográficas, como las deportivas o científicas, bien de periodicidad semanal o quincenal. El resto se mantenía, entre otras informaciones, a partir de notas locales, sociedad, música y teatro, vida marítima, vida religiosa y publicidad de anuncios, esta última junto a las esquelas, las dos áreas que han hecho rentable a *La Vanguardia* en buena parte de su historia. No existía la información de la temporada taurina barcelonesa, ni ninguna otra, ni tampoco un esquema claro de distribución de la información por secciones, ni una distinción clara muchas veces entre texto comercial y texto informativo. Como mucho, el único ordenamiento se concretaba a menudo a través de criterios temáticos[310].

Durante la contienda mundial un joven intelectual que vivía en París se convirtió en uno de los periodistas destacados de

---

310.   CASTRO SANZ, C. *Op. cit.* p. 18.

La Vanguardia como corresponsal de guerra: Agustí Calvet, que firmaba sus artículos bajo el seudónimo de *Gaziel*. Su trayectoria profesional le llevó a ocupar la dirección, fallecido Santos Oliver en 1920, consolidando definitivamente *La Vanguardia* como referencia para la prensa española. Al principio, *Gaziel* entró a formar parte de una dirección cuatripartita, junto a Dídac Priu, Modest Rodríguez y Josep Escofet. Pero igual que sucedió con Santos Oliver, que ejercía de hecho el mando, fue él quien realmente llevó las riendas del diario. Bajo su dirección fue cuando se ordenaron los contenidos del diario y se llegó a publicar por primera vez una edición de 64 páginas con ocasión de su cincuentenario.

Si la Exposición Universal de 1888 había espoleado a *La Vanguardia*, la de 1929 acabó consolidándolo. El periódico mostró a principios de los años treinta la espectacular transformación que estaba llevando a cabo: implantó el huecograbado[311], encargó un nuevo diseño del logotipo al francés Franz Schuwer, incorporó los teletipos de las mejores agencias del mundo, incrementó la lista de colaboradores, adquirió cuatro rotativas alemanas que permitieron imprimir ejemplares dobles de 48 páginas, creó un servicio de avionetas para distribuir el diario, instaló una delegación en Madrid, etcétera.

La Dictadura de Primo de Rivera (1923-1930) fue una época positiva para el desarrollo de la prensa en Cataluña. Pese a que hubo una represión selectiva, no afectó a las publicaciones importantes del catalanismo (*La Publicitat*, *La Nau*, *El Diluvio*...).

---

311.   La introducción del huecograbado situó a *La Vanguardia* en la primera línea de la innovación tecnológica y profesional. Era un sistema de producción más lento que la tipografía, pero representaba un gran avance en la calidad de reproducción de imágenes. Las cuatro páginas denominadas Notas gráficas, que desde 1929 ofreció el diario en huecograbado, revolucionaron la concepción de la época.

La Vanguardia, mientras tanto, como hemos indicado, de la mano de *Gaziel*, se convirtió en el líder indiscutible de la prensa catalana y se confirmó como el primer diario de España. Unos datos de difusión de 1935 le otorgan 250.000 ejemplares por delante del *ABC* de Madrid, lo que equivalía al 45% de la difusión total de los diarios publicados en Barcelona, seguido a mucha distancia de *El Diluvio*, *La Humanitat* y *La Publicitat*[312].

6.1.4. De la República al Franquismo: política de información y propaganda

En 1933, Carlos Godó i Valls (1899-1987), un monárquico sincero y convencido, hijo de Ramón Godó, fallecido a finales de 1931, nombró a Agustí Calvet director único cumpliendo la voluntad expresa de su padre. Ramón Godó siempre manifestó su deseo de que *Gaziel* estuviese al frente de la línea editorial que representaba *La Vanguardia*, como así fue mientras duró su mandato: dirigiendo un medio poco afecto a las estridencias nacionalistas durante los años de la Segunda República (1931-1936), con una solidez económica y una expansión inimaginable[313].

El 18 de julio de 1936 estalló la Guerra Civil. Carlos Godó demostró que poner al frente del diario a *Gaziel* solo respondió a un cumplimiento familiar y no propio. Desde un primer momento aparecieron las primeras diferencias de criterios entre director y propietario, paralizadas, eso sí, en cuanto el diario fue intervenido por el Gobierno de la Generalitat y, más tarde, se convirtió en un portavoz oficioso del Gobierno de la Repú-

---

312.   GUILLAMET LLOBERAS, J. *Op. cit.* p. 150.
313.   CASTRO SANZ, C. *Op. cit.* p. 25.

blica. Entonces, el conde de Godó huyó a la España franquista y Agustí Calvet tuvo que marcharse unas semanas después por las amenazas recibidas de sectores anarquistas. Durante esos años, ilustres colaboradores poblaron sus páginas, como bien había sido práctica habitual del periódico. Fueron apellidos tan reconocidos como Machado, Bosch i Gimpera, Erenburg, Malraux, Max Aub, Sender, etcétera.

Entre 1936 y 1939, durante la contienda de la Guerra Civil, *La Vanguardia* ni perdió su importancia ni padeció por su continuidad. El prestigio y la influencia que tenía para la sociedad fueron lo suficientemente sólidos, como dice Carles Castro, como para que "ningún poder político, por refractario que fuese el orden social anterior, despreciara su instrumentalización"[314]. Sí, en cambio, su voluntad de independencia política expresada en 1888 se vio coartada, primero cuando fue incautada por el Gobierno de la Generalitat, que con el tiempo pasaría a ser órgano del propio presidente del Gobierno republicano, el doctor Juan Negrín, y luego cuando se sometió al férreo control político franquista, llevado a su máxima expresión hasta 1960 con la dirección en el diario de Luis Martínez de Galinsoga.

Mientras duró la contienda española dirigieron *La Vanguardia* Mª Luz Morales, la primera y única directora femenina de la historia del diario de los Godó, sustituida después por Paulino Masip, militante del partido de Manuel Azaña, relevado posteriormente cuando pasó el periódico a manos de Negrín por Fernando Vázquez Ocaña, diputado del PSOE y quien se mantuvo en el cargo hasta el fin de la guerra. Durante toda esa época, *La Vanguardia* se convirtió en el principal órgano de expresión del poder político.

---

314. *Ibíd.* p. 31.

Una de las modificaciones que padeció el periódico en la guerra fue la desaparición de las esquelas de la primera página, prescindiendo de símbolos, como las cruces. Además, se introdujo una cierta horizontalidad en la disposición de las noticias. Desde sus inicios desapareció por primera vez la mención a los fundadores y apareció como subtítulo "Diario al servicio de la democracia".

Con la entrada de las tropas de Franco en Barcelona tomaron el relevo al frente del diario Manuel Aznar Zubigaray (abuelo del expresidente y líder del PP, José Mª Aznar) y Josep Pla. Con ellos al frente, *Gaziel* en el extranjero y Carlos Godó de nuevo en Barcelona (la propiedad material volvió a estar en sus manos previo pago de una fuerte multa), el rotativo barcelonés recuperó de nuevo su talante periodístico, su estilo liberal y su nivel cultural La interrupción de esos años de la Guerra Civil siempre fue considerada como tal por la empresa catalana. Al fin y al cabo, en el momento en que Carlos Godó volvió a ponerse al frente, el diario recuperó la numeración que había dejado en julio de 1936[315].

Si durante la guerra se había impuesto el subtítulo de "Diario al servicio de la Democracia", pasó a ser sustituido después de la entrada de las tropas de Franco en Barcelona por un expresivo "Diario al servicio de España y del Generalísimo Franco". Al día siguiente, por iniciativa de Aznar, se denominó *La Vanguardia Española*, cabecera que perduró hasta 1978, junto a los nombres de los dos fundadores del periódico que habían sido suprimidos por los directivos de la época anterior.

---

315. LÓPEZ LÓPEZ, M. *La influència de les innovacions tecnològiques en l'evolució dels models de diari a la premsa d'informació general diaria de Barcelona.* Tesis Doctoral. Barcelona: Universitat Autònoma de Barcelona, 1992, vol. I, p. 99.

El conde de Godó había conseguido recuperar la propiedad del negocio, aunque no desde el punto de vista ideológico, pues estaba sometido a una censura y a unos directores impuestos desde Madrid. La Ley de guerra de 1938 había definido la prensa como una institución al servicio del Estado. Esta ley continuó vigente más de un cuarto de siglo hasta la promulgación por las Cortes franquistas de la Ley de prensa e imprenta de 1966 que, incluso suprimiendo la censura y proclamando el principio de la libertad de imprenta, estableció un control previo a la distribución de ejemplares y mantuvo prerrogativas del Gobierno en el sí de un Estado que negaba los principios democráticos y la división de poderes[316].

Entre 1938 y 1966, sometido a una situación de vigilancia y censura, la prensa española tuvo una vida vegetativa. En esos primeros 28 años los diarios españoles no pudieron nombrar a sus directores y durante los 12 años restantes de dictadura, hasta que culminó la Constitución de 1978, tres años después de la muerte de Francisco Franco, el Gobierno siguió interviniendo, más o menos, según los casos. Molina describe en muy pocas palabras la dependencia y responsabilidades que la línea editorial había adoptado desde el final de la Guerra Civil: "*La Vanguardia* estará desde entonces, y durante la etapa del Franquismo, secuestrada. Godó asume que ha de abstenerse de tomar decisiones. El peso de éstas recaerá sobre los sucesivos directores del rotativo, que tendrán que rendir cuentas al gobierno de Madrid"[317].

Envuelto en una guerra particular con *Gaziel*, prolongada durante años en los tribunales por cuestiones de responsabilidades durante la Guerra Civil, Carlos Godó vio como el 19 de

---

316.   GUILLAMET LLOBERAS, J. *Op. cit.* p. 191.
317.   MOLINA MORALES, Mª V. *Op.. cit.* p. 116.

abril de 1939 Serrano Suñer, ministro de Gobernación, coloca-
ba como director de *La Vanguardia Española* al cartagenero
Luis de Galinsoga, exdirector del *ABC*. Durante veinte años
estuvo al frente del periódico un director no catalán, por lo que
no fue un paso fugaz, escribiendo durante todos esos años una
de las páginas más controvertidas de la historia del periódico.

6.1.5. Prensa al servicio del Estado: un diario de información monótona y repetitiva

Apartado Manuel Aznar de la dirección y abandonando Josep
Pla el periódico, desistiendo de sus intentos de recuperar la
identidad catalana, controlar al máximo en 1939 el diario catalán de mayor influencia fue tarea a partir de entonces de Luis
de Galinsoga. El hombre elegido para capitanear *La Vanguardia* en los años de la posguerra fue una persona anticatalanista,
que conectó bien poco con la sociedad catalana, por no decir
nada. Como cita Fabián Estapé: "Galinsoga no entendió nunca ni a Cataluña ni a los catalanes"[318]. Aspiró desde un primer
momento con volver a Madrid, desde donde llegó, pensando
quizá que el cargo podía impulsarle a conseguir un puesto político importante. Tampoco dudó en llenar las páginas del diario de firmas y temas madrileños.

La Vanguardia se adaptó de inmediato a las normas impuestas en materia de prensa por el régimen victorioso. Aparte de la
previa censura, la normativa impuso inserciones obligatorias,
seguimiento de unas consignas impartidas por los servicios
oficiales y un culto a la personalidad de Franco. Allí estuvo Ga-

---

318.   ESTAPÉ RODRÍGUEZ, F. *Sin acuse de recibo*. Barcelona: Plaza
& Janés, 2000, p. 163.

linsoga, desde su cargo, para cumplir con todo ello, además de impregnar los contenidos, sobre todo a partir de titulares y de artículos y editoriales combativos, de un estilo altamente barroco y grandilocuente, descaradamente laudatorio al Franquismo, y agresivo hacia los considerados como enemigos. Rafael Abella recuerda el mecanismo de estos instrumentos de control tan decisivos para la limitación de la actividad profesional del periodismo:

> Él inspiró desde los titulares hasta las gacetillas, amén de escribir los editoriales y cuantos artículos firmados quiso, sin más limitación que la impuesta por la escasez de papel que durante largo tiempo aquejó a la marcha normal del periódico. Galinsoga hizo gala de un estilo peculiar en el que la ampulosidad y la retórica se daban la mano con una desmesura que rozaba el ridículo. Bien puede decirse que la empresa propietaria de *La Vanguardia* y el conde de Godó en persona hubieron de padecer durante años la presencia de una presencia indeseada que para colmo profesaba una filosofía autoritaria de la dirección según la cual el director de un periódico no tiene tiempo de dar explicaciones[319].

En esta esencia española y patriótica de adoctrinamiento encajó a la perfección uno de los grandes entretenimientos públicos que el régimen franquista promovió: los toros. El 30 de mayo de 1939 se reanudaba la información taurina en *La Vanguardia*, con una crónica firmada por el periodista asturiano

---

319.   ABELLA BERMEJO, R *La Vanguardia, 1936-1981*, Barcelona: 1982, p. 32 [Borrador mecanografiado elaborado con motivo del centenario del periódico, pero que no ha llegado nunca a publicarse. Se puede consultar en el Servicio de Documentación de *La Vanguardia*].

Eduardo Palacio Valdés, quien se había traído Galinsoga para el cargo de subdirector y que se ocuparía de ahora en delante de la temporada de toros barcelonesa en el diario.

A pesar de la confusión de los primeros años, el perfil del periódico de los Godó se adaptó bien a los nuevos tiempos. Como hizo el resto de la prensa barcelonesa, *La Vanguardia* se alejó explícitamente de los intereses de las familias políticas del régimen de Franco y mantuvo el acento dominante de prensa de empresa que ya la había caracterizado antes de la Guerra Civil. Recuperó colaboradores y redactores que le proporcionaron nuevamente la altura y brillantez de antes. La crónica internacional de Santiago Nadal, las entrevistas de Manuel del Arco o las crónicas de Augusto Assía desde Londres sobre la Segunda Guerra Mundial destacaron en esos años de información monótona y repetitiva. Los corresponsales se convirtieron en uno de los principales puntos diferenciadores de calidad del periódico, sobre todo en los inicios de la etapa de Galinsoga con la Segunda Guerra Mundial.

La Vanguardia Española jugó un papel decisivo en esos años por voluntad expresa del Conde de Godó: apostó fuerte por el terreno internacional, puesto que la política nacional estaba totalmente controlada por el Franquismo. La actitud probritánica de Carlos Godó, invirtiendo medios por una corresponsalía fuerte en Londres, hizo que los lectores tuvieran una buena sintonía con los aliados y consolidó con sus informaciones el prestigio del periódico durante esos años.

Las cuatro páginas del primer diario de Godó de la Barcelona Nacional quedaron en recuerdo al poco tiempo por el aumento en el número de paginación siempre que las disponibilidades de papel no lo evitaron. Con las secciones pasó lo mismo, pero se le añadió otro factor que ya hemos comentado anteriormente: la ordenación y existencia de las secciones que dependían del papel, ahora también lo hacían de las consideraciones ideológicas. A estas secciones con el tiempo se le fueron incorporando nuevas temáticas, como ciencia y técnica, filatelia, ajedrez, ciclismo, pesca deportiva, etcétera. Además, se añadieron algunas tradiciones de las que no podía desprenderse el diario barcelonés, como la portada monográfica dedicada a doña Carmen Polo, esposa de Francisco Franco, en el día de su onomástica, el 16 de julio de 1948, retrato que se perpetuo cada año ese día como portada dedicada a la primera dama de España. Nadie osó sacar a la mujer de Franco de esa página hasta que en 1973 el director Horacio Sáenz Guerrero la trasladó a la primera página del interior para ya no sacarla al año siguiente[320].

La redacción la componían una treintena de periodistas, nada conflictivos, que se dedicaban a que seis días de la semana el diario fuese una realidad (los lunes no se publicaba). Los colaboradores fueron muchos y las firmas aumentaron cada vez más como consecuencia de la práctica de un periodismo menos telegráfico y más personal.

Si por la precariedad material y política la evolución del diario se mantuvo al ralentí durante los años cuarenta, en la década siguiente se impusieron sus elementos de prestigio. Las amplias coberturas informativas sustituyeron los rasgos encaminados a ofrecer noticias repetitivas y largos folletines; la gradual incorporación de colaboradores e intelectuales del talante de Carmen Laforet o Ana María Matute confirmó el avance del segmento más abierto del diario por encima del más propagandístico; y el mayor número de secciones reforzó una notable hibridez informativa, siempre ajustada a las peculiaridades del amplio espectro de lectores al que pretendía dirigirse. Todo esto hizo que a comienzos de los cincuenta el diario lanzase

---

320.   HUERTAS CLAVERÍA, J. Mª. *Op. cit.* p. 197.

180.000 ejemplares, se consolidase por encima de las 14 páginas, superase las 30 a mediados de década y llegase a 1960 con más de 40 páginas editadas por día.

Luis de Galinsoga cesó en sus funciones en 1960 después de un lamentable episodio que le enfrentó con los catalanes a raíz de una misa pronunciada en catalán en Barcelona. Manuel Aznar fue el nuevo director y, posteriormente, Xavier de Echarri, un antiguo falangista que acentuó los rasgos aperturistas en la información y en la opinión. En esos años sesenta se produjo una notable transformación económica y social en España que se reflejó con un aumento palpable de la calidad de vida.

En 1966 la nueva Ley de Prensa e Imprenta, impulsada por el ministro de Información y Turismo, Manuel Fraga, proporcionó un inédito, aunque incompleto, margen de libertad informativa y de opinión dentro del régimen de Franco[321]. Una de las novedades fue que quedó suprimida la obligación de presentar todos los textos a censura, aunque el Gobierno estableció varias cautelas, donde se previeron todo tipo de sanciones. La libertad total al final no se daba, pero el avance respecto a la ley de 1938 fue evidente e inició el camino de la libertad de expresión plena ya que las personas que trabajaban en los medios forzaron en ocasiones hasta el límite sus condiciones.

6.1.6. El discurso informativo de *La Vanguardia* en la construcción de la democracia española

La renovación durante esos años fue paulatina, pero muy fructífera. La redacción se reorganizó y la cabecera evolucionó en

---

321.   NOGUÉ I REGÀS, A., y BARRERA DEL BARRIO, C. *Op. cit.* p. 73.

los planteamientos ideológicos, que permitieron un aumento de los valores de la catalanidad de signo conservador. También se inauguraron los talleres de Pueblo Nuevo (Barcelona), con dos nuevas rotativas para la impresión de páginas de huecograbado en color y para ampliar la tirada sin repercutir en los tiempos de producción. Llegaron colaboradores de claro signo opositor al régimen (como Joan Fuster) y entró la lengua catalana a través de la crítica literaria (1966)[322]. Debido a la alta proporción de publicidad respecto a la información, las ventas del diario no hicieron más que subir durante todos esos años. En todo este impulso y en convertir *La Vanguardia* en un periódico de indiscutible autoridad intelectual tuvo mucho que ver Horacio Sáenz Guerrero, elegido por Godó en 1969 como director después de morir Echarri, en lo que fue la primera vez, desde el año 1939, que un propietario del periódico nombrase como director de *La Vanguardia* a alguien de dentro de la casa, en vez de un director impuesto desde Madrid como venía haciéndose[323].

Sáenz Guerrero inició una valiente apertura encaminada a conseguir un diario plural y democrático que representase el sentir de sus lectores. De hecho, sus 13 años en el cargo le permitieron vivir la transición del Franquismo a la Democracia. Su mandato coincidió con el nombramiento en 1970 como gerente de *La Vanguardia* de Javier Godó, hijo de Carlos. Fue aquella época unos años de gran esplendor; las innovaciones tecnológicas se sucedieron (los domingos se publicaba la portada de huecograbado polícroma; aparecía el primer suplemento en color, y se publicaban tres cuadernillos por lo menos una vez por semana). También se incorporaron nuevas seccio-

---

322.   ABELLA BERMEJO, R. *Op. cit.* p. 87.
323.   MOLINA MORALES Mª V. *Op. cit.* p. 188.

nes, en especial los espacios dedicados a la información local; además, entró savia nueva en la redacción con estudiantes procedentes de las escuelas de periodismo, que llegaron a constituir por primera vez en la historia del diario una plantilla de 60 periodistas. En las páginas de *La Vanguardia* colaboraban firmas como Antoni Tàpies, Ramón Trias Fargas, Joan Fuster, Baltasar Porcel o Fabián Estapé, que con sus textos reflejaron el escenario político de la sociedad catalana. La cabecera continuó manteniéndose como el primer medio de prensa diaria escrita en tiraje, pero con algunas oscilaciones por aquellos años: en 1970 tiraba 222.154 ejemplares; en 1971, 221.307; en 1972, 222.908; en 1973, 216.583; en 1974, 218.755, y en 1975, 220.217[324].

Sáenz Guerrero fue quien inauguró en su despacho las reuniones diarias del Consejo de Redacción, formado por los jefes de sección y redactores jefes, o personas especializadas en secciones concretas. "En estas reuniones, conocidas en la Casa como los aquelarres, se daba un repaso a los temas centrales del día y se discutía qué línea seguiría el periódico"[325].

La nueva expectativa política, que poco a poco se fue configurando, permitió descubrir entre líneas aquello que abiertamente todavía no podía abordarse sin convertirse en un medio informativo incómodo para las autoridades. Pero también originó un problema para *La Vanguardia* y para todos los diarios coetáneos: había que encontrar un espacio, una respuesta, un compromiso, para poder captar a los potenciales lectores de una sociedad en evolución que ya no volvería a ser la misma.

Como todos los periódicos españoles, *La Vanguardia* dedicó

---

324.   HUERTAS CLAVERÍA, J. Mª. *Op. cit.* p. 196.
325.   NOGUÉ I REGÀS, A., y BARRERA DEL BARRIO, C. *Op. cit.* p.161.

numerosos páginas a glosar la figura y obra de Franco tras su muerte. La noticia del fallecimiento, el 21 de noviembre de 1975, fue a 11 páginas y demostró con su cobertura su liderazgo en la prensa española: publicar tres ediciones y romper el techo del medio millón de ejemplares. Después, apoyó desde sus páginas el cambio democrático, la instauración de la Monarquía y el restablecimiento del autogobierno para Cataluña, sin excederse a la hora de mostrar su catalanismo. *La Vanguardia* confirmó durante la transición democrática su principio "gubernamental" de estar al lado del poder, manteniendo en Cataluña su liderazgo en el periodismo de expresión castellana y cumpliendo con una función de moderación política que su espíritu conservador, emprendedor y pragmático le permitía superar, siempre sin grandes traumas, los devenires de la historia política del país. Carlos Godó, sin decirlo en voz alta, reafirmó las palabras pronunciadas por su padre, Ramón Godó, cuando ejerció éste de director: "Acatament automàtic a les institucions triomfants; Defensa, sense discussió possible, de l'ordre establert"[326].

6.1.7. La consolidación de la línea editorial del primer grupo multimedia catalán

El año 1987 murió Carlos Godó y su hijo Javier ocupó la primera línea del negocio. No le fue extraño el cargo al tercer Conde de Godó: desde 1981, año que había sido nombrado editor del diario, ya venía ejerciendo prácticamente como amo

---

326. "Acatamiento automático a las instituciones triunfantes; Defensa, sin discusión posible, del orden establecido". En: CALVET PASCUAL, A. *Op. cit.* p. 68.

del negocio de la familia. Aun así, debió respetar la jerarquía familiar hasta que tomó asiento, especialmente en diversas decisiones, como cuando decidió lanzarse al offset en 1985, teniendo que engañar a su padre en la compra de la nueva maquinaria porque las decisiones del diario dependían aún de su aprobación y firma.

Ese año 1981 no solo fue importante por el protagonismo que comenzaba a ganar en la empresa Javier Godó, también lo fue porque el diario cumplió sus primeros cien años de vida. Con Sáenz Guerrero todavía al mando, el propietario se dio cuenta de que había llegado el momento de introducir cambios para un diario que había bajado las ventas y se mostraba anticuado ante la competencia de dos nuevos periódicos españoles en circulación: *El País* y *El Periódico de Catalunya*. En 1982 entró como director Lluis Foix, hombre de confianza de la familia Godó, y su primera innovación fue sacar a la calle los domingos el suplemento Dominical, claramente inspirado en el que publicaba *El Periódico de Catalunya*, mostrando, eso sí, un cierto corte populista algo desencajado del perfil burgués y conservador de *La Vanguardia*. La línea editorial de las páginas interiores no variaba, revelando por sus contenidos la misma moderación que siempre había tratado periodísticamente todos los temas políticos. Para el periodista Antonio Alférez: "La no ideología de *La Vanguardia* era en buena medida una de las claves de su éxito"[327].

Nueve meses más tarde entró en la dirección Francesc Noy, otro hombre de la casa, y en 1983 Manuel Ibáñez Escofet se convirtió en director adjunto y en uno de los hombres fuertes de Godó. En octubre de 1989, dos años después de ser nom-

---

327. ALFÉREZ, A. *Cuarto poder en España. La prensa desde la Ley de Fraga de 1966*. Barcelona: Plaza & Janés, 1986, p. 74.

brado como director Juan Tapia, *La Vanguardia* culminó su etapa de reconversión tecnológica iniciada en 1982 y que supuso la sustitución del sistema de huecograbado y tipográfico por el de offset color. El 3 de octubre de 1989 se presentó en los quioscos el ejemplar 38.725 de *La Vanguardia* con un nuevo diseño modernizado, mucho más manejable y legible, cuyo proyecto dirigió el prestigioso creador gráfico Milton Glaser. Con la puesta en marcha de la nueva rotativa Wifag OF-7, de offset color, se podía imprimir a una velocidad de 70.000 ejemplares-hora hasta 112 páginas en una sola tirada, incluidas ocho a todo color. La impresión de los contenidos buscaba una óptima claridad visual sobre un papel más blanco y suave, con un nuevo tratamiento gráfico y de fotografía, ampliando los recursos informáticos aplicados a textos e lustraciones para que la lectura fuera fácil y agradable.

Con este relanzamiento, *La Vanguardia* apostó por una fuerte presencia en Madrid y llegó a los lectores con tres productos periodísticos dentro del mismo ejemplar para una mejor y más ágil información: el bloque principal, integrado por las secciones tradicionales, con las noticias de actualidad y la opinión y las colaboraciones del periódico; la Revista, una gran sección central en papel color salmón, con grandes reportajes, los programas de radio y televisión y una amplia y variada información de servicio; y un suplemento diario dedicado a tratar ampliamente y en profundidad los temas más actuales y de mayor interés social (Casa y Ambiente, el lunes; Cultura y Arte, el martes; Salud y Calidad de Vida, el miércoles; Fin de Semana, el jueves; Libros, Exposiciones y Discos, el viernes, y Economía y Negocios, el sábado, día que se añadió el suplemento Ciencia y Tecnología, a todo color).

En estas tres partes de un mismo diario que se presentaban en un solo ejemplar, fáciles de diferenciar, no se contemplaba una nueva ubicación ni un tratamiento diferenciado a la información taurina. Incrustada en la sección Espectáculos, antes y después de estos nuevos cambios, las crónicas de toros se publicaban ajenas al enfoque más actual que la empresa había culminado.

El diario se rejuveneció con un ambicioso cambio tecnológico y de maqueta. Fueron años en que mantuvo su liderazgo en una vigorosa competición con el *El Periódico de Catalunya*, registrando la significativa cifra de los 200.000 ejemplares al día y llegando a tener hasta 12 corresponsalías por el mundo y una plantilla de 210 redactores.

Tampoco *La Vanguardia* quiso perder la carrera *online*. En 1995, un año después de la puesta en marcha de la página web de *El Periódico de Catalunya*, se estrenó en Internet con una web presencial (www.lavanguardia.com), limitada a una reproducción facsimilar del periódico papel, con una explotación mínima del hipertexto y una presencia nula multimedia.

6.1.8. Un periódico para los tiempos modernos

El 22 de marzo de 2000, diez días después de obtener la mayoría absoluta el Partido Popular en las elecciones generales, José Antich sustituyó a Juan Tapia al frente del diario en el marco de un relevo generacional que coincidió con la expansión del grupo Godó, entidad creada en 1998 para aprovechar las sinergias de las distintas empresas de la familia, entre ellas los diarios *La Vanguardia* y *Mundo Deportivo*, el canal de televisión *TV8*, 14 revistas, las emisoras de radio *Rac 1* y *Rac 105*, el 50% de la propiedad de *Antena 3 Radio* y el 20% de *Unión Radio*, una central de publicidad (Publipress) y varias empresas relacionadas con la comunicación.

Antich inyectó una mayor tensión informativa a todas las secciones, mejoró la calidad, restructuró la redacción, renovó la red de corresponsales e incorporó nuevas firmas en las páginas de opinión, introduciendo temas semanales de debate entre especialistas interdisciplinares. La oferta dominical del diario se incrementó con innovadores suplementos, unas atractivas guías de clasificados y una remodelación de la revista del domingo. Además, Internet comenzó a mostrar el potencial que suponía para la profesión periodística, pasándose del desarrollo independiente y poco coordinado de la primera página web, a la riqueza y variedad que puede llegar a obtenerse de un medio de comunicación electrónico.

El nuevo equipo se propuso a mediados de la primera década de siglo un objetivo ambicioso: la impresión del diario a todo color. Instalados desde el 2004 en las nuevas dependencias de Diagonal, en el número 477, dejando la histórica sede de la calle Pelayo, llegó el momento de una renovación total de material, ordenadores y servicios tecnológicos. La adquisición de dos rotativas Wifang de última generación, instaladas en la planta de la Zona Franca de Barcelona, impuso un abandono del formato berliner y obligó a adoptar el tabloide estándar, que ya usaban otros periódicos de gran tirada, como *El País* o *El Mundo*, además de permitir un uso intensivo del color en casi todas las páginas de la publicación. *La Vanguardia*, a partir del 2 de octubre de 2007, un año y medio después de cumplir 125 años (21 de abril de 2006), se presentó en los quioscos como un diario de diseño moderado, conjugando modernidad y tradición para que el lector veterano se siguiera sintiendo cómodo con su lectura y con la incorporación de nuevos suplementos y páginas.

La Vanguardia que hoy llega a sus manos ha cambiado. Tiene un nuevo formato, algo más reducido, con una definitiva incorporación del color, una nueva tipografía y, en fin, un intencionado reforzamiento de la infografía y la fotografía. También incluye un renovado tratamiento de la información, más diverso y cuidado, a través de nuevos espacios informativos y de servicios[328].

La reorganización de la redacción adaptó el diario a los nuevos gustos de la sociedad, cada vez más posicionada en los soportes de la imagen. Un nuevo organigrama, donde Alfredo Abián, hasta ese momento director adjunto, pasó a ser nuevo vicedirector, evidenció la promoción interna en los nombramientos. En este proceso de adaptación tuvo especial incidencia la emergente área de Arte (diseño, fotografía e infografía), con una firme apuesta por su protagonismo en el desarrollo del nuevo formato del diario.

Al mismo tiempo, se reafirmó la presencia de Carlos Godó Valls, hijo de Javier. En el año 2005, un año después de que el Ayuntamiento de Barcelona se pronunciase antitaurino, fue nombrado director general de Negocios del grupo Godó. Extremadamente serio, muy consciente de lo que tenía entre manos y entregado a la empresa al cien por cien, el futuro director se identificó desde un primer momento más con el papel de empresario que con el del editor. Igual que su abuelo, Carlos Godó, y no como su tatarabuelo, Ramón, y su padre, Javier, más representados en el papel de editor.

Todos estos cambios organizativos y tecnológicos confirmaron la fama de *La Vanguardia* como paradigma de empresa familiar bien gestionada. Además, sostuvieron a capa y espada

---

328. *"La Vanguardia* se renueva". *La Vanguardia*, 2 de octubre de 2007, p. 22.

el reconocido papel de periódico líder de la prensa catalana que desde su posición liberal-conservadora siempre había gozado. Según el periodo controlado por la Oficina de Justificación de la Difusión (OJD), de enero de 2009 a diciembre de 2009 tuvo un promedio de tirada de 233.229 ejemplares y un promedio de difusión de 200.370 ejemplares. En cuanto a la versión *online*, animada a cuidar su página y con el servicio de hemeroteca gratuito, se adaptó a las necesidades del momento renovando su diseño en 2003 y 2010. Visión triunfalista, por eso, que se vio respondida durante todo el curso desde las oficinas del Grupo Zeta, en un ataque cruzado con los datos del EGM y OJD para saber realmente el diario que mantenía el liderazgo en la prensa catalana.

Al mismo tiempo, según el barómetro del Centro de Investigaciones Sociológicas (CIS) correspondiente al mes de abril de 2010, *La Vanguardia* fue el diario líder en Cataluña en política y el tercero de España en cuanto a las preferencias informativas de los lectores, por detrás de *El País* y *El Mundo*. El barómetro también reveló que el diario de Godó tenía una fuerte implantación en todas las franjas de edad, además de ser uno de los diarios preferidos por las mujeres (6,4%), solo superado por *El País* (16,4%), pero por delante de *El Mundo* (6%) y de *El Periódico de Catalunya* (3,6%)[329].

En la web del propio diario[330] se añadió más información de

329. "Barómetro de abril 2010. Estudio n° 2.834". *CIS: Centro de Investigaciones Sociológicas*. Madrid, 6 de abril de 2010. http://www.cis.es/cis/export/sites/default/-Archivos/Marginales/2820_2839/2834/es2834.pdf [consulta: 7 de mayo de 2013].

330. "*La Vanguardia*, líder en Catalunya en política, según el sondeo del CIS". *La Vanguardia*, Barcelona, 11 de mayo de 2010. http://www.lavanguardia.com/politica/20100511/53924619758/ la-vanguardia-lider-en-catalunya-en-politica-segun-el-sondeo-del-cis.html [consulta: 7 de mayo de 2013].

este sondeo del CIS para el 2010. Indicaba que por edades *La Vanguardia* aparecía bien situada en todos los estratos, aunque lo hacía de forma destacada entre los jóvenes de 18 a 24 años, entre los que era el diario preferido (5,9%), con diferencia destacada respecto a *El Periódico de Catalunya* (1,5%). El liderazgo de *La Vanguardia* se mantenía también en las franjas de 35 a 44 años (5,8% frente a 4,7%), de 45 a 54 años (4,9% a 3,0%) y de mayores de 65 (7,9% a 3,7%). En cuanto al perfil socioeconómico de sus lectores, si bien siempre se había considerado de clases sociales altas, de un alto nivel cultural y urbano, era en este caso el que más llegaba a todos los estratos, siendo el primero respecto a la competencia entre los estudiantes, los parados, los jubilados, los obreros, el personal administrativo, los agricultores, los comerciantes y pequeños empresarios, así como los empresarios con asalariados, los altos funcionarios, los altos ejecutivos y los profesionales por cuenta propia.

Números esperanzadores para *La Vanguardia* en un año, el 2010, en el que todos los diarios cayeron bruscamente según el informe "Observatorio de la Prensa Diaria", elaborado por la Asociación Española de Editores (AEDE) y la consultora Deloitte, y que indicó que el único periódico que había ganado lectores durante el curso fue el rotativo de grupo Godó con una difusión de 188.829 ejemplares (+0,14%). El resto retrocedía, entre ellos *El Periódico de Catalunya* con 120.444 ejemplares (-6,46%).

Al año siguiente de publicados estos números y de que el Parlamento votase prohibir las corridas de toros en Cataluña, y recién iniciada la última temporada taurina en La Monumental, *La Vanguardia* lanzó su versión en catalán después de 130 años de editarse solamente en español. Para el primer número se lanzó un total de 200.000 ejemplares para su venta, doblando así la edición habitual del periódico. Pero los números ya eran otros: los años negros para el conjunto de la economía española por la profundidad de una crisis galopante afectó de gran manera a los medios de comunicación, incapaces de cuadrar los números por los bajos ingresos de publicidad y desorientados hacia el nuevo formato periodístico que debía dirigirse el negocio. Los números de venta y el liderazgo quedaban en simple anécdota frente a los innumerables problemas del sector de la prensa[331].

---

331. El OJD del 2011, último año antes de hacerse efectiva la prohibición de los toros en Cataluña, indicó una media de 67.211 ejemplares diarios de venta en el quiosco de *La Vanguardia* frente a las 79.063 unidades de *El Periódico de Catalunya*.

7. Historia de *El Periódico de Catalunya*

La explosión de libertad que se había producido en España tras la muerte de Francisco Franco, los aires de cambios que se respiraban en el ambiente social catalán y la llegada de la Constitución[332] crearon el escenario idóneo para que en el año 1978 naciese un periódico barcelonés editorialmente a favor de la democracia y la libertad. Con una vocación aperturista y diferente a todo lo que se estaba publicando en la prensa española hasta el momento, *El Periódico de Catalunya* apareció para acompañar a la sociedad en sus retos y transformaciones. Un desafío editorial de máximo calado por el número de cabeceras que circulaban en Cataluña en aquellos años de la Transición (hasta 13 publicaciones diarias, 3 de ellas especializadas en deportes) y por tratarse de un país recién llegado a la democracia.

---

332.   El 27 de diciembre de 1978 el rey Juan Carlos firmó la Constitución en el Congreso de los Diputados, elaborada hasta su aprobación a partir de las elecciones generales del 15 de junio de 1977. En los artículos 20.1. a. y 20.1.d., reconoce el derecho a expresar y difundir libremente los pensamientos, ideas y opiniones mediante la palabra, el escrito o cualquier otro medio de reproducción", así como, "a comunicar o recibir información veraz por cualquier medio de difusión".

7.1. Una cabecera moderna y popular en Barcelona

Las dos personas que se enfrentaron con atrevimiento al reto de presentar un medio combativo y necesario en ese momento son parte ya de la historia de la prensa escrita posfranquista: Antonio Asensio y Antonio Franco, presidente de la empresa de comunicación Grupo Zeta y periodista catalán del *Diario de Barcelona*, respectivamente. Ellos crearon *El Periódico de Cataluña*, un diario para contar todo lo que sucedía en el mundo sin renunciar al periodismo de proximidad. Un diario popular y progresista, pensado para los lectores del cinturón de Barcelona —la clase media trabajadora—, y que consiguió una fórmula exitosa al saber conjugar en sus páginas el rigor informativo con un diseño atractivo y entretenido para los lectores. Esta arriesgada apuesta editorial, esta nueva manera de explicar las cosas, hizo que se consolidase en la prensa española y que consiguiese en pocos años convertirse en el quinto periódico en difusión en el territorio nacional, sin contar las cabeceras deportivas, superando en 1995 en número de ventas a *La Vanguardia* y obteniendo numerosos premios periodísticos europeos a su cuidado trabajo en el diseño.

7.1.1. La gestación del diario

Antonio Asensio había fundado en el año 1976 la empresa de comunicación Grupo Zeta[333] y, empujado por el éxito de una de

---

333. El Grupo Zeta se fundó el 1 de marzo de 1976 en Barcelona con un capital social de 500.000 pesetas. Los socios fundadores fueron Antonio Asensio, que aportó el 60%, Jerónimo Tarrés, que desembolsó un 20%, y José Ilario, con el 20% restante.

sus revistas, concretamente *Interviu,* estaba decidido a editar un periódico moderno que se convirtiese en la punta de lanza de un negocio editorial al que se sumasen con el tiempo todos los sectores de la información. Por su parte, el periodista Antonio Franco, subdirector del *Diario de Barcelona,* con una experiencia profesional marcada por la honradez, la independencia y el amor por la libertad, estaba ilusionado con embarcarse en un proyecto que apostase por un periodismo diferente al establecido y capaz de tener el atractivo para competir en los quioscos. Ambos, con la juventud de los 31 años, ciertos aires de visionarios y un arrojo y optimismo a prueba de bomba, comenzaron a inicios del verano de 1978 el nacimiento de un diario que rompiese el poblado y poco imaginativo mercado de cabeceras.

El periodista Ángel Sánchez, que sería el responsable de la sección de Política del nuevo diario, describió en un especial de *El Periódico de Catalunya* el valor y la seguridad que desde un principio tuvieron sus responsables en el convencimiento de la fórmula de crear una publicación seria, pero amena, de lectura fácil para los lectores y con una atención especial a los temas de interés humano que otros diarios despreciaban por considerarlos poco importantes:

> Cuando en julio de 1978 Franco nos convocó a unos pocos que íbamos a formar parte de su staff a una reunión en la casa de la familia Pérez de Rozas [...], ya pudimos percibir con nitidez que el diario iba a romper los moldes de la prensa que existía entonces. Se trataba de no hacer *El País,* que era el producto que muchos intentaban imitar tras su triunfal implantación. Franco ya expresó plásticamente su idea —después formulada con mayor concreción— de que *El Periódico* tendría que ser serio como los libros serios, pero también ameno como las publicaciones de consumo fácil. E

insistió en que los temas de interés humano que otros periódicos despreciaban por considerarlos poco importantes, nosotros deberíamos saber servirlos a los lectores[334].

Así, ambos *Antonios*, inspirados en la prensa regional francesa del momento, que bien conocían, se propusieron un periódico diferente a todo lo que existía hasta ese momento. La idea era que se sumase a la relación de los nuevos diarios democráticos surgidos, como *El País*, tras la muerte del general Franco, pero encarando con empuje y libertad los retos informativos que demandaban los lectores y que los periodistas buscaban para desmarcarse de todo lo que se venía haciendo hasta el momento, tanto por los nuevos diarios como por los que ya perduraban de la época franquista. No se trataba de hacer información sensacionalista[335], tipo el británico *Sun* o el alemán *Bild*; se trataba de hacer un diario líder, populista, progresista y plural. La propuesta editorial pasaba por un producto bien planteado gráficamente, donde la tecnología y su aplicación estuviesen al servicio de los contenidos y de la imagen, con poco texto, mucha fotografía y un contenido aperturista, que se preocupase mucho de los temas de interés humano con igual rigor que los asuntos políticos. Para Antonio Franco: "Intentamos hacer un periódico valiente, interesante, un poco más cálido que el que predominaba en los medios de comunicación europeos [...]. Una apuesta por un modelo solidario y progresista de sociedad[336].

---

334. SÁNCHEZ, A. *El Periódico: 25 años. Especial el diario del siglo* XXI. Barcelona: Grupo Zeta, 2000, p. 14.

335. La prensa popular en esos años era sinónimo de frivolidad, pues todo diario europeo que empleaba grandes títulos, abusaba de las imágenes o priorizaba el deporte antes que la política se clasificaba como sensacionalista.

336. *Ibid.* p. 10.

Realmente, lo que hizo Antonio Franco fue poner en práctica la idea que tenía Antonio Asensio de periodismo progresista e independiente y respetar la vocación multimedia de su grupo editorial[337]. La exitosa experiencia del *Interviu*, una apuesta personal del editor por la libertad y la apertura periodística, le dio alas para continuar con el despegue del posfranquismo informativo.

Segons m'han informat directius d'aquella època, l'autèntic teòric de *El Periódico de Catalunya* era el propietari i Franco va tenir el gran mèrit d'haver-ho posat en pràctica. En aquest sentit, Asensio va fer el mateix que amb *Interviu*: Intuir el que la gent volia en aquell precís moment[338].

7.1.2. Definición y objetivos de un nuevo modelo de prensa informativa

El jueves 26 de octubre de 1978, en un piso del Ensanche de Barcelona, en la calle Roger de Lluria, donde tenía su sede el diario vespertino *El Noticiero Universal*, nació *El Periódico de Catalunya*. El primer número[339] llegaba a los quioscos en tres edi-

---

337. La prensa mostró con el fin del Franquismo una progresiva transición informativa que acabó con la creación de poderosos grupos de comunicación con intereses en diferentes medios. Entre otros, Prisa, Grupo Zeta, Godó, etcétera.

338. "Según me han informado directivos de aquella época, el auténtico teórico de *El Periódico de Catalunya* fue el propietario, y Antonio Franco tuvo el gran mérito de ponerlo en práctica. En este sentido, Antonio Asensio hizo lo mismo que con el *Interviu*: intuir lo que la gente quería en aquel preciso momento". En: LÓPEZ LÓPEZ, M. *Op. cit.* p. 124.

339. *El Periódico de Catalunya*, 26 de octubre de 1978.

ciones —Barcelona, Cataluña y Madrid (donde se había abierto otra redacción en la calle O'Donnell)—, con 20 páginas a color y el titular de primera página anunciando: "Los escolares catalanes dependen de Tarradellas", refiriéndose a la descentralización de la educación anunciada desde el Gobierno central para esa época.

Un titular tan riguroso como claro, tan preciso como directo. Y, sobre todo, un titular diferente a los que se llevaban en la época. Los diarios del momento hubieran titulado de una forma más rígida, rimbombante y alejada de la manera de habar de la gente. Hubieran titulado como hablan los políticos: 'El Estado estudia transferir las competencias educativas a la Generalitat provisional'. O como hablan los pedagogos: 'La máxima autoridad educativa en Catalunya será el president de la Generalitat'[340].

En este número se demostraba ya el objetivo bien madurado meses antes por sus dos principales responsables: un producto ideológicamente progresista, que expresase su ideario en la línea editorial y en el enfoque de las informaciones, pero no cerrado a opiniones discrepantes y democráticas. En esta voluntad de hacer un periodismo diferente al que se publicaba hasta el momento, sin renunciar a la información de calidad, "con un corazón un poquito a la izquierda y donde está la mayoría trabajadora de la sociedad catalana"[341], acuñaron desde un principio las tres famosas "pes" que definieron y distancia-

---

340. SÁEZ I CASAS, A. "Así se escribe El Periódico". En: VV. AA. *Comprometidos. El Periódico, 35 años de historia.* p. 20.

341. "Entrevista a Antonio Franco, director de *El Periódico de Catalunya*". En SÁNCHEZ, A.. *Op. cit.* p. 10.

ron al diario de sus competidores: popular, progresista y plural. La redacción estaba compuesta por experiodistas y exredactores del *Diario de Barcelona* y del *Mundo Diario*, atraídos por el éxito del semanario *Interviu* y por el convencimiento de que Antonio Franco, jefe de la mayoría de ellos en otros medios, tenía por el nuevo producto. En esta plantilla estaban, entre otros, Enrique Arias, Julián Lago, Juan Fermín Vílchez, Alex J. Botines, José Antonio Sorolla, Ángel Sánchez y los hermanos Carlos y Emilio Pérez de Rozas. Todos tuvieron desde un primer momento la convicción de convertir en normal lo que en la calle ya era moneda corriente y que la realidad informativa debía abarcar mucho más que la información convencional. Para ello se rodearon de una nómina de colaboradores que cubriera la mayor parte del espectro ideológico y que entrarán a fondo en todo tipo de informaciones.

Este menú diferenciado en firmas y enfoques se consiguió desde el primer número con autores como Terenci Moix, Emilio Romero, Manuel Vázquez Montalbán, José Luis de Villalonga, Manuel Jiménez de Parga, Martín Ferrand, Amando de Miguel, Antonio Álvarez Solís, etcétera. El resultado fue una lograda síntesis entre información, opinión (a base de artículos de formato más breve y alternativo), y servicios (propuestas de ocio, entre las que se incluyó la información taurina y agendas informativas de todo tipo), con textos fáciles de leer, grandes titulares, importancia de la imagen y contenidos repartidos en unas secciones —Internacional, España, Política, Dinero y Trabajo, Opinión, Local, Reportajes, Espectáculos, Deportes, etcétera—, que en poco tiempo fueron definiéndose en grandes espacios temáticos para acabar convirtiéndose en unas macrosecciones que todavía en la actualidad son uno de sus signos de identidad.

El Periódico de Catalunya se presentaba como un modelo de

diario híbrido informativo-populista, con un punto de vista particular que tuvo muy presente a la sociedad a la que se dirigía, pero que mostraba un cierto tinte sensacionalista al recurrir a un diseño a base del uso de grandes titulares, fotos llamativas, destacadas tramas, etcétera, para conseguir un mayor realce en algunas de las noticias. Esta apariencia, inspirada en el modelo de diario de servicios que comenzaba a potenciarse en el mundo entero, encajó bien en las mesas del equipo de redacción y en los ciudadanos. Según Albert Sáez: "Fue el primer diario de Barcelona y de España en incorporar el diseño como un elemento sustancial y no meramente decorativo. Desde el primer día, el diario se pensó en la mesa de los compaginadores y no en la de los redactores"[342].

La puesta en marcha del rotativo, con la incorporación de periodistas procedentes de la revista *Interviu* y con la línea editorial que Antonio Asensio quería imponer en sus medios, hizo entender al público que podía tratarse de información sensacionalista. Los críticos del nuevo modelo de diario que pensaban así no cayeron en la cuenta de que con una redacción tan profesionalizada como esa difícilmente se podía obtener un producto tan frívolo y superficial[343].

La realidad fue que con una estructura empresarial sólida y un modelo de prensa popular llegó a los quioscos *El Periódico de Catalunya,* un diario libre y progresista, con la intención de distinguir entre sus líneas y sus columnas una manera diferente de hacer periodismo a partir de informaciones propias y de primera mano que permitiesen a la nueva sociedad democrática enterarse de las cosas que pasaban con seriedad y sin aburrimiento.

---

342.   SÁEZ I CASAS, A. "Así se escribe El Periódico". En: VV. AA. *Comprometidos. El Periódico, 35 años de historia.* p. 21.

343.   LÓPEZ LÓPEZ, M. *Op. cit.* p. 125.

Este diario sale a la calle para intentar conectar con todos los ciudadanos de buena voluntad que deseen estar informados. No buscamos ni un periodismo elitista cargado de sobreentendidos ni un periodismo amarillo que falsee datos. Queremos suministrar información para que usted entienda un poco mejor lo que pasa. Queremos ser simplemente eso. El Periódico: un producto libre e independiente que sirva a los lectores en estos momentos en que ya hay tantos que sirven, abierta o encubiertamente, a otros intereses[344].

La nueva apuesta del Grupo Zeta, realizada la maqueta por Fermín Vilchez, junto a Carlos Pérez de Rozas, salió el primer día desde la misma rotativa que utilizaba *El Noticiero Universal* y con tres ediciones: una para Barcelona, otra para el resto de Cataluña y la tercera para Madrid. Enrique Arias, subdirector en aquel momento, resumió así la situación: "El parto es más difícil porque es de trillizos"[345].

Unas 100 personas trabajaron para conseguirlo. En las redacciones de Barcelona y Madrid un total de 79 personas, mientras que en los talleres de impresión colaboraron 20 operarios. Al frente de la redacción de Madrid se colocaron los subdirectores Julián Lago y José Luis Orosa con distinta suerte que sus compañeros de Barcelona. Mientras en la Ciudad Condal en poco tiempo el diario del Grupo Zeta alcanzó la cifra de 20.000 ejemplares vendidos[346], en Madrid nunca acabó de hacerse un hueco entre los lectores madrileños. La idea de poner en marcha un periódico cuyo timón estuviese implantado en

---

344. "En la calle, para la calle". *El Periódico de Catalunya*, 26 de octubre de 1978, p. 17.

345. SÁNCHEZ, A. *Op. cit.* p. 148.

346. LÓPEZ LÓPEZ, M. *Op. cit.* p. 128.

Barcelona resultó todo un fracaso, acabando la aventura editorial madrileña al poco tiempo de puesta en marcha. Las razones que dieron al traste con el deseo de Antonio Asensio de tener un diario en Madrid se manifestaron desde el primer día: la compañía Telefónica no garantizó nunca la suficiente capacidad tecnológica para poder transmitir textos fotocompuestos mediante una cinta perforada introducida en un aparato creado expresamente para ello, el Unitronic; los talleres Hausser y Menet de Madrid demostraron escasa experiencia en impresión diaria, muy diferente a la rotativa Mencheta en Cataluña; la recepción de los diarios en los quioscos de la capital de España siempre fue con cierto retraso, y las pugnas entre los dos subdirectores de Madrid llegaron a ser más que dialécticas.

Las dificultades quedaron demostradas la noche anterior al nacimiento del diario. A las 02.30 horas de la madrugada, cuando en Barcelona estaba todo preparado para imprimir, el especialista en diagramación Fermín Vílchez, con las películas de las páginas en la mano, tuvo que coger un avión para llevarlas a Madrid. [...] Hasta el mismísimo Antonio Asensio, presidente del Grupo Zeta, se arremangó para ayudar al encargado de transmitir los textos a Madrid. El trabajador, que advirtió con gruesas palabras a su improvisado colaborador de que no estropeara nada, entró en estado catatónico al conocer el nombre del espontáneo[347].

La edición madrileña de *El Periódico de Catalunya* solo duró siete meses. Las escasas ventas y la insuficiente capacidad tecnológica, constatada, como hemos mencionado, en la imposibilidad de la transmisión de páginas vía telefónica y tener que

---

347. SÁNCHEZ, A. *Op. cit.* p. 148.

echar mano por vía aérea del traslado de las planchas, acabaron con la paciencia de la empresa y tumbaron la idea de pilotar el diario desde Barcelona. Ni el fichaje de Miguel Ángel Basteiner, auspiciado por Antonio Franco, para hacerse cargo de la edición en Madrid, puso remedio a una crisis que finalizó en una reunión en la Ciudad Condal en la que se comunicó a todo el personal que la redacción de la capital de España se cerraba.

El cierre tuvo su repercusión en Barcelona. Antonio Franco no quiso prescindir de Basteiner y acabó incorporándolo a su plantilla dejando tocada la unidad de su staff. Su llegada a una de las subdirecciones avivó el debate interno en torno a si el diario había de mantener una línea puramente alternativa (haciendo oídos sordos a las críticas de sensacionalismo) o se tenía que ceder un poco y no renunciar de pleno al periodismo convencional[348]. Antonio Franco acabó reorganizando el modelo del diario e incluyo en mayo de 1979 una de las secciones de sociedad más exitosas y que, posteriormente, fueron copiadas en otras versiones por otros diarios: Cosas de la vida, el epígrafe que dio cobertura a todos aquellos temas de interés humano y que en el argot del diario del Grupo Zeta se conoció a partir de aquel momento como "la macro".

Aquel año de 1979 el diario poco cambió de su primer número. Las secciones Internacional, España Política, Catalunya, Dinero y Trabajo, Sociedad y Espectáculos, dirigida esta última por Margarita Rivière, refugio de la información taurina, demostraron con sus contenidos la importancia del reto que se había asumido desde un principio. En Espectáculos se apostó por la información de los personajes, como hacían los diarios norteamericanos. La incorporación de la sección Cosas de la vida, además, le dio a partir de entonces mayor personalidad

---

348. LÓPEZ LÓPEZ, M. *Op. cit.* p. 18.

periodística al unificar acertadamente en un mismo bloque las secciones que habían tratado información local, social, consumo, política territorial, sanidad, sucesos, tribunales, medio ambiente, enseñanza y cultura, y permitir que un buen número de periodistas estuviesen a disposición de las noticias y no de las secciones, lo que provocó una redistribución estratégica de hombres y de espacio informativos[349].

El Periódico de Catalunya en poco tiempo comenzó a hacerse rápido un espacio entre los lectores y a tomar el relevo de la prensa progresista de Barcelona que estaba desapareciendo, como fueron los casos de *Mundo Diario* y *Tele/eXpress*[350]. La voluntad expresa de contar en las páginas del diario con colaboradores que cubriesen la mayor parte del espectro ideológico se combinó con el tratamiento de las cuestiones socialmente más espinosas (legalización del divorcio o despenalización del aborto), huyendo del periodismo elitista lleno de sobreentendidos y del periodismo amarillo que distorsiona la realidad. La crónica taurina, inédita en los dos primeros años del diario, se incorporó como espacio fijo en la sección de Espectáculos a partir de 1980, con el fichaje del periodista Juan Soto Viñolo. Al ubicarse en esta sección, donde la información de servicios tenía mucho músculo, ganó todavía más relevancia que el propio tratamien-

---

349. *Ibid.* p. 131.

350. *Mundo Diario* (1974-1980) fue un periódico muy politizado y con una estructura empresarial muy débil. Popular entre el mundo obrero, universitario y de izquierdas, tuvo éxito en los años de la Transición. En cambio, *Tele/eXpres* (1964-1980) fue el primer periódico catalán privado publicado en Barcelona después de la Guerra Civil. Moderno y rompedor con la época, su gusto por el sensacionalismo y su aire progresista le dieron problemas con la censura franquista. De ahí, que siempre se considerase por los lectores como un diario antifranquista. Acabó en manos de la familia Godó y desapareciendo.

to le otorgaría, pues el diario empezó a mostrar cada vez más un estilo informativo que respondiese a las necesidades de sus lectores. Concretamente, fue a partir del rediseño del año 2000 cuando se convirtió el diario en el paladín de un tipo de periodismo[351] que se perfilaría desde los años ochenta, basado en temas hasta el momento poco frecuentes y en servicios que no acostumbraban a tener espacio en las páginas de la prensa (calidad de vida, salud, moda, medio ambiente, tradiciones, agenda de espectáculos, etc.). Eran informaciones de proximidad, con una mirada distinta y "sobre asuntos que muchos profesionales de la información no consideraban dignos de atención. Todo importa, sobre todo lo que afecta a las personas"[352].

La apariencia del diario era positiva: muy manejable, aproximado su tamaño al formato berlinés, con titulares hasta del cuerpo 72 y estructuras de textos muy visuales y diferentes a todo lo que se venía haciendo hasta el momento[353]. Para ello se optó por la imagen selectiva, con un texto que huyera de bloques excesivamente largos y con una información útil para los lectores a través de un estilo directo que hiciese hincapié en las temáticas de interés público, del día a día de la vida de las personas. Ya no bastaba con informar, formar y entretener, tam-

---

351. En *El Periódico de Catalunya*, la política informativa de las primeras décadas y los cambios de diseño fueron asentando un modelo periodístico de diario de servicios. La respuesta fue apostar por este tipo de prensa, definido por informaciones del llamado "estado del bienestar", con la presentación de unas características formales para los contenidos, propias y diferenciadoras con respecto a los modelos predominantes anteriormente.

352. GASULLA, B. "Así son las cosas de la vida". En: VV. AA. *Comprometidos. El Periódico, 35 años de historia*. p. 33.

353. *El Periódico de Catalunya* abría con el Tema del día, una sección que ningún diario tenía. Además, publicaba opinión espontáneamente en lugar de concentrarla en unas únicas páginas.

bién había que fortalecer el impacto de la imagen, proporcionar a los lectores contenidos troceados en despieces o apoyos para que en poco tiempo pudiesen examinar el diario y recibiesen la información lo más digerida posible[354]. En definitiva, contar historias a través de una lectura cómoda que el equilibrio de los recursos tipográficos y la correcta clasificación y orden de los temas proporcionasen.

Este planteamiento de diario de servicios, tanto en lo formal como en el contenido, orientado hacia nuevos enfoques, presentaciones y formas de expresión, provocó que progresivamente fuesen incorporándose temas y secciones —Casi todo, Cosas de la vida, El día por delante, Tema del día—, que no se encontraban en ningún medio hasta el momento.

Al igual que en el modelo informativo-interpretativo, los diarios de servicios siguen un esquema en el que los materiales informativos aparecen ordenados de acuerdo con un plan lógico y racional. Es decir, el esquema de las secciones se mantiene de tal forma que llega a constituirse en un elemento fundamental de la fisonomía del periódico. Un criterio de ordenación, además, en el que claramente predomina la ordenación temática frente a la geográfica. Lo que sucede es que el nuevo modelo modifica la designación de las secciones con unos nombres que dejan ver a las claras las temáticas predilectas del nuevo modelo. Así, las nuevas secciones de estos medios pasan a denominarse: Ciudadanos, Vivir, Actualidad, Cosas de la Vida, etc...[355].

---

354. ARMENTIA VIZUETE, J. I., y CAMINOS MARCET, J. Mª. *Op. cit.* pp. 155 y 156.

355. ALBERDI EZPELETA, A.; ARMENTIA VIZUETE, J. I.; CAMINOS MARCET, J. Mª, y MARÍN MURILLO, F. *Op. cit.* pp. 280 y 281.

7.1.3. El éxito de las ventas como motor para nuevos objetivos empresariales

De los cerca de 60.000 ejemplares vendidos al día durante el último trimestre de 1978 se pasó a sobrepasar los 100.000 diarios en 1982. Una evolución al alza en las ventas que quedó registrado a finales de 1980 con unos números esperanzadores: un total de 71.000 ejemplares para el diario del Grupo Zeta, por encima de los 45.000 ejemplares de *El Noticiero Universal* y los 38.000 de *El Correo Catalán*, pero todavía por debajo de los 188.000 ejemplares de *La Vanguardia*.

Hay quien quiso ver que este ascenso fue parejo también al hundimiento del Grupo Mundo (*Mundo Diario, Tele/Express, Catalunya Express...*)[356], pero no cabe duda de que la conexión de la ciudadanía con el producto periodístico, el éxito de las nuevas secciones, como el Tema del día o las Cosas de la vida, y la incorporación de la tecnología en el diario funcionaron con precisión e impulsaron un despegue imparable en lo que ya era el diario español más moderno, agresivo y dinámico de todos cuantos se publicaban en ese momento.

El periódico presentaba en sus inicios aspectos de diario popular, pero con contenidos rigurosos y bien clasificados. Un exitoso híbrido informativo-popular, ejemplo de modelos de diseño, con una identidad visual que algún autor ha definido "mitad populachera y mitad sensacionalista"[357]. Las secciones incorporaban una portadilla que avanzaba, en sumarios y rataplanes, los temas más importantes que se iban a encontrar, entre ellos nunca faltó el asunto taurino. Los titulares se con-

356. LÓPEZ LÓPEZ, M. *Op. cit.* p. 131.
357. SATUÉ LLOP, E. *El diseño gráfico en España. Historia de una forma comunicativa nueva.* Madrid: Alianza Editorial, 1997, p. 193.

vertieron en el primer nivel de lectura: identificando la información, resumiéndola a través de su conjunto y convenciendo de la importancia de la noticia. Y el uso de la infografía tomó tal cuerpo que llegó a crearse el primer departamento de este género periodístico en una redacción de prensa. De esta manera, esta apuesta estilística empujó al equipo de diseño a numerosos proyectos tecnológicos que hicieron del diario un modelo siempre adelantado a su tiempo. Por ejemplo, el 24 de junio de 1979 salió por primera vez la cabecera de *El Periódico de Catalunya* con el fondo rojo y las letras en blanco. La portada iba adornada con filetes rojo, azul y verde, manteniéndose las fotografías en blanco y negro. Esto fue así todos los domingos hasta junio de 1982. Tres meses después, el 5 de septiembre, se publicó la primera portada con fotos a color[358]. Y a partir de 1984, el color fue de uso diario.

Los avances tecnológicos que se produjeron durante la década de los años ochenta afectaron notablemente a las rutinas de producción del diario. *El Periódico de Catalunya* informatizó tanto la redacción como los talleres, con lo que logró más capacidad y calidad de impresión, la posibilidad de utilizar el color y una mayor rapidez de trabajo. Las fotografías, gracias a estar impreso el diario en offset y a la apuesta que se hizo por el fotoperiodismo, fueron las que permitieron incorporar el color en cuanto la tecnología lo permitió. La cabecera hizo de la fotografía un elemento más de su lenguaje.

El periódico del Grupo Zeta se independizó de la rotativa que compartía con *El Noticiero Universal* y otros diarios e inició una nueva andadura trasladándose de la calle Rocafort hasta la calle Urgell. La nueva redacción permitió contar con todos los

---

358. La primera imagen en color de la portada del diario fue la escultura *Dona i Ocell*, del artista Joan Miró, en el Parc Joan Miró de Barcelona.

medios para acabar de desarrollar los objetivos prioritarios de Antonio Asensio y Antonio Franco: el concepto de un diario fácil de leer y que entrase por los ojos.

El estado de euforia que rodeaba al diario se vio reforzado el 19 de abril de 1982, dos meses antes del inicio del Mundial de fútbol de España, con el fin del monopolio de la *Hoja del Lunes*[359]. El hecho de que desde el primer número publicado siempre se apostase en *El Periódico de Catalunya* por la información deportiva, arropada por profesionales de gran talla, como Alex Botines, Emilio Pérez de Rozas o José Mª García, hizo que desde entonces el diario se volcase con los deportes con un despliegue y cobertura sin precedentes en la prensa generalista, basado en una intencionalidad informativa en la presentación y distribución de los elementos de la página del periódico. Además, en la década siguiente, cuando se transformó en un suplemento especial los lunes, diferenciado del diario por su portada y eje temático, incorporó en sus páginas deportivas los contenidos de la sección Espectáculos, que incluía la información taurina, recordando en su apareamiento en la conceptualización que antiguamente hacían algunos medios de Deportes y Toros, dos espectáculos que volvían a coincidir en su clasificación temática y que mantenían su protagonismo junto al resto de acontecimientos que se celebraban los domingos[360].

---

359. La *Hoja del Lunes* era un periódico de la Asociación la Prensa que únicamente se editaba el primer día de la semana para que los periódicos descansasen la jornada dominical. Quedó instituido en 1925 y duró hasta los años ochenta. La edición de Barcelona de la *Hoja del Lunes* estuvo presente en los quioscos hasta el 18 de febrero de 1983, pero desde el 19 de abril de 1982 tuvo que compartir presencia con otros diarios al perder la exclusividad de ser el único diario que se publicaba los lunes.

360. "El Periódico, diario líder, progresista y plural". En: VV. AA. *30 Aniversario de Grupo Zeta*. Barcelona: Grupo Zeta, 2006, p.140.

El éxito de la fórmula de *El Periódico de Catalunya* en unos años difíciles en los que daba los primeros pasos la democracia se tambaleó en mayo de ese año 1982 a causa de la marcha de una parte de la redacción al proyecto que *El País* había puesto en Cataluña. Pese a su amistad con Antonio Asensio, Antonio Franco aceptó la oferta de la empresa de Jesús de Polanco para ser el director de la edición catalana de *El País*, que habría de estar en los quioscos en otoño, antes de las elecciones del 28 de octubre, cuando con más de 10 millones de votos, el doble que en 1979, Felipe González consiguió que el PSOE gobernase en España.

Con Antonio Franco se fueron un subdirector, dos redactores jefe y cinco jefes de sección, además de varios redactores de base. Enrique Arias, subdirector hasta el momento, fue el favorito de Antonio Asensio para ocupar el puesto vacante, pero ante su negativa y sus consejos, acabó ocupando el puesto el periodista Ginés Vivancos, un profesional que había trabajado en las redacciones de *La Vanguardia* y *El Noticiero Universal* y que en ese momento llevaba la dirección de la revista humorística *El Jueves*, publicada también por Grupo Zeta. Con Vivancos de director se incorporaron al *staff* varios periodistas de otros medios, como Antonio Ribas, Tatxo Benet, Josep Mª Huertas, Antonio Madridejos o Juan Manuel Blanco, que lo hizo unos meses después, en febrero de 1983, como redactor ocupando más tarde el cargo de redactor jefe y dotando al diario de un excelente Libro de Estilo antes de morir en enero de 2002 en plena madurez.

Vivancos desempeñó desde el mes de mayo de 1982 el cargo de director durante dos años y medio. El respeto por el modelo siguió siendo el requisito que se impuso desde más arriba para pilotar la nave. Cogió la cabecera con una difusión media diaria de 104.041 ejemplares y la dejó en 126.706 ejemplares. Aun así, su época no se caracterizó por ser de las mejores del periódico. Las relaciones entre gerencia y la dirección nunca fueron lo suficientemente fluidas y con el paso del tiempo la empresa fue perdiendo la confianza en él. En octubre de 1984 fue relevado por Enrique Arias Vega, pasando entonces a ocupar un puesto de mayor responsabilidad en el organigrama del Grupo Zeta.

El periodista Enrique Arias Vega, de 40 años, que hasta el momento desempeñaba el cargo de director adjunto, ocupó la dirección, como siempre pensó Antonio Asensio que debía hacer, hasta el año 1988. Con él al frente se quiso dar un impulso a la redacción y al sistema de informatización. Durante su mandato volvió, hasta el año 1986, Carlos Pérez de Rozas, quien junto a Antoni Cases y Enric Satué, siguiendo los postulados del diseño europeo, consolidaron en 1985 la imagen gráfica del diario unificando la tipografía en todos los elementos informativos, con el empleo de la familia helvética[361], para que el diario llegase a las manos de los lectores mucho más serio y compacto[362]. La renovación culminó el 25 de septiembre de 1988 cuando la helvética llegó al logotipo del diario.

Este rediseño de *El Periódico de Catalunya* se fortaleció con una rotativa instalada en 1987 en Sant Feliu de Llobregat, con la creación de la figura del jefe de producción y la presencia de los redactores jefes al frente de las secciones. La mayoría de estas secciones se mantuvieron, aunque desaparecieron la Entrevista, el Dominical y las Ediciones Comarcales, y se incorporó la sección de Cultura y Ciencia, manteniéndose Espec-

---

361. La helvética, creada en 1957, es una tipografía de palo seco (sin serif) muy legible en el primer nivel de lectura, al tiempo que transmite una sensación dinámica y joven, y que permite crear gran variedad de matices por su amplitud.

362. GONZÁLEZ DÍEZ, L., y PÉREZ CUADRADO, P. *30 años de diseño periodístico en España (1976-2006)*. Madrid: Zona Impresa, 2007, p. 63.

táculos, donde siguió escribiendo la información taurina el periodista Juan Soto Viñolo.

Aunque *El Periódico de Catalunya* continuó creciendo, llegó a la media de ventas de 154.011 ejemplares en 1987, el producto dio muestras de un cierto estancamiento durante la etapa de Enrique Arias Vega. Una situación que se vio agravada por el crispado ambiente que se respiraba esos años en el grupo: la política comercial de la compañía, muy floja históricamente y con una orientación mucho más agresiva (introducción de la mercadotecnia), y la renovación tecnológica progresiva no encontraron respuesta en una redacción desairada por las precarias condiciones laborales bajo las que se trabajaba (muchas horas y poco salario). El resultado fue la marcha de Enrique Arias en febrero de 1988. Antonio Cases tomó el cargo provisionalmente hasta que se oficializó el regreso de Antonio Franco a la dirección del diario el 8 de marzo de 1988, después de seis años alejado del diario del Grupo Zeta, ocupando la dirección en esta nueva etapa durante 18 años.

7.1.4. La reorganización del diario desde dentro

Tal como se recoge en la noticia publicada aquel día en *El Periódico de Catalunya*[363], Antonio Franco dejó claro que la intención en su segundo mandato eran cumplir con el objetivo originario del diario: dar al lector un producto periodístico serio, veraz y, al mismo tiempo, popular. Para cumplirlo a rajatabla buscó un desarrollo fascicular de sus contenidos, organizado en varios cuerpos según las temáticas, y perfeccionó su diagra-

---

363.   "El Periódico tiene nuevo director". *El Periódico de Catalunya*, 8 de marzo de 1988, p. 60.

mación para hacer más fácil su lectura. Además, tuvo que rehacer su *staff* y rodearse de profesionales más afines a su sensibilidad y al modelo de periódico que buscaba.

En febrero de 1990, incorporó como director adjunto a José Antonio Sorolla, al que siempre había tenido a su lado en diferentes niveles de responsabilidad. El 6 de noviembre de 1993, por primera vez en la prensa catalana, se hizo realidad el Estatuto de Redacción, acordado por la empresa, el director y los redactores. *El Periódico de Catalunya* quedó definido como "plural, progresista, laico, no dogmático, respetuoso con las decisiones de las mayorías y defensor activo de los derechos humanos". Y proclamó la defensa de una información veraz mediante métodos honrados[364].

El estreno de las instalaciones de la calle Consell de Cent en febrero de 1994, también coincidió en este segundo mandato de Antonio Franco y fue una apuesta que el grupo editorial había realizado en el sector de la inmobiliaria y que se concretó con el edificio que ocupan en la actualidad. Además, se incrementó la plantilla y el diario llegó a superar en 1995 los 200.000 ejemplares de venta, atrapando por primera vez a su gran competidor, *La Vanguardia*. Pero, sobre todo, se trató de una etapa marcada por cuatro hechos significativos para la historia del diario: la creación de su página web, convirtiéndose en mayo de 1995 en el primer diario en tener un espacio *online* (www.elperiodico.es) y ofrecer gratis la consulta de su edición periódica impresa; el lanzamiento de la edición en catalán del diario en papel; la inauguración de la rotativa de Parets del Vallès (Barcelona), y la muerte de Antonio Asensio, fundador del diario y presidente del grupo editorial.

Sobre la edición en catalán, tras cinco años dándole vueltas

---

364. SÁNCHEZ, A. *Op. cit.* p. 32.

a la idea, el 28 de octubre de 1997 un equipo de 30 lingüistas y periodistas, coordinado por Rafael Nadal, llevó a cabo *El Periódico de Catalunya* en catalán, que requirió de una inversión de 1.500 millones de pesetas, una máquina traductora capaz de convertir una página escrita en español al catalán en poco más de un minuto e implicó un mayor esfuerzo en la línea de producción de las rotativas de Sant Feliu de Llobregat. La nueva versión del diario fue una apuesta valiente y decidida por la información en esta lengua. El diario se diferenció visualmente de la cabecera en español por incorporar el color azul en lugar del rojo, pero respetaba el nombre, o sea sin cambiar de *El Periódico de Catalunya* a *El Periòdic de Catalunya*.

Con el medio informativo organizado según sus necesidades, recursos, audiencias y aspiraciones, el reparto temático que Antonio Franco había ideado para que el diario ganase en mayor personalidad se tradujo el 15 de mayo de 1998 con la creación del suplemento semanal *Viernes y Libros*, dos temáticas en una, con un contenido dirigido a orientar y proponer al lector el fin de semana cultural y de ocio. En sus páginas, junto a museos, cine, música, novedades editoriales, críticas, gastronomía, se incorporó con notable presencia en la la información taurina del fin de semana en la sección Tradiciones, compartiendo página con las actividades de los *castellers*[365], las concentraciones

---

365. Los *castellers* constituyen una de las expresiones más vivas de la cultura catalana, con más de doscientos años de historia. Consiste en levantar castillos humanos (*castells*, castillos en español) a base de equilibrio, tranquilidad, sentido de la solidaridad y buenos músculos. Se practica en equipo (*colla*, en catalán), repartidos en tres partes invariables y tres eventuales según el tipo de construcción elegido. El éxito pasa en hacer pirámides humanas lo más altas y estables posibles. En 2010, el año que se votó la prohibición de los toros en Cataluña, la UNESCO declaró los *castellers* Patrimonio Cultural e Inmaterial de la Humanidad.

sardanistas y cualquier fiesta popular catalana que se celebrase. El 3 de noviembre de 2000, el rey Juan Carlos inauguraba la nueva rotativa del Grupo Zeta en Parets del Vallès (Barcelona). Era, y es probablemente todavía, la planta de impresión más moderna y avanzada tecnológicamente de Europa, la inversión con que la compañía encaró con entusiasmo y visión de futuro su actual horizonte. La grandiosa rotativa se estrenó siendo la única de España que podía imprimir 10 millones de páginas en color por hora y 3.600 ejemplares por minuto. El acto inaugural simbolizó y sintetizó el éxito de la obra de Antonio Asensio y del proyecto del Grupo Zeta. Entonces, el fundador de la compañía ya estaba gravemente enfermo[366]. De hecho, esta inauguración fue su última aparición en público antes de su fallecimiento en 20 de abril de 2001, a los 53 años de edad, cuando su mente aún estaba cargada de proyectos y sueños de futuro.

La entrada en funcionamiento de la rotativa de Parets del Vallès conllevó un rediseño de la publicación, que fue realizada por el prestigioso estudio Cases i Asociats, donde la pauta de seis columnas que siempre había tenido comenzó a combinarse con una de cinco y donde el empleo del color como elemento fundamental en la confección del diario ganó en primacía[367]. Además, se incorporó la swift para el texto general: una letra con serif, pero de rasgos contemporáneos y de excelente legibilidad, diseñada en 1989 por el holandés Gerad Unger[368].

El 3 de diciembre de 2000 salió a la calle el rediseño de *El*

366. "La revolución Zeta". *Tiempo*. Madrid: Ediciones Zeta, 8 de mayo de 2006. http://www.tiempodehoy.com/cultura/la-revolucion-zeta [consulta: 23 de junio de 2011].

367. ALBERDI EZPELETA, A.; ARMENTIA VIZUETE, J. I.; CAMINOS MARCET, J. Mª, y MARÍN MURILLO, F. *Op. cit.* p. 285.

368. GRAU, F. "La importancia de cómo decir las cosas". En: VV. AA. *Comprometidos. El Periódico, 35 años de historia.* p. 51.

Periódico de Catalunya, en un formato algo más reducido y con una clara definición de diario de servicios. El diseño, los contenidos, los planteamientos informativos consolidaron al medio del Grupo Zeta como ejemplo significativo de cabecera de servicios sin renunciar a la filosofía que enarboló desde sus orígenes: diario independiente, progresista y plural. En sus páginas ya se adivinó el interés por acentuar una mayor voluntad de desmenuzar la información a través de despieces, textos de apoyo, análisis, cronologías, perfiles y radiografías. La idea fue que el número de historias a desarrollar en cada página fuese mínimo, abundando las páginas monotemáticas. Esto permitió abordar cada tema combinando distintas velocidades de lectura al presentarlos en formatos apoyados en numerosos componentes gráficos, modelo de información en el que estuvo inspirado el diseño del diario, concebido a percibir de una manera sencilla los aspectos fundamentales de cada tema, con textos breves y protagonismo de la fotografía para entender mejor cómo suceden las cosas[369].

El objetivo de la nueva confección fue hacer un diario que rompiese la división tradicional de compartimentación de la prensa de toda la vida. La pauta a seguir fue una división en tres bloques (o áreas), como contenedores informativos inspirados en formato cuadernillos, cada uno con su color, para tener una clara función señalética, e integrados por las secciones que abordaban las temáticas más densas: Internacional, Política y Economía; Cosas de la vida, y una tercera formada por Deportes y Exit (Espectáculos, Gente, Cartelera, El día por delante y Radio y Televisión). El planteamiento periodístico de la macrosección Exit era como el de una revista diaria que el lector recibía cada día en sus manos, contaba con su propia portada y es-

---

369. *Ibid.* p. 286.

taba enfocada, fundamentalmente, al ocio y a los espectáculos, donde hasta se incluyó la información cultural y, como no, toda la actualidad y la temporada taurina barcelonesa.

7.1.5. Prensa informativa acorde a los nuevos tiempos: reto tecnológico y ajustes económicos

La historia de *El Periódico de Catalunya* se detiene el 10 de mayo de 2006 cuando Rafael Nadal releva a Antonio Franco al frente del periódico, con el "compromiso de mantener el diario como líder de audiencia en Cataluña, reforzar el liderazgo cívico y de presencia que tiene en el país y lograr la primera posición en ventas"[370]. En la decisión del cambio, a petición propia de Antonio Franco, se interpretaron influencias políticas, problemas de salud y divergencias de objetivos con la empresa.

Rafael Nadal, periodista del equipo de su antecesor, miembro de una influyente familia de intelectuales y políticos, entre ellos su hermano Joaquim Nadal, consejero de Política Territorial de la Generalitat en aquel tiempo, contaba con una sólida experiencia profesional, forjada en las redacciones de *Catalunya Express*, *Punt Diari*, *El País* y el propio *El Periódico de Catalunya*. En 1995 fue director de marketing, proyectos, expansión y distribución de Ediciones Primera Plana, editora del diario, y contribuyó al lanzamiento de la edición bilingüe del diario. El último cargo que había ocupado antes del nombramiento fue el de asesor de la presidencia del Grupo Zeta para el desarrollo de proyectos audiovisuales.

El nuevo director desde el primer día quiso recuperar el pul-

---

370.   "Rafael Nadal releva a Antonio Franco al frente de EL PERIÓDICO". *El Periódico de Catalunya*, 11 de mayo de 2006, p. 38.

so directo, ciudadano, cercano y pasional que siempre había tenido el diario y que algo había perdido tras unos años lastrado por el cansancio del propio Antonio Franco y por la inundación de la información política en el contenido. Para ello, vio que había de volver a la esencia del periodismo. Contar de nuevo historias humanas, pero mejor y con mayor calidad. Y vio que solo con un periódico innovador, acorde con los nuevos tiempos, se podía conseguir. También impuso en su mandato una vocación de grupo multimedia para ampliar horizontes y ganar lectores, cifrado en 800.000 el día que inició su mandato, cifra inferior a los algo más de un millón alcanzada en la mejor etapa del diario[371].

Rafael Nadal se convirtió en el buque insignia de una etapa difícil para *El Periódico de Catalunya*. Recogió un diario líder en Cataluña según los últimos datos del Estudio General de Medios (EGM)[372], con 801.000 lectores, 138.000 más que *La Vanguardia*, y cuarto de los diarios más leídos de toda España, por detrás de *El País*, *El Mundo* y *ABC*. Reforzó la redacción, haciendo volver el 2 de julio de 2006 al periodista Sebastián Serrano para que ocupase el puesto de director adjunto. Creó un nuevo equipo editorial y renovó la nómina de columnistas. También le dio un nuevo aire a muchos de los contenidos y suplementos, como las páginas del estival *Cuaderno de Verano*, cambiando su nombre por *Verano* y añadiendo más actualidad,

---

371. "Entrevista a Rafael Nadal, director de *El Periódico de Catalunya*: Para ser fiel al espíritu de El Periódico hay que cambiar algunas cosas". *Infoperiodistas.info*. 7 de junio de 2006. www.infoperiodistas. info/busqueda/noticia/resnot.jsp?idNoticia=2360 [consulta: 23 de junio de 2011].

372. Periodo comprendido entre octubre de 2005 y mayo de 2006, justo al final del mandato de Antonio Franco al frente del diario. En: "El Periódico revalida el liderazgo en Catalunya". *El Periódico de Catalunya*, 13 de julio de 2006, p. 9.

entrevistas y nuevas secciones. Los últimos cambios más significativos de Nadal antes de finalizar el año fueron la llegada de quien sería su sucesor unos años más tarde, el periodista Enric Hernández, como delegado en Madrid, la restructuración de las secciones de Internacional, Sociedad, Gran Barcelona, Dominical, Deportes y Gente, y el nombramiento de nuevos coordinadores, firmas especializadas y director de arte, Ferran Grau.

Su mandato recibió críticas desde fuera por mostrar un extremado acercamiento a las ideas del Partit dels Socialistes de Catalunya. Este posicionamiento nunca había sido tan manifiesto en este modelo de prensa. Pero es que además, tuvo que soportar los rumores de una posible venta del diario castigado por la crisis y las deudas. Una primera solución para el grupo editorial fue en marzo de 2009 con la firma de un crédito sindicado de 245 millones de euros con 24 entidades financieras que permitió la refinanciación de su deuda y hacer frente a los costes de reestructuración, incluido un Expediente de Regulación de Empleo (ERE) pactado en febrero de ese año. Antes, en diciembre de 2008, se presentó un ERE que finalmente afectó a 73 personas, de una plantilla de unos 350 trabajadores. Este hecho se produjo después de que Zeta rechazase una oferta realizada por el grupo industrial del empresario Alfonso Gallardo para adquirir una participación mayoritaria de sus acciones[373].

Esta coyuntura acabó precipitando la salida de Rafael Nadal como director del diario después de cuatro años en el cargo. Su enfrentamiento por la situación financiera y el crispado ambiente que se respiraba en la empresa hicieron que el 8 de fe-

---

373. POVEDA NAVARRO, F. "Enric Hernández sustituye a Rafael Nadal en la dirección de *El Periódico de Catalunya*". *Periodismo para periodistas*, 5 de febrero de 2010. http:// periodismoparaperiodistas.blogspot.com/ 2010/02/enric-hernandez-sustituye-rafael-nadal.html [consulta: 18 de junio de 2011].

brero de 2010 el Consejo de Administración del Grupo Zeta acordase nombrar al periodista Enric Hernández nuevo director de *El Periódico de Catalunya*. El consejo agradeció a Nadal los cuatro años de labor y compromiso al frente del diario. Su marcha, en algunos círculos, se achacó a su oposición a Joan Llopart, presidente de la comisión ejecutiva, el hombre que La Caixa impuso al frente del holding para controlar el proceso de reajustes y reorganización desde antes de la presentación del ERE. Sin embargo, las relaciones de Nadal con los directivos del grupo también estaban mal ante las posibles intenciones de estos de deshacerse de *El Periódico de Catalunya*.

La crisis estaba afectando las ventas, en un 3,6% menos en el primer trimestre de 2009, pero no en si se comparaban los números con su competidor, *La Vanguardia*, pues el diario del Grupo Zeta arrancó el 2009 superando en más de 100.000 lectores al rotativo del grupo Godó y vendiendo en el quiosco 31.297 ejemplares más según el Estudio General de Medios (EGM), la Oficina de Justificación de la Difusión (OJD) y el Baròmetre de la Comunicació i la Cultura (Fundacc).

De esta manera, las cifras que ofrecía el diario el día del relevo en la dirección del diario continuaban situando a *El Periódico de Catalunya* como la cabecera más leída en la comunidad catalana, con 727.000 lectores cada día por 646.000 lectores *La Vanguardia*. La edición en catalán también era líder con 357.000 seguidores, muy por delante de su inmediato perseguidor, el diario *Avui*, con 125.000.

Enric Hernández, de 40 años, profesional formado en *El Periódico de Catalunya*, donde asumió la jefatura de la delegación de Madrid en 1999 y llegó a ser subdirector en el 2006, aterrizó en las dependencias de la calle Consell de Cent después de estar casi un año ocupando el cargo de director adjunto de la edición catalana del diario *El País*. Su mandato, hasta la actualidad, y que ha visto en sus páginas el fin de los toros en Cataluña y el auge de otras tradiciones populares, como los *castellers*, se ha convertido en una firme apuesta por la edición web y en una lucha constante por aguantar la caída de ventas del medio impreso. El *Periódico.com* se ha impulsado a partir de la implicación de toda la plantilla, la renovación del staff *online*, el lanzamiento de nuevos productos digitales (e-periódico, un canal informativo, videoblogs) y la incorporación, junto a otras publicaciones del Grupo Zeta, a la plataforma digital Orbyt, el quiosco virtual de Unidad Editorial.

La prohibición de las corridas de toros y el fin de los festejos en Cataluña coincidieron en los peores años para la prensa catalana. El Grupo Zeta presentó en 2009 un ERE a tres años que afectaba a 440 trabajadores, en torno al 25% de su plantilla que quedó en 1.500 personas. El 31 de diciembre de 2011 finalizó el acuerdo del expediente de regulación, por el cual la empresa se comprometió a no realizar más despidos ni recortes durante tres años. No obstante, las primeras semanas del 2012 el grupo propuso un fuerte recorte de las condiciones laborales del convenio basándose en las pésimas previsiones de ingresos publicitarios y por venta de ejemplares que se manejaban para el año. Los números, además, tampoco acompañaron como en otras ocasiones según los tres organismos de medición: se cerró el año 2010, según el OJD, con un promedio de tirada de 168.911 ejemplares y el promedio de difusión de 133.055, números inferiores a los registrados por *La Vanguardia*: 233.229 ejemplares y el promedio de difusión de 200.370[374].

---

374. Estas cifras ofrecidas por el OJD difieren de las cifras presentadas por la Asociación de Editores Españoles y que están comentadas en el capítulo anterior dedicado a la historia de *La Vanguardia*. Pero no cambian el resultado: *La Vanguardia* era el diario líder en Cataluña.

Para el EGM, 725.000 catalanes leyeron cada día el diario del grupo Godó, por 708.000 que prefirieron *El Periódico de Catalunya*, y Baròmetre de la Comunicació i la Cultura otorgó 697.000 lectores a *La Vanguardia* y 12.000 menos a su principal competidor.

PARTE V

Evolución del periodismo taurino

8. Revisión histórica del periodismo taurino

Son miles los textos taurinos que la prensa ha publicado desde el siglo XVIII hasta nuestros días. La necesidad de variedad y renovación de la propia fiesta de los toros, como la incorporación de nuevos periodistas, han marcado el recorrido del periodismo taurino desde que se tiene constancia de las primeras informaciones impresas de este género. Y lo hizo porque existían unos lectores que sentían curiosidad por la actualidad taurina y porque los periodistas eran verdaderos paladines de la práctica y mantenimiento de sus textos e informaciones. Ellos fueron quienes con sus escritos comenzaron a darle una coherencia temática, un tratamiento específico y un vocabulario concreto, que hicieron que la información taurina demostrase su versatilidad para adaptarse a cada uno de los tiempos y convirtiese el género de la crónica en el alma máter de la especialización.

8.1. Evolución histórica y cultural del periodismo taurino

La información taurina se insertó en los periódicos del siglo XIX cuando las corridas de toros se convirtieron en el entretenimiento preferido de los españoles y los autores de los textos especializaron su tratamiento. El continuo préstamo que se estableció entre la prensa escrita y el mundo del toreo facilitó que los festejos fuesen tratados diariamente con tanta importancia como cualquier otra materia y adquiriesen una difusión extraordinaria en toda esa España decimonónica. Su despegue fue parejo a los adelantos tecnológicos del periódico y a la industrialización, que conllevaba un tiempo de ocio que era destinado por el proletariado para ver corridas de toros.

Para entender mejor la relación de los medios de comunicación con la fiesta de los toros hay que revisar lo que entonces fue el nacimiento de una especialidad periodística que no siempre resulto ética y que no en pocos casos sirvió de tapadera a los vicios más degradantes del toreo[375]. Pero el paulatino afianzamiento de la tauromaquia a lo largo del siglo XIX como espectáculo de masas y la proyección del torero como héroe literario y popular permitieron el nacimiento de numerosas publicaciones especializadas y la consolidación de la noticia taurina en la prensa escrita diaria[376].

Revisteros, cronistas o críticos taurinos, nombres que han recibido los escritores de esta especialización periodística a lo largo de su historia, empezaron a dar sus primeros pasos en el primer cuarto del XIX. Fue con los orígenes de la tauromaquia moderna, y en el marco del periodismo moderno, que se inició

---

375. ILÍAN, C. "Tauromaquia". En: VV.AA. *La pasión por los toros*, vol. IV, Barcelona: Planeta De Agostini, 1994, p. 202.

376. HARO DE SAN MATEO, V. "Un brindis por España desde el ruedo de la prensa. La corrida patriótica organizada por el Imparcial en 1896". *IC-Revista Científica de Información y Comunicación*, n° 8 de 2011. Sevilla: Universidad de Sevilla, 2011, pp. 95-111. http://icjournal. files.wordpress.com/2013/06/1326310760-5deharbrindisporespana.pdf [consulta: 24 de enero de 2012].

en el Romanticismo y se consolidó hacia 1850. Forneas admite que "la crónica taurina actual es el producto de una lenta evolución, a través de miles de textos periodísticos escritos y publicados durante más de doscientos años"[377]. De ahí, que no extrañe que esta longevidad y experiencia del periodismo taurino permitiese a *La Vanguardia* afrontar, llegado el momento, la información de la fiesta de los toros con la solemnidad que otros medios de comunicación estaba publicando. Igual sucedió mucho antes: las relaciones —los antecedentes históricos más directos de las informaciones taurinas periódicas—, que desde el siglo XVI trataban la información taurina de forma muy literaria y sin vocación noticiosa, tuvieron por su carácter gran eco en la información de quienes escribieron de toros en el siglo XIX.

La aparición de *La Vanguardia* en 1881 coincidió con los primeros nombres que dejaron huella en la prensa taurina entendida como tal. Ellos, con sus escritos, demostraron que esta especialidad nació del esfuerzo literario e intelectual de sus antecesores, pero no del tratamiento de la información y su recepción por parte del público, puesto que para algún autor no se puede hablar de periodismo taurino como tal hasta antes del año 1850[378]. Y es que el periodismo taurino se situó en su estado embrionario en la tauromaquia moderna y fue en los años posteriores donde gestó la crónica taurina a nivel periodístico: en lo crítico, estilístico (literario) y didáctico.

377. FORNEAS FERNÁNDEZ, Mª C. *La crónica taurina actual*, Madrid: Biblioteca Nueva, 1998, p. 24.
378. Esta opinión es del profesor José Luis Martínez Albertos, citada en ESTÉVEZ RAMÍREZ, F., y MONCHOLI CHAPARRO, M. A. *Op. cit.* p. 318.

8.1.1. Las fuentes primigenias de la crónica taurina: estadillos y reseñas

Si bien es difícil determinar una cronología de la información taurina como especialización, al menos se pueden señalar diferentes modalidades en su tratamiento para comprender su prestigio, reconocimiento y rigor en las publicaciones españolas.

El siglo XIX vivió el nacimiento de la información taurina manifestada de diferentes modalidades: estadillos, reseñas informativas, folletines y revista de toros. Los textos fueron diferentes y todos aportaron su granito de arena para constituir el género de la crónica. Porque todos ellos se caracterizaron por la progresiva incorporación de elementos formales que después fueron cuajando en las siguientes etapas. Si bien para algunos autores ya hay textos que son prueba suficiente para catalogarlos como crónicas, para otros, como para Gil, no son pruebas suficientes por carecer de elementos básicos que identifican la crónica como género: ficha técnica, firma autorizada, interpretación razonada, relación con otros datos de la actualidad taurina, etcétera[379].

El primer texto publicado que se tiene constancia sobre la fiesta de los toros apareció el 20 de junio de 1793 en el *Diario de Madrid*. Era una especie de separata, firmada bajo el seudónimo de *Un Curioso*[380], en la que se informaba de manera monográfica de la cuarta corrida de feria celebrada tres días antes en la Plaza de Toros de la Puerta de Alcalá. El contenido escrito

379.   GIL GONZÁLEZ, J. C. *Op. cit.* p. 79.
380.   Nunca se supo a ciencia cierta quién se escondía bajo el seudónimo de *Un Curioso*, pero lo que supuso fue que implantase la costumbre entre los revisteros taurinos de emplear este tipo de firmas para mantener el anonimato.

demostraba la preocupación exclusiva del autor por resumir los distintos momentos de la lidia de cada toro de forma estadística, lejos de cualquier juicio crítico. Este modelo, habitual para muchos medios los años siguientes, se llamó estadillo: cuadro sinóptico del festejo dividido en dos partes, correspondientes cada una de ellas a las funciones de la mañana y de la tarde, respectivamente. Cada parte se subdividía en nueve columnas verticales en las que se recogían los datos más significativos del festejo: ganadero, número de varas, caballos muertos, banderillas... No había un solo atisbo literario y todo quedaba reducido a la estadística[381]. El autor, firmado y sin seudónimo, sino con nombre y apellido, era un sujeto pasivo, un detallista sin compromiso de pensamiento que se limitaba a contar lo que veía sin apenas valoraciones de cómo se ejecutaban las suertes. Sin un lugar fijo en el diario, presentaba solamente los resultados estadísticos del festejo, de forma escueta y sencilla, que poco gozaban del favor de los lectores: "Consistía en la observación y recuento de las suerte; la estadística de los puyazos, banderillas, pinchazos y estocadas recibidos por cada toro; la reseña de los pelos y señales de estos, hasta los detalles del vestido de los toreros"[382].

Este modelo fue coetáneo de las reseñas técnico-informativas, de gran repercusión en la prensa y cuyo material informativo giraba en torno a un hilo argumental fácil de descubrir en el texto: la estructura del relato a partir de la aparición cronológica de cada toro. *El Correo Literario y Mercantil* fue uno de los grandes viveros de este tipo de información, cercano a la cró-

---

381.   GIL GONZÁLEZ, J. C. *La crónica periodística de Antonio Díaz-Cabañete*. Tesis Doctoral, Universidad de Sevilla, 2006, pp. 79 y 80.

382.   COSSÍO Y MARTÍNEZ FORTÚN, J. Mª. *Los toros. Tratado técnico-histórico*. Tomo IV. Madrid: Espasa-Calpe, 1985, p. 555.

nica taurina, como se entiende actualmente, por su componente periodístico y literario porque, como afirma Forneas, la reseña "contiene juicios de valor"[383]. Los primeros párrafos eran puramente informativos sobre la celebración del festejo, después se describía técnica y pormenorizadamente lo acontecido en la lidia de cada uno de los toros; y, en último lugar, el autor dejaba constancia de su opinión. Gil aún va más lejos y desliza uno de los elementos clave en la composición de una crónica como la entendemos hoy: "Si nos fijamos en el arranque de estos textos podemos descubrir el primer resquicio de la ficha técnica"[384].

8.1.2. El folletín taurino: narración periodística para escribir de toros en la prensa diaria

Desde que el periodista francés Girardin, en su periódico *La Presse*, tuvo la genial idea de reservar el faldón de la portada para publicar novelas, su estrategia se generalizó hasta el punto que se extendió a los diarios españoles. Fueron los folletines taurinos, pioneros en el diario *El Porvenir* (1837), que se diferenciaron de los novelescos por el componente periodístico del primero, puesto que, además de que las funciones de toros iban dirigidas a un público lector muy concreto y especializado, estaban trabadas por la actualidad y la inmediatez.

Los folletines incorporaron el mundillo político al universo taurino. En una época del periodismo español en cuyos conte-

---

383. FORNEAS FERNÁNDEZ, Mª C. *Orígenes y evolución de la crónica taurina. Estudios sobre el Mensaje Periodístico*, p. 386.
384. GIL GONZÁLEZ, J. C. *La crónica periodística de Antonio Díaz-Cabañete*. p. 83.

nidos predominaba la opinión a la información, en lo taurino se escribieron referencias a la política, a los generales o a cualquier cuestión que mereciese una socarrona crítica a través de un lenguaje audaz, duro y, a veces, hasta violento. Se publicaron firmados, otra novedad que trajo consigo este género, acostumbraron a ir en un faldón a primera página y a tres columnas, y se centraron en la crítica política, primero, a veces, con humor e ironía, y en la cuestión taurina, después[385].

El autor de los folletines mostraba una actitud combativa en sus comentarios y una función crítica en todos los detalles que florecieron, posteriormente, en la crónica taurina. Además, como sucedió con las reseñas, anticipó con su texto lo que se conoce actualmente como la ficha técnica, pues enumeró una serie de elementos (asistentes, toros, tiempo, etc.), que hoy son pieza clave en las crónicas de los festejos. En cambio, suprimió la valoración final que se hacía en las reseñas técnico-informativas al haberse enjuiciado la faena en la segunda parte de los folletines, la puramente torera.

La información taurina en este periodo estaba ganando músculo en la prensa nacional. No solo había conquistado espacio en las ediciones periódicas, sino que a partir de mediados del siglo XIX no hubo prácticamente provincia española que publicase una cabecera, aumentado, por tanto, el volumen de la prensa taurina especializada. De esta manera, en unos años, se multiplicaron las publicaciones sobre el espectáculo de los toros: *La Flor de la Canela* (1847), *La Tauromaquia* (1848), *El Clarín* (1850), *El Mengue* (1867), *El Tábano* (1870) o *El Tío Jindama* (1879). En Barcelona apareció en 1852 *La Lid* y el 18 de octubre de 1862 la revista titulada *Fra Diávolo*.

---

385. GONZÁLEZ GIL, J. C. *Evolución histórica y cultural de la crónica taurina*, p.112.

8.1.3. La presencia del revistero como anticipo al cronista taurino

Con el paso de los años los folletines fueron desapareciendo y su hueco fue remplazado por la revista de toros. Este cambio provocó que se pusiese de moda a finales del siglo XIX que al escritor que se ocupaba de la información taurina se le denominase revistero. El precursor de la evolución del género fue Santos López Pelegrín (1801-1846), *Abenamar*, quien por su particular enfoque en los folletines que publicó ya se advertía como auténtico innovador de las crónicas taurinas. Hombre de letras, abogado y diputado en Cortes por Guadalajara, empezó escribiendo sus revistas de toros en *El Mundo*, hacia 1836; siguió en *El Correo Nacional*, en 1838, y colaboró en *Abenamar y el Estudiante* por aquellos mismos años. Fue un gran conocedor de la historia del toreo, supo contar lo que veía, con soltura y buen dominio del vocabulario taurino. Hasta él se puede comprobar que el cronista, con mayor o menos detalle literario, y sin alardes de erudición, sigue cronológicamente las incidencias de la lidia y narra todo cuanto acontece en el ruedo sin ningún atisbo de ironía. En *Abenamar*, como bien defiende Forneas[386], pese a su profundo conocimiento de la fiesta —es el redactor de la *Tauromaquia* de Francisco Montes *Paquiro*—, prevaleció, ante todo, el escritor y, más concretamente, el periodista. Combinó política y toros hasta el punto de que muchas veces no se supo si la faena descrita era un simple fondo para hablar de política o si, por el contrario, la actuación del jefe del Gobierno era la que daba a pie para analizar la labor del torero. Sus textos estaban cargados tanto de aire literario y sentido humorístico, como de una información similar a la que se hacía en crónicas de música y teatro.

---

386. FORNEAS FERNÁNDEZ, Mª C. *La crónica taurina actual*, p. 24.

A partir de *Abenamar*, esta simbiosis entre política y toros fue una constante en las crónicas taurinas. La relación de todos los pormenores de la lidia, reducidos a cifras, se sustituyó por una visión global, dirigida a relatar lo que sucedía en la plaza de toros, y que se consideraba importante desde el punto de vista de la concepción personal del toreo del autor[387]. Algo más subjetivo, de mayor influencia y con un estilo que provocaba hacer mejor literatura que crítica.

Los folletines taurinos perdieron peso con el paso de los años y casi todos los periódicos comenzaron a publicar en sus páginas información de la corrida a varias columnas, lo que consolidó todavía más el género de la revista de toros. El autor, un revistero de toros (cronista taurino, en terminología más moderna), que firma con seudónimo para captar la atención del lector o para esconderse de la incompatibilidad que se quiso fomentar desde ciertos sectores entre la intelectualidad y los toros, se preocupó por resaltar lo más importante que había ocurrido en el ruedo, y no por atraer la atención de los lectores con temas alejados de la actualidad taurina. El texto de la revista se ocupó de valorar lo que acontecía en el ruedo desde principio a fin. A veces, recurrió a referencias no taurinas, pero no fue lo habitual. El revistero ejerció de reportero informando de lo que había visto sin expresar su opinión. Fueron muchos quienes les dedicaron atención a los toros y a los toreros, sobre todo a *Lagartijo* y *Frascuelo*, a través de sus escritos, como Mariano de Cavia (*Sobaquillo*), Juan Martos Jiménez (*Alegrías*), José de Laserna (*Aficiones*), Joaquín Simán e Illescas (*Perogrullo*) o Eduardo del Palacio (*Sentimientos*). Ellos fueron los responsables de unos escritos esencialmente taurinos, cargados de fuerza, repercusión y relieve, en diarios como *El Imparcial* o *El Li-*

---

387. *Ibid.* p. 26.

beral. Su principal misión fue informar escrupulosamente de toros y no hacer ninguna otra referencia al margen. Pero lo hicieron con gran rigor y calidad, debido a uno de los fenómenos que siempre estuvo presente en el periodismo taurino español: la división de la prensa por su torero preferido, en este caso, partidaria de *Frascuelo* o de *Lagartijo*.

Señala Víctor Pérez López, miembro de la Unión de Bibliófilos Taurinos, que entre *Lagartijo* y *Frascuelo*, a pesar de todas las diferencias, "tanto de carácter, como de pensamiento, existió una gran amistad, respeto y admiración entre los dos matadores"[388]. Sin embargo, la sociedad madrileña y la prensa se encontraron profundamente divididas. Dentro de la prensa lagartijista, se situaron los diarios de mayor importancia política, caracterizados por una lectura más alegre, satírica y con mayor proyección al público que las revistas exclusivamente taurinas de Madrid, representadas por *El Toreo* y *El Enano*, que siempre mostraron sus preferencias por *Frascuelo*.

Lo que sucedió con los revisteros es que, con el paso de los años, muchos de estos autores asumieron que la información taurina continuaba evolucionando y, al ilustrarse con unos apuntes a carboncillo de los momentos más estelares de la lidia, se estaba facilitando el enjuiciamiento de aquello que se observaba. Así, en esta etapa de transición hacía la crónica taurina, caso de plumas como *Perogrullo*, *Sobaquillo* o Antonio Peña y Goñi, periodista taurino que dirigió la revista *La Lidia*, se vio como se podía pasar del sujeto pasivo de los primeros revisteros, a dejarse llevar por la imaginación para ambientar lo que sucedía en el ruedo con disertaciones que iban más allá de las

---

388.   PÉREZ LÓPEZ, V. "Aula de Tauromaquia". *Portaltaurino.com*, enero 2003. Madrid: Universidad San Pablo CEU, 2003. http://portaltaurino.com/universidad/ceu.htm [consulta: 26 de junio de 2009].

faenas. Se comenzó a prescindir de los detalles de la lidia que reseñaba el revistero de los primeros tiempos, para hacer literatura en torno a la fiesta bajo un tono cada vez más subjetivo. Además, al reunirse la información en una sola página, esta unión temática propició una ordenación y los primeros esbozos de lo que fue la sección taurina.

En los albores del siglo XIX nadie pudo sustraerse de la realidad: el año 1899 el mercado editorial español manejaba hasta 360 títulos de publicaciones taurinas[389]. El mundo de los toros era un fenómeno social y era raro el intelectual que no mostraba inquietud taurina[390]. Las revistas *La Lidia* y *Sol y Sombra* (1897) acapararon la mejor contribución para el mundo de los toros, tanto en su presentación artística como en sus contenidos, pues la dirección literaria de ambas se preocupó durante los años de su existencia que por sus páginas desfilasen firmas y colaboraciones de los escritores más destacados, no ya solo de revisteros y aficionados, sino de verdaderos eruditos e intelectuales. Entre ellos, José Sánchez de Neira (1823-1898), tercer y último director del semanario *Sol y Sombra*, quien dejó para la historia una retahíla de extraordinarios conocimientos técnicos e históricos en la revista. Defendió en sus escritos taurinos todo lo que tenía de épico el toreo del romanticismo y luchó contra todos los vicios que la moderna lidia comenzaba a mostrar a los espectadores[391].

---

389. SUÁREZ FERNÁNDEZ, L., y ANDRÉS-GALLEGO, J. *Historia General de España y América*, vol. 16. Madrid: Rialp, 1992, p. 139.

390. LORCA LÓPEZ, A. "La crónica taurina como género". En GÓMEZ Y MÉNDEZ, J. M. (ed.). *Op. cit.* p. 28.

391. SUÁREZ-GUANES, J. L., y NIETO MANJÓN, L. "Arte y cultura". *La pasión por los toros*, vol. III. Barcelona: Planeta De Agostini, 1992, p. 216.

8.1.4. La crónica impresionista: una nueva manera de entender e interpretar la fiesta de los toros

Forneas sostiene en su aguda reflexión sobre la crónica taurina que José de la Loma y Milego, *Don Modesto*, periodista de *El Liberal* y director de *Madrid Cómico*, es el primer cronista taurino oficial que aparece en el periodismo taurino. El 25 de marzo de 1915, José de la Loma, en una charla taurina en el Círculo de Bellas Artes de Madrid, retrató al revistero de toros como un detallista que narra todo lo que sucede en la fiesta[392]. Según ella, se definió con estas palabras: "Cronista soy, pues, y cronista seré mientras las circunstancias no dispongan otra cosa". Esta afirmación la sustentó porque sus informaciones omitían incidentes de la fiesta deliberadamente para comentar lo más importante y no lo anodino, fútil e insustancial. Y es que con *Don Modesto* una concepción nueva de la información taurina se implantó a través de sus crónicas impresionistas: "El aficionado de pura cepa... quiere una impresión de la corrida. Lo bueno o lo malo ocurrido en ella, comentado con más o menos gracia, con mayor o menor ingenio ¡Y aquí surge el cronista taurino!"[393]. Este periodista consiguió que el eje principal de la crónica taurina recayese en la figura del autor, ya que es quien se encarga de seleccionar aquello que más le conviene para sus intereses periodísticos. Con lo cual, como dice Gil, "la narración taurina ya no tiene como objetivo primero ser un fiel reflejo de la corrida, sino dar una sensación de la realidad vivida en la plaza"[394].

Don Modesto aumentó la tirada de su diario en miles de ejem-

---

392. FORNEAS FERNÁNDEZ, Mª C. *La crónica taurina actual,* p. 28.

393. *Ibíd.* pp. 32-33.

394. GIL GONZÁLEZ, J. C. *Evolución histórica y cultural de la crónica taurina,* p.160.

plares los días que él publicó su crónica taurina. Las faenas del torero Ricardo Torres *Bombita* alimentó sus grandes aportaciones, como en su momento se sirvió *Abenamar* de *Paquiro*, Mariano de Cavia de *Lagartijo* o Peña y Goñi de *Frascuelo*. Procuró, además, encontrar una manera personal de enfocar la crítica de la fiesta de los toros: escogió los momentos más expresivos para su relato y apoyó sus conocimientos en hipérboles valorativas. Su ingenio aportó todo género de amenidades y anécdotas para redondear el juicio. Incluso omitió fases de la lidia que no consideró dignas de mención.

El resultado de su crónica fue señalar los porqués de lo que se decía, de modo que el público pudiese juzgar con conocimiento de causa y formarse su propia opinión. Quedó definida así la crónica taurina.

8.1.5. La responsabilidad informativa del crítico taurino en el contexto sociocultural del siglo XX y XXI

En el siglo XX brilló con luz propia la fiesta de los toros a través de la prensa. El afianzamiento de los medios de comunicación las primeras décadas de siglo y el aumento del número de españoles que sabían leer y escribir potenciaron el desarrollo de la información taurina que se encontraba, entonces, en unos momentos de confusión e indecisión. La razón fue que el texto taurino se adaptó a las exigencias de cada época y compartió la tipología que había gestado hasta esos momentos: la crónica técnico-informativo de los pioneros del periodismo taurino por vía de la mera reseña y estadística, la crónica literaria inaugurada por *Abenamar* y la crónica impresionista de *Don Modesto* dieron paso, como hemos dicho, a la moderna crónica taurina, que se consolidó y triunfó en la tribuna del diario *ABC* a través de la figura de Gregorio Corrochano.

Aunque a principios de siglo la mayoría de escritores tuvieron que publicar en varios medios para poder subsistir medianamente porque cobraban bien poco, la prensa mostró unos síntomas positivos: los medios técnicos, estilísticos y léxicos se sometieron a una importante renovación. La prensa española continuó su proceso de conversión iniciado en el último cuarto del siglo XIX, que le estaba llevando del periodismo de opinión al periodismo informativo y de empresa.

Conversión desde el modelo de periódico de opinión, de predominio ideológico, dependiente de partidos, movimientos o personalidades políticas, al de periódico de empresa, concebido como un negocio, sostenido por el lector y el anunciante y con una variedad temática de carácter enciclopédico que pretende saber satisfacer los más diversos intereses a los lectores[395].

La prensa evolucionó, y también lo hizo la tauromaquia. La fiesta de los toros perdió su imagen de espectáculo primitivo para convertirse en una expresión artística en su aspecto interior y exterior. La clave de la revolución taurina se dio en los tres elementos que componen las corridas: el toro, el torero y el público. El toro: se impuso por parte del torero la selección del toro bravo; el torero: se rompió con la tradición clásica y mandaron la nuevas formas; y el público: ahora movido por otras inquietudes, sensibilidades y gustos más refinados, capaces de vitorear y glorificar estéticas taurinas revolucionarias.

Si en ruedo brillaron con luz propia *Joselito El Gallo* y Juan

---

395. SEOANE COUCEIRO, Mª C., y SÁIZ GARCÍA, Mª D. *Historia del periodismo en España*, Tomo III. Madrid: Alianza Editorial, 1996, p. 23.

Belmonte, en el periodismo ejerció su magisterio, por encima de todos, un nombre que supone un antes y un después en la información taurina: Gregorio Corrochano (1882-1931). Este periodista sucedió el año 1914 en el *ABC*, por orden de su director, Torcuato Luca de Tena, a Manuel Serrano García Vao (*Dulzuras*), "que estaba reputado como el crítico más sereno, desapasionado y detallista"[396]. Corrochano expuso en sus escritos, con excelente literatura y propósito pedagógico, su experiencia en el mundo de los toros para personalizar definitivamente el paso del relato taurino descriptivo a otro de carácter más valorativo. No se preocupó tanto de informar al milímetro, y sí buscó la complicidad con los espectadores haciéndoles sentir que el toreo era una forma artística que no dejaba a nadie indiferente. Desde su diario, el *ABC*, dio a la información taurina un soplo renovador a partir, sobre todo, del binomio *Joselito*-Belmonte. Ahora, la crónica impresionista de *Don Modesto* estaba en manos de Corrochano para no solo informar de los hechos ocurridos en el ruedo, sino también para interpretarlos, juzgarlos y alterarlos según el criterio del autor.

La honda huella que dejó Corrochano en el periodismo taurino hizo que crease escuela en los años posteriores. Ignacio de Cossio destaca el peso que ha tenido esta figura en la especialidad periodística taurina:

Desde Corrochano se hace crítica, dando una valoración más analítica, desplazando la pura reseña a un mero segundo plano, todo ello unido a un alto y depurado estilo literario que provocó toda una revolución en su época. Años

---

396.   FORNEAS FERNÁNDEZ, Mª C. *La crónica taurina actual*, p. 35.

después muchos autores han seguido la estela del maestro toledano[397].

El periodismo taurino del siglo XX continuó su evolución y entrado ya en el período de la posguerra encontró a otra de sus grandes plumas: Antonio Díaz Cabañete, comentarista en los años cuarenta y crítico de *ABC* a finales de la década de los cincuenta. Fueron los años de la revista *El Ruedo*, publicación taurina por excelencia, derivada del diario deportivo *Marca* y perteneciente a la Prensa del Movimiento. Manuel Casanovas y Antonio Abad fueron las cabezas visibles de esta publicación, aunque por sus páginas desfilaron la mayoría de los periodistas taurinos que tuvieron algo que decir en esos momentos y que se propusieron acabar con una de las peores etapas del periodismo taurino español: la mayoría de los periódicos después de acabada la Guerra Civil tuvieron que cobrar a los cronistas taurinos por publicar sus trabajos. Estos lo que hicieron fue pedir a los toreros más de lo que valía el espacio para así ganarse un sueldo con la diferencia.

La causa principal que llevó a este lamentable episodio protagonizado por la prensa taurina española fue la deprimente época después de la contienda bélica. Los primeros años de la posguerra fueron tiempos difíciles para el periodismo en general: debido a la dificultad para editar prensa libre y, además, como consecuencia del encarecimiento del papel y la poca viabilidad económica que provocaba la escasez de la publicidad. Esta precariedad causó situaciones como la comentada: las crónicas taurinas puestas al servicio de los toreros que eran quienes pagaban a los periodistas. Esta modalidad informativa, que el escritor Demetrio Gutiérrez Alarcón califica de "prostituida"[398], fue empleada por muchos periódicos, entre ellos *La Van-*

---

397.   COSSIO Y PÉREZ DE MENDOZA, I. "El lenguaje documentado". En: GÓMEZ Y MÉNDEZ, J. M. (ed.). *Op. cit.* p. 57.

398.   GUTIÉRREZ ALARCÓN, D. *Los toros de la guerra y del Franquismo*. Barcelona: Luis de Caralt Editor, 1978, p. 111.

guardia[399], que decidieron transformar la información en publicidad. De esta manera, las crónicas las pagaban los toreros y los críticos taurinos se convirtieron en meros intermediarios que arrendaban su espacio en el diario a cambio de una suma económica anual, debiendo primero pagar al diario y luego preocuparse de cobrar del torero la información. Con este mecanismo el perjudicado fue el lector: la información apareció manipulada a través de floridas crónicas, donde siempre el torero era el triunfador, constituyendo un género nuevo de indudable calidad literaria. Gutiérrez recuerda la situación: "A partir de los años cuarenta y durante lustros, la crónica taurina, salvo contadas excepciones, será triunfalista, muy a tono con el triunfalismo imperante en el orden político"[400].

Lo que empezó siendo una experiencia de urgencia se extendió de tal manera a finales de los años cuarenta que ya no hubo críticas rebeldes. Se dice, incluso, que "algunos rotativos sacan a subasta sus secciones taurinas, para otorgarlas al mejor postor"[401]. Pero, incluso, en ocasiones, se empleó otra triquiñuela: no se pagaba directamente al crítico, sino a la administración del periódico a través de anuncios. Esta fórmula pudo dar una imagen de mayor limpieza, aunque la comisión del espacio publicitario la recibió el cronista, volviendo, entonces, al texto partidista y heroico del torero.

Gil es claro cuando retrata el resultado de esta lamentable práctica periodística. Después de recordar la leyenda de los

---

399. Conversación telefónica mantenida con Jaime Arias (†) el 7 de julio de 2009. El consejero de dirección de *La Vanguardia* afirma que en más de una ocasión se comentaba en la redacción los "sobres que se recogían en el hotel". Después, según Arias, se ironizaba del carácter "sobrecogedor" de la crónica publicada.

400. *Ibíd.* p. 112.

401. *Ibíd.* p. 134.

mozos de espadas en los hoteles de las grandes capitales españolas repartiendo sobres repletos de dinero con los que
comprar las indulgencias de los críticos, describe en pocas palabras el resultado de esta lamentable actividad de compra y
venta protagonizada por la prensa taurina española y que no
dejó satisfecho a todo el sector: "Lo que antes era una crónica
docta, especializada, independiente y seria, se va a convertir en
propaganda. Este va a ser el caballo de batalla que emprenda el
polémico Antonio Diaz Cabañete desde la tribuna del diario
ABC"[402].

Antonio Diaz-Cabañete (1898-1980) fue un escritor cos-
tumbrista inigualable. Si en alguna ocasión sus crónicas perdieron algo en juicios valorativos sobre la corrida, lo ganaron en
la descripción del ambiente, colorido y belleza que rodeaba el
festejo. Entre 1958 y 1972 ocupó la tribuna taurina del diario
ABC; como historiador aportó sus conocimientos en la obra
Los Toros de Cossío; colaboró en revistas como *La Fiesta* y *El
Ruedo*, y fue autor de una extensa y prolífica obra, entre la que
destaca *Historia de una taberna* (1944).

Gil, en su tesis doctoral *La crónica periodística de Antonio Diaz-
Cabañete*, defiende la integridad de este cronista y su oposición
a la práctica generalizada que sus compañeros de profesión
adoptaron en aquellos años:

En virtud del amor a la fiesta de los toros, *ABC*, a través
de su cronista principal (Diaz-Cabañete) inicio una cruzada
para la regeneración de la fiesta. Independientemente de los
resultados obtenidos, lo sobresaliente de su actitud está en
los beneficios económicos que desaprovecharon tanto el

---

402. GIL GONZÁLEZ, J. C. *Evolución histórica y cultural de la crónica
taurina*, p. 167.

firmante como el medio. Su cronista no sólo no pagaba al periódico por comprar un hueco, sino que recibía sus honorarios correspondientes, como estaba previamente establecido. De esta forma, el periódico renunciaba a una rueda viciosa, pero ganaba enteros en cuestión de credibilidad e independencia informativa. Una muestra más de la integridad en la defensa del arte de torear[403].

El resultado de esta época fue que nunca estuvo la información taurina tan manipulada ni jamás existió una delimitación tan oscura de lo que era la publicidad e información. Hasta el punto, de que llegado el caso, el escándalo de la información taurina llegó a ser tan mayúsculo, que el torero Antonio Bienvenida denunció la situación alcanzando tal resonancia que debió intervenir el Gobierno. Esto le llevó al propio diestro las críticas de quienes lo acusaron de proporcionarse publicidad gratuita en el momento de su mayor decadencia, sin contratos y, por tanto, corridas. La cuestión es que oficialmente se prohibió la actividad publicitaria de los periodistas.

La segunda mitad de siglo estuvo marcada por una información taurina marcadamente subjetiva, donde cronista y crítico taurino se convirtieron en un signo de identidad durante un contexto periodístico definido, en principio, por una Ley de guerra, fechada en 1938 que, a pesar de ser provisional, se mantuvo vigente hasta la aprobación de la Ley de prensa de 1966, conocida popularmente como la ley Fraga.

La dictadura franquista controló la dimensión informativa de la fiesta y utilizó de forma interesada la imagen de los toros como exponente de los valores del poder y de las constantes

---

403. GIL GONZÁLEZ, J. C. *La crónica periodística de Antonio Díaz-Cabañete*, p. 266.

dominantes de la cultura oficial: glorificó la figura del héroe como representación sublimada de las aspiraciones y experiencias de la ciudadanía, y desarrolló una intensa acción de dominio en torno a los factores identitarios del rito taurino (la identificación taurina con España asentado sobre fundamentos ideologizados). Estos dos factores provocaron que apenas se diferenciase entre información y propaganda y que apareciese para la maquinaria propagandística del régimen un instrumento ideológicamente integrador como fue en su momento la figura de *El Cordobés*, torero convertido en el icono del devenir posterior de la imagen de la fiesta, según Vellón[404], porque en él confluían tres factores fundamentales para las nuevas orientaciones que quería transmitir el Franquismo a los españoles: la aparente heterodoxia de su tauromaquia era sinónimo de novedad y era utilizada por la mentalidad del poder para compensar la privación de la libertad y la neutralización de transformaciones en el país; la imagen del diestro suponía la expresión de la verticalidad social en una época de desarrollismo, pues el trabajo, carácter y tesón de un hombre rural podía alcanzar el éxito, y la consolidación de una determinada imagen social de folclorismo *kitch*, que entroncó bien con la fiesta y se asoció mejor al turismo en plena época de márquetin de la costa española para el veraneo.

La irrupción de *El Cordobés* coincidió también con un cambio en el mundo periodístico taurino nacional por la aparición de un grupo de jóvenes profesionales empeñados en dignificar el oficio. En esta nueva generación de informadores destacaron Alfonso Navalón, Joaquín Vidal y Vicente Zabala Portolés, quienes, entre otras muchas acciones, consiguieron que se alertara sobre los abusos de afeitado y otras tropelías en el rue-

---

404.   VELLÓN LAHOZ, J. *Op. cit.* pp. 281 y 282.

do[405], pero sobre todo consiguieron levantar la deteriorada dimensión mediática de la fiesta, provocada por el lastre importante que arrastraba la imagen del espectáculo taurino durante el Franquismo, convertida en el exponente más rancio de españolidad.

La evolución del periodista taurino y de sus textos se manifestó las últimas décadas del siglo XX por la senda de la dignificación que la incomprensión de los propios taurinos y la dejadez de ciertos editores habían causado en la fiesta de los toros[406]. De un cronista taurino de mediados de siglo, como *K-Hito*, seudónimo de Ricardo García López, al ejercicio periodístico de Manuel Molés, imagen popular televisiva de toda una generación de autores que ejercen el periodismo taurino, existió una diferencia notable en los géneros de información y en sus formatos.

Una importante nómina de escritores taurinos debió adaptarse a los nuevos tiempos y ejerció la información a partir de nuevos soportes comunicativos. Empezó a recuperarse durante los años ochenta un inusitado interés por lo taurino como materia informativa. Esto se produjo por el giro copernicano que experimentó la vida española a partir de la Transición, por la nueva tendencia legitimadora de la fiesta (dinamizada por la

---

405.   AZOFRA PEÑA, P. Mª. "Toros y Periodismo". *Centro Etnográfico del Toro de Lidia*. Salamanca: Junta de Castilla y León, 5 de febrero de 2009. http://www.cetnotorolidia.es/opencms_wf/opencms/system/modules/es.jcyl.ita.site.torodelidia/elements/galleries/galeria_downloads/Toros_y_Periodismo_baja.pdf [consulta: 28 de mayo de 2012].

406.   "El periodismo taurino como especialidad". *Taurología.com. Cuadernos de actualidad, análisis y documentación sobre el Arte del toreo*, 27 de febrero de 2012. Madrid: Docol Mediática, 2012. http://www.taurologia.com/periodismo-taurino-como-especialidad-profesional-1518.htm [consulta: 29 de mayo de 2012].

vertiente social del espectáculo) y por la implicación de los medios de comunicación para devolver la imagen de ls corridas a los lugares destacados de las tribunas públicas. Este espaldarazo informativo al espectáculo de los toros provocó, además, que los periódicos compitiesen frente a radios y televisiones en el terreno de la crítica o crónica taurina, obteniendo mayor credibilidad el papel escrito que los otros soportes comunicativos.

Parece contradictorio en un mundo dominado por las nuevas tecnologías, que un género tan clásico como el de la crónica taurina en la prensa escrita siguiese teniendo mayor influencia por su texto y por su firma en la opinión pública que cualquier otro medio informativo. La nueva sociedad de la información observó asombrada cómo en la mayoría de medios de comunicación, el discurso crítico del cronista taurino, en ocasiones hasta barroco, convivía y competía con nuevas propuestas de ocio y renovados criterios informativos. Plumas como Vicente Zabala de la Serna, Ignacio Álvarez Vara *Barquerito,* José Luis Carabias, Carlos Abellá, Andrés Amorós, Fernando Fernández Román o Javier Villán, entre otros, ofrecieron con sus aportaciones periodísticas a principios de siglo, en franco retroceso respecto a la cantidad de aportaciones durante la década anterior, un punto de prestigio y de valor a los triunfos legítimos de los toreros. Y entre estos autores, sobre todo, sobresalió Joaquín Vidal, un valor supremo y memorable en la prensa taurina. Su huella, imborrable, está presente en la historia del periodismo taurino por su temple literario y profundo conocimiento de la tauromaquia.

Para finalizar este capítulo, además de la gran solidez intelectual y prestigio cultural de los escritores taurinos, una de las razones para que siguiese teniendo mayor relevancia la información impresa fue por la progresiva marginación de la fiesta de los toros en las principales cadenas de televisión. Todavía por arraigar la noticia taurina en los portales taurinos *online*, la competencia que habían ejercido las televisiones, principalmente, las cadenas privadas, decayó brutalmente. Después de convertir el espectáculo taurino como objeto de contemplación a través de la figura mediática de *Jesulín de Ubrique*, perdiendo el festejo su naturaleza original para convertirse en un discurso audiovisual ficticio, juzgado por comentarios simples, estas televisiones demostraron la sensibilidad que manifiestan ante las oscilaciones de mercado que determina la opinión pública y pasaron a la más absoluta marginación ante el temor de que el debate social en torno a la fiesta pudiese afectarlos para su modelo de negocio[407].

8.2. El interés por la información taurina en los medios impresos catalanes

Informar sobre la fiesta de los toros nunca fue tan difícil en Cataluña como la primera década del siglo XXI. Hasta el año 2004 fue un ejercicio cada vez menos habitual para la prensa escrita, que comenzó a restarle importancia al acontecimiento taurino en sus páginas cuando empezó a fraguarse el proceso de abolición que acabó desencadenando la prohibición de la fiesta de los toros en Cataluña. Las campañas de las protectoras de los animales y la identificación de la fiesta con la esencia patria, o como símbolo de españolidad, existieron mucho antes del año 2010 en una Cataluña tolerante con la expresión libre y espontánea del pueblo. Porque en la comunidad catalana desde siempre taurinos y antitaurinos convivieron bajo el respeto, sin el cinismo y el acoso de los últimos tiempos de la fiesta.

---

407.   VELLÓN LAHOZ, J. *Op. cit.* pp. 287 y 288.

Con una tauromaquia arraigada, respetada y aclamada en el territorio catalán, no sorprende que la bibliografía taurina catalana sea más extensa de lo que se puede llegar a pensar. Durante tres siglos muchos fueron los escritores, periodistas, intelectuales y artistas catalanes que se interesaron por la fiesta de los toros y que lo dejaron plasmado con sus textos en los medios de comunicación. También demostraron un gran interés por la aventura editorial especilizada, embarcándose en la creación de un número indeterminado de publicaciones editadas desde mediados del siglo XIX, y que con el paso de los años fueron languideciendo, pero que confirmaron con sus contenidos que, fomentando el crecimiento de la fiesta, cimentaron una prensa taurina especializada en Cataluña.

8.2.1. Los primeros pasos de la prensa taurina catalana

El nacimiento de la prensa taurina en Barcelona se sitúa a inicios del siglo XIX, que es cuando aparece la primera de las relaciones de fiestas de toros que se edita en la Ciudad Condal. Ricardo Huertas López, en su trabajo de final de carrera detalla esta relación:

> Relaciones de las diversiones, festejos públicos y otros acaecimientos que han ocurrido en la ciudad de BCN, desde el 11 de septiembre hasta principios de noviembre de 1802, con motivo de la llegada de SSMM. Y AA., a dicha ciudad. Con licencia, Barcelona. Por la compañía de Jordi, Roca y Gaspar[408].

---

408. HUERTAS LÓPEZ, R. *Op. cit.* p. 6.

Aunque Huertas indica esta relación como el origen de la prensa taurina en Barcelona, no deja pasar por alto otro documento que el autor considera como la primera crónica catalana. Se trata de un escrito en la hoja del dietario del notario escribano Joan Llorent Calça, correspondiente al 25 de julio de 1544, festividad de Santiago Apóstol, donde aparece una anotación sobre esta celebración bajo el mandato del virrey, marqués de Águila, lugarteniente general del reino, con los siguientes términos: "En este día, el señor marqués y lugarteniente general, con muchos caballeros, celebró fiesta de los toros en El Borne. Fue un suceso agradable"[409].

La prohibición real que pesó sobre la fiesta (1805) y, posteriormente, la guerra de independencia española (1808-1814), arrinconaron la actualidad taurina en Barcelona durante un buen tiempo. Al reanudarse, una incipiente actividad editorial de periódicos y revistas taurinas barcelonesas comenzaron a salir al mercado demostrando el interés por los espectáculos taurinos que sentía el aficionado catalán. De esta manera, se tiene noticia en 1852 de la primera revista taurina en Barcelona, *La Lid*. Se desconoce con exactitud la fecha de salida, formato y propiedad, pero demostró que se estaba viviendo un momento de entusiasmo taurino en Barcelona.

Con la clausura de la plaza de toros de la Barceloneta, y con ello la ausencia de festejos durante un tiempo, se enfriaron los ánimos y no volvió a publicarse una revista hasta diez años después de *La Lid*. Fue, concretamente, el 18 de octubre de 1862 cuando apareció el periódico taurino *Fra Diávolo*, cuyo subtítulo decía: "Revista semanal de literatura, ciencias, artes, teatro, moda y toros". Con una línea literaria y crítica, estuvo dirigida por Santiago Infante de Palacios y editada por Miguel

---

409. *Ibid.* p. 8.

Labalsa y Oliva. Las crónicas estaban firmadas por el seudónimo *El lego Antolín*, y cuando se celebraba en Barcelona una corrida se amplió la revista una hoja más.

Fra Diávolo duró un año y 40 días, escaso tiempo, pero el suficiente para mostrar por su experiencia editorial qué sucedería en años posteriores: los diarios generalistas incorporarían al escritor taurino especializado en sus páginas y las revistas adquirirían la dinámica empresarial de nacer en la temporada y morir con ella, moviéndose muchas de ellas en la mediocridad a partir de pruebas vacilantes de editores y redactores que, en busca de atraer lectores, no acertaron casi siempre en el producto. En general, fueron revistas que abusaron de comentarios satíricos, matices históricos y anécdotas de tiempos pasados y textos referentes, muchas veces, a otras plazas.

8.2.2. El aumento de la información y la proliferación de publicaciones

Este nuevo mundo editorial arrancó en 1874 y, desde entonces, y hasta la Guerra Civil, no pasó año que los lectores catalanes contasen en sus manos con nuevas cabeceras taurinas. Ese 1874 fue cuando se reanudaron las corridas en Barcelona y apareció la revista *Pepe-Hillo*, iniciando un tiempo de vitalidad del periodismo taurino catalán ante el resto de España que hasta ese momento era desconocido. Rafael Cabrera en su artículo *Dos prohibiciones políticas de la fiesta taurina en la Barcelona del siglo* XIX[410] testimonia este hecho ofreciendo un detallado listado de revistas publicadas en Barcelona entre 1852 y 1900, don-

---

410. CABRERA BONET, R. "Dos prohibiciones políticas de la fiesta taurina en la Barcelona del siglo XXI". *Aula de tauromaquia III*, p. 294.

de se contabilizan hasta 128 cabeceras, distribuidas en revistas, semanarios, periódicos, etcétera. Entre ellas, destacar *La Lid* (1852), *Fra Diávolo* (1863), *Pepe-Hillo* (1874), *La Alternativa* (1888), *El toreo en Barcelona* (1889), *La coleta* (1990), *Toros y melones* (1892), *Sol y Sombra* (1894), *Barcelona taurina* (1896), *La Tienta* (1897) o *El Arte del toreo* (1899).

En la segunda mitad de la centuria fue cuando el ilustre catalán Víctor Balaguer Cirera (1824-1901), político, poeta, historiador y dramaturgo, escribió de toros en el *Diario de Barcelona* bajo el estilo del revistero, firmando sus textos con las iniciales V.B. En sus crónicas taurinas introdujo eficazmente la forma poética, ya utilizada pero muy de moda por aquellos tiempos, intercalando ingeniosos versos y detalladas descripciones de las proezas de los jerarcas del toreo.

Otro de los protagonistas de aquellos tiempos fue Rossend Arús i Arderiu[411] (1847-1891), periodista y dramaturgo, cronista taurino y fundador en 1874 de la revista *Pepe-Hillo*. Entre Balaguer y Arús iniciaron una relación estrecha entre el mundo intelectual catalán y la crítica taurina que siempre ha perdurado y que ha sido signo de identidad de la cultura taurina de esta comunidad[412]. En este sentido, las prestigiosas colaboraciones de escritores taurinos catalanes, de un agudo y penetrante espíritu crítico, llegaron también aquellos años de la mano del bar-

---

411.   Rossend Arús i Arderiu (1845-1891) donó a su muerte a Barcelona su vivienda, una joya arquitectónica y con una extensa colección de libros, para que la ciudad hiciese una biblioteca pública. Hoy este centro cultural, situado en el Paseo Sant Joan, nº 26, conserva uno de los fondos bibliográficos más importantes de Europa del tema del movimiento social y obrero del siglo XIX y principios del XX. Curiosamente, en todo el catálogo no hay una sola referencia taurina de la profusa obra escrita por Arús, quien llegó a dedicar poemas en catalán y español a la fiesta de los toros.

412.   GONZÁLEZ MORENO-NAVARRO, A. *Op. cit.* p. 152.

celonés Mariano Armengol i Roca, médico y empresario, quien usó los seudónimos *El Barbián* y *El Acústico* en numerosos trabajos publicados en el semanario *El Toreo de Barcelona*, publicación fundada por su hijo Mariano Armengol y Castañé (*Verduguillo*). Otro de ellos fue Miguel Moliné i Roca, bajo los seudónimos *Regatón* y el popular *Caricias*, firmando como revistero, entre otros periódicos, en *El Diario Mercantil*, *El Noticiero Universal* y *La Publicidad*. Sin olvidar los numerosos escritos de Francisco de P. Miró (*Segundo Toque*) en *El Diluvio* y en *El Noticiero Universal*, Juan Franco del Rio (*Franqueza*) en *El Liberal* o las colaboraciones firmadas por el crítico taurino *Don Salustio* (seudónimo ocasional del periodista Josep Artís)[413] en el diario *La Publicidad*.

La evidencia de que la fiesta de los toros en Cataluña fue un tema periodístico latente se debió a que la afición crecía, se multiplicaban los festejos y las perspectivas del toreo no podían ser más optimistas. Los escritores firmaban con seudónimos quizá fruto de la escasa comprensión que se fomentó —y que algo arraigó— entre la intelectualidad y los toros. Todo era un verdadero negocio taurino en aquellos años de la segunda mitad del siglo XIX, donde solo Madrid superaba a la capital catalana en número de revistas especializadas[414].

---

413.   Josep Artís i Balaguer (1874-1956) fue un reconocido periodista catalán, redactor jefe de *El Día Gráfico*, especializado en cultura y el constumbrismo barcelonés. Su presencia en *La Publicidad* a partir de 1915 supuso que le imprimiese a este diario un tono más catalanista. Su hijo, el periodista, escritor y dibujante Andreu Avel.li Artís i Tomás (1908-2006), quien firmó siempre en la prensa como *Sempronio*, fue nombrado cronista oficial de Barcelona en 1972 por el Ayuntamiento de la ciudad y recibió de la Generalitat la Cruz de Sant Jordi en 1987.

414.   CABRERA BONET, R. "Dos prohibiciones políticas de la fiesta taurina en la Barcelona del siglo XXI". *Aula de tauromaquia III*. p.293.

La situación poco cambió con el nuevo siglo[415]. La tónica siempre fue la misma: los intelectuales y el mundo de los toros de la mano. Las revistas continuaron mostrando su vitalidad hasta el inicio de la Guerra Civil, con cabeceras tan prestigiosas como *La Fiesta Brava* (1926), de José Villar Jiménez (*El Doctor Vesalio*), o la revista *Oro y Plata*, de Eduardo Gil Gargallo, con el subtítulo de "Semanario decano de la prensa taurina de Barcelona".

La realidad es que con la Guerra Civil se frenó la incipiente producción periodística taurina catalana hasta acabar desapareciendo por completo[416]. No volvió a publicarse desde la contienda bélica otra revista hasta el 31 de marzo de 1945, cuando apareció el semanario *El Monosabio* (1945). Después se publicaron *El Programa* (1950), *Brindis!!* (1954) y *La Terraza* (1956), las tres últimas cabeceras que se editaron en Barcelona hasta 1981, año que el aficionado Juan López *Juanele* funda la revista *Caireles*. Dirigido por él hasta el año 2009, hoy su director y editor es Fernando del Arco de Izco, fundador en Barcelona del Círculo Taurino Amigos de la Dinastía, y quien en diciembre de 2013

---

415. La normalidad editorial entrado el siglo XX se manifestaba por repetir el panorama de finales de la centuria anterior: aparición y desaparición de revistas en una misma temporada. En: PIZARROSO QUINTERO, A. "Notas para una historia del periodismo y de las publicaciones taurinas en Cataluña. *Gazeta*. Nº 1.Barcelona: Societat Catalana de Comunicació, 1994, p. 307.

416. Alejandro Pizarroso afirma en su capítulo "Notas para una historia del periodismo y de las publicaciones en Cataluña" que en 1954 la revista *Brindis!!* fue la última publicación editada en Cataluña. Esta afirmación se pone a discusión con la lectura del libro de Raúl Felices, *Catalunya taurina*, pues este autor añade dos años más tarde a la lista de publicaciones la revista *La Terraza* (1956-1963). Después, si se fueron publicando revistas y boletines de peñas, asociaciones y entidades taurinas, ya sin ningún ánimo de lucro, que todavía perduran, como la publicación anual *Caireles*. *Ibid.* p. 308.

logró lanzar el número 32 de esta revista, la única publicación taurina catalana en la actualidad, aparte de todas aquellos boletines que se distribuyen entre socios y familiares de las peñas taurinas de Cataluña.

En cambio, las informaciones de toros en la prensa generalista fueron un presente y un activo en todos los diarios hasta finales de los años noventa[417]. Muchos de los escritores que firmaron sus textos a lo largo de la segunda mitad del siglo XX se formaron de aquellas tertulias de intelectuales que, en torno a *Manolete*, solía reunirse en el restaurante *Can Solé* de la Barceloneta. Todos ellos leían desde la primera a la última palabra la información taurina publicada en la prensa catalana, hacían sus colaboraciones o, incluso, llegaban a escribir sus propios libros. Y como había sucedido en épocas anteriores, el caso fue que arquitectos, periodistas, escritores, editores, artistas, científicos o banqueros, dejaron testimonio de su pasión taurina a través de una admirable literatura, gran apasionamiento y excelente conocimiento del arte taurino.

De esta manera, ya desde Víctor Balaguer, fueron muchos los escritores taurinos catalanes que destacaron en las páginas de la prensa barcelonesa. Si ya hemos mencionado unos cuantos antes de acabar el siglo XIX, se puede citar en las primeras décadas del siglo XX[418] las siguientes colaboraciones: en el diario

---

417.   Incluso el diario catalanista *Avui*, desde 1976, año de su inauguración, hasta 1998, estuvo publicando las críticas de las corridas en la Monumental. Después, despareció y solo volvió con información de la temporada barcelonesa cuando toreó José Tomás o algún diestro de interés para la prensa del corazón.

418.   Los datos de críticos que aparecen a continuación están tomados del capítulo "Notas para una historia de periodismo y de las publicaciones taurinas en Cataluña", de Alejandro Pizarroso Quintero, publicada en *Gazeta*, n° 1, 1994. *Ibid.* pp. 303-314.

El Diluvio escribieron, entre otros, José Costa Casanova (*Rigores*), Jerónimo Serrano Domenech (*Azares*); en *La Vanguardia, Curro*[419] y Antonio Galiana; Antonio Pallardó (*Tío Merejé*), en *Las Noticias*; y Ángel Elías Riquelme, en *El Noticiero Universal.*

Una figura única fue *Don Ventura.* Buenaventura Bagüés y Nasarre de Letosa, como así se llamaba, nació en Torralba de Aragón (Huesca) el 14 de abril de 1880 y falleció en Barcelona el 4 de marzo de 1973. Fue crítico a partir de 1936 en el *Día Gráfico* y prosiguió en la *Hoja del Lunes* hasta 1960, además de dirigir el semanario taurino barcelonés *El Programa.* El crítico *Don Ventura* está considerado uno de los grandes maestros de la escritura taurina catalana. Conocedor del toro de lidia y del arte de torear, sempiterno investigador, escritor clásico, crítico y ameno, sus textos gozaron de envidiable prestigio entre la afición barcelonesa por su rigor en la historia del toreo.

Rafael Manzano (1917-1998), en los diarios *Solidaridad Nacional* y *Hoja del Lunes* (1943) y en las publicaciones especializadas *El Ruedo* y *Fiesta Nacional,* se convirtió con su rigurosa pluma, clara y erudita, en uno de los grandes escritores taurinos. Discípulo de *Don Ventura*, mantuvo el clasicismo crítico de su maestro con precisa objetividad.

Más avanzado el siglo, también dejaron huella en *Solidaridad Nacional*, Antonio Álvarez Solís, primero, y el poeta madrileño José Silva Aramburu, luego; Fernando Gudel Fillat (*Fegufí*), en el *Diario de Barcelona*; Eduardo Palacio Valdés y Julio Ichaso en *La Vanguardia*; y desde 1945, José Soler Poch (*Domingo*) en *El Correo Catalán.*

---

419.   Alejandro Pizarroso Quintero comenta la dificultad para descubrir la identidad de este crítico taurino. Según sus datos podría tratarse del escritor taurino Francisco Villa, advirtiendo que escribiría muy joven aquellas crónicas taurinas si fuese realmente él. *Ibid.* p. 308.

Algunos nombres más recientes que han lustrado el ejercicio del periodismo taurino en Cataluña son el escritor Néstor Luján, con sus crónicas en la revista *Debate*; el psiquiatra Mariano de la Cruz, el arquitecto Antoni González y el banquero Paco March en *La Vanguardia*; el periodista y gran maestro de los escritores taurinos Antonio Santainés Cirés, cronista en numerosas publicaciones, como en los periódicos *Correo Catalán*, *Diario de Barcelona* o *Avui*; Juan Soto Viñolo en *El Periódico de Catalunya*, Pau Nadal en *El País*. Tampoco hay que olvidar, entre otros, a Fernando Vinyes, Ricardo Huertas, Juan Antonio Polo y a la Asociación de Críticos e Informadores Taurinos de Cataluña, con Ángel Saa y José María Alarcón.

8.2.3. El texto taurino en catalán

Con el final del Franquismo comenzó a aparecer como novedad una crítica taurina publicada en catalán a través del diario *Avui*, textos escritos por los cronistas taurinos Antonio Santainés Cirés y Antoni González, este último también en el *Diari de Barcelona*. En el *Diari de Girona* escribieron igualmente en catalán Joan Colomer Camarasa y Pere Joan Palia. Sin olvidar las colaboraciones esporádicas en algún medio catalán de Salvador Boix, crítico taurino y hoy famoso por haber sido hasta el año 2013 el apoderado del torero José Tomás, como miembro de esta corriente intelectual que ha enriquecido la catalanidad de la fiesta demostrando que existe hasta una lingüística taurina catalana.

Antoni González, excronista taurino de *La Vanguardia*, es uno de los periodistas que más ha investigado sobre la fiesta en Cataluña y a quien todos señalan como el principal renovador del lenguaje taurino catalán. Él destaca la fortaleza y calidad de los autores catalanes para demostrar el peso que tuvieron en la tauromaquia de su comunidad. Y recupera para ello las palabras del crítico madrileño Ignacio Álvarez *Barquerito* publicadas en el *Diario 16* en 1986: "Barcelona cuenta con el grupo de escritores de toros mejor preparado de España y, probablemente, el que mejor trabaja en bloque para recuperar el prestigio taurino de la ciudad"[420].

La realidad para los escritores catalanes es que entrado el siglo XXI la fiesta de los toros decayó hasta tal punto que se podía haber muerto lentamente por discutibles incompatibilidades. Aquel peso de Cataluña en la tauromaquia, con plazas, toreros, leyes y tradiciones creadas en sus ruedos[421] se consumió por el desgaste que causaron la escasez de ganaderías propias, la competencia de otros espectáculos, la implantación de leyes (prohibición de entrada a menores, protección de los animales), el cierre de las plazas, y las presiones políticas y culturales. Motivos que se fueron sofocando mientras los taurinos pudieron hasta que acabaron entregados a la hoguera de los políticos, quienes en julio de 2010 dieron en el Parlamento la estocada definitiva a 624 años de tradición taurina en tierras catalanas.

Con la decisión de la prohibición de los toros en Cataluña, Raúl Felices publicó su *Catalunya taurina. Una historia de la tauromaquia catalana de la Edad Media a nuestros días*, donde rindió tributo al sólido periodismo taurino catalán, dedicando un capítulo muy amplio a investigar la relación de firmas que contri-

---

420.   GONZÁLEZ MORENO-NAVARRO, A *Op. cit.* p. 155.
421.   La música en las corridas tiene su origen en Cataluña. El 13 de mayo de 1877 en la plaza de toros de El Torín el público empezó a pedir que sonara música por una memorable faena del torero cordobés Rafael Molina *Lagartijo*. La banda del maestro Sempere hizo sonar aquella tarde por primera vez durante una faena un pasodoble en una plaza de toros.

buyeron a relatar y a comprender la fiesta de los toros en la prensa catalana para dejar claro que la vinculación entre cultura, periodismo, política y toreo fue una constante en toda la historia de la tauromaquia catalana.

En este sentido, y para finalizar, destacar la gran cantidad de ilustres creadores en todos los campos de las artes que admiraron y recrearon el mundo taurino catalán. Entre estos intelectuales y artistas catalanes Joan Miró, Salvador Dalí, Néstor Luján, Javier Mariscal o Albert Boadella, entre otros. Cultura, y también política, pues si bien muchos políticos demostraron públicamente su rechazo a la fiesta, otros, como los presidentes de la Generalitat Francesc Macià, Lluís Companys y José Montilla, mostraron su afición presidiendo o acudiendo a las corridas de toros.

9. Descripción de la temática taurina en *La Vanguardia*

El tratamiento que *La Vanguardia* dispensó a lo largo de su vida a la información taurina nunca ha sido objeto de estudio. Sobre el diario y la familia se han escrito algunas historias y biografías, numerosos artículos y más de un trabajo de investigación, pero poco más. Lo que hay ahora publicado sobre el tratamiento informativo que ha tenido este diario hacia la tauromaquia es parco en documentación y poco exacto en su periodización. Por eso, aquí trataremos de dar más luces sobre este tema que parece haber pasado de puntillas en la historia del periódico de Godó y que es importante para nuestros resultados.

9.1. Periodismo taurino en más de un siglo de historia

La Vanguardia se vistió de luces la primera vez el 1 de febrero de 1881. Lo hizo en un momento preciso, cuando quienes debían ser sus principales competidores, el *Diario de Barcelona* y *El Diluvio*, se mostraban más apáticos que nunca. Además, lo hizo en el momento adecuado para la prensa desde el punto de vista tecnológico, económico, político, social y taurino. Sí, taurino porque la fiesta de los toros estaba en plena ebullición, con *Lagartijo* y *Frascuelo* escribiendo la primera Edad de Oro del toreo, con una prensa y unos cronistas volcados por el espectáculo de los toros y con la tauromaquia catalana en pleno ascenso, donde la actualidad taurina latía en sus páginas. Y sí, se leía, y en *La Vanguardia*, en contra de lo que algunos cronistas, con muy poco rigor, no han querido o no se han preocupado en estudiar. Algunos de ellos reconocen, como veremos a continuación, que no fue hasta el año 1939 cuando se empezó a escribir de toros en el diario por primera vez, tras la decisión de Luis Martínez de Galinsoga de autorizar a Eduardo Palacio Valdés a publicar las primeras crónicas taurinas en *La Vanguardia*. Pero esta información es falsa, pues la actualidad taurina ya estuvo presente en las páginas del diario hasta 1900, año que la familia Godó, contraria a la fiesta, decidió definitivamente que su periódico abandonase la actualidad taurina de las corridas de toros en Barcelona para silenciarla en sus páginas durante 40 largos años de su historia.

En este sentido, hay que despejar algunas de las grandes dudas que la bibliografía catalana recoge sobre el tratamiento informativo de los toros en los 129 años que separan la fundación de *La Vanguardia* de la prohibición de los toros en Cataluña. Por ejemplo, no son rigurosos ni exactos Josep Mª Huertas[422] ni Rafael Abella, padre del crítico taurino José Abella, quien califica la crónica impresa el 30 de mayo de 1939 de "novedad insólita porque desde su fundación en 1881, el diario

---

422. Josep Mª Huertas afirma rotundamente que Palacio Valdés introduce las críticas taurinas "en un diario que nunca las había tenido". En: HUERTAS CLAVERÍA, J. Mª. *Op. cit.* p. 147.

había ignorado las corridas de toros en seguimiento de unos principios"[423].

El hecho de que *La Vanguardia* no le diese la espalda a la fiesta de los toros en sus primeros años se debió a una necesidad coyuntural y al principio que rige el periodismo: publicar la actualidad. Si bien en sus inicios fue un diario político, en el momento que tomó el rumbo informativo independiente en 1888 se buscó que el periódico reflejase con la mayor fidelidad posible la vida de Barcelona, luego la de Cataluña y después la de España. En esos momentos, Barcelona estaba frente a uno de los acontecimientos ciudadanos que habrían de marcar un antes y un después en la historia de la ciudad: la Primera Exposición Universal, celebrada en 1888. Barcelona inició una espectacular remodelación urbanística y propició la modernización de la ciudad que, como afirma Molina, "pasó de ser una urbe rutinaria y sosegada a convertirse en una metrópoli llena de energía, tensa y vivaz"[424]. Los barceloneses comenzaron a identificarse con su ciudad y a participar aún más de sus aficiones y espectáculos. El mundo de los toros era parte de vida de la ciudad y la prensa barcelonesa sabía hacer partícipes a los lectores de la actualidad taurina en sus páginas.

Prácticamente, toda la época de esos años ochenta del siglo XIX está recogida en la hemeroteca de la ciudad a través de un sinfín de informaciones publicadas en los diarios de Barcelona. No hubo un solo acontecimiento de relumbrón que no se informase de manera emocionante o dramática. Y los toros

423.   Rafael Abella recoge en el borrador mecanografiado que escribió para el centenario de *La Vanguardia* la siguiente declaración del escritor y periodista Josep Pla: "Tuvo que producirse una guerra para que *La Vanguardia* se ocupara de la información taurina, de la fiesta nacional". En: ABELLA BERMEJO, R. *Op. cit.* p. 30.

424.   MOLINA MORALES Mª V. *Op. cit.* p. 40.

calaron en aquellos tiempos en los ciudadanos para lo bueno y para lo malo: si bien el incremento del número de detractores aumentó, la afición taurina creció de una forma incontestable y apasionada en la capital barcelonesa.

9.1.1. La narrativa catalana y el mundo de los toros en la primera época del diario (1881-1888)

El tratamiento taurino en *La Vanguardia* no difirió los primeros años de lo que se venía haciendo en el resto de la prensa española. El interés por la actualidad taurina y las características del cronista se pusieron de manifiesto desde los primeros ejemplares a través de los carteles de las corridas y de las crónicas de lo que sucedía. Eso no quiere decir que otro tipo de informaciones no apareciese publicada en algunas de las dos ediciones, mañana o tarde, que lanzó el diario de Godó hasta el 21 de febrero de 1890, pues lo habitual hasta los primeros años del siglo XX fue informar en pequeños breves o relaciones de todo cuanto acontecía de importancia en el orbe taurino.

Los primeros ejemplares de *La Vanguardia* fueron bien sencillos y dieron la impresión de un cuadernillo de mano. De dimensiones reducidas —15 cm de ancho por 22 cm de alto—, el número de páginas fue de 16 (el primer número contó con 24 páginas), sin un claro cuidado a la hora de diferenciar las secciones y temas: lo normal fue que los anuncios y el santoral ocupasen la primera página del diario, para seguir a continuación la relación de espectáculos que, en muchas ocasiones no se iniciaba hasta la segunda página por el vasto tratamiento publicitario de la portada. Después se publicaban dos o tres páginas de noticias diversas, casi todas de Barcelona, que no contaban con título propio. Algún título de fondo y las corresponden-

cias, recibidas de fuera, llenaban tres o cuatro páginas. También había notas marítimas y alguna necrológica. Una nutrida
colección de anuncios, que podían ir desde la venta de pianos
hasta la consulta de enfermedades venéreas, llenaba las últimas
páginas del diario. El contenido se ajustaba a los géneros propios de la redacción de la época, como era el comentario y la
crítica, aunque comenzaba a publicarse alguna que otra crónica. El hecho de que tratase la información a través de la opinión se justificó por su influencia política.

El 23 de febrero de 1881 se anunció en la portada del diario
que a partir del primer día del mes de marzo se publicaría una
edición de mañana y otra de tarde, conteniendo esta "por lo
menos ocho páginas de texto"[425]. Como hacían muchos diarios
de la época, la portada matutina se destinó prácticamente a la
publicidad y la vespertina, casi exclusivamente, a la información.

Aunque no sea la publicidad objeto de estudio en este libro,
cabe destacar por su protagonismo en un impreso de escaso
contenido y páginas que la información taurina el primer año
de vida del diario estuvo presente como publicidad y noticia,
ganando por su diseño y extensión un peso específico en el
contenido y formato del diario:

• Publicidad: cuando se trataba del anuncio de la corrida el
criterio de ubicación dependía de la edición del diario. Si se
trataba de la edición matinal se presentaba en la segunda página del diario, en la sección Espectáculos, con otra tipografía, cuerpo de letra y recurriendo a elementos tipográficos
como filetes para diferenciarla del resto de información. En
la edición vespertina aparecía en la primera página como úni-

---

425. *La Vanguardia*, 23 de febrero de 1881.

co anuncio y bajo los mismos criterios tipográficos de la versión matinal, por lo que el anuncio era el mismo y se publicaba sin alterar una coma del contenido ni del tipo de letra y recursos estilísticos. Su contenido se limitaba a detallar el lugar, horario y los protagonistas del festejo. Un cartel, para que nos entendamos, muy parecido a los que se anuncian actualmente.

• Noticia: la información de las corridas de toros tuvo un tratamiento diferenciado. Podía salir tanto en la edición matinal como en la vespertina, y ocupaba dos páginas de extensión. Nunca fue la primera noticia del día: apareció a continuación de la Crónica Local, presentándose bajo el título Toros y un subtítulo que indicaba el número de la corrida de abono. El tratamiento que recibió fue el modelo que los últimos revisteros de toros imprimieron a sus informaciones: prescindir de los detalles de la lidia que habían reseñado en los primeros tiempos, para hacer literatura en torno a la fiesta, bajo un tono cada vez más subjetivo siguiendo el desarrollo de la lidia, excepto en la introducción. En este caso, las primeras crónicas aparecieron firmadas bajo el seudónimo de *Aquel*, por lo que se entiende que muchas veces fueron aficionados quienes hicieron sus colaboraciones y que prefirieron no desvelar su nombre.

La primera información que publicó *La Vanguardia* sobre la fiesta de los toros fue casi tres meses después de salir el diario. El miércoles 25 de mayo de 1881, en la edición matinal[426] y en la de la vespertina (en portada para este caso), se anunció la primera corrida de abono de la temporada en la plaza del To-

---

426. En la hemeroteca de *La Vanguardia* la edición de la mañana se identifica como "General" y la vespertina como "Tarde" durante los años que el diario mantuvo dos ediciones.

rín, a celebrar el 26 de mayo de 1881, al día siguiente[427]. Bajo el título "Plaza de Toros de Barcelona", en un cuerpo y tipo de letra diferente, se daban más datos de la primera función de abono, a cargo de la ganadería de Carlos López Navarro para los lidiadores Rafael Molina *Lagartijo* y Manuel Molina. Este mismo cartel se repitió al día siguiente en la edición de la mañana (edición general), pero ya en la tercera página del diario incluida en la sección Espectáculos[428].

El comentario de la corrida, que bien podemos utilizar como crónica por la cantidad de elementos que la información adopta de lo que será posteriormente el género (cronología, interpretación, firma, conocimiento, etc.), pero que el mismo responsable califica en un momento de su argumentación como "reseña", apareció el viernes 27 de mayo de 1881[429] con un discurso de inicio contundente al afirmar el autor la castellanización de la fiesta y el buen ejemplo de los catalanes por "importar" una tradición de fuera. El carácter del diario, inscrito como prensa de opinión, da la razón de ese primer párrafo escrito justo bajo el título Toros, Primera corrida de la Temporada, y que el diario se preocupó de diferenciarla con un recurso tipográfico del desarrollo de la corrida. No volvió a repetirse esa introducción en las siguientes colaboraciones de *Aquel*.

Este rótulo temático fue parecido a la presentación que otros diarios de su tiempo hicieron. En este caso solo fue una palabra: Toros, cuya labor se encaminó a diferenciarse temáticamente unos textos de otros. El acompañamiento de recursos gráficos (como los filetes) incluso, de un subtítulo, Primera

---

427.   *La Vanguardia*, 25 de mayo de 1881, p. 2.343 [edición General] y *La Vanguardia*, 25 de mayo de 1881, p. 2.357 [edición Tarde].

428.   *La Vanguardia*, 26 de mayo de 1881, p. 2.367 [edición General].

429.   *La Vanguardia*, 27 de mayo de 1881, p. 2.390 [edición General].

Corrida de Abono, demostraba un orden informativo, con cierta voluntad estética y una intención de mejorar la legibilidad de un texto que no iba a columnas y que tenía una sólida maquetación a texto corrido, combinando de la mejor manera los oscuros (las letras) con los blancos (huecos dejados entre los distintos textos del periódico). La clara división en párrafos hizo que en ocasiones el texto se dividiese según transcurría el festejo, acercando esta modalidad a la vieja y clásica tipología de las reseñas taurinas[430]. El resultado fue convertir la narración en un todo global.

El contenido de esas primeras colaboraciones huyó del modelo clásico de las revistas de toros, aun siéndolo, para evolucionar a la crónica. Rompió con algunas de las estructuras del pasado, como fue que el autor fuese un mero espectador de la función taurina, sin voz ni voto, pero siempre sujeto al corsé cronológico del festejo. Las unidades temáticas de la crónica (toro, torero y público), la arbitrariedad, el enjuiciamiento, la ficha técnica y otros muchos aspectos que se conformarían a la vuelta del siglo se esbozaron en estas primeras narraciones. A través de una descripción cronológica se aportaron los datos más significativos del festejo y el autor demostró un dominio ejemplar del vocabulario y la historia de la tauromaquia con sus aportaciones.

La relevancia que obtuvo la información taurina en *La Vanguardia* el primer año de existencia no tuvo continuidad los años posteriores. Solo en 1882 tuvo tanto protagonismo como aquel primer año, pero con el tiempo, ni el contenido, ni la firma, ni el tratamiento, ni la periodicidad, lograron estar a la altura del interés público. Celebrar una corrida en Barcelona no

---

430. GIL GONZÁLEZ, J. C. *Evolución histórica y cultural de la crónica taurina*, p. 109.

fue siempre sinónimo de información: así, los festejos celebrados el 4 y 6 de mayo de 1883, por ejemplo, con la presencia de *Lagartijo*, si bien tuvieron publicidad en la sección de Espectáculos, mucho más reducida y limitándose en tres líneas a informar de la corrida, no recibieron su equivalente en la posterior información. Lo que demostró que la decisión final de la cobertura o publicación debió ser arbitraria y a expensas de disponer de un buen informador que pudiese ocuparse de cubrir el acontecimiento.

Pero vayamos a ese año 1882. Habían pasado 17 meses de la salida del diario y se mantenía con la misma continuidad e insistencia los anuncios de las corridas y con parecido tratamiento el desarrollo del festejo. La extensión siguió siendo la misma, unas dos páginas cuando se informaba, que no fue siempre, lo que en proporción al resto de informaciones fue muy alto; incluso, en ocasiones, con un avance en la segunda página, para después tener su crónica unas páginas más adelante[431]. Sin embargo, lo que cambió constantemente fue el autor, una de las prácticas habituales de esos años, y no del siglo siguiente. También variaron numerosos recursos gráficos (desapareció el subtítulo en ocasiones, se mantuvo el rótulo temático de Toros y se introdujo el ladillo Capítulo de peripecias) y el estilo fue diferente. Apareció en escena el seudónimo de *Pelacantos* para firmar en dos ocasiones la sección Toros (que en ocasiones no tuvo autoría). Este colaborador mostró una línea y coherencia semejantes a su antecesor, quizá abusando aún más de las interpretaciones y quebrando en algunas de sus colaboraciones la estructura clásica de la cronología del festejo que aplicaban los revisteros. Tenemos aquí un claro antecedente de la crónica

---

431.   *La Vanguardia*, 1 de julio de 1882, pp. 4.178, 4.184, 4.185 y 4.186 [edición General].

taurina, sobre todo, por la valoración y juicio que ofreció en sus textos sobre lo presenciado en el ruedo barcelonés[432].

Tampoco faltaron durante esos años la publicación de cualquier breve de noticias relacionadas con la fiesta de los toros en Crónica o en la sección Servicio Telegráfico Particular, tanto a partir de comunicados de la empresa, como incidentes en otras plazas o cualquier opinión sobre la fiesta de los toros. Aquí se reproduce una publicada el 12 de abril:

> Madrid 11, a las 6'30 de la tarde. —*Senado*—. Se aprueban los proyectos pendientes. El señor marqués de San Carlos, inspirándose en las últimas desgracias ocurridas en la plaza de toros de esta villa, pronuncia un sentido discurso contra las corridas.
>
> Le contesta el general Martínez Campos, exponiendo las dificultades de desarraigar de un golpe de nuestras costumbres la afición á aquel espectáculo; pero promete que el Gobierno se ocupará en el asunto y que adoptará las medidas que juzgue oportunas para disminuir los riesgos[433].

Los años 1883 y 1884 la información de lo que sucedió en los festejos se incluyó, cuando decidieron publicarla, en la sección Crónica, donde se publicaban las noticias de la ciudad. La trascendencia del acontecimiento, bien para criticarlo como para elogiarlo, tuvo un tratamiento preferencial, en muchas ocasiones hasta abriendo esta sección, pero sin la profundidad, extensión y cuidado como los escritores anónimos que *Aquel* y *Pelacantos* hicieron años anteriores. Eso sí, esta vez ya sin rótulo

---

432.   *Ibid.* pp. 4.184-4.186.
433.   *La Vanguardia*, 12 de abril de 1882, p. 2.332 [edición Tarde].

ni firma ni otro tipo de recurso gráfico que lo diferenciase del resto de noticias de la sección[434].

Esta despreocupación de *La Vanguardia* debió entenderse no por el desinterés por informar de la fiesta de los toros, que fue uno de los espectáculos preferidos de la burguesía catalana, que después acabaría adorando el diario de Godó, sino por la imposibilidad de contar con la colaboración de buenas plumas que se ocupasen de cubrir este tipo de información, comprometidas con otros medios de la ciudad.

La novedad que introdujo el diario con el inicio de la temporada taurina de 1885 fue recuperar de nuevo la unidad temática taurina. Los responsables del periódico seleccionaron toda la información de la corrida para hacerla pública casi siempre en el mismo lugar del periódico (págs. 3, 4 y 5). En el resto, siempre en un formato que ocupaba todo lo ancho a una columna, se publicaron las noticias, crónicas y notas de agencia donde años anteriores había cogido acomodo la información del festejo celebrado. Las informaciones taurinas siguieron apareciendo en esas relaciones sin ton ni son, ni diferencia temática. Lo que sucedió fue que en ese momento el texto del festejo celebrado en la plaza de toros de Barcelona recuperó un lugar estratégico y se desarrolló bajo el rótulo Revista de Toros[435]. Muchos años más tarde de lo que venían haciéndolo otros diarios españoles, *La Vanguardia* publicó bajo este epígrafe, casi en desuso en esos años ochenta, su información de los toros, pero con alguna que otra novedad, como la ausencia de firma, usual en estas revistas bajo la fórmula del seudónimo. Lo importante fue que se volvió a dar un paso para diferenciar la información taurina como unidad temática y se intentó conseguir

---

434. *La Vanguardia*, 26 de julio de 1883, p. 4.873 [edición General].
435. *La Vanguardia*, 25 de junio de 1885, p. 4.109 [edición Tarde].

que el receptor pudiese percibir la prioridad de las informaciones con una presentación estética del material informativo y un lenguaje acorde a las expectativas.

Los anuncios del cartel del festejo continuaron publicándose en los más diversos formatos, eso sí, reduciendo su espacio y protagonismo en el diario, pero publicándose con unos días de antelación para tener bien informado al lector.

Efímero fue el empleo del titular temático Revista de Toros en *La Vanguardia*. Tan solo un año, pues en 1886 se presentó el relato taurino bajo el título Plaza de toros y se recuperó, de nuevo, la firma. Prácticamente, todos los festejos, excepto aquellos que se incluyeron en la sección Crónica, fueron responsabilidad del colaborador *Escantillón*, quien en sus escritos mostró una clara estructura cronológica apoyándose en los tres ejes de lo que fue la futura crónica taurina: toros, toreros y público. Hasta el año 1887 llegó a firmar 14 relatos taurinos[436].

Curiosamente, en 1887, cuando se creó el primer reglamento taurino para la provincia de Barcelona, *La Vanguardia* apenas dio cuenta de esta novedad y se limitó solamente a citarla de paso en una de las noticias que compusieron la sección Crónica, justo 20 días después de promulgada:

La nueva empresa que ahora tiene á su cargo la plaza, ganosa de captarse las simpatías de los aficionados, ha introducido en ella notables mejoras, que eran de imperiosa necesidad, y ha dotado á la misma de un complejo reglamento que por orden del Excmo. Señor gobernador civil de la provincia, ha redactado el jefe actual de la sección de Vigilancia don Ramón Sánchez Jara[437].

---

436. Un ejemplo de los muchos escritos de este autor taurino se puede consultar en *La Vanguardia*, 5 de septiembre de 1887, pp. 5.570-5.572.

437. *La Vanguardia*, 30 de marzo de 1887, p. 1.983 [edición General].

Durante esos nueve largos años poco cambió *La Vanguardia* en su formato y contenidos. Mientras *Lagartijo*, Antonio Sánchez *El Tato*, Mazzantini, *Espartero* y *Guerrita* tuvieron su cartel en Barcelona, los directores que pasaron entre los mandatos de Pere Antoni Torres, en 1881 y Josep Roger i Miquel hasta 1887, se caracterizaron por mantener el diario de Carlos Godó con las mismas características con las que había nacido: un modesto y flaco periódico en número de páginas, donde primaba la política de partido sobre la información[438]. En esos años, el cuidado por los anuncios compartió protagonismo con el número de telegramas y con la información taurina, que se publicó constantemente y que se presentó en alguna de sus dos ediciones con tratamiento temático en las secciones de Crónica, Espectáculos o Correspondencias, que solo por el título y algún recurso estilístico se diferenciaron visualmente del resto de las informaciones publicadas en el diario de la familia Godó.

9.1.2. El tratamiento taurino en un nuevo modelo de periódico

El 1 de enero de 1888 *La Vanguardia* se estrenó como un periódico nuevo y diferente, con un formato muy semejante al actual, a cuatro columnas y sin alusiones a la política interior[439]. Lanzó dos ediciones, una de mañana con cuatro páginas y otra de tarde con dos, en un formato de dimensiones más que notables (33x49,50 cm) y con una media de unos 5.000 ejemplares de tirada. El estilo, en disposición vertical, fue un calco a cuatro columnas del modelo conservador que ofreció, a seis, los

---

438.   HUERTAS CLAVERÍA, J. Mª. *Op. cit.* p. 21.
439.   MOLINA MORALES Mª V. *Op. cit.* p. 45.

"Times" londinense y neoyorquino de la segunda mitad del siglo XIX[440]. Suprimido el subtítulo que lo definió como órgano del Partido Liberal, no acabó de desligarse de su sintonía política, pero pretendió convertirse en un diario informativo de la mano del periodista Modesto Sánchez Ortiz, quien durante los 13 años que estuvo dirigiendo el periódico de los Godó consiguió convertir esta cabecera de segunda fila en un medio de comunicación importante.

En esos años el periodismo había entrado en una nueva época, en otra orientación, en definitiva. Se multiplicaron el número de periódicos, se renovaron las cabeceras, aumentó el gremio de periodistas y comenzó a aparecer un debate deontológico en algunos diarios de Madrid. El periodismo taurino también tuvo su protagonismo: se debatió la idoneidad en algunos diarios de continuar dando relieve a la fiesta de los toros[441].

En *La Vanguardia* aún el tema taurino tuvo su espacio. Anunciado en el sumario, que se presentó bien detallado en la portada, hasta que los anuncios y las necrológicas lo desplazaron, los toros tuvieron igual protagonismo que otras secciones que durante esta época se consolidaron, como Correo Nacional, Correo Extranjero, Correo de Cuba y Puerto Rico, Correspondencias Particulares, Crónica Local, De todo un poco, Política Palpitante, Espectáculos, Noticias Teatrales, Noticias Marítimas y Servicio Telegráfico Particular, uno de los espacios más valorados. También se introdujo el folletín, que el diario regaló a sus suscriptores, y los anuncios económicos, que con el tiempo fueron la columna vertebral de la economía de *La Vanguardia*[442].

---

440. CASTRO SANZ, C. *Op. cit.* p. 9.
441. GUILLAMET LLOVERAS, J. *Op. cit.* p. 132.
442. HUERTAS CLAVERÍA, J. Mª. "Sis radiografies: '*La Vanguardia*', el diari més llegit". *Revista L'Avenç*, nº 18, julio 1979. Barcelona, L'Avenç, S.A., 1979, pp. 31-35.

El tratamiento de la información taurina poco difirió de la primera época del diario de los Godó. Primero se publicaba la publicidad del cartel de la corrida en la sección Espectáculos y un día después del festejo aparecía la crónica firmada, ahora, por *Curro*[443]. Bajo su autoría, este revistero demostró en *La Vanguardia* durante todo 1888 el ejercicio del género de la revista en su máxima expresión: una introducción sobre algún tema taurino de actualidad; la narración cronológica, toro a toro (que era lo más común), con apreciaciones de cuidada prosa y una lógica de la distribución del espacio informativo; y un resumen final y crítico sobre el festejo, considerado no como la suma de las diferentes partes, sino como una totalidad. A unas tres columnas, siempre a partir de la página 2 y finalizando en la 3 (de las cuatro páginas que tenía el diario) y con unos intertítulos de los toros y el resumen, centrados y en negrita, se demostraba que la información taurina había entrado en esas reformas profundas que Sánchez Ortiz había introducido en el periódico y encajaba perfectamente en los temas artísticos, literarios e históricos que comenzaban a tener una importancia capital[444].

En los años siguientes, el tratamiento que la información taurina recibió no cambió en casi nada. Solo cambiaron las firmas, como en temporadas anteriores, con el relevo periódico cada año del colaborador. Así, *Curro* dio paso a *Reservista* (1890), después a *El Malagueño* (1892), *Palitroques*, *B.R.*, etcétera. Ninguno de ellos desentonó ni se desvió de la línea que *Curro* había trazado desde que *La Vanguardia* había inaugurado esta re-

---

443. Como ya se ha dicho en el capítulo de este libro *El aumento de la información y la proliferación de publicaciones*, detrás de este seudónimo pudo esconderse el escritor taurino Francisco Villa.

444. *La Vanguardia*, 21 de mayo de 1888, p. 2 [este ejemplar no lleva foliación, por lo que se intuye el número de página].

novada etapa: apuesta por unos autores especializados para responder a los intereses y necesidades de los lectores. Únicamente cambió, de una firma a otra, la calidad de la narración o el espacio destinado que, llegado el caso, en ocasiones, se publicó en días posteriores bajo el siguiente epígrafe: "Retirado de la edición de ayer por exceso de materiales"[445].

Durante la década de los noventa del siglo XIX, *La Vanguardia*, en manos de Carlos Godó y dirigida por Sánchez Ortiz, se consolidó como un gran diario de información, bien nutrido de colaboradores y redactores prestigiosos, que incluyó un servicio telegráfico propio, donde no faltaron en sus páginas las buena corridas que se celebraron en otras plazas de España, y que incorporaron los grabados en otras informaciones para darle un aspecto más dinámico y ameno. Fueron los años que *Lagartijo*, ídolo local, y que tantas líneas había escrito en *La Vanguardia*, dejó con su retirada de los ruedos (1883) el protagonismo en Barcelona a *Guerrita*, Antonio Fuertes y Ricardo Torres *Bombita*. Pero ni la marcha de *Lagartijo*, ni el declive artístico ni el creciente aumento de contrarios a los toros menguaron la tauromaquia catalana. Todo lo contrario, la afición se mantuvo y a la vuelta del siglo le esperó una gran noticia: la inauguración de la segunda plaza de toros de Barcelona, Las Arenas.

En resumen, fue una época en que la identidad que le dieron a sus textos y los problemas que tuvo el diario para cubrir las corridas de la temporada barcelonesa marcaron una etapa de intermitencia taurina. Esto se ve por la escasa continuidad de las firmas que en los primeros años cubrieron los festejos, llegando, incluso, en ocasiones, el diario a redactar la crónica sin fir-

---

445. *La Vanguardia*, 17 de mayo de 1892, p. 6 [este ejemplar no lleva foliación, por lo que se intuye el número de página].

mar el texto. También llama la atención el empleo de los seudónimos, que si bien era práctica habitual de los cronistas de
aquellas épocas, también demuestra el interés del responsable
de mantener el anonimato: bien por tratarse de un escritor importante que no quería verse identificado ante el movimiento
abolicionista que ya en aquellos años era sumamente importante; bien por tratarse de un simple aficionado a los toros.
Destacar, además, que para que la crónica ganase en calidad y
estilo, *La Vanguardia* adoptó el enfoque de tomar partido por
los toreros que otros diarios políticos de la época habían decidido.

9.1.3. La taurofobia de la empresa

A la muerte en 1887 de Carlos Godó Pié, su esposa Antonia
Lallana y su hijo mayor, Ramón, asumieron la propiedad de *La
Vanguardia*. Un par de años más tarde, Antonia Lallana comprobó que su hijo era capaz de dirigir él solo todos los negocios y decidió retirarse.

Es importante la presencia al frente del diario de esta mujer
en estos dos años. Su influencia sobre Ramón y su fuerte carácter propiciaron decisiones nunca vistas hasta esos momentos en la prensa catalana. Así, Antonia Lallana hizo firmar un
contrato a Sánchez Ortiz para que no dirigiese nunca otro periódico en toda Cataluña[446], pero, sobre todo, consiguió que en
los contenidos de *La Vanguardia* a partir de 1900 quedase eli-

---

446. Vis Molina considera que Antonia Lallana con este compromiso
contractual con el director de *La Vanguardia* se estaba convirtiendo en la
precursora de los durísimos contratos blindados que hoy firman los altos
cargos de las grandes multinacionales. En: MOLINA MORALES Mª V.
Op. cit. p. 62.

mado uno especialmente: las corridas de toros, una información que incluyó la temporada barcelonesa y que su hijo Ramón se encargó de hacerla desaparecer de sus páginas.

La vasca Antonia Lallana nunca escondió su manifiesto
odio hacia las corridas de toros. Igual que siempre expresó su
anticatalanismo, infundió, primero sobre su marido y luego sobre su hijo Ramón su firme oposición a la información taurina.
Durante los años que estuvo al frente del diario arrinconó la
fiesta de los toros a breves y escasas reseñas, y agitó el movimiento antitaurino en las páginas del diario. Cuando dejó *La
Vanguardia* a su hijo la actualidad taurina ya estaba apuntillada.
Su último gesto fue reservar para el día de la inauguración de
la Plaza de las Arenas de Barcelona, el 29 de junio de 1900, un
artículo virulento contra la fiesta de los toros del colaborador
Buenaventura Riera[447]. Escrito en la página 4, y bajo el titular
"Las Corridas de Toros", el autor se despachaba a gusto con
una carta dirigida al director sobre la conveniencia de que una
ciudad como Barcelona debía de gozar de dos plazas de toros. Buenaventura utilizaba expresiones como "espectáculo de
crueldad", "fomento de vicios y malas costumbres", "germen
de enfermedades" o "carácter criminoso"[448].

A partir de este artículo, las páginas del diario de Ramón
Godó tuvieron un tratamiento taurino unidireccional: textos
para desprestigiar la información taurina, tildando la fiesta de
salvaje y acusándola de ser uno de los principales motivos del
retraso de la cultura española. Estos artículos publicados se
alinearon con la prohibición de la fiesta, y no con su defensa,
hasta tal punto que el movimiento antitaurino que movilizó el

---

447.   HUERTAS CLAVERÍA, J. Mª. *Una història de La Vanguardia*, p. 33.
448.   RIERA, B. "Las corridas de toros". *La Vanguardia*, 29 de junio
de 1900, pp. 4 y 5.

diario con sus escritos y cartas al director se convirtió en el trampolín de la fundación de una sociedad abolicionista promovida por José Navarrete, colaborador curiosamente de un diario madrileño, el periódico *El Correo*[449].

Toda la correspondencia que se recogió durante el año 1900 no escondió que de vez en cuando apareciese puntualmente algún breve taurino que demostrase que la decisión final de no publicar este género informativo no tuvo el mismo criterio en los primeros años. Así, en plena vorágine antitaurina, con numerosos artículos titulados "Contra los toros" o "La vergüenza nacional" o "La supresión de las corridas de toros", sorprendió ver como el 13 de agosto de 1900, en la sección Por Telégrafo y Teléfono, el corresponsal de San Sebastián dio su reseña de la corrida de toros celebrada en la capital donostiarra.

La manifiesta campaña antitaurina involucró a sus directores. Ezequiel Boixet, director junto a Alfredo Opisso, bajo el seudónimo de *Juan Buscón*, debatió el tema de los toros en más de una ocasión en una de las secciones del periódico más simpáticas y populares de la prensa barcelonesa de entonces: Busca, buscando. Así, el 18 de enero de 1901, en relación al fervor antitaurino que se respiraba en esa época, manifestado en el mitin contra los toros celebrado en Barcelona al que acudió el doctor Robert[450], escribió un artículo en las páginas del diario donde felicitaba a los asistentes, pero no negaba la tradición taurina de Barcelona, hasta poner en duda el fin de las corridas en el territorio español que muchos creyeron ya abrazar:

---

449. NAVARRETE, J. "La diversión más salvaje". *La Vanguardia*, 20 de agosto de 1900, p. 1.

450. La celebración de este mitin antitaurino aparece con más detalle en el siguiente capítulo del libro: *Protestas en contra de los toros*.

No sé, en primer lugar, hasta qué punto deba considerarse como cierto lo de que en España se canse ya del espectáculo nacional. Ojalá, pero no lo veo muy demostrado [...]
¡cómo va a decaer si en la misma ciudad donde se celebra el
primer mitin anti-taurino se inauguró, aún no hace un año,
una segunda plaza de toros y se verifican anualmente triple
número de corridas que se verificaban dos lustros atrás![451].

En el diario dirigido por Ezequiel Boixet y Alfredo Opisso,
el movimiento antitaurino, recogido interesadamente por la familia Godó, tapó durante 39 años una realidad para el ciudadano catalán: la fiesta de los toros en esta comunidad comenzaba
a cimentar su capitalidad del toreo con dos plazas abiertas y
llenas de aficionados en cada función. Un fervor taurino al que
se sumó un tercer ruedo en la segunda década del siglo.

9.1.4. De espaldas a la actualidad taurina: tres largas décadas de silencio absoluto

"A las tres y media empezó la corrida de la que no damos ninguna reseña particular cumpliendo nuestro criterio informativo
respecto de la llamada 'fiesta nacional'"[452]. Con esta nota sobre
la corrida de la Mercè, celebrada el 24 de septiembre de 1902,
La Vanguardia indicaba en el epígrafe Los Toros, de la página 2,
cuál iba a ser el tratamiento informativo sobre los espectáculos
taurinos durante tres largas décadas. Un silencio que respondió
a una decisión adoptada por la propiedad del diario y que no era
más que la voluntad de los herederos de Carlos Godó: Antonia

---

451.   *La Vanguardia*, 18 de enero de 1901, p.4.
452.   *La Vanguardia*, 25 de septiembre de 1902, p. 2.

Lallana, su esposa, y Ramón Godó, su hijo. No es cuestión de volver a incidir en el tema, pero probablemente si el nuevo propietario de *La Vanguardia* decidió no volver a publicar una sola reseña taurina de los festejos celebrados en toda España fue por la influencia que siempre ejerció sobre él su madre, Antonia Lallana: "A la seva mare, Ramón Godó li portà una estimació sincera, potser l'única que sentí en aquest món"[453].

Lo cierto es que desde que Ramón Godó se puso al frente del negocio aplicó una fórmula infalible para mantener la orientación del diario pasase lo que pasase: acatamiento automático a las instituciones triunfantes y defensa, sin discusión posible, del orden establecido. El diario en sus manos cambió la forma de hacer la información, incorporando nuevas técnicas y contratando los servicios literarios de los más destacados intelectuales o estableciendo relaciones con las agencias europeas o americanas. El diario no pretendió predicar ninguna doctrina nueva ni convencer a nadie, bastó con opinar de tanto en tanto, y tan poco como fuese posible. Nadie tenía nada a decir en aquella especie de evangelio, donde las buenas costumbres, el orden, el respeto a la ley se combinaban con la prosperidad[454]. Era el hecho de que "desde el principio fuese una empresa propiedad de una única familia", como afirma Casasús[455], la clave que explicaba que *La Vanguardia* se convirtiera ya en la

---

453.   "A su madre, Ramón Godó le tuvo un aprecio sincero, quizá el único que sintió en este mundo". *Gaziel*, además de escribir esta cita, reconoce en algún otro pasaje su profundo conocimiento sobre Ramón Godó, con quien tuvo una estrecha relación profesional durante 20 años. En: CALVET PASCUAL, A. *Op. cit.* p. 44.

454.   *Ibid.* p. 69.

455.   CASASÚS I GURI, J. Mª: "*La Vanguardia* i Catalunya". *Revista Debat Nacionalista*, nº 19, otoño de 1992. Barcelona: Associació Tribuna Catalana, 1992, pp. 70-73.

década de los años treinta en el primer periódico de España porque siempre se aseguró su independencia.

Pero esto es lo que se veía desde fuera. Pero dentro había alguna que otra situación incomprensible. Una de ellas, repetimos, fue la prohibición rotunda sobre la información taurina. Habían pasado algunos años desde la crítica de Buenaventura Riera y podía haberse reconducido la situación. Todo lo contrario: durante la segunda década del siglo XX continuaron publicándose artículos, eso sí, cada vez menos, contra los toros. Solo se daba cuenta de las protestas y actos antitaurinos. Tampoco faltaron campañas como las que promovió el escritor Eugenio Noel, especialmente de 1909 a 1915, ni la participación de algún que otro director, como Miquel Santos Oliver, quien el 16 de mayo de 1914 criticó la fiesta de los toros en la columna titulada "Pan y toros" (artículo que se apropió de este tópico cultural español y que ocasionalmente se publicó para criticar cuestiones taurinas o domésticas por redactores o colaboradores del diario)[456].

No se entendió esta desinformación en una ciudad taurina en ebullición, en la que ni los sucesos dramáticos de la Semana Trágica habían vaciado las plazas de las Arenas y el Torín. Con tres ruedos abiertos a partir de 1914 y con los mejicanos Pedro López y Carlos Lombardini entusiasmando a una afición, que de 1912 a 1920 se dividió entre los partidarios de Juan Belmonte y los de *Joselito El Gallo*[457]. Y en una Barcelona que creció de manos de su presidente, Prat de la Riba.

Gaziel, contemporáneo de aquella época y director desde 1931, año que murió Ramón Godó y su hijo, Calos Godó Valls

---

456. SANTOS OLIVER, M. "Toros antes que pan". *La Vanguardia*, 16 de mayo de 1914, p. 8.
457. GONZÁLEZ MORENO-NAVARRO, A. *Op. cit.* p. 124.

tomó las riendas de la empresa, es quien más se ha recreado en esta curiosa situación. Un boicot que se sumó al hecho de que tampoco se pudo decir absolutamente nada favorable, ni vagamente elogioso, del catalanismo o de sus prohombres. Para él, la información taurina y el catalanismo constituyeron dos fisuras durante esa época en la casa Godó. Esta es su opinión sobre la desinformación de la fiesta de los toros durante todos ese tiempo:

> ... en esas tablas de ley habían dos grietas. Una de ellas era más bien pintoresca y de una situación que nadie hubiese imaginado nunca. Consistía en la prohibición rotunda, no solamente de reseñar corridas de toros que se hacían en Barcelona, y en toda España, sino de hablar o de hacer la más vaga referencia. Nunca he llegado a adivinar de dónde procedía una disposición tan contraria a un espectáculo denominado justamente (como todavía se llama, y hoy más que nunca) la *fiesta nacional*; no, porque una hostilidad parecida era mantenida por un amo justamente rabioso españolista. Pienso que debía ser un vicio de los buenos tiempos en que, en *La Vanguardia*, colaboraban todo de escritores catalanistas 'europeistas' y encendidos 'modernistas'. El caso es que en Barcelona los empresarios de las plazas de toros y de los núcleos de *casticismo* flamenco protestaban constantemente del boicot; muchos pasos hacían, y hasta ofrecían dinero, para acabar con ello. Nada de nada. Tanto si el torero mataba al toro como si el toro cogía al torero, e diario, impasible, lo ignoraba en absoluto. Y en ese menosprecio silencioso, único entre la gran prensa española, era como un orgulloso honor para *La Vanguardia*. Tuvo que suceder una guerra civil y dejar un millón de muertos y el país en ruinas para que el diario dejase de perder semejante privilegio. Pero

yo estoy seguro que con Ramón Godó en vida antes que él lo aceptase hubiese tenido que pasar algo muy, pero que muy grave[458].

No fue *Gaziel* el único periodista, escritor o intelectual a quien le sorprendió esta actitud en un diario conservador, burgués y que comulgaba con los usos y costumbres de la época. El escritor Guillermo Díaz-Plaja, en uno de sus artículos publicados en 1966 en *La Vanguardia*, en este caso dedicado al No-Do y a los toros, escribió lo siguiente:

> Algunas veces he producido asombro a mis alumnos explicándoles que antes de nuestra guerra, algunos diarios importantes —entre ellos *La Vanguardia*, de Barcelona— no tenían sección de crítica taurina. La de *El Sol*, de Madrid, bajo el título de 'La llamada Fiesta Nacional' sólo publicaba las cogidas. La revista *España*, a través de las terribles caricaturas de Bagaría, era un palenque antitaurino [...]. No polemizó; expongo. La programación de un cincuenta por ciento del noticiario cinematográfico nacional destinado a la fiesta de los toros refleja toda una situación histórica[459].

9.1.5. *La Vanguardia* vuelve a los ruedos: 30 de mayo de 1939

Como había afirmado *Gaziel*, y también dijo Josep Pla, "una guerra tuvo que pasar para que *La Vanguardia* recuperase la in-

---

458.   CALVET PASCUAL, A. *Op. cit.*, pp. 69 y 70.
459.   DÍAZ-PLAJA CONTESTÍ, G. "El 'NO-DO' y los toros". *La Vanguardia Española*, 22 de junio de 1966, p. 17.

formación taurina". Y así fue. Con Luis de Galinsoga al frente, impuesto por el Franquismo, *La Vanguardia Española* no tardó en mostrar a la sociedad catalana las cartas con las que iba a convivir de ahora en adelante: una prensa sometida al aparato de comunicación y propaganda del Estado. En ese adoctrinamiento, destacó una cultura de masas de evasión y diversión donde el mundo de los toros tuvo mucho que decir. Así, el 30 de mayo de 1939, Galinsoga decidió recuperar el tema taurino, interrumpido durante tres décadas, con el fin, además, de dar acomodo en la redacción a su amigo Eduardo Palacio Valdés, un periodista madrileño con el que había convivido en el *ABC*, donde ejercía la crítica taurina.

De puertas afuera, la recuperación de la información taurina fue una noticia muy celebrada por la afición catalana. Pero de puertas adentro comenzó a surgir un cierto desprecio hacia esa sección por la responsabilidad de quien estaba al frente: Palacio Valdés. Este periodista fue la pieza que Galinsoga necesitaba para poder pasarse largas temporadas en Madrid, cosa que hizo cada vez con más frecuencia, dejando el periódico en sus manos al ser una persona de su total confianza. Profundamente anticatalán, al igual que Galinsoga, Palacio Valdés fue conocido en la redacción, donde era repudiado por el resto de compañeros, por el sobrenombre de *La Medusa*[460], debido a su aspecto físico gelatinoso y a su talante maligno. Con este calificativo no hace falta reconocer el odio que le cogió al mundo de los toros todo aquel que estaba cercano a este personaje.

Palacio Valdés inauguró la información taurina en la página 3 de *La Vanguardia Española* del martes 30 de mayo de 1939. En la sección Vida de Barcelona, con una crónica sin ficha,

---

460.   LUJÁN FERNÁNDEZ, N. *El pont dels anys 50*. Barcelona: La Campana, 1995, p. 168.

firmada con las iniciales de su nombre y primer apellido, E. P., titulaba "Un mano a mano", a una columna y bajo un título temático con voluntad de rótulo de sección escrito en cursiva, de mayor cuerpo y subrayado, que decía En la plaza de Las Arenas. En el texto, el cronista narraba los acontecimientos del festejo, torero por torero, con el subjetivismo, enjuiciamiento y valoración que sus coetáneos ejercían en otros medios.

Dos cosas llamaban la atención con la recuperación de la información de los toros en las páginas del diario barcelonés: una clara voluntad del diario de diferenciar el texto taurino del resto de informaciones (las siguientes colaboraciones días posteriores llevaron el titular temático La fiesta de los toros dentro de la sección Vida de Barcelona) y la intención del autor de demostrar la tradición taurina catalana regalando alguna que otra perla periodística: "No es admisible confundir las Arenas, coso de máximo prestigio, con una plazuela pueblerina cerrada por carros"; "Vamos a respetar la estirpe de los cosos señeros, no confundiendo Barcelona con Machacón de Abajo", etcétera. El remate de esta crónica la puso un despiece periodístico, en este caso ubicado a pie de columna y separado del texto central por un recurso tipográfico, donde el autor destacó como "la nota más soberbiamente emotiva de la fiesta" el canto del "Cara al Sol", apoyando la fe y el amor con respecto a España y la adhesión fervorosa al Caudillo que había prometido su director, Luis de Galinsoga[461].

La Vanguardia, que había recuperado la información taurina, era en ese año 1939, finalizada la guerra, un diario de ocho páginas, que podía llegar a 10 o 12, como así sucedió en la edición del día 30 de mayo, a cuatro columnas en su composición y con tres grandes secciones bien diferenciadas por su gran titu-

---

461. *La Vanguardia Española*, 30 de mayo de 1939, p. 3.

lar: Vida de Barcelona, Información Extranjera e Información Nacional. Las páginas finales se reservaban para Espectáculos y Anuncios.

9.1.6. La instrumentalización del relato taurino a través de Eduardo Palacio Valdés

La primera crónica escrita por Palacio Valdés reanudó la información taurina de otras plazas españolas en el diario de Godó. El mismo año 1939 ya comenzaron a publicarse en Información Nacional los festejos celebrados en otras plazas españolas y que los corresponsales hacían llegar al diario. Mientras, *La Vanguardia* publicó la crónica de cada corrida que tuvo lugar en Barcelona siempre con la misma estructura narrativa: titular corto, con cierta dosis de interpretación, título de sección (La fiesta de los toros) e incidencias del festejo, torero por torero, emitiendo juicios valorativos acerca de la actuación de los protagonistas de la fiesta y de los aficionados.

El periodista asturiano Eduardo Palacio Valdés (1884-1970) al poco de llegar se convirtió en subdirector de Luis de Galinsoga, amigo personal y con quien había coincidido en la redacción del diario *ABC*. Compaginó el cargo de subdirector, junto al de cronista taurino, hasta el año 1961, cuando se quedó solo con la titularidad de la información de los toros y que había sido responsabilidad suya siempre en la redacción (mantuvo el cargo de jefe de temas taurinos hasta el año 1963). En cada uno de sus textos publicados desde 1939 hasta que sus fuerzas aguantaron, finales de los sesenta, empleó un estilo directo y llano, con un exceso editorializante, revestido de una cierta aureola propia de cualquier articulista de postín y del momento que se vivía. Su prosa, rebosante de arcaísmos, respondió bien a la literatura taurina que se ejercía en esos momentos. Intentó explicar los hechos de que hablaba y se permitió juicios orientadores acerca de los sucesos que describía como buen profesional de la información y entendedor taurino que fue. Al fin y al cabo, tuvo que escribir la etapa más dorada de la tauromaquia catalana, no importándole a *La Vanguardia* publicar las crónicas los martes cuando el festejo era los domingos (exclusividad de la *Hoja del Lunes* desde 1925 a 1982), en unos años que los cosos barceloneses vibraban, Balañá contrataba a los mejores toreros del momento y la ciudad organizaba festejos semana tras semana. De ahí, que nadie le puede negar al responsable de las crónicas taurinas en *La Vanguardia* su buen ejercicio de crítico taurino, forjado en su primera etapa periodística como segundo en la sección del *ABC* de la que era titular el gran cronista Gregorio Corrochano. Como curiosidad, siempre tituló todas sus crónicas, nunca introdujo la ficha, y solo los últimos años indicó en un punto y aparte los pesos de los toros y puso ladillos con el nombre de los toreros. Si tuvo la maniobrabilidad suficiente como subdirector del diario para publicar a su antojo, poniendo como toque personal y original a sus crónicas un cierre que citaba siempre la duración del festejo: "Comenzó la corrida a las seis y media de la tarde y concluyó a las 8 y 12 minutos de la misma"[462].

El problema que tuvo Palacio Valdés ya no fue su aspecto desagradable, sino su forma de ser. Según Rafael Abella[463], *La Medusa* fue un hombre de tertulia, fácil a la campechanía, pero poco claro en el actuar. Se convirtió en el brazo derecho de Galinsoga y profesó el mismo anticatalanismo que siempre manifestó abiertamente su director. A menudo, fue quien diri-

---

462. *La Vanguardia Española*, 5 de julio de 1960, p. 23.
463. ABELLA BERMEJO, R. *Op. cit.* p. 64.

gió el diario ante las reiteradas ausencias de Galinsoga en su propósito que tuvo este de promocionarse en Madrid para un cargo ministerial. Demostró oficio y sabiduría en el ejercicio del periodismo taurino, pero no pudo desprenderse de tres aspectos que perjudicaron su imagen: las acusaciones que recibieron durante esa época los periodistas taurinos sobre las propinas que daban los toreros para hablar bien de ellos[464], la excesiva propaganda nacional que imprimía a sus crónicas y la mala imagen que tenía dentro de la redacción. Basta el dato de que no hay un solo cronista o crítico taurino catalán que se haya declarado públicamente discípulo de él. En Cataluña, quien hizo escuela esos años no fue Palacio Valdés, sino *Don Ventura*[465], sobrenombre de Ventura Bagüés y Nasarre, ejerciendo durante más de 50 años la crítica taurina dando lecciones de historiador e investigador taurino, primero, en el *Día Gráfico* y, después, en la *Hoja del Lunes*, entre otras publicaciones.

Aposentadas las euforias y la exaltación del triunfo militar, el modelo panfletario del periódico dio paso al modelo propio de la tradición del diario de los Godó, informativo y comercial a la vez. En este modelo, basado en una creciente cobertura noticiosa, la información taurina no desentonó. Se hizo un hueco entre colaboraciones de prestigio y una imagen de cierto orden y pulcritud, propia de un diario sobrio, sin estriden-

---

464. El periodista Josep Mª Huertas recupera una cita del libro de Pedro Voltes *Furia y farsa del siglo* xx para afirmar que Palacio Valdés cobraba por dejar bien la corrida: "Dicen que Manolete, ya suficientemente famoso, se negó a las pretensiones de un periodista con tantos apellidos y que tuvo que intervenir hasta el gobernador civil para poner paz". En: HUERTAS CLAVERÍA, J. Mª. *Una història de La Vanguardia*, p. 147.

465. Conversación con Juan Segura Palomares mantenida el 2 de agosto de 2009.

cias tipográficas y con pocos blancos. No le faltaron razones, pues fueron los años que una tarde de toros era uno de los acontecimientos donde la gente importante le gustaba dejarse ver. Molina retrata esa imagen que corrobora el arraigo taurino en la vida social barcelonesa de las familias de los mejores linajes de la sociedad catalana:

> Los chóferes paraban en el cruce de la Gran Vía con Bailén, donde descendían elegantemente los ocupantes de los automóviles y aquello se convertía en un rutilante desfile de modas hasta llegar a la Monumental: las señoras paseaban orgullosas su palmito, vestidas con lo último de Pertegaz y Balenciaga y luciendo con garbo vistosas pamelas y altísimos tacones. Eran los años en que la afición estaba dividida entre *Manolete* y Arruza y las corridas eran seguidas con fervor por todos los barceloneses. Después, se estilaba el aperitivo en Casa Benito, una popular tasca de Las Ramblas, y a continuación la cena en cualquiera de los restaurantes de la Barceloneta[466].

Desde un primer momento, a medida que la existencia del papel lo permitió, se fueron incluyendo las noticias de los corresponsales regionales y, con ello, las informaciones de otras plazas. Como las que hizo desde La Maestranza de Sevilla o las Ventas de Madrid Manuel Lozano, taquígrafo del general Franco y, posteriormente, crítico taurino en TVE[467]. Julio Ichaso desde los sanfermines. También, Federo Faroles desde Madrid. No obstante, las crónicas más prestigiosas llegaron en los años cincuenta desde la capital de España de la mano del escri-

---

466.   MOLINA MORALES, Mª V. *Op. cit.* pp. 138 y 139.
467.   ABELLA BERMEJO, R. *Op. cit.* p. 164.

tor, artista y periodista peruano Felipe Sassone, llegándose a publicar con el mismo tratamiento y extensión que las de Palacio Valdés. Firmadas con nombre y apellido fueron incluidas en la nueva sección La Vanguardia en Madrid, que Galinsoga había llevado a las primeras páginas, relegando Vida en Barcelona e Información Extranjera a páginas posteriores[468], según consideraciones ideológicas. Cuando murió en 1959 Sassone, *La Vanguardia* dedicó una página a su colaborador con un artículo central del propio Galinsoga, titulado "No un hispánico, sino un español"[469], reconociendo los méritos del escritor y exaltando su compromiso con la nación española.

En este marco de información nacional y extranjera y de un conjunto de soflamas ideológicas, siempre se publicó con un cuidado extraordinario la información taurina. Desplazada en la década de los cincuenta de la sección Vida en Barcelona, y en una época con mayor disponibilidad de papel, apareció publicada en las primeras páginas del diario entre las noticias nacionales y un sinfín de nuevas secciones de entretenimiento. Encajó en esa escasa ordenación, presentación y clasificación que el dar mucho papel provocó y que aún tardó unos años en mejorarse. Para Carles Castro: "Por fortuna, el tipo de lector y los hábitos sociales de la época no demandaban todavía planteamientos depurados y dinámicos al respecto"[470].

A medida que avanzó la década se mejoró en ordenación y clasificación, ofreciéndose las secciones con mayor viveza y una identidad más precisa. En la década de los años cincuenta se ilustraron por primera vez las corridas con dibujos de Vicente Navarro y del pintor y grabador Joan Hernández Pijúan,

---

468. *La Vanguardia Española*, 26 de julio de 1957, p. 5.
469. *La Vanguardia Española*, 12 de diciembre de 1959, p. 8.
470. CASTRO SANZ, C. *Op. cit.* p. 46.

quien después se convirtió en académico de Bellas Artes. Ellos dos, acompañados por los retratos de Sanz Lafita, recuperaron el apunte del natural[471], género gráfico arraigado a las grandes tradiciones, sobre todo en los medios de comunicación estadounidense, británico y francés, que supuso una de las bazas en el despegue de *La Vanguardia*. En la posguerra resurgió para acompañar las crónicas de Palacio Valdés[472].

A partir de 1957 apareció rotulado el título temático La Fiesta de los Toros, sin cursiva, incluido definitivamente en la sección Vida en Barcelona; en 1959, apareció ilustrado con fotografías del festejo; desde 1962, y ya sin Galinsoga al frente del diario, se publicó la información en la sección Crónica de nuestra ciudad, justo antes de Música, Teatro y Cinematografía. Durante todo ese tiempo, nunca falló E. P. a los festejos en la Monumental y las Arenas. Tan solo, en la feria de la Mercè de 1952, al sufrir un accidente y fracturarse un brazo, fue sustituido por el crítico de música de *La Vanguardia* en aquellos tiempos, y gran aficionado taurino, U. F. Zanni, quien firmó sus textos con las siglas U. F. Z. Llama la atención que la terminología que el periódico empleó para avisar a sus lectores sobre la sustitución de Palacio Valdés permite comprobar como los conceptos de cronista, crítico y revistero se utilizaron por igual para calificar a los dos periodistas[473].

En 1963, Palacio Valdés abandonó su responsabilidad al

---

471. Josep Mª Casasús, ejerciendo de Defensor del lector en *La Vanguardia*, escribió un artículo en donde repasó la presencia que ha tenido en el diario los apuntes del natural, técnica de dibujo de trazo rápido que se considera fundamental en el aprendizaje y formación del artista. En: CASASÚS I GURI, J. Mª. "Dibujantes en la era fotográfica". *La Vanguardia*, 21 de enero de 2001, p. 12 [Vivir].

472. *La Vanguardia Española*, 3 de abril de 1956, p. 9.

473. *La Vanguardia Española*, 25 de septiembre de 1952, p. 10.

frente de la información taurina para pasársela durante los 18 años siguientes a su compañero Julio Ichaso, quien ya había hecho alguna sustitución en las crónicas taurinas de la ciudad barcelonesa y ejercía de corresponsal en Pamplona. El fallecimiento de Palacio Valdés el 16 de noviembre de 1970 sirvió para que el diario de la calle Pelaio recordase su figura con unos cuantos artículos dedicados a su memoria. Entre ellos destacaron días después de su muerte el del propio Julio Ichaso[474] y el de *Ero*[475], seudónimo del columnista Álvaro Rubial, quienes con sus escritos vanagloriaron su figura como crítico taurino.

9.1.7. Julio Ichaso: un periodista de equipo para los toros

Si Palacio Valdés demostró en sus escritos una nueva forma de entender e interpretar la corrida, aun limitándose a una descripción pormenorizada de la labor de los toreros como bien hacían los revisteros, pero con la intención de sustituir la descripción de las cosas por la sensación que ellas producían, tal y como estaba aplicando en los textos sus compañeros de profesión, Ichaso optó por una vuelta atrás: restó protagonismo al autor para que su narración taurina fuese un fiel reflejo de lo acontecido en la corrida, desde el principio al fin[476]. Por tanto, aquel relato personal de una corrida de toros (de un sujeto que piensa y siente) a partir de la imaginación creativa del cronista,

474. ICHASO OÑATE, J. *La Vanguardia Española*, 17 de noviembre de 1970, p. 31.
475. ERO. "E. P." *La Vanguardia Española*, 19 de noviembre de 1970, p. 31.
476. *La Vanguardia Española*, 6 de julio de 1965, p. 33.

con las reglas y funciones impuestas por el género periodístico[477], que Palacio Valdés se había labrado, desapareció de las
páginas de *La Vanguardia* a partir de 1964.

Julio Ichaso Oñate (1899-1981) había entrado en *La Vanguardia* como taquígrafo y después paso a ser secretario personal de Luis de Galinsoga. Le tocó vivir uno de los episodios
más desagradables al abrir una carta-bomba dirigida a Galinsoga que le causó algunas heridas. Pasó a ser el responsable taurino de *La Vanguardia* tras la jubilación de Palacio Valdés y la
entrada de Xavier de Echarri como director del diario.

Ichaso, navarro de pura cepa, bajo el mando de Palacio Valdés, ejerció de corresponsal en las corridas de toros de los Sanfermines. Allá, en su Pamplona natal, se hizo cuartillero de un
famoso comentarista de las corridas para poder entrar en la
plaza de toros. De ahí le vino la afición y su dominio sobre todas las suertes e incidencias durante la lidia, que relataba al pie
de la letra, sin dejarse prácticamente ningún lance en el tintero.
Sus crónicas introdujeron la ficha de las corridas de toros en
La Vanguardia y, por su escasa interpretación, siempre dieron
más ejemplo de reseña que de crítica taurina. El periódico lo
identificó en más de una ocasión ante los lectores como crítico
o cronista[478], llegando al punto de que en la nota introductoria
redactada en la primera crónica en el periódico de su sucesor,
Mariano de la Cruz, califica este a Ichaso de "el último cronista
de toros a la vieja usanza"[479].

---

477.   GIL GONZÁLEZ, J. C. *Evolución histórica y cultural de la crónica
taurina*, p. 170.

478.   En un artículo publicado por el columnista *Ero*, titulado "de
Cuartillero a crítico", este autor cuenta la afición que Julio Ichaso profesa
por el mundo de los toros. En: ERO. "De cuartillero a crítico". *La Vanguardia Española*, 14 de febrero de 1965, p. 26.

479.   *La Vanguardia*, 1 de septiembre de 1981, p. 40.

Pero es que además de cronista, taquígrafo y periodista, Ichaso fue grafólogo, perito calígrafo, barítono en el Orfeón Pam-
plonés y profesor en la desaparecida Escuela de Periodismo de
Barcelona, donde impartió clases de Taquigrafía y de Tauromaquia, asignatura que se cursaba en aquella época. Además
de un hombre de letras y gran tertuliano, se reconoció especialista en "galinsoguismo", "aznarismo" y "echarrismo", por su
buena diplomacia para manejarse ante sus directores[480].

Los primeros años que estuvo escribiendo la crónica en *La
Vanguardia* coincidió con una nueva época esplendorosa del
diario. Con Echarri al frente, se reorganizó la redacción, se invirtió en tecnología y se aumentó el número de páginas. Con
respecto a la secciones, el diario de Godó ofreció una portada,
que se extendía a dos páginas inmediatas, seguía Tiempo y varios, Colaboraciones; Extranjero, Información de Barcelona;
después, Noticiario de Cataluña Economía y Finanzas, Deportes, Música, Teatro y Cinematografía, y Cierre. Dentro de este
orden de finales de los sesenta se incluía el conjunto de mini-
secciones dedicadas a aficiones o asuntos sociales. Entre estas
se ubicó el tema La fiesta de los toros, que casi siempre fue
dentro de Vida de Barcelona, Crónica de nuestra ciudad o Información de Barcelona, según se denominó en cada época.
No fue hasta 1976, con Horacio Sáenz Guerrero como director, y en el difícil tránsito del Franquismo a la democracia,
cuando, en plena competencia con nuevos medios como *Avui*
(1976), *El País* (1976) y, después, *El Periódico de Catalunya* (1978),
decidió por primera vez incluir la temporada de toros barcelonesa en la sección Música, Teatro y Cinematografía, donde
siempre habían ido los anuncios de los carteles, y que supuso
en su momento un campo de innumerables disputas entre los

480.   ERO. "Ver los toros". *La Vanguardia*, 27 de agosto de 1981, p. 6.

intereses de los negocios de la familia Balañá (propietario de la plaza de toros Monumental y de los cines de Barcelona) y la estrategia editorial de grupo Godó[481].

Con el tiempo, el periodista navarro introdujo en sus crónicas una entradilla justo debajo de la ficha para iniciar su texto[482]. Unas veces haciendo referencia a la meteorología, otras veces sobre la ganadería que se había lidiado. A continuación, no dejaba margen a la improvisación estilista y volvía a la misma rutina de siempre: un texto narrativo a partir de la presentación torero por torero, describiendo el toro lidiado por su número, capa y nombre. Casi siempre el titular fue el nombre de los toreros del cartel, sin más, lo que indica la escasa interpretación que hizo del festejo.

Sin desplegar Ichaso el género de la crónica impresionista como conocemos, *La Vanguardia* empleó la entrevista para repasar la actualidad taurina de la temporada en boca de sus protagonistas gracias a la popular y exitosa sección Mano a Mano, del periodista Manuel del Arco, A veces, hasta se hizo coincidir la entrevista con la crónica del festejo, dando a la página un protagonismo taurino en todo su contenido[483].

---

481. El periodista Jaime Arias afirma que en su época como subdirector, en los años setenta, los problemas de espacio muchas veces se resolvió eliminando información del grupo Balañá, por lo que eso trajo más de un enfrentamiento entre *La Vanguardia* y la empresa propietaria del negocio taurino y de innumerables salas de cine de Barcelona. En: conversación telefónica mantenida con Jaime Arias (†) el 7 de julio de 2009.

482. *La Vanguardia Española*, 20 de junio de 1972, p. 33.

483. El festejo firmado por Julio Ichaso de la corrida del 24 de septiembre con motivo de las fiestas de la Mercè coincide con la entrevista que hace Manuel del Arco a Paco Camino. En: *La Vanguardia Española*, 25 de septiembre de 1969, p. 25.

9.1.8. La personalidad humana, científica y taurina de Mariano de la Cruz

La muerte de Julio Ichaso el 24 de agosto de 1981 propició la entrada de Mariano de la Cruz (1921-1999) para cubrir la información taurina el diario de Carlos Godó. M. Cruz, como empezó firmando este crítico taurino todas sus crónicas en el diario, llegó a *La Vanguardia* con una de las tarjetas profesionales más acreditadas del orbe taurino. Hasta 1981 había colaborado en *Destino*, donde entró en los años cincuenta sustituyendo a *Puntillero*, seudónimo de Néstor Luján. Posteriormente, desempeñó la titularidad de la sección taurina de la revista y en 1962 fue designado corresponsal en Barcelona de la *Hoja del Lunes*, de Madrid, en la sección que dirigía el prestigioso crítico José María del Rey (*Selipe*). Ese mismo año se le concedió el premio de la crítica. Además, había colaborado en *El Burladero*, *Radio Nacional* y *RTVE*, manteniendo la corresponsalía taurina de Barcelona en *Informaciones*, de Madrid, desde 1973 a 1977. Este currículo fue la carta de presentación que publicó *La Vanguardia*[484] para quien debía sustituir al periodista navarro. El diario solo quiso resaltar el aspecto taurino de su polifacética personalidad, mantenida entre los toros, el teatro, la gastronomía y la psiquiatría, su profesión, cumpliendo una vocación terapéutica y humanística inigualable.

Mariano de la Cruz llegó en unos años difíciles para *La Vanguardia* y la tauromaquia catalana, acorralada por un nacionalismo conservador que no entendía de tradiciones. Pero supo lidiar el toro con enorme maestría. Bajo el mando del director Luis Foix, y con la presencia en el consejo directivo de Manuel

---

484. *La Vanguardia*, 1 de septiembre de 1981, p. 40.

Ibáñez i Escofet, gran aficionado taurino, convirtió sus crónicas en un alarde de literatura taurina, donde nunca tomó el periodismo como profesión. Sus críticas ocuparon ya la edición
de los lunes y no la de los martes, cuando el festejo era en domingo, al desaparecer en 1982 la *Hoja del Lunes*. Escribía con
pasión y brillantez. Su yerno y sucesor en la sección taurina,
Antoni González, siempre ha reconocido que su suegro se divertía escribiendo sus crónicas, que era una secretaria quien las
transcribía, no importándole si le manipulaban algún contenido o le reducían el espacio que en principio habían acordado[485]. Su gran curiosidad intelectual y su sensibilidad personal
le permitieron unas miradas al mundo de los toros que cautiva-
ron a los lectores del periódico de la calle Pelaio. Sus textos se
recuerdan con maestría y crearon escuela, hasta el punto que
muchos discípulos de él, como el apoderado de José Tomás y
crítico taurino, Salvador Boix[486], afirman que no ha vuelto a
escribirse de toros en Barcelona desde su muerte el 20 de enero de 1999.

Mariano de la Cruz introdujo en sus crónicas la ficha taurina
tal y como la conocemos actualmente: de la descripción de los
protagonistas de Julio Ichaso, limitada a unas pocas líneas, a
una relación completa con fecha, aforo, reses, matadores y premios. Además de los pesos, que no eran novedad. La sección
temática seguía titulándose La fiesta de los toros, iba incluida
en Espectáculos, como así había sido rebautizado el viejo título de Música, Teatro y Cinematografía, y siempre se cuidaba de
ir bien rotulada, con filetes, recuadros o corondeles para diferenciarla estéticamente del resto de temas de la página. M.

---

485. Conversación con Antoni González mantenida el 9 de junio de
2009.
486. Entrevista a Salvador Boix realizada el 22 de mayo de 2009.

Cruz contó lo que veía, sin barroquismo y con el entusiasmo que le causaba su pasión por los toros. Tituló siempre la crónica con frases ingeniosas y creativas ("Mansada solemne", "Divino turismo italiano", "Un pellizco de Finito", etc.), y procuró narrar el desarrollo de la corrida de la forma más aséptica posible, sin faltarle una parte técnica, con los datos imprescindibles del festejo publicados en la misma ficha. Profundo conocedor de la tauromaquia, el orden cronológico del festejo por toreros y la coherencia de su material narrativo hicieron que no quebrantase el pacto de lectura que debe tener al informar un cronista con su lector como experto: enjuiciar y explicar sus puntos de vista.

La crónica de este crítico taurino ganó en calidad en cuanto el diario se renovó. El proceso de reconversión gráfica y tecnológica, que pudo ejecutar *La Vanguardia* en 1989 con una la nueva rotativa offset, después de muchos años de espera, permitió acabar con la tipografía y el huecograbado en negro. Sin introducir la fotografía, excepción hecha en algunas crónicas de otras épocas, pero inexistente en casi la totalidad de informaciones taurinas en la historia del periódico de Godó, la sección escrita por Mariano de la Cruz, como firmó a partir de entonces, permitió una lectura más clara, con dominio de blancos y recursos tipográficos.

Las renovadas crónicas de 1990 siguieron apareciendo en la sección Espectáculos, pero ya no bajo el título temático de La fiesta de los toros, como venían haciéndose desde la segunda crónica publicada en 1939 por Palacio Valdés, ahora se titulaban Crítica de Toros e incluían un diseño más acorde con los nuevos tiempos: epígrafe en mayúsculas (caja alta), la ficha a una columna, empleo de negrita para los protagonistas, uso del destacado y abuso de los lutos para ganar en diseño y claridad[487]. El festejo del domingo tuvo siempre su información previa dentro de la sección Espectáculos como una noticia más; las ferias de Sevilla, San Isidro, Nimes o Palma de Mallorca tuvieron su espacio en las páginas del diario al considerar que cualquier propuesta del especialista tenía interés para los lectores. Era un principio del diario: la personalidad y conocimiento del experto en cualquier manifestación artística eran garantías suficientes de publicación ante cualquier propuesta informativa que sugiriese el interesado[488].

Para tomar conciencia del protagonismo de las crónicas taurinas de Mariano de la Cruz en *La Vanguardia* es bueno recurrir a Forneas cuando dice lo siguiente: "La figura tradicional del crítico taurino convierte a éste en un mediador oficial, cuya opinión es buscada y respetada por el público lector"[489]. Esta cita justifica una de las reacciones que el diario de los Godó manifestó, ya en manos esos años de Javier Godó, jamás vista en un periódico a la muerte del cronista taurino: casi diariamente se publicaron durante dos meses en sus páginas las cartas de los lectores reconociendo la trayectoria y el prestigio del escritor. Muchas de ellas, sirvieron como excusa para que los aficionados empleasen el escrito para defenderse del ataque que estaba padeciendo la afición taurina catalana de quienes querían prohibir por ley la entrada de los menores de 14 años en los cosos catalanes[490].

---

487. *La Vanguardia*, 13 de agosto de 1990, p. 20.

488. Entrevista a Llàtzer Moix realizada el 9 de julio de 2013 [ver Anexo 3.3].

489. FORNEAS FERNÁNDEZ, Mª C. *La crónica taurina actual*, p. 40.

490. MIQUEL PELÁEZ, X. Mª. "Recuerdo de Mariano de la Cruz". *La Vanguardia*, 1 de febrero de 1999, p. 22.

9.1.9. Periodismo catalán para mantener el interés público de la fiesta de los toros

Como siempre sucedió en el diario desde que volvió a reanudarse la información taurina con Galinsoga, solo un fallecimiento podía provocar un cambio en el desempeño de la crónica taurina. La muerte en 1999 de Mariano de la Cruz supuso que entrase en el diario su yerno, Antoni González, quien ya había escrito cinco crónicas un año antes y había hecho junto a Cristina de la Cruz y Juan Antonio Polo alguna sustitución mientras Mariano de la Cruz se ausentaba por vacaciones en los festejos en Barcelona. Estas nuevas colaboraciones confirmaron que el cambio generacional taurino en este diario se tradujo, indirectamente, en la llegada por primera vez desde la recuperación de la información taurina en las páginas de Godó de un crítico de origen catalán.

Antoni González, arquitecto de profesión, antes de llegar a *La Vanguardia* de la mano de su suegro, Mariano de la Cruz, ejerció la crítica taurina en el *Diari de Barcelona* y en el *Avui*. Allí perfeccionó el lenguaje taurino catalán, convirtiéndose en uno de los mejores escritores en lengua taurina catalana (su libro *Bous, Toros i Braus*, publicado en 1996, y del que damos referencia en este trabajo, supone una de las mejores aproximaciones a una tauromaquia catalana escrita en catalán). Este cronista, por las quejas que siempre profesó, nunca debió decir sí a su puesto, pues si bien duró siete años en el cargo, justo hasta el año 2006, según él su carrera nunca fue un camino de rosas en el diario de Godó por las dificultades que siempre encontró para ejercer la profesión: soledad en las noches del domingo en la redacción, cambios en el contenido al editar sus textos, reducción de colaboraciones, interferencias de otros redactores en el tema taurino, etcétera[491]. Todo esto acabó con su marcha del diario, harto ya de aquel vía crucis que voluntaria o involuntariamente provocaron y que a su suegro nunca le importó, pero que él nunca pudo soportar. Fue dos años después de la declaración de la Barcelona antitaurina, y debieron suponer demasiadas incomodidades para ejercer la profesión.

Sus crónicas taurinas fueron cañeras, con un punzante sentido del humor, destacando por su vistosidad y conocimiento. Tituladas ingeniosamente, con suma intención, ("Bálidos e invalidos", "Rejones congelados", "Y de sobresaliente, Herodés", "No se tenían en pie"), demostró hasta el 2004 una continuidad de la crónica de Mariano de la Cruz, pero mucho más en la línea de quienes estaban conjugando en aquellos tiempos el aspecto periodístico de testimonio de la actualidad y el aspecto literario que reflejaba la personalidad del cronista. Parecida a la crónica que Joaquín Vidal o Javier Villán ejercían por aquella época, utilizó toda su agudeza para, sin perderle la coherencia y orden al festejo, emplear disertaciones de carácter didáctico o moral, además de discursos polémicos o sarcásticos. Un ejemplo, lo tenemos en las primeras líneas de la crítica que titulada "Toreros del (y con) corazón":

Hay quien por sus genes o cualidades —o ambas cosas-, nace para figura del toreo. Por ejemplo, quienes ayer hicieron el paseo. Algunos, sin embargo, parece que renuncien a ello (a veces para dedicarse a los asuntos del corazón, el propio y, sobre todo, el de los/las demás). Por ejemplo, esos mismos tres. Y algunos vuelven a intentarlo, otros no. Entre los primeros están, según vimos ayer, Jesulín y Rivera Ordo-

---

491. Conversación con Antoni González mantenida el 9 de junio de 2009.

ñez. Entre los otros, Finito, el de Sabadell. Empecemos por éste, para olvidarnos cuanto antes de él[492].

Durante la época de Antoni González comenzaron a escasear las crónicas taurinas de las ferias francesas o mallorquinas. Aquellas colaboraciones que inundaron el diario de la mano de Mariano de la Cruz se sustituyeron por una información puntual de la tradición de las fiestas taurinas que se celebraban en las localidades catalanas, del destino de la plaza de las Arenas y de los mandamientos judiciales contra las corridas de toros. La información taurina en el diario de Godó estaba recluyéndose cada vez más a la temporada barcelonesa de la Monumental frente a la presión que muchos sectores de la sociedad y la política catalana ejercía.

En los primeros años de siglo desapareció, prácticamente, la información previa al festejo que se publicaba el domingo de corrida en la plaza de toros barcelonesa. Este texto se sustituía por la publicidad, que reproducía prácticamente en su contenido las líneas que se habían previsto editar[493]. La sección temática Crítica de Toros pasó el año 2002 de estar bajo el paraguas de Cultura y Espectáculos a Cultura, la nueva denominación que la cabecera decidió en otro ordenamiento que el director de *La Vanguardia*, José Antich, sucesor de Juan Tapia, adoptó para competir con los tiempos modernos y adecuar su diario a las nuevas tendencias y gustos de los lectores. Aun así, se trató de un tema formal, porque tal y como afirma el jefe de sección Llàtzer Moix, "el tema taurino siempre fue considerado un espectáculo dentro de cultura"[494].

---

492. *La Vanguardia*, 7 de julio de 2003, p. 37.
493. Entrevista a Llàtzer Moix realizada el 8 de julio de 2013 [ver Anexo 3.3.].
494. *Ibid.*

La disconformidad que siempre mostró Antoni González con la dirección de la rotativa de *La Vanguardia* por las condiciones y el tratamiento que tenían sus textos acabó en el año 2006 con la renuncia del periodista a continuar al frente de la información taurina. Fue un año difícil, donde la cabecera de Godó tuvo que sortear la baja de Antoni González a media temporada con las aportaciones de otros críticos taurinos, como Salvador Boix[495], en seis ocasiones. La salida de alguien muy presente en la tauromaquia catalana fue una fatal premonición de algo que solo unos pocos intuían que podía suceder con las corridas de toros. Así, Antoni González propuso para sustituirle a un conocido suyo, y buen aficionado a los toros, Paco March, un banquero que se ocupaba de la información taurina en la edición catalana de *El Mundo* y que había tenido oportunidad de colaborar con *La Vanguardia* haciendo alguna sustitución puntual un año antes a petición de su amigo.

La incorporación de Paco March para ocuparse de la información taurina no supuso ningún cambio formal ni estructural en la sección. *La Vanguardia* contempló entrado el siglo XXI esta información con el mismo respeto con el que siempre actuó. La temporada barcelonesa se convirtió en el eje principal de la actualidad taurina, sin dar la espalda a otras colaboraciones que el escritor especializado podía aportar de otras ferias o corridas, eso sí, bien escasas comparadas con otros tiempos.

La presencia de Paco March se perpetuó cada lunes, salvo excepciones hasta el fin de las corridas en Cataluña. Su actitud fue tolerante con la política informativa que ejercía el diario hacia la información taurina: "La experiencia de Antoni González me hizo ver que lo mejor era la permisividad para continuar mi colaboración, y más en los años difíciles para la fiesta

---

495. *La Vanguardia*, 25 de septiembre de 2006, p. 42.

que me tocó trabajar"[496]. Colaboró con el diario desde casa y escribió en un espacio que variaba cada semana en su extensión, con un texto narrativo, de estilo propio, intencionado y que solo difirió de su antecesor por carecer de mayor acidez crítica y por mostrar un mayor esfuerzo para la comprensión de los hechos dentro del contexto que tuvo que vivir la fiesta durante todos esos años[497]. Por eso, se define con estas palabras en una entrevista que mantuvimos:

Soy cronista antes que crítico, un vocablo que considero muy feo. Basta leer mis textos publicados durante todos esos años en el diario para darse cuenta que escribí crónicas fáciles de leer, con un redactado muy ameno, siempre ambientadas en su contexto para que los lectores pudiesen introducirse e interpretar mi discurso taurino[498].

Puntualmente, según el alcance de la noticia, la información taurina en *La Vanguardia* fue acompañada por otros tratamientos informativos para dar mayor cobertura sin recurrir a la firma del cronista salvo para contar lo que estaba sucediendo en el ruedo. Eso, en muchas ocasiones, incomodó al escritor taurino, como reconoce Paco March[499], pues no pudo dar réplica a los columnistas antitaurinos que aprovecharon la tribuna del diario para atacar la fiesta de los toros o bien ofrecer a los lectores el punto de vista de una persona cercana a la realidad taurina catalana.

---

496.   Entrevista a Paco March realizada el 11 de junio de 2012 [ver Anexo 3.4.].

497.   *La Vanguardia*, 18 de agosto de 2008, p. 24.

498.   *Ibid.*

499.   *Ibid.*

10. Descripción de la temática taurina en *El Periódico de Catalunya*

Los principios fundacionales en los que se inspiró *El Periódico de Catalunya*, de valentía, interés, tolerancia y compromiso hacia los lectores, con una voluntad de hacer un periodismo independiente y solidario, no podían excluir de su ideario temático la información taurina. Y menos, cuando siempre se definió una publicación situada ideológicamente donde estaba el progresismo de la sociedad catalana, contraponiéndose a la tendencia conservadora y burguesa de *La Vanguardia*, y consciente de que buena parte de esos lectores a quienes iba dirigido el diario, de la zona metropolitana de Barcelona y barrios trabajadores de la Ciudad Condal, eran emigrantes aficionados a los toros.

10.1. Periodismo taurino en tres décadas de historia

La información taurina como espacio fijo en *El Periódico de Catalunya* no empezó hasta la llegada al diario en 1980 del periodista Juan Soto Viñolo. Hasta ese momento, en el año y medio de vida de la rotativa del Grupo Zeta, la actualidad de los toros fue tratada con noticias puntuales, sin firma, en la sección Espectáculos, espacio del diario donde para siempre quedaría ubicado el periodismo taurino y que, por la información de servicios que ofrecía, iba a tener esta sección una importancia capital para el modelo de periódico que se buscaba. Cultura, en cambio, nunca fue considerada en sus orígenes una sección en sí y se incluyó como un subgénero, primero, en ese contenedor de contenidos que fue las Cosas de la vida, para pasar, luego, a compartir espacio con Espectáculos, acogiendo todos los contenidos artísticos, pero sin un criterio muy definido para el tema taurino, pues a veces llevaba el epígrafe Cultura y otros no.

El diario dirigido por Antonio Franco, con 32 páginas, dispuso desde sus primeros pasos en Espectáculos de una minisección titulada El reparto, que servía para recoger en breves la actualidad. Allá, acostumbraba a publicarse informaciones de toros que llegaban a la mesa de redacción y que, transcritas bajo estilo periodístico, aparecían redactadas sin valoración alguna ni análisis al carecer el diario de un responsable especializado en esta temática. Muchas veces con fotografía, bien de la corrida del fin de semana en Barcelona como de otros festejos celebrados en los ruedos españoles[500]. Incluso, alguna vez, pudo publicarse fuera de esta minisección, a media columna, como una noticia en el contexto formal que implicaba la determinada arquitectura informativa del diario. El tratamiento periodístico era un híbrido entre noticia y crónica, sin un emplazamiento claro que hiciese valorar su importancia entre los

---

500.   Un ejemplo aparece publicado el martes 17 de julio de 1979 con el escándalo que provocó Curro Romero en la corrida celebrada en la plaza Monumental dos días antes (no tratada el día después al no publicarse el diario debido a la exclusividad de la *Hoja del Lunes*). Incluye, además, una pequeña fotografía. En: "El reparto: Curro Romero...". *El Periódico de Catalunya*, 17 de julio de 1979, p. 22.

lectores. Esta impresión de desinterés y escasez informativa del diario hacia la actualidad taurina se reforzó por el hecho de que los festejos celebrados los domingos en Barcelona fueron tratados ya extensamente en las páginas de la *Hoja del Lunes*. La decisión de no publicar una crónica de la corrida dominical de la temporada barcelonesa en el diario como sí hacía *La Vanguardia* los martes, se debía, principalmente, a la inexistencia en la plantilla de *El Periódico de Catalunya* de un especialista taurino[501].

El particular tratamiento informativo que se le estaba dando a la actualidad taurina en sus páginas en 1979 se clasificó, numerosas veces, en un ordenamiento temático relevante para quienes defendieron la catalanidad de la fiesta. La valoración que en determinadas ocasiones le daba la sección de Espectáculos al interés del festejo taurino no dependía de su importancia ni de su enfoque, sino de contemplarla como un componente temático más de lo que ellos consideraban las tradiciones más arraigadas a la ciudad y, por extensión, a Cataluña. De este modo, el hábito visual del lector, acostumbrado a encontrar siempre en la misma página y en el mismo lugar un tema o tipo de información, comprobó como más de un domingo la información previa de la corrida de toros en Barcelona ocupaba espacio y titular con otras manifestaciones populares catalanas en la sección titulada La cartelera: "HOY, SARDANAS Y TOROS"[502].

---

501.   La inexistencia de contar con un especialista taurino en la redacción se constata todavía más cuando se comprueba que otras actividades y espectaculos dominicales, como los deportes, tenían su información los martes a través de las crónicas firmadas por los redactores.

502.   "HOY, SARDANAS Y TOROS". *El Periódico de Catalunya*, 20 de mayo de 1979, p. 23.

10.1.1. La actualidad taurina de la mano de Juan Soto Viñolo

La intermitencia y precariedad de la información taurina en el diario de Antonio Franco solo duró un año. El fichaje de Juan Soto Viñolo por *El Periódico de Catalunya* la primavera de 1980 significó que el diario convirtiese la información taurina en un componente más de su agenda de actualidad, incluso dándole un protagonismo que en los dos años anteriores nunca había alcanzado. Con tan solo poner los pies en la redacción, Juan Soto Viñolo pudo disponer en la sección Espectáculos de dos espacios reservados para escribir sobre los festejos en Barcelona titulados: "Los toros sobre el papel"[503] y "A toro pasado"[504]. Estas dos piezas periodísticas creadas por el diario recogieron en modo de ficha el previo de la corrida y sus incidencias. Tuvieron su día de salida, si no había corrida entre semana, pero no un espacio fijo donde ubicarse en la sección. "Los toros sobre el papel" se publicó el día de la corrida (domingo) en las primeras páginas de la sección; mientras "A toro pasado" estuvo presente en cualquiera de las páginas de Espectáculos todos los martes hasta que en 1982 la *Hoja del Lunes* perdió su exclusividad de publicación, pasando, entonces, a publicarse las crónicas taurinas el día siguiente de la corrida dominical.

Por su formato tipográfico, en recuadro y destacado por lutos, y por su contenido inspirado en la ficha técnica, estas dos secciones pioneras en la información taurina del diario del Grupo Zeta fueron lo más cercano a aquellas reseñas técnico-

---

503.   "Los toros sobre el papel". *El Periódico de Catalunya*, 24 de septiembre de 1980, p. 29.

504.   "A toro pasado". *El Periódico de Catalunya*, 25 de septiembre de 1980, p. 33.

informativas que se impusieron como modelo periodístico a finales del XVIII e inicios del XIX. Una presentación algo obsoleta para la imagen popular y atrevida que enarbolaba el equipo de redacción de la cabecera del Grupo Zeta.

Juan Soto Viñolo (1933) sabía muy bien lo que necesitaba el diario. Gran aficionado a los toros, escritor y periodista, acreditaba en 1980 una dilatada experiencia en periodismo y tauromaquia a través de sus trabajos en radios y periódicos. En las ondas estaba trabajando desde 1966 como guionista del programa *El Consultorio de Elena Francis*[505]; mientras que en prensa redactaba en *Mundo Diario* y en *Tele/eXpres*, donde ejercía la crítica taurina. El cierre en 1980 del este periódico catalán coincidió con el vacío que tenía la información taurina en el diario del Grupo Zeta, que camino de cumplir sus dos años de existencia no había mostrado interés por abordar con profundidad y análisis las corridas de toros en sus páginas. Juan Soto Viñolo, sabedor de este hecho, y aprovechando su amistad con Miguel Ángel Basteiner, director suyo durante los años de colaboración en *Tele/eXpress* y subdirector a partir de 1979 de *El Periódico de Catalunya*, se ofreció a este diario para incorporarse a la sección de Espectáculos, ocupándose, desde su incorporación, de la información taurina y el flamenco, otra de sus áreas especializadas.

Con la incorporación de Juan Soto Viñolo poco iba a saber *El Periódico de Catalunya* que nunca más volvería a necesitar otra

---

505. El espacio "El Consultorio de Elena Francis" fue un auténtico fenómeno sociológico en la España de los años sesenta y setenta. Comenzó sus emisiones en 1947 en *Radio Barcelona* y acabó en 1984 en *Radio Intercontinental*. Las respuestas a las consultas estaban redactadas por un equipo de guionistas, que desde 1966 fue responsabilidad en exclusiva de Juan Soto Viñolo. Sus experiencias en este popular programa están expuestos en su libro *Querida Elena Francis* (Barcelona: Grijalbo, 1995).

persona para cubrir en sus páginas la actualidad taurina. El periodista barcelonés se encargó desde aquel día y hasta la prohibición de las corridas de toros en Cataluña de cubrir para el periódico del Grupo Zeta la información taurina. Compaginó sus textos, entre "crónicas y críticas"[506], como bien afirma, con otras colaboraciones periodísticas, como fueron sus textos del arte flamenco en las páginas del periódico. Además, ejerció de corresponsal de la revistas de toros *Aplausos* y publicó libros sobre *Manolete*, Lola Flores, Rocío Jurado, el clan torero de los Ordoñez y otros personajes artísticos. Fue tal su labor como periodista especializado, que en tan solo una temporada sus textos se convirtieron en un eje informativo de peso para el periódico en la sección Espectáculos.

El tema taurino ganó presencia visual en el diario los primeros años de la década de los ochenta. La firma de Juan Soto Viñolo empezó a multiplicarse en las páginas a partir de sus crónicas y de las noticias taurinas, sobre todo grandes triunfos en otras plazas, graves cogidas o campañas en tierras suramericanas, también de la mano de los corresponsales del periódico o de las agencias que hacían llegar sus informaciones a la redacción de la calle Roger de Lluria. Un mismo día, entre la actualidad de la temporada barcelonesa y de otras plazas españolas, hasta podía llenar las tres cuartas partes del emplazamiento de una página a la derecha con tres de las cinco informaciones publicadas[507]. El tratamiento variaba desde el breve a un reportaje, prevaleciendo casi siempre en los previos de las corridas dominicales la fórmula informativa de "Los toros sobre el papel".

---

506. Entrevista a José Soto Viñolo realizada 12 de julio de 2012 [ver Anexo 3.2.].

507. *El Periódico de Catalunya*, 19 de agosto de 1980, p. 21.

Los textos taurinos que publicaba *El Periódico de Catalunya* llegaban a los lectores como modelo de los cambios significativos de diseño que algunos diarios de la transición mostraban en el lenguaje de sus páginas a través de los recursos estilísticos: el juego de volúmenes, la anchura de las columnas, el grosor de los tipos, los titulares de gran cuerpo, las espectaculares fotografías y el juego de los blancos, grises y negros.

La presentación de la narración textual en el papel no mostraba las urgencias que suponía cerrar un domingo una primera edición. Todo lo contrario, publicado habitualmente en la segunda cara de la sección, el lector descubría al día siguiente que el texto combinaba con habilidad el tono reflexivo y literario del autor con este nuevo estado tipográfico del diario. El texto se presentaba a partir de fórmulas que hasta el momento poco se habían visto en el periodismo taurino: un titular informativo, en lugar de uno expresivo o indicativo, marcado por el uso del verbo en pasado; la introducción de una entradilla, con otro cuerpo de letra, previo al primer párrafo del texto escrito; el uso de los ladillos para dividir partes del texto o resaltar toreros o ganaderías, la inclusión casi siempre de la fotografía a varias columnas y una crónica inspirada en la expresión narrativa de los revisteros con la actitud crítica y la fuerza persuasiva del autor[508].

10.1.2. Los toros: motor de progreso en el mosaico informativo del periódico

Los efectos de la liberalización informativa posibilitada por la transición democrática, la incidencia de la modernización tec-

---

508. *El Periódico de Catalunya*, 5 de julio de 1982, p. 24.

nológica, la reorganización del trabajo de las redacciones, el progresivo dominio de las leyes del mercado (libre competencia, concentración., etc.), y los escasos vínculos directos con el poder político y con los partidos, provocaron unos años de normalización y consolidación de la prensa democrática muy bien aprovechados por *El Periódico de Catalunya*, que con su forma de hacer periodismo comenzó a aumentar el número de ventas y lectores.

Esta buena respuesta que estaba consiguiendo *El Periódico de Catalunya* los primeros años de la década de los ochenta en su audiencia confirmaba su perfecta adaptación ante los cambios socioculturales españoles y que el producto informativo que ofrecía se trataba del fenómeno periodístico de mayor calado popular en el panorama de la prensa escrita catalana desde la Transición. Ni los vaivenes en la cúpula directiva del diario, con la marcha en 1982 de Antonio Franco a *El País*, erosionaron el contenido de las páginas, donde fotografía, texto y publicidad taurina tenían su espacio, llamando la atención la información de pago que la empresa Balañá publicaba durante la semana anunciando la próxima función, con un texto explicativo sin ilustración, redactado en un tono y estilo periodístico que bien pudo utilizarse como noticia previa para el diario[509].

Fueron años la década de los ochenta donde los toros ocuparon las portadas del diario. De este modo, *El Periódico de Catalunya*, en su esfuerzo por distinguirse del resto de cabeceras, con portadas espectaculares y a color, a base de grandes titulares y buenas imágenes, se asomó sin complejos más de una mañana a la calle con los toros como tema principal de sus contenidos. La decisión de destacar la información taurina a media página de la portada o, incluso, a página entera, como sucedió

---

509. "TOROS". *El Periódico de Catalunya*, 5 de septiembre de 1983, p. 27.

con la noticia de la muerte de Francisco Rivera *Paquirri* el 30 de septiembre de 1984 se debió a muy diferentes motivos que respondieron a cualquiera de los criterios generales que un periodista, sin importar la sección, debe tener para valorar lo que es noticia: relevancia, actualidad, emoción, espectacularidad, etcétera. Por eso, a nadie le extrañó que un lunes se publicase en portada a media página la información, con imagen incluida, de una gran faena en la Monumental de Barcelona[510], como publicar durante tres días seguidos la muerte de *Paquirri* como noticia central del periódico[511].

Las informaciones de toros solían tener un orden de importancia en las páginas de Espectáculos, abriendo la sección en muchos días la actualidad taurina, hecho que confirmaba el arraigo de esta tradición e interés del lector por esta información, y que el diario respondía situándola en las primeras páginas. No era la única técnica de orden y valoración que tenía *El Periódico de Catalunya* para realzar los toros: el recurso periodístico de publicar dos ventanas (o rataplanes) de sumario en la zona superior de la primera página de cada sección[512], como avance informativo de la actualidad que los lectores iban a encontrarse en páginas siguientes, sirvió, prácticamente, cada domingo y lunes, para anunciar como segunda o tercera información, cuando no era la primera[513], la actualidad taurina. Para Juan Soto Viñolo, "la sección fue respetada y estuvo bien inte-

---

510.   "Paco Ojeda devuelve el gusto por el buen toreo a la afción barcelonesa". *El Periódico de Catalunya*, 4 de julio de 1983, p. 1.

511.   Las unidades periodísticas "Un toro mata a Paquirri", "Paquirri también supo morir" y "Sevilla despide a Paquirri al grito de torero, torero" fueron portada tres días consecutivos. *El Periódico de Catalunya,* 27, 28, 29 de septiembre de 1984, p.1.

512.   *El Periódico de Catalunya*, 19 de julio de 1982, p.20.

513.   *El Periódico de Catalunya*, 14 de julio de 1985, p. 45.

grada en Espectáculos, con gran protagonismo durante unos cuantos años. Incluso en alguna ocasión las críticas se publicaron en Cultura"[514]. Tampoco faltó para dar mayor realce a los toros el uso de la ilustración, que esporádicamente contó en 1985 con el apunte al natural, gracias a la colaboración del dibujante Alcalde Molinero[515].

El Periódico de Catalunya convirtió durante esos años la temporada taurina barcelonesa en un puntal informativo justo cuando las corridas en Cataluña empezaban a mostrar una alarmante crisis de público y a verse amenazadas por políticos y sociedades protectoras. Los responsables de la sección Espectáculos, José Luis Rodríguez, a inicios de los años ochenta, y Gabriel Jaraba, a finales de la década, se mantuvieron al margen de esta situación real y ofrecieron a Juan Soto Viñolo su espacio para que pudiese publicar no tan solo las crónicas taurinas del festejo, sino toda la actualidad previa, con avances de la temporada, entrevistas y reportajes de toreros, que con el paso de los años solo cambiaron para los lectores en su presentación visual, aspecto este considerado como punto fuerte en la información del diario.

La página, a seis columnas, progresaba en su diseño para agilizar la lectura y ganar presencia la noticia, haciendo que la información de los toros se distribuyera indistintamente a su ancho, alcanzando un impacto visual por el concienzudo empleo de lutos, filetes, elementos icónicos y grandes titulares, con uso del antetítulo, título y subtítulo, como sucedía con la mayoría de las informaciones publicadas.

El hecho que El Periódico de Catalunya siempre afrontase la

---

514.   Entrevista a Juan Soto Viñolo realizada el 12 de julio de 2012 [ver Anexo 3.2.].

515.   El Periódico de Catalunya, 19 de agosto de 1985, p. 22.

tarea del titular principal empleando sus elementos disponibles y jugando con el tamaño de cada uno de los titulares, demostró el interés del medio para que este encabezamiento se convirtiese en un elemento fundamental para atraer y acomodar la lectura del público. Fue una fórmula importante de fidelización dentro de las estrategias periodísticas emplear aspectos formales a la hora de presentar las informaciones, técnica más propia de la prensa sensacionalista, pero efectiva en la prensa generalista[516]. Para el comunicador Luka Brajnovic: "Crean cierto hábito y acomodación de los lectores frente a un periódico determinado; son elementos que crean hábito visual del lector. La constancia de estos elementos une al público con su periódico y le mantiene fiel"[517].

El resultado del titular taurino fue exitoso en las crónicas de los lunes: además de expresar sintácticamente y gramaticalmente lo sustancial de la información, con un verbo en activa y en presente o pasado[518], se convirtió en un procedimiento de expresión periodística bien encajado en la creatividad visual del periódico. Como nuevo elemento de este encabezamiento, *El Periódico de Catalunya* empezó a emplear en mayor medida a partir de 1989 un antetítulo, con la función exclusiva de indicar

---

516. Ricard Sans, jefe de Diseño de *El Periódico de Catalunya*, se cuestiona si el uso de grandes titulares es propio de la prensa sensacionalista, justificando el empleo que hace su diario con las siguientes palabras: "Colocar grandes titulares es un gancho de diseño". DEL OLMO BARBERO, J. "La gestión del color en los diarios españoles de difusión nacional". *Revista Latina de Comunicación Social*, n° 59, Enero-Junio 2005. Tenerife: Universidad de La Laguna, 2005. http://w.w.w.ull.es/publicaciones/latina/200512delolmo.pdf [consulta: 28 de noviembre de 2012].

517. BRAJNOVIC, L. *Tecnología de la información*. Pamplona: Universidad de Navarra, 1974, p. 122.

518. *El Periódico de Catalunya*, 18 de julio de 1988, p. 33.

de un modo general a los lectores el tema que trataba la noticia. Para la información taurina, cuando se decidió en la sección de Espectáculos que ese lunes incorporaba el texto un antetítulo, se optó por el empleo del epígrafe Toros[519].

10.1.3. La temporada de toros puesta a disposición de los lectores

La década de los noventa arrancó sin que nada cambiase en el tratamiento informativo de los toros en *El Periódico de Catalunya*. Era evidente que la afición taurina catalana estaba menguando y que la aprobación de la Ley protectora de los animales estaba arrinconando a la fiesta. Pero el diario dirigido de nuevo por Antonio Franco no mostraba en sus contenidos la debilidad o presión que el escenario taurino delataba. Trataba la actualidad taurina con iguales circunstancias informativas para ponerla a disposición del público en la sección Espectáculos, bajo el mando de César López Rosell, sin ninguna adscripción a Cultura, sección todavía bajo la tutela del contenedor de temas llamado Cosas de la vida. Eso sí, el lector cada vez más percibió que a su alrededor la opinión sobre las corridas de toros era cada vez más negativa en la sociedad catalana.

Con este escenario, donde los toros comenzaban a manifestarse como un acto políticamente incorrecto, *El Periódico de Catalunya* continuó apostando por la información taurina a partir de un ordenamiento temático sometido a algún que otro cambio en función de los nuevos intereses de los lectores. La aparición en 1994 de *El Periódico de los lunes*, un suplemento de Deportes y Espectáculos, o de *Este Fin de Semana*, otro suplemento

---

519. *El Periódico de Catalunya*, 4 de septiembre de 1989, p. 29.

dedicado a las ofertas de ocio de los viernes, sábado y domingo, indicaron que la estrategia fue consolidar un modelo de periódico adaptado a los gustos y necesidades de la audiencia, pero conservando las características informativas del género a través de especiales temáticos. Así, sucedió con las unidades periodísticas del teatro, el cine, la música, la danza y los toros, que hubo que encontrarlas en estas páginas especiales compartiendo el mismo espacio cada viernes y lunes. Después, a partir del 15 de mayo de 1998, cuando el suplemento *Este Fin de Semana* pasó a denominarse *Viernes & Libros*, los toros ocuparon la última página para englobarse bajo la cabecera temática Tradiciones y compartir lugar con las informaciones de sardanas, *castellers* y fiestas patronales catalanas. En recuadro con fondo de color, ocupando el centro de la página a derecha, casi siempre, su emplazamiento expositor facilitó con claridad al lector su identificación en el mosaico informativo de este suplemento semanal.

El espacio que tuvo reservado el mundo de los toros reforzó todavía más la percepción y entendimiento de sus informaciones. Desde 1994 lo más normal fue publicar tres informaciones de la corrida de la temporada barcelonesa en las páginas del diario del Grupo Zeta: viernes, domingo y lunes. La presencia de la noticia los viernes se debió a la aparición del suplemento *Este Fin de Semana*, editado por primera vez el viernes 6 de mayo de 1994 y coordinado por César López Rosell, con cobertura siempre en sus páginas de ocio del festejo que se celebraba el domingo, situándose en algún caso hasta en la segunda página de sus propuestas[520]. Toda una declaración de intenciones, pues este especial semanal del diario nunca exclu-

---

520. *El Periódico de Catalunya*, 6 de mayo de 1994, p. 2 [suplemento *Este Fin de Semana*].

yó en sus contenidos la corrida de toros de la temporada barcelonesa en las citas del fin de semana. Apareció publicado siempre con un texto, bajo responsabilidad de Juan Soto Viñolo, redactado en un tono más narrativo al previo que dedicaba en años anteriores en su sección Los toros sobre el papel, incluyendo ahora una pequeña ficha y, a veces, una fotografía. La ubicación compartió espacio en la misma página con la danza, la música o el teatro, para pasar a partir del verano a la última página donde se ubicó junto a la gastronomía, tradiciones y fiestas populares.

El establecimiento de una jerarquía informativa dentro de este suplemento respondió a la política periodística del medio. También se repitió, pero no con tanta rigurosidad, en la sección de Espectáculos del suplemento *El Periódico del lunes* o los domingos en la misma sección del propio diario, oportunidad para que el responsable de la temática de los toros, Juan Soto Viñolo, ampliase el previo de los viernes con informaciones que publicó cuando la cita y el diestro fueron de interés para los lectores haciendo uso de entrevistas, reportajes o noticias.

La publicación de la información taurina en el sumario de la portadilla de la sección de Espectáculos y en la portada del diario, como sucedió con la suspensión de la corrida del 11 de julio de 1994,[521] reafirmó la estrategia periodística del diario del Grupo Zeta de presentar las informaciones de los temas que los responsables de la publicación consideraron importantes para su audiencia. Este plus de interés se completó con toda una señalética visual que desplegó el propio diario con el fin de anclar la noticia en el ordenamiento de la página para facilitar su identificación y comprensión.

Juan Soto Viñolo desempeñó esos años la información con

---

521. *El Periódico de Catalunya*, 11 de julio de 1994, pp. 1 y 42.

el mismo rigor y autenticidad que vino haciéndolo en años anteriores. Sus informaciones, hasta en tres ocasiones en una semana durante la temporada barcelonesa desde 1994 a 2005, salvo el paréntesis del verano, que siempre redujó en número y desplazó muchas veces el espacio a todo tipo de temáticas, fueron textos que mantuvieron la misma sobriedad informativa y valorativa de otros tiempos, empleando un título descriptivo antes que intencionado, con un primer párrafo resumen de la corrida, contextualizándola y tomando partido muchas veces en la actualidad del día a día[522], para pasar, seguidamente, al detalle de lo que sucedía en el ruedo, ofreciendo un juicio subjetivo de cada uno de los matadores con la habilidad del cronista que sabe narrar la realidad vivida en el festejo. Tampoco perdió ocasión para reivindicar las corridas en sus escritos, recordando la catalanidad de la fiesta al mencionar los festejos que se celebraban en otras plazas catalanas al mismo tiempo que en la Monumental[523]. Según Juan Soto Viñolo las únicas limitaciones a las que hubo que someterse en el ejercicio de libertad de sus textos partieron desde la propia empresa taurina:

A mí nunca me presionaron ni me hicieron sentirme un extraño en la redacción. Solamente sabía que nunca podía hablar mal del empresario, Balañá, pues es quien ponía pu-

---

522.   En la temporada 1997, Juan Soto Viñolo aprovecha las primeras líneas de su crónica titulada "César Rincón malogra con la espada una faena soberbia" para mostrar su dolor por el asesinato de Miguel Ángel Blanco a manos de la banda terrorista ETA. En: *El Periódico de Catalunya*, 14 de julio de 1997.

523.   En una de sus crónicas del inicio de la temporada 1999 en la Monumental, Juan Soto Viñolo dedica unas líneas para comentar el festejo celebrado en Olot un día antes. En: *El Periódico de Catalunya*, 3 de mayo de 1999, p. 34.

blicidad y no convenía enfrentarse a él. O lo aceptaba o lo dejaba. Esto me pasaba a mí, pero también le sucedía a quien se ocupaba de la crítica de teatro o de otro tipo de espectáculo que estuviese relacionado con su negocio. Era algo conocido en todos los medios de comunicación, no solo en *El Periódico de Catalunya*[524].

El cambio de década y de siglo coincidió con el rediseño de *El Periódico de Catalunya* llevado a cabo en diciembre del año 2000 por el estudio Cases i Asociats y que supuso que la rotativa se significase claramente como un modelo de periódico de servicios, priorizando un estilo periodístico que respondiese a las necesidades del lector de hoy en día. El color se impuso prácticamente en el contenido del diario y la división tradicional por secciones de la prensa de toda la vida se sustituyó en favor de bloques temáticos más extensos que actuaron como contenedores a la manera de cuadernillos que bien podían separarse y coleccionar. Entre esta nueva compartimentación destacó la macrosección diaria Exit, dedicada al ocio, los espectáculos, la cultura y la agenda.

La actualidad taurina continuó publicándose, prácticamente, con el mismo ritmo de periodicidad que en años anteriores: tres días por semana durante la temporada de toros barcelonesa, de marzo a septiembre. Los viernes se publicó con una información del festejo dominical en la sección Agenda fin de semana del especial *Viernes & Libros*, suplemento que, como ya se ha dicho, tomó el relevo de *Este Fin de Semana*, para después llamarse *Viernes*. Los domingos apareció en un breve como propuesta de ocio para los lectores en la información de

---

524. Entrevista a Juan Soto Viñolo realizada el 12 de julio de 2012 [ver Anexo 3.2.].

agenda Las citas de hoy o en un texto más elaborado en las primeras páginas de la sección, dándose el caso en ocasiones de la coincidencia de ambas informaciones[525]. Y los lunes, llegó a los lectores como crónica, cuyo texto mantuvo sin apenas variaciones el estilo narrativo de la división por párrafos torero a torero, con una mayor libertad expositiva en la profundidad en las apreciaciones, la distribución del espacio informativo y los aspectos más relevantes que sucedieron fuera de la plaza a juicio del autor, Juan Soto Viñolo, haciendo hincapié en numerosas ocasiones en la defensa de la de la fiesta como buen visionario del peligro que se avecinaba:

> Viendo el aspecto de la plaza, la entrega del público y la competencia de los diestros, ¿quién se atreve a decir que no hay afición en Catalunya, que aquí no interesan los toros, que la fiesta se acaba? Aficionados del sur de Francia y de Italia se dieron cita en la Monumental, aunque lamentando la ausencia por cogida de José Tomás, el diestro que ha revolucionado la fiesta y ha ilusionado a la afición catalana[526].

La decisión del Ayuntamiento de Barcelona de declararse contrario a las corridas de toros llegó en el año 2004 a la redacción del periódico del Grupo Zeta en un momento que la información taurina se incluía en los contenidos que el nuevo diseño se esforzaba para consolidarse como modelo de diario de servicios, alejándose del planteamiento informativo y populista de etapas anteriores. La presencia de la crónica taurina en las páginas de los lunes era un prodigio de formato de lectura rápida, con titulares, ficha, despieces, destacados y ladillos, y

---

525. *El Periódico de Catalunya*, 6 de julio de 2003, pp. 63 y 64.
526. *El Periódico de Catalunya*, 25 de septiembre de 2000, p.43.

acentuaba la importancia de los componentes gráficos a través del color, fotografía y recursos infográficos. Cabe destacar que el uso de la ficha y el antetítulo en la crónica se incorporaron desde el año 2001 con el nuevo suplemento Exit, pasando a ser un subgénero de Espectáculos denominado Toros y que el diario no contempló como crítica al excluirlo de otra sección dedicada exclusivamente a este género periodístico de opinión[527]. Una demostración más de que las ilimitadas posibilidades de especialización que podía decidir el diario exponía el tema de los toros a cualquier otra subsección.

La noticia de la decisión del Ayuntamiento no relegó excesivamente el tema de los toros en las páginas del diario. Perdió protagonismo en el peso del contenido, algo que ya vino acusando en años anteriores, al no apreciarse el mismo número de breves publicados y la presencia de la información en el sumario de la sección. Incluso el anuncio taurino, tanto desde la empresa como en la cartelera del propio diario, no tuvieron la continuidad de años anteriores. Sin embargo, la actualidad de las corridas del domingo en la Monumental continuó publicándose con la misma periodicidad y bajo un ordenamiento lógico en la sección o suplemento.

Las noticias inquietantes que se fueron sucediendo a lo largo del siglo XXI para la Cataluña taurina hicieron que Juan Soto Viñolo reivindicase la catalanidad de la fiesta en algunas de sus crónicas o en otros espacios que el diario le brindaba. El suplemento *Viernes & Libros*[528] se presentó como un lugar ideal para el autor por el hábito del lector a encontrar siempre allá la in-

---

527. *El Periódico de Catalunya*, 17 de septiembre de 2001, p. 4 [suplemento Exit].

528. Este suplemento a partir de mayo del año 2004 pasó a denominarse *Viernes*, al separarse las informaciones de ocio de las novedades editoriales, publicándose los jueves el suplemento *Libros*.

formación, con un espacio fijo, destacado y que se rodeaba con otras tradiciones y manifestaciones catalanas, como las sardanas y los *castellers*. Así actuó, por ejemplo, refiriéndose a una nueva promoción de futuros toreros catalanes: "Los aficionados deben alentar a estos aspirantes que se abren camino en esta difícil y romántica profesión tan interesadamente incomprendida por los poderes públicos de Catalunya"[529].

La modernidad informativa por la que apostaba con el nuevo diseño y clasificación de contenidos el diario dirigido por Antonio Franco empezó a chocar con la imagen de barbarie y vetusta tradición que se hacía ver del mundo de los toros ante los gustos y nuevas ofertas de consumo de la sociedad del siglo XXI. El periódico constató cada vez más que sus lectores se estaban alejando de este tipo de información[530]. Tampoco fue suficiente el esfuerzo de Juan Soto Viñolo de preocuparse por contextualizar sus crónicas y no abusar de un lenguaje excesivamente barroco y técnico que provocase la incomprensión de los nuevos aficionados. Nada ya hizo cambiar la dinámica que el periodismo taurino estaba tomando en las páginas del periódico.

Esta sensación de alejamiento de los lectores de la realidad taurina catalana lo expresó personalmente el propio Rafael Nadal, director de *El Periódico de Catalunya* entre 2006 y 2010, en una conversación telefónica que mantuvimos. Según él, el desinterés de la audiencia fue uno de los principales motivos que provocaron el desplazamiento de la actualidad taurina en beneficio de otros espectáculos:

La progresiva desaparición en nuestro periódico de la cró-

---

529.   *El Periódico de Catalunya*, 6 de mayo de 2005, p. 23 [suplemento *Viernes*].

530.   Entrevista a Iosu de la Torre realizada el 10 de julio de 2013 [ver Anexo 3.1.].

nica de la corrida de toros dominical coincidió durante mi mandato por varias razones que no tuvieron nada que ver con decisiones personales y presiones externas de grupos políticos o asociaciones defensoras de los animales, que jamás recibimos. Fuimos abandonando el asunto de los toros, principalmente, por el desinterés de los lectores, más preocupados por otras ofertas de ocio de la ciudad que atraían a más seguidores. También hay que reconocer que tuvo parte de culpa en este abandono los problemas de horario que acarreaba muchas veces para el cierre del diario publicar la colaboración de Juan Soto Viñolo de la corrida dominical durante el verano. Así, entre una cosa y otra, vimos que no tenía mucho sentido seguir publicando la sección de toros por la escasa repercusión que tenían los festejos de la temporada barcelonesa entre los ciudadanos catalanes, excepto cuando actuó una figura como José Tomás, que entonces sí demostramos nuestro compromiso con la actualidad y el interés de los aficionados catalanes por la calidad artística del torero[531].

10.1.4. La información de la realidad taurina catalana

Rafael Nadal, durante sus años de mandato, bajo un ambiente hostil contra los toros desde cualquiera de los puntos de vista, se vio empujado por la opinión generalizada de que las corridas poco importaban a los barceloneses y poco tenían que ver con los valores de una sociedad moderna, algo que ya venía

---

531.   Conversación telefónica mantenida con Rafael Nadal el 21 de junio de 2011.

constatando el propio Juan Soto Viñolo desde hacía años: "Los toros llegaron a ser muy importantes para el diario. Tuvieron a mediados de los ochenta su peso en la sección. Fue a finales de los noventa cuando comencé a constatar que progresivamente se iba arrinconando mi sección"[532].

La tradición de la fiesta estaba cuestionada desde fuera y parecía interesar al diario del Grupo Zeta cuando era vista tan solo como un debate ajeno a la esencia de la tauromaquia: la corrida de toros. La controversia entre taurinos y antitaurinos dentro del propio periódico[533] y las numerosas circunstancias culturales, sociales y hasta políticas desfavorables, se reflejaron en las páginas del diario con la agonía de la crónica para la temporada barcelonesa y la notoriedad de la noticia cuando el tema era el debate taurino. La atención que el medio dio a partir del año 2007 a la temporada barcelonesa, aun con la presencia de José Tomás en los ruedos, mostró un manifiesto desplazamiento del asunto de los toros a las páginas de Sociedad para tratar otros temas más polémicos. También, se caracterizó por una progresiva incorporación de autores, algunos de ellos, ajenos al conocimiento de la tauromaquia y a las expectativas informativas del buen aficionado a los toros.

El debate abolicionista comenzó a ganar protagonismo en las páginas del periódico a finales de la primera década de siglo. Fue bajo el mandato del director Enric Hernández, continuista desde su entrada en febrero de 2010 de la misma política informativa de su predecesor con las corridas de toros. Así, empuja-

---

532. Entrevista a Juan Soto Viñolo realizada el 12 de julio de 2013 [ver Anexo 3.2.].
533. Entrevista a Iosu de la Torre realizada el 10 de julio de 2013 [ver Anexo 3.1.].

do por la actualidad informativa que generaba el debate de los toros, también dio un notable espacio en sus páginas al enfrentamiento entre partidarios y detractores, dando voz a unos y a otros, sin apenas recuperar, excepto con las actuaciones de José Tomás en la Monumental, la tradicional publicación de las crónicas de las corridas de la temporada de toros de Barcelona, que escasamente aparecería de la mano de Juan Soto Viñolo con la misma primacía y prestigio que siempre había tenido entre las gentes taurinas. Fue así, los últimos años, como el tratamiento informativo de algunas de estas corridas fue bien distinto al de temporadas anteriores: eliminación de referentes taurinos en los epígrafes, empleo del término "crónica" como elemento de identidad del artículo y desaparición de la ficha, santo y seña del género para el aficionado[534].

La vocación de informar de toros que siempre había mostrado *El Periódico de Catalunya* a través de textos taurinos y de la personalidad de quien hizo ejercício de este periodismo especializado acabó desapareciendo de sus páginas en el año 2009[535]. Para Iosu de la Torre, subdirector y jefe de sección de Espectáculos, "cuando prescindimos de Juan un año antes de la prohibición no nos pusimos a buscar ningún especialista. Creo que hasta ni nos lo planteamos"[536]. La dependencia con el escritor taurino, el acoso a la fiesta de los toros, las nuevas ofertas de ocio, el desinterés de los lectores y la crisis de la

---

534. *El Periódico de Catalunya*, 28 de septiembre de 2009, p. 46.

535. La última colaboración taurina publicada en el diario por Juan Soto Viñolo fue el lunes 28 de septiembre de 2009, con motivo de las dos corridas programadas para la Feria de la Mercè. El periodista taurino de *El Periódico de Catalunya* tituló así su última crónica: "Excelso arte de José Tomás". En: *Ibid.*

536. Entrevista a Iosu de la Torre realizada el 10 de julio de 2013 [ver Anexo 3.1.].

prensa condicionaron en *El Periódico de Catalunya* la presencia informativa de la actualidad taurina y demostraron que fueron factores imprescindibles para analizar la actual situación que vive la fiesta de los toros en muchos periódicos nacionales.

PARTE VI
Análisis aplicado

11. Panorámica del periodo analizado

Este capítulo presenta una breve panorámica sobre los acontecimientos relevantes que sucedieron en Cataluña en los años
de estudio (2004-2010). Esta visión es importante para el análisis y para entender muchos de los comportamientos y decisiones que se tomaron más allá de todo lo que sucedió en los
ruedos.

11.1. Entorno político, económico, social y perio-
dístico del periodo 2004-2010

El entorno político, económico, social y periodístico del periodo 2004 a 2010 repercutió en muchas de las decisiones que
afectaron en Cataluña al mundo de los toros. La evolución de
los acontecimientos que transcurrieron durante esos años
acompañó el discurrir de la fiesta de los toros en las plazas
barcelonesas, incidiendo en muchas ocasiones en la toma de
decisiones. Fueron los cambios políticos, la crisis económica,
los problemas de la prensa y los nuevos gustos de la sociedad
los aspectos que crearon un clima determinante durante esos
años. Una etapa decisiva en todos los sentidos, que propició

un contexto complicado para la continuidad de la fiesta de los toros en la comunidad catalana.

11.1.1. Año 2004: cambios políticos y decisiones políticas

El año 2004 estuvo marcado informativamente por cinco noticias de ámbito nacional e internacional: el atentado del 11-M en Madrid; las elecciones del 14 de marzo, que supuso el retorno al Gobierno de los socialistas y el estreno de José Luis Rodríguez-Zapatero como presidente de España; la retirada de las tropas españolas de Iraq; la boda del Príncipe Felipe, y las elecciones norteamericanas. En Cataluña, el presidente de la Generalitat, Pasqual Maragall, reconoció en su mensaje de fin de año que se abría la vía para reformar el Estatuto de acuerdo con el Gobierno para poner en regla todo aquello que hacía 20 años no se había tenido en cuenta en la Constitución[537]. Era la reflexión de un año que en clave catalana había arrancado con cambio de ciclo político, pues las elecciones del 16 de noviembre de 2003 supuso la entrada de un *Govern* catalanista y de izquierdas constituido por el Partit dels Socialistes de Catalunya-Ciutadans pel Canvi (PSC-CpC), Esquerra Republicana de Catalunya (ERC) e Iniciativa per Catalunya Verds-Esquerra Unida i Alternativa (ICV-EUiA), y con el pase a la oposición de Convergència i Unió (CiU), ahora liderado por Artur Mas, elegido por el expresidente Jordi Pujol como su sucesor. Una nueva fórmula política de pacto entre tres formaciones que tuvo por objeto arrebatar el mando a quienes habían goberna-

---

537.   BRACERO, F. "Maragall destaca la vía catalana para la reforma del Estatut ante el plan Ibarretxe". *La Vanguardia*, 1-2 de enero de 2005, p. 17.

do Cataluña durante 23 años (1980-2003) y desplazar a CiU de cualquier centro de poder.

El Gobierno catalán resultante, denominado popularmente como Tripartito, no tuvo un mandato muy tranquilo. Pasó su primer año agitado por las constantes crisis internas, marcado por el proceso del nuevo Estatuto y salpicado por las polémicas de sus dirigentes, especialmente el viaje a Perpiñán (Francia) del *conseller* primero, el republicano Josep Lluís Carod Rovira, para dialogar con miembros de la banda terrorista ETA. Todo esto hizo que la política catalana estuviese en el punto de mira día tras día. También la Constitución europea fue un factor de división en el equipo del Ejecutivo catalán, postulándose a favor los socialistas y oponiéndose ERC e ICV.

A nivel local, el alcalde de Barcelona, el socialista Joan Clos, en el cargo desde 1997, reelegido en 1999 y 2003, continuó su apuesta durante el 2004 por una ciudad abierta, cohesionada y potente. Su tercer mandato al frente del Ayuntamiento pudo iniciarse un año antes repitiendo la misma fórmula política que se produciría luego en el *Govern* de la Generalitat: los socialistas llegando a un acuerdo con ERC e ICV para que su líder, en este caso Joan Clos, pudiese salir reelegido. Para su nombramiento tras las elecciones municipales del 25 de mayo de 2003 contó con el apoyo de los 15 concejales de su formación, más cinco de ERC y la misma cifra de ICV. Los grupos en la oposición, CiU, con nueve ediles, y el PP, con siete, votaron en contra de este nuevo ejecutivo municipal de complicada arquitectura política.

Con Esquerra e Iniciativa en el equipo de Gobierno municipal, liderados por el republicano Jordi Portabella y la ecosocialista Imma Mayol, ahora tenientes de alcalde, el Ayuntamiento dio un manifiesto giro a la izquierda, poblándose de un nacionalismo más radical y rindiéndose a la imposición de buena parte de los programas y propuestas de ERC e ICV, algunos muy conocidos como el firme rechazo a la humillación y dolor que sufría el animal en la fiesta de los toros y su irritación a cualquier simbolismo español. Bajo esta clara intención, y ante la pasividad de la política taurina del PSC, emergió el activismo contra las corridas de toros del político Jordi Portabella[538], acérrimo antitaurino y, de forma implícita, contrario al supuesto carácter "españolista" de la fiesta.

Clos, en su amplio programa de inversiones en la ciudad, incluyó la renovación de unas 250 hectáreas de la zona de la desembocadura del río Besós, uno de los espacios del frente marítimo más deprimidos de Barcelona, a partir de la construcción de viviendas, oficinas y hoteles, convirtiéndose en un nuevo polo de actividad y vida ciudadana. Allí se celebró el Fórum Universal de las Culturas, gran acontecimiento del 2004 en la capital catalana, pero una de las acciones más criticadas de su Gobierno porque la multimillonaria inversión concedida no logró el número de visitantes previstos ni las expectativas que se fijaron. El Fórum fue señalado por las huestes taurinas como el acontecimiento que provocó que el Consistorio barcelonés pusiese a votación de sus ediles a Barcelona como ciudad antitaurina[539], empeñado el alcalde Clos en vender al mundo una imagen cívica de la capital catalana y empujado por la pasión nacionalista y animalista de la mayoría del Consejo Plenario del Ayuntamiento barcelonés.

---

538. Jordi Portabella, presidente del grupo municipal de Esquerra Republicana de Catalunya en el Ayuntamiento de Barcelona, ocupó desde el año 2002 hasta el 2007 la presidencia del Zoo de Barcelona, al mismo tiempo que fue edil en el consistorio barcelonés.

539. GIBERT CLOLS, L. Mª. *Op. cit.* p. 218.

En el terreno económico nacional, Rodríguez Zapatero respetó el legado de José María Aznar[540] y no tomó ninguna medida que pudiera poner en peligro el clima económico de seguridad y prosperidad que se había logrado. En Cataluña se esperaba concretar las medidas que había impulsado el *conseller* Castells con los agentes sociales para adaptar la economía catalana a los imperativos de la globalización y para mejorar su competitividad.

Donde sí mostró gran actividad durante sus primeros ocho meses el Gobierno de Zapatero fue en dar solución a la presencia en España de un número considerable de inmigrantes sin regularizar, recomponer las relaciones entre el Gobierno y las comunidades autónomas y crear nuevos derechos en materias de costumbres sociales. Mientras a los inmigrantes prometió "papeles para todos", a los gobiernos autonómicos les ofreció reformas de los estatutos, como hemos visto en el caso catalán, pero poniendo como límite la Constitución, que supuso, por ejemplo, un freno al ambicioso Plan Ibarretxe. En su línea de actuación en ampliar las libertades sociales de los españoles, la estrategia desplegada logró recuperar la identidad del estilo de un gobierno de izquierdas que se había perdido con los últimos mandatos de Felipe González. El afán de política social de Rodríguez Zapatero llegó a exhibir en sus legislaturas ribetes bien populistas. Así, el primer año aprobó la ley de violencia de género, sin los frutos deseados por el número constante de mujeres fallecidas en manos de sus parejas, y preparó la reforma de la ley de divorcio, aprobada un año después, para

---

540. El Gobierno de Aznar (1996-2004) dejó atrás en 2001 el déficit público y logró superávit en 2003. Descendieron los tipos de interés y se mantuvo bajo control la inflación. El paro bajó y aumentó la población empleada, con un fuerte llegada de trabajadores extranjeros.

agilizar el proceso de las parejas separadas, reforma que fue reconocida como el divorcio express.

A pesar de que el diario *El Mundo* situó a la prensa en un primer plano por el polémico tratamiento que conllevó la famosa teoría de la conspiración[541], emprendida a raíz de los atentados del 11 de marzo, los españoles supieron interpretar el papel que ejercía el diario de Pedro Jota Ramírez y demostraron con el consumo de diarios que el periodismo español gozaba de buena salud: el número de lectores creció y alcanzó los 13,9 millones, 800.000 más que los contabilizados el año anterior. Así, avanzó en número de lectores y audiencia respecto a años anteriores, y mostró un panorama marcado por el fenómeno de la prensa gratuita, que se afanó por asentarse en los quioscos de las ciudades con grandes núcleos de población. El grupo Godó todavía no apostó por este tipo de prensa, pero si Grupo Zeta, que se introdujo con *Crónicas* (2001), un diario que no se distribuía en Cataluña y que nació de unas experiencias piloto en 1997 con *El Periódico de Benicassim* y *El Periódico de Vila-Real*. La prensa gratuita competía de tú a tú con la prensa de pago por los resultados que arrojaba durante todo el año, como demostró el informe del EGM de febrero-noviembre de 2004, indicando que una de cada cuatro personas leía periódicos gratuitos, lo que suponía un tercio de los lectores de prensa de información general; es decir, 3,33 millones frente a los 11,5 millones. Incluso, la última audiencia de *20 Minutos* (1.862.000) y *Metro* (1.605.000) se duplicó respecto de las mismas fechas del año anterior, alcanzando puestos tan relevantes como el

---

541. La teoría de la conspiración fue un término empleado por el diario *El Mundo* y otros medios digitales y radiofónicos españoles sobre el atentado del 11 de marzo de 2004, basado en investigaciones periodísticas que planteaban incógnitas del esclarecimiento de los hechos.

tercero y cuarto entre los periódicos diarios más leídos, *Marca* (2.619.000) y *El País* (2.155.000)[542].

11.1.2 Año 2005: claros y oscuros en la Cataluña del Tripartito

Ese año 2005 se inició con el horror de las imágenes que llegaron del desolador tsunami del océano Índico sucedido la última semana de diciembre de 2004. El balance de esta tragedia en el sureste asiático provocó una gran destrucción que acabó con las vidas de 227.000 personas en 14 países. Noticias desalentadoras para un año que en Cataluña acabó diferente a cómo comenzó: si a principios de 2005 los partidos políticos compitieron para elevar la causa catalana del Estatuto de Autonomía hasta el punto de casi naufragar su negociación, en octubre de 2005, después de un largo y tortuoso proceso judicial y político, los partidos catalanes, a excepción del PP, aprobaron in extremis su reforma. Los dos asuntos más controvertidos fueron el modelo de financiación para Cataluña y el referente a la laicidad en la escuela pública. Una vez alcanzado el acuerdo del nuevo Estatuto, calificado de "ambicioso" por la introducción en el texto del término nación, por el exhaustivo blindaje de competencias y por las propuestas políticas y económicas, el presidente de la Generalitat, Pasqual Maragall, y el líder de la oposición, Artur Mas, no dudaron en escenificar el entendimiento con un abrazo.

542. SANTOS DÍEZ, Mª T. "La prensa gratuita se expande en España". *Telos, Cuadernos de Comunicación e Innovación*, nº 63, Abril-Junio 2005. Madrid: Fundación Telefónica, 2005, pp. 13-15. http://sociedadinformacion.fundacion.telefonica.com/telos/articulotribuna.asp@idarticulo =3&rev=63.htm [consulta: 14 de mayo de 2012].

El proyecto de reforma del Estatuto de Cataluña fue aprobado por un total de 120 votos —los que congregaron a todo
el arco parlamentario a excepción del PP—, ya que los 15 escaños populares votaron en contra del proyecto al considerar
que algunos de sus puntos fueron inconstitucionales. El texto
aún tuvo que pasar el examen final ante el Congreso de los Diputados, pero los partidos políticos ya manifestaron su valoración del proyecto.

La buena manera de pilotar de Pasqual Maragall con el
acuerdo del Estatuto no pudo oscurecer dos hechos significativos que sucedieron durante el año: su falta de clarividencia y
sensibilidad ante el drama humano que el derrumbe del tú-
nel del Carmelo produjo en un barrio barcelonés que conocía
bien; y la reacción que tuvo ante la crítica de la oposición por la
tempestad que desató este triste episodio y que pretendió apagar acusando a CiU de cobrar comisiones[543]. Todo esto sucedió
en el Parlamento, el mismo lugar donde ERC e ICV acudiieron
en el 2005 para presentar las primeras leyes abolicionistas contra los toros.

El alcalde de Barcelona, Joan Clos, continuó decayendo su
popularidad entre los barceloneses desde que en el 2004 había
acogido el Fórum Universal de la Culturas y no había conseguido el número de visitantes previstos ni las expectativas fija-
das. Sí, en cambio, mantuvo el proceso propuesto de transfor-

---

543.   Pasqual Maragall, después de una dura intervención del jefe de la
oposición, Artur Mas, aseguró en un pleno extraordinario sobre la crisis del
barrio de El Carmelo, celebrado en el Parlamento de Cataluña, que el problema de CiU se llamaba 3%, en una alusión a un supuesto cobro de comisiones en la adjudicación de obras. Una acusación que Mas pidió que retira-
se para no poner en peligro la legislatura y la reforma estatuaria. El político
convergente presentó una querella que, posteriormente, retiró tras pedir
formalmente excusas a los ciudadanos el presidente de la Generalitat.

mación de aquella ciudad industrial nacida en el siglo XIX hacia una ciudad del conocimiento, con la creación del barrio 22@ en el viejo Poblenou industrial, además de apostar firmemente por una urbe abierta, fuerte y proyectada internacionalmente.

Mientras todo esto sucedía en suelo catalán, la política española estuvo marcada por la aprobación de otras nuevas leyes sociales (matrimonio entre personas del mismo sexo, leyes para promover la igualdad entre sexos, proyecto de Ley Orgánica de Educación), en un año que se volvió a acudir a las urnas el 20 de febrero para votar la Constitución europea. Los españoles dijeron 'sí' al nuevo tratado en un referéndum que no fue legalmente vinculante para el Gobierno, pero que allanó el camino de la ratificación parlamentaria.

La inmigración, la muerte del papa Juan Pablo II, la gripe aviar, la financiación sanitaria, el terrorismo islamista en Londres, el año de *El Quijote*, la eclosión del tenista Rafael Nadal y el triunfo de Fernando Alonso en la Fórmula 1, fueron otros acontecimientos que marcaron el año 2005.

En cuanto a la prensa, continuó el crecimiento con unos números alentadores. En este sentido, los 139 periódicos españoles de pago con 4.284.000 ejemplares diarios y un crecimiento del 2,38%, mostraron la imagen de un sector que tomaba conciencia de las nuevas tendencias para reconfigurar el modelo de negocio y mantener una línea ascendente respecto a años anteriores. También se habló mucho del Consejo Audiovisual de Catalunya (CAC) y la Ley Audiovisual de Cataluña, aprobada el 20 de diciembre de 2005, que le dio poderes sancionadores a este organismo y la posibilidad de otorgar las licencias de radio y televisión, una potestad hasta entonces en manos de la Generalitat, si bien el Gobierno regional debía atender al informe vinculante que preparaba el CAC sobre los concursos. Y cómo no, se habló de la TDT, aprobada por el

Gobierno, y en cuyo texto se avisaba que el apagón analógico sería progresivo hasta el 3 de abril de 2010.

11.1.3. Año 2006: la España de Rodríguez Zapatero

Poco cambió el año 2006 del 2005. El presidente Rodríguez Zapatero continuó gobernando sometido a un clima político nacional tenso, pero bajo una duradera expansión económica sustentada a partir de tres grandes patas: la construcción, la inmigración y el consumo privado. Las cifras del ejercicio, con superávit presupuestario, presentadas por el ministro de Economía, Pedro Solbes, fueron buenas pero con dudas de si podían mantenerse. De entre todos los números presentados, destacó que durante los 12 meses del año el boom inmobiliario generó casi el 53% del empleo en España a trabajadores de fuera, avecinando los medios de comunicación en sus artículos de opinión del peligro que se corría si algún día la construcción experimentaría un parón brusco[544]. También se dijo que durante el año se había establecido la inmigración como uno de los asuntos principales de la agenda política española y "una de las preocupaciones primeras de los españoles en todos los sondeos"[545].

Tampoco pasó desapercibida para los españoles la continua ofensiva cultural e ideológica que estaba llevando a cabo el Gobierno desde toda la legislatura. Ahora, el frente abierto vino provocado por la nueva ley de Educación (LOE), especialmente con la controvertida asignatura de Educación para la Ciudadanía, suprimiendo la obligatoriedad de impartir religión

---

544. "Otro buen ejercicio". *La Vanguardia*, 24 de diciembre de 2006, p. 24.
545. "Ante la inmigración". *La Vanguardia*, 25 de diciembre de 2006, p. 16.

católica para dejar libertad de estudio de otras religiones en los centros públicos, lo que supuso un fuerte malestar en la Iglesia y en algunos grupos de la oposición.

Si España se movió entre la fallida tregua de ETA, la inmigración, la ley antitabaco, el carné con puntos y los éxitos de sus deportistas, especialmente el triunfo de la selección de baloncesto en el Mundial de Japón, el resto del mundo transcurrió entre el repunte desarrollista de China, los retos para mantener el rango internacional de Europa y el desafío que representaba su dependencia energética, como demostró la decisión de Vladímir Putin de cerrar la aportación de petróleo, o la difícil posición internacional de Estados Unidos por el decaimiento de la ideología *neocon* de los asesores del presidente Bush, así como el desgaste sufrido por éste a causa de la campaña en Irak.

La inmigración que tanto peso ganó en España representó en Cataluña el 12,2% e incluso se dijo que acogía esta comunidad un tercio de los trabajadores extranjeros de toda España. Lo que sí fue seguro es que el Estatuto aprobado por el Parlamento catalán en noviembre de 2005, donde Cataluña se definía como nación, fue avanzando y pasó del Congreso de los Diputados a la Comisión General de Comunidades Autónomas del Senado. En el pleno celebrado el 10 de mayo recibió el apoyo político de todos los partidos, excepto del Partido Popular y Esquerra Republicana[546]. Después, el pueblo catalán

---

546. Esquerra Republicana de Catalunya consideró el texto definitivo totalmente descafeinado respecto al aprobado en el Parlamento catalán al quedar, como afirmó su presidente, Josep Lluís Carod-Rovira, "muy desvirtuado y alejado de las necesidades reales de la sociedad catalana". En: "ERC pedirá el 'voto nulo' en el referéndum del Estatuto catalán". *El Mundo*, 7 de abril de 2006. Madrid: Unidad Editorial, 2006. http://www.elmundo.es/elmundo/2006/04/27/espana/ 1146151939.html [consulta: 4 de febrero de 2013].

también aprobaría el nuevo Estatuto en el referéndum del 18 de junio de 2006 por el 73% de los votos, pero con una escasa participación: solo el 49% de los catalanes votaron. El 31 de julio, el PP presentaba ante el Tribunal Constitucional un recurso de inconstitucionalidad contra el nuevo Estatuto de Autonomía de Cataluña, dirigido contra el preámbulo 114 de los 223 artículos del texto y nueve disposiciones adicionales y tres finales. Entre los artículos recurridos se encontraban los referidos al término nación, la obligatoriedad del catalán o las competencias.

Los catalanes volvieron a votar cinco meses después en sus elecciones autonómicas para decidir qué partido iba a gobernar en Cataluña en los cuatro años siguientes. El presidente Maragall, al frente de un Gobierno de gran desgate político e infinidad de contratiempos, renunció a presentarse y convocó elecciones para el día 1 de noviembre convencido que los mil días de gobierno de izquierdas en Cataluña había supuesto alcanzar la mayoría de edad. El resultado dio el triunfo a CiU, pero al no obtener la mayoría absoluta se repitió la situación anterior en la que tres partidos de izquierda (PSC, ERC e ICV) formaron de nuevo una coalición de gobierno en contra de los pronósticos que indicaban que podía crearse para dirigir la nace catalana una "sociovergencia" (unión entre socialistas y convergentes). El *Govern* resultante ya no estuvo comandado por Pasqual Maragall, sino por el socialista José Montilla, el primer emigrante andaluz que ocupaba la presidencia de la Generalitat, un confeso aficionado taurino que se dejaba ver habitualmente por las gradas de la Monumental y que debió convivir a partir de entonces en el Parlamento catalán con la presencia de un nuevo partido joven y protaurino nacido en contra del Gobierno del Tripartito: Ciutadans, de Albert Rivera, con tres escaños, y el apoyo de personajes muy significados a favor de la fiesta de los toros, como el periodista Arcadi Espada o el actor y dramaturgo Albert Boadella.

La composición del Parlamento de las elecciones de 2006 fue crucial para el futuro de la tauromaquia catalana. La representación parlamentaria elegida para pilotar esta nueva etapa pasó de cinco fuerzas políticas a seis, con 48 escaños para CiU (dos más en que en el 2003), 37 el PSC (5 menos), 21 para ERC (2 menos), 14 el PP (1 menos), 12 ICV, (3 más) y 3 para Ciutadans. Siendo en 68 escaños la mayoría absoluta en el Parlamento de Cataluña.

En materia local, el 29 de agosto de 2006 se anunció el nombramiento de Jordi Hereu como alcalde de Barcelona en sustitución de Joan Clos, debido a la designación de éste por el presidente del Gobierno, Rodríguez Zapatero, como ministro de Industria, Turismo y Comercio. Hereu, hasta el nombramiento un desconocido para la política local barcelonesa, manifestó desde el primer día la continuidad del modelo de Clos, basado en el Pla d'Actuacio Municipal (PAM)[547] que habían acordado sus socios de Gobierno (ERC e ICV-EUiA, además de PSC) tras las elecciones de 2003. La seguridad, el civismo, la inversión en política de vivienda y compra del suelo fueron las principales líneas de actuación del tripartito municipal, gobierno criticado por la oposición por la incapacidad de dar respuesta a los problemas de los ciudadanos pero, sobre todo, por los hechos que más marcaron negativamente todo el mandato: el grandilocuente Fórum Universal de las Culturas y la crisis del barrio del Carmelo.

---

547. El Plan de Actuación Municipal (PAM) es el principal instrumento de planificación municipal durante los cuatro años de mandato del Ayuntamiento de Barcelona. Prevé los recursos necesarios, económicos y financieros para llevarlo a cabo. Puede revisarse y modificarse durante la legislatura que está vigente.

La imagen que dejó la prensa al final del año 2006 fue paradójica: los diarios de información general disminuyeron su difusión total en el 2,81%; los de información deportiva cayeron el 1,59%, y los de información económica aumentaron su difusión alrededor del 5%. En cambio, la evolución de los ingresos publicitarios en 2006 respecto a 2005 fue positiva. Los diarios de información general aumentaron el 7,45%, los de información deportiva el 16,24% y los de información económica incrementaron sus ventas publicitarias en el 19,95%. Estos números reflejaron que la publicidad amortiguaba la caída de ingresos por la menor difusión, por lo que dejaba la duda de lo que podría pasar con las cuentas de explotación de las editoriales si se produjera algún día una crisis económica.

11.1.4. Año 2007: el último periodo de bonanza económica

El 2007 arrancó de la peor manera posible: las esperanzas de paz que ETA había transmitido en enero de 2006 con su anuncio de "alto el fuego permanente" se desvanecieron un día antes de las campanadas de fin de año en la T4 de Barajas (Madrid). En el aparcamiento del aeropuerto, la banda terrorista cogió por sorpresa al Gobierno de Zapatero, confiado en que el 2007 sería un año bueno para que el proceso de paz evolucionase satisfactoriamente, demostrando su mortífera capacidad de destrucción haciendo estallar una furgoneta y causando dos muertes.

La amenaza terrorista no fue la única que se cernió sobre España ese año. La crisis económica que se avecinaba se sumó al clima de crispación que la acción política del Gobierno de Zapatero había creado en la sociedad al empeñarse en resucitar las "dos Españas" a partir de la denominada Ley de Memoria Histórica[548]. Ya el borrador suscitó un gran debate político e incluso generó cierta polémica en la opinión pública. Finalmente, la ley aprobada el 27 de diciembre de 2007 fue un texto más moderado de los primeros borradores redactados, donde incluso el término "memoria histórica" quedó marginado[549], pero que no pudo apagar la ira del PP y tampoco logró satisfacer a sus socios parlamentarios.

Las elecciones municipales del 27 de mayo constataron un empate técnico entre el PP y el PSOE. Los comicios, que se celebraron en más de 8.000 municipios y 13 comunidades autónomas, dejaron satisfechos a los grandes partidos nacionales, ya que mientras los populares consiguieron más votos, los socialistas ampliaron su poder al recuperar la comunidad balear y lograr más concejales.

A Cataluña no le tocó elecciones autonómicas. Las había celebrado un año antes e iniciaba el 2007 con José Montilla al frente de un gobierno tripartito con un estilo diferente a la legislatura anterior, caracterizado por una mayor discreción y por transmitir una imagen de estabilidad. El *Govern d'Entesa* (Gobierno de Entendimiento, en español), como se denominó a este segundo tripartito catalán integrado por PSC, ERC e ICV, desplegó e implemento el programa que en su día había diseñado el ejecutivo anterior, pero siempre a corto plazo al enfrentarse el ideario socialista con el republicano. En este

---

548.   La Ley de Memoria Histórica reconoce y amplía derechos y establece medidas en favor de quienes padecieron persecución o violencia durante la Guerra Civil y el Franquismo. En: "La Ley de Memoria Histórica". *Gobierno de España. Memoria Histórica.* www.memoriahistorica. gob.es/LaLey/ index.htm [consulta: 17 de enero de 2013].

549.   DÍAZ FERNÁNDEZ, O. *Historia de España en el siglo* xx. *A través de las grandes biografías, novelas y películas.* Barcelona: Base, 2010, pp. 169-170.

sentido, Josep Lluís Carod-Rovira, líder de ERC y *conseller* de la Vicepresidencia, anunció que trabajaría para que en el año 2014 se celebrase un referéndum de autodeterminación.

El alcalde de Barcelona, Jordi Hereu, salió reelegido en las elecciones municipales del 27 de mayo, pero se convirtió en el primer alcalde de la ciudad que gobernaría en minoría. Su actuación municipal se inició después de la puesta en marcha el 22 de marzo del Bicing, el servicio de bicicletas públicas de Barcelona, y antes del apagón que dejó el 23 de julio sin luz durante tres días a un total de 323.337 abonados barceloneses, dos hechos que marcaron un mandato dominado por las dificultades por gobernar. Así, en el acto de investidura, el 16 de junio, justo un día antes de la vuelta de José Tomás a los ruedos en la plaza Monumental de Barcelona, ERC cumplió las promesas de desertar del nuevo gobierno local y decidió dejar solos a PSC e IV en un bipartito para los cuatro años siguientes. El paso a la oposición de la formación de Jordi Portabella, provocado por el convencimiento republicano de la crisis del modelo de ciudad planteado, se sumó al desencanto que su partido recibió en los resultados de las elecciones en Barcelona, al caer ERC al último lugar de los grupos municipales y lograr el 8,79% de los votos, muy lejos del 12,89% de hacía cuatro años. Este resultado contrastó con la relativa normalidad en las votaciones que había obtenido el resto de formaciones el 27 de mayo, unas elecciones marcadas por el récord en abstención, donde el PSC incrementó en Cataluña su poder, Convergència i Unió subió unas décimas y PP e ICV, además de Esquerra, experimentaron un retroceso.

La salida de ERC del Gobierno municipal de Barcelona supuso para sus socios (PSC e ICV) un golpe muy duro del que parecieron no recuperarse durante el resto del año. Entendido como una rabieta pasajera del edil Jordi Portabella sin más consecuencias, congeló durante un largo tiempo los nombramientos en las áreas gobernadas por los republicanos a la espera Hereu de volverse a emparejar políticamente algún día con ERC. Sin los republicanos en el Gobierno, pero con su apoyo en temas concretos, como la aprobación de los presupuestos, las prioridades para la ciudad que el alcalde barcelonés se marcó durante su mandato se resumieron en tres ejes centrales: cohesión social, creatividad y capitalidad. Cohesión social y territorial para garantizar un nivel de bienestar y calidad urbana para los ciudadanos; creatividad para generar desarrollo económico, y capitalidad para que Barcelona reforzase su papel como núcleo del área metropolitana y como referente esencial para el conjunto de España[550].

Una España que transitó durante todo el 2007 entre el fin de la tregua de la banda terrorista ETA y el juicio que condenó a un grupo de islamistas como autores de los atentados del 11 de marzo de 2004 en Madrid. Pero, sobre todo, que observó atemorizada como la burbuja inmobiliaria estallaba en otoño, al hilo del crash de las hipotecas *subprime* en Estados Unidos y en el contexto emergente de la gran crisis financiera global, declarada oficialmente un año después.

Los medios de comunicación, justo el año que vieron como nacía el diario *Publico*, del emergente propietario de Mediapro, Jaume Roures, despidieron a uno de los grandes empresarios españoles de los medios de comunicación, Jesús de Polanco, el presidente del poderoso Grupo Prisa, y a uno de sus grandes columnistas, Francisco Umbral. Las muertes coincidieron cuando la prensa ofreció señales de un sector estable, sin gran-

---

550. "Jordi Hereu". *ABC*. Madrid: Vocento, 2011. http://www.abc.es/especiales/elecciones-municipales-autonomicas/2011/noticias/jordi-hereu-7575.html [consulta: 22 de enero de 2012].

des variaciones en los últimos tiempos y ante el reto de afrontar con éxito la combinación entre el periódico tradicional y
sus ediciones electrónicas. La Asociación de Editores de Diarios Españoles (AEDE) presentó su *Libro Blanco de la Prensa
Diaria*, donde destacó que, a pesar de un descenso del 1,4% en
la difusión de la prensa escrita durante el último año, no se
produjeron grandes cambios en el periodo 1996-2006. Si hacía
diez años se vendían 4,14 millones de periódicos diarios, la llegada de nuevos formatos y tecnologías habían dejado la cifra
del último año en 4,13 millones, lo que apenas implicó una variación reseñable.

11.1.5. Año 2008: encaminados a otra Gran Depresión

La noticia del año 2008 fue, sin duda, la crisis económica, tanto
a nivel nacional como internacional. Una crisis que empezó a
hacer caer en picado las economías de los países y mantuvo en
vilo a medio mundo. El crecimiento en España cayó al 1,2 por
ciento y el desempleo subió hasta colocarse a final de año en
torno al 10% de la población activa, llegando casi a la cifra de
tres millones de parados a causa, sobre todo, de los efectos
destructivos del parón de la construcción.

Arrancó la peor crisis desde 1929, el año que España tuvo
que sufrir, además, una huelga de los transportistas que paralizó
todo el país y una gran tragedia: el accidente de avión de Barajas
del 20 de agosto en el que murieron 154 pasajeros. El mismo
año que el AVE Madrid-Barcelona comenzó su andadura el 20
de febrero y ETA recibió un durísimo golpe por parte de las
Fuerzas de Seguridad españolas y francesas tras unas detenciones que dejaron sin liderazgo el aparato militar de la banda.

El 9 de marzo de 2008 Rodríguez Zapatero celebró desde el balcón de la madrileña calle Ferraz su segunda victoria electoral. El PSOE volvió a ganar las elecciones generales, aumentando su representación, pero sin obtener la mayoría absoluta deseada, dejando el marcador en 169 escaños (164 en el 2004) frente a los 153 del Partido Popular (148 en 2004). El Gobierno socialista volvió por tanto a gobernar otra vez con una mayoría precaria y dependiendo de los partidos nacionalistas. Una segunda legislatura que estuvo marcada por una crisis económica sin precedentes y que Rodríguez Zapatero y su ministro de Economía, Pedro Solbes, tardaron en reconocer calificando a quienes alertaban de la grave situación económica de "antipatriotas" o "catastrofistas".

El optimismo del Ejecutivo socialista contrastó con la percepción general de los españoles, convencidos de que la crisis económica se había convertido en el principal problema. Esta percepción de los ciudadanos quedó reflejada por el barómetro del Centro de Investigaciones Sociológicas (CIS), que mostró un cambio de pensamiento en los españoles muy brusco en tan solo un año: en enero de 2007 el 25% de los encuestados pensaba que la situación económica era buena o muy buena, el 48% estimaba que era regular y el 26% que era mala o muy mala; en enero de 2008, el 17% creía que la situación económica era buena o muy buena, el 42% la juzgaba de regular y el 40% decía que era mala o muy mala[551].

La política de identidades nacionales que había activado el Gobierno español estaba logrando su definitiva madurez en las comunidades autónomas. Cataluña, con más peso en La Moncloa, con la ascensión a ministros de José Corbacho y

---

551.   MONTERO GIBERT, J. R., y LAGO PEÑAS, I. *Elecciones Generales 2008*. Madrid: Centro de Investigaciones Sociológicas, 2010, p. 145.

Carme Chacón, siguió trabajando con discreción y laboriosidad en temas claves como sanidad, servicios sociales e investigación y desarrollo. El presidente Montilla, en cambio, no mostró en Cataluña claridad para enfrentarse a la crisis ni pudo cerrar con sus socios de Gobierno (ER e ICV) un acuerdo con el ministro Solbes sobre el nuevo modelo de financiación autonómica. La misma escasa claridad que tuvo para transmitir las consignas a su partido sobre el posicionamiento que debían tomar los diputados socialistas en el tema taurino, en el año que se ponía en marcha la Iniciativa Legislativa Popular (ILP) que acabó con el fin de las corridas de toros en Cataluña.

El Ayuntamiento de Barcelona, en manos del alcalde Hereu y sus socios de ICV, trabajó para mantener sus inversiones sin que subiesen los impuestos, convencidos de que la solidez de la economía productiva catalana evitaría el azote de la crisis. Barcelona había flirteado menos con el ladrillo que otras ciudades españolas, por eso se sentía con fuerzas para pelear por una legislatura llena de inauguraciones (AVE a Francia, ampliación del aeropuerto y del puerto, la extensión del metro, etc.), y por defender su fórmula de mucha política social, urbanismo de proximidad y una apuesta firme por el comercio y el turismo.

La historia del 2008 no solo transitó por la crisis económica y financiera que recorría ya el planeta de norte a sur, sino también por la elección de Barack Obama, el primer presidente negro de Estados Unidos. Considerado el personaje del año por la revista *Time*, se convirtió en la esperanza para sacar al país y al mundo del estado de incertidumbre en el que se encontraba. Noticia que dejó en un segundo plano hechos tan importantes como la consolidación de China, India y Brasil como países de futuro, los malos augurios respecto al futuro inmediato de la Unión Europea, con el presidente francés Nicolás Sarkozy disimulando sus diferencias con la canciller alemana Angela Merkel, la silla que logró el Gobierno español como invitado en la cumbre de Londres del G-20 o la Eurocopa de fútbol ganada por España en Suiza y Austria.

Para finalizar, aunque la media española de prensa ascendió durante el 2008 a 13,69 millones de personas, con un alza anual del 1,2%, la realidad es que cada vez se vendieron menos diarios y los ingresos publicitarios retrocedieron. Tanto la difusión estimada como la controlada por OJD experimentaron sendos descensos del 0,7% en el año, hasta quedar respectivamente en 4,16% y cuatro millones de ejemplares diarios vendidos[552]. El deterioro de los resultados que arrojó la prensa se extendió mucho más allá en sus números y obedeció, según los expertos, al brusco parón de la venta de publicidad, que fue de un recorte del 24% durante el año.

La respuesta desde el sector fue de extrema confianza en su rigurosa gestión y sólida base del negocio. Para los editores, estos dos factores que había mostrado la prensa en los últimos años minimizarían los efectos de la crisis que se asomaba en las redacciones, sobre todo por esta repercusión negativa del intenso descenso publicitario. Esto era lo que se pensaba, pero la realidad era que desde el otro lado del Atlántico las noticias sobre la situación de la prensa impresa estadounidense eran inquietantes. La crisis económica y la huida de la publicidad a Internet golpearon a los periódicos de Estados Unidos con la peor caída de ingresos desde la Gran Depresión. El descalabro afectó a cabeceras tan emblemáticas como *Los Angeles Times*, *USA Today* o *The New York Times*.

---

552. "Libro Blanco de la Prensa Diaria 2010: los editores esperan haber dejado atrás lo peor de la crisis". *IESE Business School*. Pamplona: Universidad de Navarra, 16 de diciembre de 2009. http://www.iese.edu/Aplicaciones/News/view.asp?id=2090 [consulta: 14 de mayo de 2012].

11.1.6. Año 2009: entre la corrupción y la peor crisis

El 2009, año que el Parlamento de Cataluña admitió a trámite la ILP contraria a los toros, no quedará para el olvido por suponer el fin de décadas de crecimiento y la entrada en una nueva etapa. Calificado por todos como el año de la mayor crisis económica-financiera mundial desde la Gran Depresión de 1929, España alcanzó los cuatro millones de parados, vio como el sector financiero se abocaba a un proceso de concentración, popularizó entre sus ciudadanos las temidas siglas ERE (Expedientes de Regulación de Empleo), prácticamente unas desconocidas antes de la crisis, y observó cómo muchos sectores productivos se resquebrajaban haciendo imposible la supervivencia de muchas de sus empresas, como en el sector inmobiliario, la automoción y los medios de comunicación, este último azotado, además, por una crisis interna provocada por la irrupción de las nuevas tecnologías y el cambio de los hábitos de lectura del consumidor.

El particular calvario que sufrieron numerosas empresas españolas estuvo representado en Cataluña a través de Seat, Nissan, Roca, Conforsa o Indo, obligadas a ajustar sus plantillas o a echar el cierre. Pero esta crisis no impidió que Barcelona reforzase su oferta hotelera de lujo ni se lanzase al estrellato gastronómico acaparando el mayor número de restaurantes con tres estrellas Michelin. Incluso en las infraestructuras, El Prat cotizó al alza entre los grandes aeropuertos internacionales con la apertura de la nueva Terminal 1 y la localidad de L'Hospitalet acogió con unas espectaculares instalaciones la Ciudad de la Justicia.

Una presunta red de corrupción vinculada a miembros del Partido Popular que estaba siendo investigada en el denominado caso Gürtel y la oleada de atentados de la banda terrorista

ETA salpicaron la estabilidad del PP y del Gobierno socialista español, respectivamente. No obstante, Rajoy salió reforzado al ganar las elecciones europeas, y los socialistas hicieron historia al gobernar en el País Vasco.

El presidente Rodríguez Zapatero remodeló el 8 de abril su Gobierno para darle un cambio de ritmo a la crisis. Entre los cinco ministros que salieron se encontraba Pedro Solbes, titular de Economía y Hacienda, que dejó su cartera un año después de convertirse en una de las bazas más sólidas para que los socialistas ganasen las elecciones, dejando en el recuerdo su debate televisivo con Manuel Pizarro, responsable de Economía del PP, y su aprobación a la oferta expresa del propio Rodríguez Zapatero para que se mantuviese al frente del timón de la economía española.

El caso Gürtel no fue el único que durante el 2009 empañó la actualidad política y resucitó el fantasma de la corrupción y la cultura del pelotazo en España. El año llegó a tener por toda la geografía española hasta 730 investigaciones abiertas por jueces y fiscales por corrupción, algunos tan sonados como los casos Palma Arena, Palau o Pretoria. Estos dos últimos rompieron la imagen del "oasis catalán"[553] al suceder en la comunidad catalana: el caso Palau o Millet, un desfalco que envolvió el Palau de la Música y sus supuestas conexiones con la élite so-

---

553. El mito del "oasis catalán" ha servido durante el siglo XX para calificar la situación política, económica y social de Cataluña como un oasis en su contexto peninsular. Incluso como contrapunto a la corrupción que se daba en otros lugares de España y que en Cataluña no sucedía. Esta denominación se puso a debate en la opinión pública durante el 2009 a raíz de los casos Millet y Pretoria, hasta el punto de afirmar que si alguna vez existió tal mito, acabó desvaneciéndose ese año. En: CASALS I MESSEGUER, X.: *El oasis catalán (1975-2010). ¿Espejismo o realidad?* Barcelona: Edhasa, 2010.

cial y política catalanas a través de su presidente, Félix Millet; y la operación Pretoria, por supuestos delitos de tráfico de influencias, corrupción urbanística, fraude fiscal y blanqueo de dinero, y que involucró a los ayuntamientos barceloneses de Santa Coloma de Gramanet y Sant Andreu de Llavaneres y a políticos catalanes, como el *exconseller* Macià Alavedra y el exsecretario de la Presidencia Lluís Prenafeta.

La crisis y la corrupción golpearon con fuerza a un año en que la política catalana se nutrió de las especulaciones sobre la futura sentencia del Tribunal Constitucional en relación al Estatuto, que ya cumplía tres años de parón. Todas las formaciones parlamentarias actuaron en clave electoralista sobre la línea que tomarían una vez se conociese la resolución estatutaria; la principal razón fue que las elecciones autonómicas del 2010 estaban a la vuelta de la esquina y se iniciaba la precampaña más larga, reñida y caliente para determinar el rumbo que debía tomar el *Govern* que saliese ganador. Aun así, quedó tiempo para que el tripartito de Montilla cerrase el pacto de la nueva financiación política, tras un año de complejas negociaciones, y para que el Parlamento decidiese a finales de diciembre que la ILP contraria a los toros pasase el trámite parlamentario y se debatiera en las comisiones durante el 2010.

En el Ayuntamiento de Barcelona la vida política continuó igual. Como sucedió en otros muchos asuntos, el bipartito de Hereu consiguió el apoyo de ERC para sacar adelante los presupuestos de 2010 en el pleno municipal celebrado en diciembre. En ese mismo pleno se decidió que se celebraría una consulta sobre el futuro de la avenida Diagonal entre los ciudadanos empadronados en Barcelona con más de 16 años, mientras el republicano Jordi Portabella continuó su cruzada animalista reclamando en esta ocasión la eliminación de los quioscos que vendían animales de compañía en La Rambla.

Liderar esta campaña animalista no fue la única que se adjudicó el presidente del grupo municipal republicano: Portabella tomó las riendas de la consulta soberanista en la ciudad de Barcelona, como ejemplo del fervor nacionalista que se respiraba en la comunidad catalana a través de la organización de un referéndum en 167 municipios a favor de la independencia de Cataluña.

España, cercana de nuevo a Estados Unidos después de que Rodríguez Zapatero decidiese poner fin a cinco años de frías relaciones entre ambos países, despidió el 2009 obligada a demostrar que su cuarta presidencia rotatoria de la Unión Europea, a partir del 1 de enero de 2010, no debía convertirse en un mero trámite, sino que debía estimular la recuperación económica y permitir a la UE competir más y mejor con Estados Unidos, China y las economías emergentes. Un mundo que, entre muchas noticias, confirmó a China como superpotencia en la nueva escena internacional, lloró la muerte de Michael Jackson, el rey del pop, descubrió el peligro de los secuestros de los piratas somalíes y vio como Río de Janeiro esfumaba el sueño olímpico de Madrid.

Si el azote de la crisis económica ya fue suficiente para la prensa, Internet y el acceso a la información gratuita contribuyeron todavía más a agravar la situación: los diarios españoles cerraron 2009 con unas pérdidas totales de 34,2 millones. Entre 2008 y 2009 los periódicos sufrieron la peor crisis de su historia, con un retroceso del 41% en la venta bruta de publicidad y un recorte del 25,4% en los ingresos de explotación. A pesar de la ferocidad de la situación económica del país, los editores buscaron vías de salida para poder hacer frente a la situación con nuevas estrategias.

11.1.7. Año 2010: el fin de los toros en Cataluña

La parálisis económica y financiera de Grecia e Irlanda, el gol de Iniesta en la final del Mundial de Suráfrica y la crisis diplomática causada por las revelaciones que la web Wikileaks publicó de los documentos del Departamento de Estado de Estados Unidos resumieron en tres grandes trazos un año donde se confirmó definitivamente el fin del *Govern d'Entesa* catalán, la prohibición de los toros en Cataluña y la caída en picado de diarios y revistas de papel.

Con España de presidencia en la UE, y al borde del precipicio financiero, Rodríguez Zapatero tuvo que anunciar en el mes de mayo nueve medidas de ajuste económico y renunciar a parte de su compromiso social para reducir al déficit y evitar el rescate europeo. Fue en la sesión del 12 de mayo de 2010, ya en la historia por ser una de las más impopulares y dolorosas de la democracia española, donde el jefe del Gobierno, empujado por los gobiernos europeos y sin un apoyo en el hemiciclo, presentó un plan de austeridad en el que se redujeron inversiones y gastos sociales que eran sagrados e intocables para su Ejecutivo, como congelar las pensiones, bajar el 5% el sueldo de los funcionarios, eliminar el cheque-bebé, etcétera. Un tijeretazo que arrinconó aquellas regalías en política social y que se llevó por delante 15.000 millones de euros en año y medio, una factura dramática que el Gobierno socialista decidió pagar para ahuyentar algunos fantasmas que amenazaron la estabilidad financiera de España y de la Unión Europea[554].

---

554. ROMERO SALAZAR, J. M. "La Hora del Sacrificio. Dos minutos que cambiaron a España". *El País*, 16 de mayo de 2010. Madrid: Grupo Prisa, 2010. En http://elpais.com/diario/2010/05/16/domingo/127398 1953_850215.html [consulta: 4 de febrero de 2012].

Los números eran alarmantes. El volumen total de parados en España alcanzó en el 2010 la cifra de 4,1 millones, su nivel anual más alto en toda la serie histórica comparable desde 1996. Para evitar algunas de las ineficiencias que mostró el mercado de trabajo español con el objeto de reducir el desempleo, el Congreso de los Diputados aprobó la quinta Reforma Laboral de la democracia. En el texto indicaba como medidas más relevantes el abaratamiento del despido, mediante la generalización del contrato con indemnización de 33 días o la posibilidad de despedir con 20 días cuando una empresa tenía pérdidas. La respuesta de los sindicatos no se hizo esperar y el 29 de septiembre se convocó una huelga general que tuvo un seguimiento del 72%, unos 10 millones de personas.

La Reforma Laboral fue la única medida adoptada por el Gobierno de Rodríguez Zapatero de la legislatura (2008-2011). Si ya un año antes había aprobado, entre otras, la nueva Ley del aborto y la ayuda de 426 euros a los parados, en el 2010 puso en marcha la Ley Antitabaco, que entró en vigor el 2 de enero de 2011, el endurecimiento del Código Penal y la reforma de las cajas de ahorro.

Inmersos en un clima de crisis y reformas, los catalanes acudieron a votar en otoño sabedores que el fallo del Tribunal Constitucional sobre el Estatuto de Autonomía declaraba inconstitucionales hasta 14 artículos y, por tanto, nulos, en la sentencia que se hizo público el 28 de junio. El recorte al cual había sido sometido el texto estatutario indignó ya no solo a la clase política catalana, sino a una facción representativa de la sociedad catalana. La noticia tuvo una enorme repercusión. Su alcance e interés social, impulsado por la concienciación que la prensa catalana impresa había mostrado el 26 de noviembre de

2009 alertando a través de un editorial conjunto[555] sobre la inquietud de amplios sectores de la sociedad catalana ante la posibilidad de una sentencia de carácter fuertemente restrictiva, hizo que justo conocerse el fallo se comenzase a organizar una convocatoria popular multitudinaria para el 10 de julio bajo el lema *"Nosaltres decidim, som una Nació"* ("Nosotros decidimos, somos una Nación", en español). Aquel día, 24 horas antes de que España ganase su primer Mundial de fútbol, a ocho días de la reaparición de José Tomás en la Monumental de Barcelona y a dos semanas de que el Parlamento de Cataluña prohibiese los toros, un millón de personas ocuparon las calles de la Ciudad Condal para mostrar su rechazo a la sentencia del TC contra el Estatuto y reivindicar su independencia y sentimiento nacionalista. La manifestación estuvo encabezada por el presidente de la Generalitat, José Montilla, el presidente del Parlamento, Ernest Benach, los expresidentes catalanes Jordi Pujol y Pasqual Maragall y los expresidentes del Parlamento Joan Rigol y Heribert Barrera.

El expresidente Montilla, con la sobriedad que le caracterizaba, convocó elecciones para el 28 de noviembre y anun-

---

555. En un hecho sin precedentes en la España democrática y en la prensa catalana y española, 12 diarios catalanes publicaron el 26 de junio de 2010 un editorial conjunto dirigido a la opinión pública española en defensa del Estatuto. Bajo el título "La dignidad de Catalunya" apareció publicada esta inédita iniciativa para denunciar la situación que el Tribunal Constitucional llevaba a cabo desde hacía tres años estudiando el recurso del Estatuto de Cataluña. La idea partió de los directores de *La Vanguardia* y *El Periódico de Catalunya*, José Antich y Rafael Nadal, respectivamente, quienes acabaron confeccionando el texto final a dos manos por personas de su confianza. El editorial apareció publicado en *La Vanguardia*, *El Periódico de Catalunya*, *Avui*, *El Punt*, *Diari de Girona*, *Diari de Tarragona*, *Segre*, *La Mañana*, *Regió 7*, *El Nou*, *Diari de Sabadell* y *Diari de Terrassa*.

ció que el Gobierno no suscribiría acuerdos con los que hasta ahora formaba el Ejecutivo tripartito de izquierdas, ERC e ICV. Los sondeos quedaron confirmados en las urnas y CiU lograba la mayoría absoluta al lograr una amplia victoria con 62 diputados (48 en el 2006), frente a los 28 alcanzados por el PSC (tenía 37). El Parlamento que había aprobado la prohibición de los toros en Cataluña cambiaba también en número de ediles en las otras formaciones: el Partido Popular pasó a ser la tercera formación con 18 diputados (14 en 2006) en lugar de Esquerra Republicana, con 10 diputados por los 21 de la última legislatura. Iniciativa per Catalunya-Verds obtuvo 10 (de los 12 anteriores), entró por primera vez el partido de Joan Laporta (Solidaritat Catalana per la Independència) con 4 diputados, mientras que Ciutadans siguió en el Parlamento con 3 (los mismos que ya tenía). El nacionalismo conservador de CiU recuperó el *Govern* tras siete años en la oposición, el tripartito se hundía estrepitosamente y el Partido Popular obtenía su mejor resultado en las elecciones catalanas. Un vuelco significativo en el mapa político catalán, con una composición diferente al Parlamento que dio la victoria a la Cataluña antitaurina y que siempre dejó a la duda de si hubiese cambiado en algo su resultado. Lo que no dejó a la duda fue que la expansión de derechos y libertades a las que había llegado el Gobierno de Rodríguez Zapatero, y que siempre defendió como gran logró, acababa de entrar en contradicción en Cataluña al no poder los catalanes disfrutar de una manifestación cultural como ciudadanos que eran.

Si al nuevo presidente de la Generalitat, Artur Mas, los catalanes le iban a pedir que resolviese, especialmente, los problemas derivados de la crisis económica, desde la Moncloa se continuó trabajando para acabar un año que estaba arrastrando al país a una situación insostenible. A las huelgas, las tasas de paro, las noticias de cierres empresariales, los dramas económicos sociales y los insuficientes comunicados de alto el fuego de ETA, el Gobierno español tuvo que soportar una situación sin precedentes en 32 años de democracia: declarar el estado de alarma el 4 de diciembre a raíz de la baja masiva de los controladores aéreos a causa de un decreto aprobado un día antes que modificaba las condiciones laborales de estos profesionales. El Gobierno socialista decidió que Defensa tomara el mando sobre los controladores para evitar que se alargase el cierre del espacio aéreo español, que en poco menos de cuatro horas afectó a unas 350.000 personas.

La ciudad de Barcelona se vistió de gala el domingo 7 de noviembre para que Benedicto XVI consagrase la Sagrada Familia y, de este modo, el templo de Gaudí fuese oficialmente Basílica. Cerca de 250.000 personas aclamaron al Papa por las calles en una jornada que quedó para el recuerdo de la historia de la ciudad. Un recuerdo que destacó en el último año del alcalde Hereu[556] al frente del Ayuntamiento, junto a unas cuentas municipales relativamente saneadas. Un mandato lleno de sinsabores, como la fracasada consulta de la reforma de la avenida Diagonal o la chapuza de reconvertir las pajarerías de las Ramblas en chiringuitos, y que el propio Hereu tuvo que resignarse a la suerte de que la ILP prohibicionista saliese adelante: "Nunca he ido a una plaza de toros y no me gusta la Fiesta. Pero a

---

556.   Jordi Hereu no pudo reeditar el bipartito de izquierdas al perder las elecciones del 23 de mayo de 2010. El nacionalista Xavier Trias se convertiría en alcalde de Barcelona después de que su formación, CiU, venciese por primera vez en Barcelona y acabase con 32 años de hegemonía socialista.

pesar de eso, estoy en contra de prohibir, eso no me gusta nada"[557].

Por último, si bien el 2010 no trajo grandes ERE's en el sector de la prensa, lo cierto es que los ajustes en las redacciones continuaron y las principales cabeceras mostraron un manifiesto retroceso durante todo el año. La publicidad siguió cayendo y los editores no lograron revertir la situación, como mucho la mayoría de ellos por un modelo de negocio a partir de unas desordenadas estrategias de expansión por Internet. No hubo medio de comunicación que no se viese afectado por la crisis y que supiese presentar una firme estrategia para reinventarse frente al boom de la fuente de información de las redes sociales, específicamente de *Twitter*, el sitio que situaba el *microblogging* en el primer nivel de la actualidad informativa. Incluso, en esta azarosa travesía de la prensa, el imperio de la *Cadena Ser* empezó a tambalearse al mostrar un cierto agotamiento de su modelo y al acusar la marcha de su periodista deportivo Paco González y de gran parte de su equipo a la *COPE*, protagonizando una de las noticias más seguidas del verano.

La prensa en catalán dio señales de cierta vitalidad en pleno descalabro de la prensa generalista en la venta de ejemplares. A finales de 2010 se gestaron nuevas iniciativas, como el naci-

---

557.   Estas declaraciones de Jordi Hereu, alcalde de Barcelona, fueron realizadas el 16 de diciembre de 2009 en un desayuno en Madrid organizado por *Europa Press*, unos días antes de que los partidos políticos decidiesen en votación si daban luz verde a la ILP presentada por la plataforma Prou! con la finalidad de prohibir las corridas de toros en Cataluña. En: CAÑIZARES SÁNCHEZ, Mª J. "No me gustan los toros, pero estoy en contra de prohibir". *ABC*, 16 de diciembre de 2009. Madrid: Vocento, 2009. www.abc.es/20091216/toros-toros/gustan-toros-pero-estoy-20091216.html [consulta: 6 de febrero de 2013].

miento del diario *Ara*[558] y la nueva versión en catalán de *La Vanguardia*, que salió el 3 de mayo de 2011 y supuso un impulso al consumo de prensa en catalán y continuar con esa estimulante competencia con la cabecera *El Periódico de Catalunya*. En la televisión se dio por acabado el apagón analógico el 3 de abril y la llegada definitiva en todos los hogares de la TDT, que hizo que se pasase en Cataluña de 56 canales disponibles el año 2008 a 109 en 2010. Por su parte, la situación de la radio ofreció señales mixtas: en Cataluña se mostró consolidada como tercer medio de comunicación en uso y consumo, únicamente superado por la televisión y las revistas, y con un gran papel en la normalización lingüística; en cambio, existió una gran saturación, que provocó una gran competitividad, y se temió por la incidencia de las nuevas tecnologías, especialmente la digitalización[559].

---

558.   El diario catalán *Ara* nació el 28 de noviembre de 2010 gracias al impulso que dio la asociación Cultura 03 a la iniciativa de un grupo de empresarios y periodistas catalanes dirigidos por Ferran Rodés, director general de *Havas Media*.

559.   DE MORAGAS I SPA, M. "Introducció. La comunicación a Catalunya, 2009-2010: síntesi, Claus d'interpretació i reptes de futur". En: VV. AA. *Informe de la comunicació a Catalunya 2009-2010*. Barcelona: Institut de la Comunicacio Universitat Autònoma de Barcelona (InCom-UAB), 2011, pp. 16 y 17.

12. Planteamiento general del análisis

Para llevar a cabo un estudio del tratamiento de la información taurina en *La Vanguardia* y *El Periódico de Catalunya* y elaborar y procesar los datos más relevantes que justifiquen nuestra hipótesis de trabajo, el método que se ha utilizado ha sido el análisis de contenido de las corridas de toros celebradas en Barcelona desde el año 2004 hasta el 2010. De este modo, es importante señalar, de nuevo, que este libro parte del análisis de las unidades periodísticas taurinas correspondientes a este periodo de tiempo, pero que para completar este estudio y obtener unos datos esclarecedores se ha contemplado para su análisis también un foco informativo: dos corridas de toros que por su cobertura complementan la observación acerca del tratamiento y modo de enfoque que se da a la información taurina durante esos años.

El análisis de contenido se basa en la lectura (textual o visual) como instrumento de recogida de información, lectura que debe realizarse siguiendo el método científico, es decir, debe ser sistemática, objetiva, replicable y valida. Como lo define Klaus Krippendorff: "Es una técnica de investigación destinada a formular, a partir de ciertos datos, inferencias reproducibles y válidas que puedan aplicarse a su contexto"[560]. Bajo el análisis de contenido de la prensa se agrupan diversas técnicas cuantitativas, cualitativas y mixtas. Son técnicas que consisten en descomponer el texto en unidades significativas que, posteriormente, serán clasificadas en las categorías correspondientes. Cabe señalar que existen tres tipos de unidades que desempeñan diferentes funciones en el análisis: muestreo, registro y contexto:

• La unidad de muestreo es aquella porción del universo que será analizada y sirve de base para los estudios estadísticos. En nuestro caso son las informaciones taurinas de la temporada barcelonesa publicadas en los diarios escogidos durante el 2004 al 2010, incluyendo las corridas anteriores a la decisión del Ayuntamiento de Barcelona y posteriores a la prohibición del Parlamento de Cataluña.

• La unidad de registro es cada parte de la unidad de muestreo que pueda ser considerada como analizable separadamente porque aparece en ella una de las referencias en las que el investigador está interesado. En otras palabras, es la mínima porción del contenido que el investigador aísla y separa por contener un elemento que considera significativo. Así, en el estudio, es unidad de registro la fuente, el titular, el tema y el resto de variables que se comentarán más adelante.

• La unidad de contexto es la porción de la unidad de muestreo que tiene que ser examinada para poder caracterizar una unidad de registro. Contiene la información contextual del medio editor, o sea donde se ubica la unidad de codificación que se requiere o admite para a analizar, por tanto puede influir en

---

560.   KRIPPENDORFF, K. *Metodología del análisis de contenido. Teoría y práctica.* Barcelona: Paidós, 2002, p. 28.

la interpretación o valoración de las unidades de muestreo o de registro.

El análisis de contenido categorial que se aplica es temático[561], cuantitativo por la frecuencia de aparición de ciertos contenidos y el tamaño de estos, y cualitativo por la presencia o ausencia de una característica dada. El análisis se centra en los siguientes temas:

• Los festejos celebrados en La Monumental de Barcelona correspondientes al intervalo de años del 2004 al 2010.
• La actuación en la Monumental de José Tomás en dos días muy mediáticos (su reaparición el 17 de junio de 2007 y el encierro con seis toros el 5 de julio de 2009).

Además, al tratarse de evaluar la evolución de las corridas de toros y su tratamiento, se ha decidido incorporar al análisis un submuestreo de los festejos celebrados en la Monumental en unos años previos al 2004. Es necesario para conocer previamente la cobertura de la corrida con el objeto de obtener resultados y tendencias significativas respecto al tratamiento periodístico de la información taurina en Cataluña durante los años analizados (2004-2010).

Estos años previos al periodo de estudio son 1984, 1989,

---

561.   El análisis de contenido temático solo considera la presencia de términos o conceptos, con independencia de las relaciones surgidas entre ellos. Las técnicas más utilizadas son las listas de frecuencias, la identificación, la clasificación temática y la búsqueda de palabras en el contexto. En: ANDRÉU ABELA, J. "Las técnicas de Análisis de Contenido: Una revisión actualizada". *Centros de Estudios Andaluces*. Sevilla: Fundación Pública Andaluza Centro de Estudios Andaluces, 2001. http://public.centrodeestudiosandaluces.es/pdfs/S200103.pdf [consulta: 18 de abril de 2013].

1994, 1999 y 2003, escogidos a partir de un criterio intencionado: primero, había que acotar el estudio, pues someter a análisis
los años anteriores era un trabajo inacabable e inabordable; segundo, se buscó algún año significativo en la elección para que
ganaran en significación sus resultados (en este caso fue 1989,
un año después de la promulgación de la Ley de protección de
los animales, en 1988); tercero, se estableció un criterio periódico, de un intervalo de cinco años, tan solo alterado en la última
franja, 1999 a 2003, para hacer coincidir el año previo a la declaración del Ayuntamiento barcelonés en la muestra de estudio.

Como se ha explicado anteriormente, el punto de partida de
la investigación son las corridas de toros celebradas en Barcelona desde la temporada 2004 a la 2010. Las fuentes emanan de
las respectivas ediciones diarias de los dos periódicos escogidos
o de sus suplementos, por lo que para llevar a cabo nuestro cometido metodológico debimos hacer una búsqueda hemerográfica de los textos objeto de estudio y su posterior investigación desde la parcela periodística. Cabe destacar en este punto,
que Internet ha sido una herramienta investigadora que ha permitido llegar a documentos muy útiles, entre ellos, el acceso de
forma rápida y gratuita a los ejemplares de *La Vanguardia*.

Localizados los ejemplares de *El Periódico de Catalunya* en la
hemeroteca del Arxiu Históric de la Ciutat y de *La Vanguardia*
en el archivo digital de su periódico (comprobando ejemplar
en papel), se consideró estudiar por años, es decir, por temporada celebrada en la Monumental de Barcelona, las notas periodísticas de información referidas tan solo al festejo y que
fueron publicadas antes y después de la corrida. Estas notas
están compuestas por un título y un texto, incluyendo elementos gráficos y géneros complementarios. Quedó excluida la publicidad por entender que ello implicaba otro tipo de investigación que afectaba criterios no periodísticos.

En cuanto a la metodología, se planteó hacer un análisis cuantitativo de los dos diarios para determinar en qué número evolucionó o retrocedió la cobertura de la corrida de toros. Antes, cuantificamos el número de festejos celebrados en la plaza de toros Monumental de Barcelona en las tres últimas décadas con un doble objetivo: ver por su gráfico la evolución de la fiesta en Barcelona y comprobar con el análisis de los medios si se crearon los lazos informativos suficientes para tener conciencia de la existencia de una temporada de toros en Barcelona. Así, se estableció una ficha que sirvió, además, para el análisis cualitativo, detallando por unidad de registro los espacios temáticos, la cobertura llevada a cabo y todos los recursos periodísticos ejecutados, tales como el tratamiento de estas informaciones a través del género; la aparición en portada o sección como reflejo de la importancia que le otorga el medio; la distribución espacial en la página; la titulación; la firma, y la incorporación de la fotografía. La razón de que la metodología fuese la misma para cada año se debió a que se pretendía comparar estas situaciones (con el denominador común de la fiesta de los toros en Cataluña), para verificar los aspectos comunes y comprobar el seguimiento informativo de la fiesta.

12.1. Instrumentos de análisis

Una vez con la definición clara de cuáles serían las unidades de análisis presentadas para el seguimiento cuantitativo y cualitativo de los textos, se confeccionó una ficha de categorización por años con las variables[562] susceptibles de ser contabilizadas

---

562.   Se entiende por variable el elemento que sintetiza o abrevia conceptualmente los aspectos que se desean conocer acerca de las unidades de análisis.

y clasificadas en este estudio empírico, en definitiva, aquellas que con más y mayor rigor aportan veracidad a cuanto se intenta demostrar en esta investigación. Además, se estableció con el criterio de no multiplicar más allá de lo imprescindible para así evitar una dispersión excesiva de los datos.

La ficha cuantitativa reflejará la evolución, por orden de aparición o deficiencia, de la cobertura de las corridas de toros, y la ficha cualitativa (a partir de la ficha cuantitativa para simplificar el estudio) recogerá las variables propuestas en relación a las informaciones analizadas. Esto nos permitirá observar las diferencias en el tratamiento que de la información hacen *La Vanguardia* y *El Periódico de Catalunya* por el espíritu informativo de cada una de ellas o para demostrar la unanimidad periodística en el interés de la información que tuvieron ambos medios.

En dicha ficha, se tabularon en una hoja Excel las variables que se utilizaron y agruparon de la siguiente manera:

1. Variables identificativas del texto:
• Medio
• Fecha de publicación
• Titulación

2. Variables del análisis categorial:
• Sección donde se ubica el texto
• Género periodístico
• Temática
• Autoría

3. Variables del análisis morfológico:
• Paginación
• Ubicación página

- Extensión
- Imágenes
- Utilización de recursos gráficos e infografismos

12.2.1. Desarrollo de cada variable

Medio: la elección de los dos diarios generalistas, *La Vanguardia* y *El Periódico de Catalunya*, representativos en Cataluña por número de lectores, prestigio y pertenencia a dos grandes grupos de comunicación. Solo por el nombre, o cabecera, ya son portadores de una información.

Fecha de publicación: la fecha de publicación aporta un componente histórico en el que tuvo lugar el acontecimiento. Se enmarca en el periodo de tiempo seleccionado por años para poder sacar conclusiones respecto a la evolución del objeto de estudio durante el 2004-2010. También, se indica el día de la semana para saber la temporalidad de la información de la corrida de toros los días previos y posteriores.

Titulación: pone de manifiesto la fisonomía y presentación principal de las informaciones, anunciando el contenido del texto y llamando la atención del lector. Su análisis resulta fundamental para identificar el periodismo taurino y permiten comprobar si responden a este lenguaje especializado o es válido para otros lenguajes más comunes. Además, el hecho de que muchas veces los lectores se limitan a leer los titulares de la prensa sin entrar en el cuerpo de cada texto, haciendo que su importancia informativa sea incluso mayor, demuestra que los títulos poseen un valor autónomo como elementos informativos en sí mismos y que marcan la selección y formulación de la información. Considerando todos estos aspectos, la variable de los titulares, para simplificar el análisis, se ha centrado en el epígrafe, destacando este elemento de la titulación por centrar la materia en la que se trata la información convirtiéndose en el indicador de la especialización, aspecto importante para la estrategia informativa que pretende dar el periódico en su intención de clasificar y atraer o no la atención hacia ese mensaje. En cuanto al título, se ha registrado cada uno de ellos y se ha visto si llevaban componente verbal, característica definitoria para diferenciar un título informativo (noticia) de un título apelativo, expresivo o temático (opinión e interpretación), pues condiciona mucho la lectura del texto para quien desconoce la especialidad o el asunto informativo.

Sección: el encuadre de los textos informativos del tema taurino en la sección pone de manifiesto que el diario le da al hecho aludido un enfoque determinado. Esta clasificación temática es importante por dos razones: resalta unos aspectos determinados de la fiesta de los toros según la publique en una u otra sección, y en su evolución refleja los cambios de tendencia que el diario ofrece en el encuadre noticioso de la información taurina.

Tema tratado: la realidad taurina actual, y concretamente en Cataluña, presenta muy variados aspectos que provocan una clasificación temática según desde qué punto de vista se aborde: artístico, político, animalista, etc. En este punto del trabajo, a través de un relación completa de los ítems registrados, se trata de cuantificar los asuntos que predominan en los textos y determinar si dichas facetas temáticas tienen reflejo en el tratamiento informativo de los toros en *La Vanguardia* y *El Periódico de Catalunya*. Presuponemos que una gran pluralidad temática para el taurino en Cataluña implica un mayor grado de complejidad informativa, al diversificar la especialización del tema.

La clasificación de los contenidos temáticos que aparecen en el análisis de los dos diarios se ha realizado aplicando criterios periodísticos y taurinos, estableciendo siete categorías:

- Corridas de toros
- Protaurinos
- Antitaurinos
- Temporada taurina
- Gala de la Tauromaquia
- Debate taurino
- Otros temas

- La categoría *Corridas de toros* se refiere a todos los festejos programados en la Monumental y del que se derivan informaciones sobre sus protagonistas, en especial la figura de José Tomás, que se incluirá siempre que se haga referencia en este grupo para todo su análisis.
- La categoría temática denominada *Protaurinos* está referida a todas aquellas informaciones relacionadas con los partidarios de las corridas de toros en Cataluña.
- La categoría temática *Antitaurinos* está referida a todas aquellas informaciones relacionadas con los contrarios de las corridas de toros.
- La categoría *Resumen temporada taurina* se refiere a las informaciones que ofrecen el avance y el cierre del año taurino en la Monumental de Barcelona. No se incluye en esta categoría la información del primer festejo, o último, para avanzar los hechos más resaltables de la temporada, intención en algún caso del diario para así evitar publicar otro texto taurino.
- La categoría *Gala de la Tauromaquia* trata las celebraciones que la Federación de Entidades Taurinas de Cataluña hace cada año antes del inicio de la temporada para premiar a los triunfadores del pasado año en la Monumental y estrenar el año taurino en curso.

• La categoría temática *Debate taurino* reúne, a partir de las corridas de la temporada, las tesis sobre la vigencia de la fiesta de los toros en la actual sociedad moderna o el enfrentamiento dialéctico entre detractores de la lidia y amantes de la fiesta. En este tema, el medio presenta ideas para que el lector extraiga sus propias conclusiones. La argumentación y configuración de opinión pública hacen que sean los géneros con intencionalidad opinativa los textos que traten este tema de discusión.

• En la categoría *Otros temas* se incluyen hechos taurinos que no tienen cabida en las restantes áreas temáticas. Son informaciones que se derivan de la corrida para tratar asuntos sobre normativa, prensa del corazón, etcétera.

Género periodístico: se analiza el género periodístico en el que se transmite el hecho taurino que compone nuestro objeto de estudio, pues nos sirve de parámetro para el conocimiento del mensaje informativo y las tendencias imperantes. Nosotros, en el ordenamiento discutible de los géneros periodísticos que se desprende del estudio de diferentes autores, hemos clasificado los géneros en informativos (noticias), interpretativos (reportajes, entrevistas y crónicas) y opinativos (editoriales, artículos y cartas al director), solo alterado en el análisis de las dos corridas de José Tomás, que por un ejercicio de simplificación se ha dividio en informativos y de opinión. En cuanto al tratamiento de la corrida de toros, se ha clasificado crítica, independientemente de que el medio identifique en su titular crítica o crónica, la intención ha sido homogeneizar los resultados y ajustarse a la denominación que reciben los especialistas de cualquier manifestación artística.

Autoría: sabiendo el emisor podemos intuir la trascendencia de la información y la importancia que le dará el lector. De forma genérica se subdividen en fuentes personales y fuentes de agencia. En este caso es necesario separar en las fuentes personales, al crítico del redactor de sección, pues al tratarse de un área especializada el conocimiento más profundo y el dominio de la información para transmitir según qué mensajes no está al alcance de uno u otro. En el tema taurino, existe una dependencia total con el especialista, hasta el punto de que si firma alguien "de la casa" sabemos que el contenido periodístico con toda seguridad no pase de ahí. Pero también es justo reconocer que para la cobertura de una información cuantos más autores mayor valor está dando el medio al mensaje.

Paginación: la importancia que el emisor quiere dar a un tema está en la página en la que aparece el texto analizado. En este sentido, se distingue en este primer lugar de preferencia el emplazamiento de las unidades periodísticas en las páginas par o impar (izquierda o derecha, respectivamente) del periódico una vez abierto.

Ubicación página: es la zona de preferencia donde se ubicará la información en la página par o impar del periódico. Nosotros hemos distinguido zona superior de la página, zona inferior, centro, página completa, interior o exterior. En aquellas unidades periodísticas presentadas como dato de interés, nota de agenda o breve, no se ha tenido en cuenta su ubicación por no resultar significativo su efecto en la audiencia. Destacamos:

• *Superior*: cabe precisar que se ha contemplado superior cuando la información abarcaba tres o más columnas; por debajo de este número, al no cubrir espacio suficiente para ganar en protagonismo, se anotan siempre exterior o interior.
• *Exterior* o *Interior*: cuando la información gana en presencia en esas dos zonas, ocupando un cuarto, media o todo lo alto de la página.

• *Inferior*: en este caso se impone siempre a exterior o interior al ser suficientemente arrinconada a pie de página para perder importancia la información en la estructura perceptiva, no considerando trascendental cualquiera de sus matizaciones para darle mayor relevancia.

• *Centro*: se clasifica así la información cuando va ubicada aproximadamente en la zona central sin importar el número de columnas.

• *Completa*: puede darse el caso que ocupe tres cuartas partes de la página, considerándose así por el dominio de la información en la página.

Se ignora en el análisis el número de página donde quedan publicadas las informaciones en la sección para no dispersar más los resultados, haciéndose mención únicamente cuando supone un elemento importante.

Extensión: aunque el periodista y doctor Josep María Casasús[563] afirme que la fórmula más fácil y asequible es la de medir la superficie empleada en metros cuadrados, ante la extensa cantidad de documentos analizados, así como la irregularidad en la amplitud de cada unidad de base, hemos optado tratarlo bajo el baremo del número de líneas ocupado. Se ha preferido contabilizar la extensión de esta manera, pues por columnas es imposible cuantificar la aportación narrativa para cubrir el acontecimiento por su distinto tamaño. No se tienen en cuenta dos elementos de maquetación: la anchura de una línea puede depender de un medio a otro, incluyendo más caracteres, por lo que nunca se compararán entre los dos diarios esta variable;

---

563. CASASÚS I GURI, J. Mª. *Ideología y análisis de medios de comunicación*. Barcelona: Editorial CIMS 97, 1998, p. 117.

y puede darse el caso de que alguna línea no tenga la extensión habitual al verse afectada por una imagen silueteada, pero como son casos puntuales que no afectan a una visión global en el número de líneas dedicados por año, no se considera un factor determinante en el resultado final.

Imágenes: estamos refiriéndonos a fotografías, elemento no verbal que revaloriza el producto periodístico, ya sea una crónica, entrevista, noticia, etcétera, además de ser algo necesario, estéticamente y psicológicamente, para hacer atractiva la página de la publicación. En este caso, su uso hasta puede ser pernicioso según la intención de la fotografía (crueldad, afición, catalanismo, etc.). Aquí se cuantifica el número de imágenes que incorpora, anotándose la intencionalidad de la fotografía si se da el caso.

Recursos gráficos e infografismos: la utilización de estos elementos periodísticos facilita la comprensión de los acontecimientos y es determinante en la presentación de la información. Despieces, destacados, recuadros, infografías, son recursos de navegación que aligeran la lectura y contribuyen a la jerarquización de los contenidos. Su uso propone distintos recorridos de lectura y facilita la memorización de la información.

Como se ha podido desprender de la explicación de estas variables, cuando se preparó la ficha para recopilar todos los datos que se consideraron fundamentales para el estudio, se creó una casilla de "Observaciones" con la voluntad de recoger cualquier incidencia que sirviese para clarificar los resultados obtenidos sin tener que entrar en un análisis más profundo.

12.2. Exposición e interpretación de datos

Al tratarse de un estudio empírico, cuya unidad de análisis principal es la corrida de toros, ha sido imprescindible para los resultados conocer el número total de festejos celebrados por temporada en la plaza de toros Monumental de Barcelona. Este patrón aparecerá repetidamente para hacer mucho más comprensible el seguimiento informativo que hicieron *La Vanguardia* y *El Periódico de Catalunya* durante el periodo estudiado.

Tampoco debe extrañar que se haya ampliado la horquilla de los años contabilizados; la decisión responde a dar una visión mayor de la evolución de los festejos en Cataluña para observar su progresión como espectáculo entre los aficionados catalanes, determinar el interés prestado por ambos diarios catalanes en los años analizados y tener una valoración de su tratamiento.

Para nuestro estudio, hemos querido presentar una gráfica de evolución de los festejos programados para comenzar a determinar tendencias en la información taurina. Se contabiliza desde 1983 para tener una visión amplia del número de funciones organizadas y la media de festejos por temporada.

Estos son los números recogidos de la evolución de los festejos celebrados en Monumental de Barcelona entre los años 1983-2010[564]:

---

564. Se justifica la contabilización desde el año 1983 por dos factores: inicio de la información taurina en *El Periódico de Catalunya* por su periodista especializado y obtención de una visión más amplia de la evolución de los festejos programados. Este último factor permitirá obtener un resultado consistente del total y la media de informaciones por temporada.

1983: 32	1984: 31	1985: 32	1986: 30
1987: 27	1988: 26	1989: 29	1990: 29
1991: 28	1992: 20	1993: 26	1994: 27
1995: 23	1996: 23	1997: 25	1998: 25
1999: 25	2000: 24	2001: 25	2002: 27
2003: 22	2004: 23	2005: 23	2006: 25
2007: 17	2008: 17	2009: 18	2010: 17

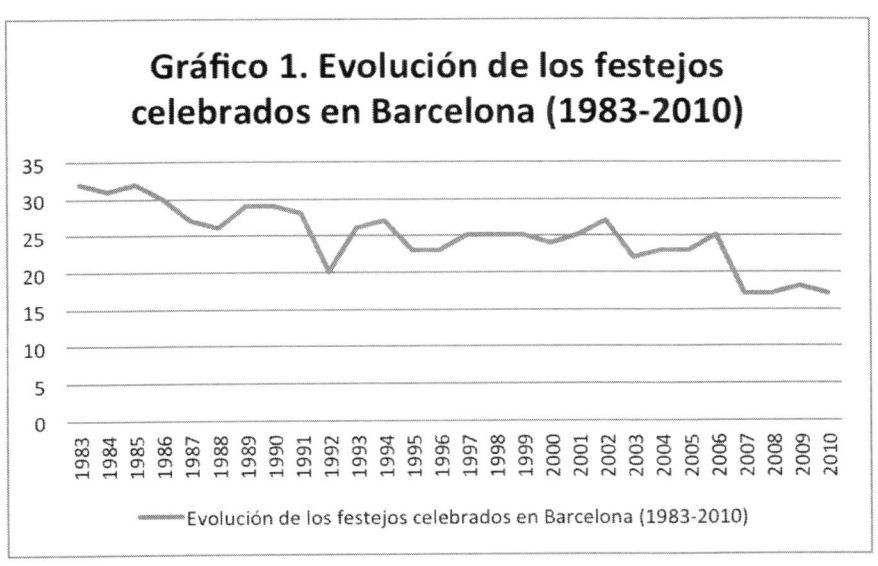

Fuente: elaboración propia

La gráfica de la evolución de los festejos celebrados desde 1983 a 2010 indica una caída progresiva de las funciones taurinas en la Monumental de Barcelona, destacando, sobre todas las cifras, el bajón en 1992, año de los Juegos Olímpicos, y el repunte en 2002. La caída en el número de corridas el año de Barcelona 92 se debió al ambiente crispado que generaron algunas federaciones olímpicas al conocer que la empresa Balañá pretendía organizar festejos durante el acontecimiento. El resultado fue que durante las tres semanas de competición olímpica llegaron a celebrarse dos festejos, pero la herida causada acabó adelantando el fin de la temporada al 6 de septiembre, sin Feria de la Mercè, en un año que hubiese sido propicio para impulsar la fiesta en Cataluña. En cambio, en 2002, año que entra en vigor la ley que prohíbe la entrada a los menores de 14 años en las plazas catalanas, y que en septiembre José Tomás anuncia su retirada de los ruedos, se registra un incremento mayor, con la inclusión de la Feria de la Mercè.

Estos datos solo tienen incidencia en nuestro estudio para saber la trayectoria que tuvo la fiesta de los toros en Cataluña. La incidencia, al existir una correlación entre festejos e informaciones, interesa a partir de un estudio proporcional para sacar la media de informaciones por festejo. El objetivo es que los resultados esclarezcan si existía en Cataluña una situación de precariedad informativa de la fiesta de los toros durante los años analizados.

Para tener una referencia fiable de la relevancia otorgada por los dos medios de comunicación a la temporada taurina barcelonesa entre el periodo 2004 y 2010, previamente, se ha contabilizado en bruto cinco años anteriores, con una diferencia temporal de cinco años, excepto en el último que se ha hecho en cuatro para coincidir con el año anterior de nuestro estudio. No se ha ido más allá de lo imprescindible en esta cuantificación para evitar la dispersión excesiva de datos, centrándonos tan solo en el número de informaciones publicadas y media por festejo.

Tabla 1. Evolución de los festejos programados en Barcelona los años 1984, 1989, 1994, 1999 y 2003 y las informaciones publicadas sobre estos en *La Vanguardia y El Periódico de Catalunya*.

Periodo	Festejos	La Vanguardia	El Periódico de Catalunya
1984	32	56	63
1989	29	59	59
1994	27	55	64
1999	25	38	56
2003	22	23	52

Fuente: elaboración propia

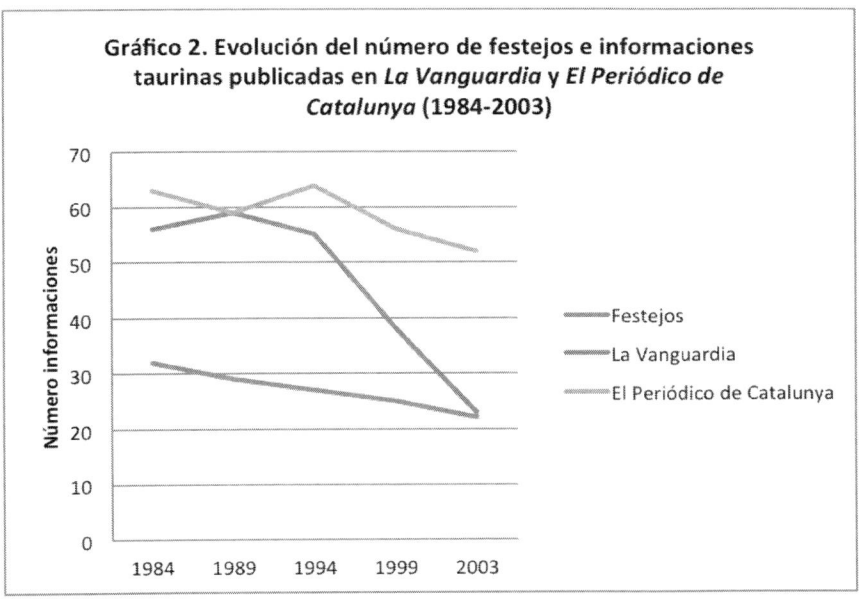

Fuente: elaboración propia

Tabla 2. Evolución del promedio de información por festejo en *La Vanguardia* y *El Periódico de Catalunya* (1983-2003).

		La Vanguardia		El Periódico de Catalunya	
Año	Festejos	Informaciones	Promedio	Informaciones	Promedio
1984	32	56	1,75	63	1,96
1989	29	59	2,03	59	2,03
1994	27	55	2,03	64	2,37
1999	25	38	1,52	56	2,24
2003	22	23	1,04	52	2,36

Fuente: elaboración propia

Estos datos son unos indicadores comparables con los proporcionados en nuestra época de estudio y que nos permiten entrever ya una dinámica común en los dos diarios: el progresivo descenso de la media de informaciones publicadas en *La Vanguardia*, que pasa en estos 19 primeros años de una media de casi dos informaciones (1,75) a 1,04, y el crecimiento del tema taurino en *El Periódico de Catalunya*, que pasa de 1,96 en 1984 a 2,36 informaciones por festejo, prueba de la relevancia periodística que tuvo esta cuestión en el diario del Grupo Zeta, con inclusiones hasta tres días por semana, los viernes, domingos y lunes. En el caso de *La Vanguardia*, los números caen a finales de la década de los noventa cuando comienza a desaparecer la información previa los domingos, convirtiéndose, salvo excepciones, la actualidad taurina de la temporada barcelonesa en un tema exclusivo de los lunes de cada semana.

12.2.1. Procedimiento para el análisis de los festejos celebrados desde el 2004 al 2010

La primera pretensión del estudio de la información taurina en *La Vanguardia* y *El Periódico de Catalunya* fue cuantificar el número de piezas informativas sobre la celebración de los festejos celebrados en la Monumental de Barcelona en el periodo delimitado (2004-2010), incluidos los resúmenes de la temporada taurina por tener referencia directa con los festejos concretados en la gala de la tauromaquia en el caso de *El Periódico de Catalunya* y en el avance y cierre del curso taurino en *La Vanguardia*. El volumen total de informaciones es una referencia fiable de la relevancia otorgada por el medio de comunicación al tema taurino, comprobándose el interés y seguimiento de estas informaciones para ambos periódicos. Por este motivo, como se ha procedido en el apartado anterior, se amplía la visibilidad del periodo estudiado con la incorporación de los totales de informaciones publicadas en unos años previos al estudio y su promedio por festejo programado en la temporada para tener una referencia más completa y detallada del tratamiento periodístico.

Para contabilizar la publicación de cualquier tipo de información que da cobertura del festejo programado se tiene en cuenta los dos diarios y sus suplementos, entendiéndose por información o unidad periodística la noticia, crítica de la corrida[565], entrevista, reportaje o cualquier breve informativo, tanto el mismo día de edición, como en ediciones diferentes. Se ex-

---

565. Para evitar problemas terminológicos, utilizaremos el término crítica para identificar los comentarios que el autor hace de la corrida celebrada, independientemente de la intención que tuvo el medio de comunicación para presentar el texto bajo otro género.

cluye los dominicales, por tratarse de informaciones esporádicas que van más allá de lo estrictamente informativo de la temporada taurina barcelonesa.

Se puede dar el caso de que alguna de las corridas programadas no se celebrasen a causa del mal tiempo o por la baja calidad del ganado. Estas circunstancias, que se notificarán en el estudio pormenorizado año por año, no alteran nuestro estudio total al tratarse de casos muy puntuales y de incidencia menor, pues la cobertura informativa solo se ve afectada a posteriori del festejo, dándose, incluso, la noticia de su suspensión.

En cuanto a la presencia de José Tomás en cada una de sus actuaciones en la Monumental de Barcelona, seis en total desde el 2004 al 2010, se contabilizan todas las informaciones que generan cuatro de sus actuaciones (23 de septiembre de 2007, 20 de abril de 2008, 21 de septiembre de 2008 y 27 de septiembre de 2009), más las reseñas taurinas de la corrida de su reaparición (17 de junio de 2007) y del encierro con seis astados el 5 de julio de 2009. El resto de la información expresada en la cobertura de estos dos últimos festejos (17 de junio de 2007 y 5 de julio de 2009) queda excluida del análisis del corpus de festejos programados en Barcelona entre 2004 y 2010 para ser analizados por separado.

La decisión que hemos tomado de no incluir todo el despliegue informativo de estas dos corridas (reaparición y en solitario) obedece a que el alcance mediático que supone la presencia de José Tomás en el contexto histórico de la tauromaquia catalana distorsiona los resultados totales que deben dar una respuesta a los objetivos planteados al principio del estudio. De esta manera, por la excepcionalidad y previsión del acontecimiento que impone para el medio de comunicación la presencia de José Tomás en el espectro taurino barcelonés, se desplazan todas las piezas informativas que genera y únicamente se contabilizan y analizan en este primer resultado la reseña de la corrida de toros.

Por último, obviamente, al tratarse del análisis de los festejos programados en Barcelona, quedan excluidos todos aquellos textos taurinos publicados en las dos cabeceras durante el intervalo de tiempo seleccionado (2004-2010) que nada tuvieron que ver con la celebración de festejos en la Monumental (enlaces matrimoniales, fallecimientos, funciones en otras plazas, etc.). No contribuyen a identificar la realidad taurina catalana ni a considerar la importancia que los dos medios dieron a la fiesta de los toros en Cataluña.

Con el total por año se establece una equivalencia con el seguimiento que hacen los dos periódicos en número de informaciones relacionadas con su cobertura. Los datos, obligatoriamente cuantitativos, serán sometidos a un análisis cualitativo porque lo que planteamos es una interpretación para que el resultado adquiera una altísima dosis de objetividad sobre el interés de *La Vanguardia* y *El Periódico de Catalunya* en la información taurina durante esos años.

13. Resultados y discusión del análisis de la temporada de toros en Barcelona (2004-2010)

Planteado todo lo anterior, es el momento de epilogar este libro mostrando resultados a partir de la recopilación de datos para el seguimiento de la cobertura informativa de la temporada de toros en la Monumental de Barcelona entre el 2004 y 2010.

13.1. Comparativa temporal y cuantificación del periodo de estudio

Un primer resultado está en el total de ejemplares analizados para completar la investigación del periodo estudiado (2004-2010). Son 327 periódicos en total, consultados y distribuidos entre las dos cabeceras barcelonesas como se indica a continuación:

- 150 ejemplares de *La Vanguardia*, repartidos así: 27 ejemplares del 29 de marzo al 25 de octubre de 2004; 25, del 15 de abril al 26 de septiembre de 2005; 25, del 8 de abril al 25 de septiembre de 2006; 20, del 2 de abril al 22 de octubre de 2007; 20, del 19 de abril al 29 de septiembre de 2008; 18, del 12 de abril al 12 de octubre de 2009, y 15, del 25 de abril al 27 de septiembre de 2010.
- 177 ejemplares de *El Periódico de Catalunya*, repartidos así: 56

ejemplares del 8 de marzo al 20 de septiembre de 2004, 21 pertenecientes al suplemento de ocio *Viernes* y 35 al diario; 54 ejemplares del 7 de marzo al 26 de septiembre de 2005, 17 del suplemento de ocio *Viernes* y 37 del diario; 40 ejemplares del 7 de abril al 25 de septiembre de 2006, 15 del suplemento *Viernes* y 25 del diario; 12, ejemplares del 12 de marzo al 24 de septiembre de 2007; 6, del 7 de julio al 22 de septiembre de 2008: 5, del 9 de marzo al 28 de septiembre de 2009, y 4, del 26 de abril al 27 de septiembre de 2010.

Tabla 3. Total de ejemplares consultados en *La Vanguardia* y *El Periódico de Catalunya* (2004-2010).

Medio	Ejemplares consultados	Periodo
La Vanguardia	150	29-3-2004 al 27-9-2010
El Periódico de Catalunya	177	8-3-2004 al 27-9-2010

Fuente de elaboración propia

El corpus final de la cobertura de los festejos programados en la Monumental entre el 2004 y el 2010 consta de 342 informaciones publicadas. Como se deduce de las tablas posteriores, un total de 159 pertenecen a *La Vanguardia* y 183 a *El Periódico de Catalunya*.

Tabla 4. Total de festejos e informaciones en *La Vanguardia* y *El Periódico de Catalunya* (2004-2010).

Periodo	Festejos	*La Vanguardia*	*El Periódico de Catalunya*
2004-1010	145	159	183

Fuente: elaboración propia

Seguidamente, se describe la evolución de la cobertura a lo largo del tiempo elegido, se contabilizan las informaciones referentes a los festejos programados, las críticas que se publicaron de las corridas y se presentan los resultados por años y periódico investigado para ver más detenidamente dicha evolución y la importancia dada al acontecimiento por los medios seleccionados.

Se tabulan los resultados numéricamente de acuerdo con sus frecuencias y se exponen los datos más relevantes que se desprenden del análisis y que revelan el comportamiento manifestado por *La Vanguardia* y *El Periódico de Catalunya* en la muestra seleccionada como corpus.

Cuantificación y promedios de las informaciones taurinas en *La Vanguardia* y *El Periódico de Catalunya* (2004-2010)

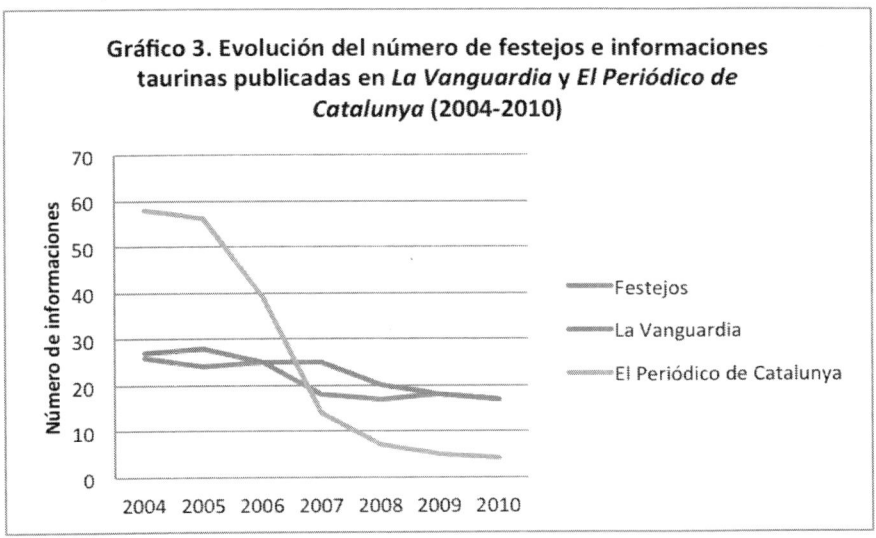

Gráfico 3. Evolución del número de festejos e informaciones taurinas publicadas en *La Vanguardia* y *El Periódico de Catalunya* (2004-2010)

Fuente: elaboración propia

Según se desprende de esta gráfica comparativa, presentada desde la óptica cuantitativa, los diarios *El Periódico de Catalunya* y *La Vanguardia* mostraron una línea descendente en el número de informaciones de la temporada de toros celebrada en la Monumental de Barcelona. Si bien en el diario del Grupo Zeta se aprecia en los dos primeros años (2004 y 2005) una profusa actividad informativa, fruto de la estrategia periodística que el medio le dio a la temática taurina en periodos anteriores, para caer en las siguientes temporadas en un derrumbamiento absoluto, *La Vanguardia* mostró un cierto conservadurismo en el tratamiento periodístico, manteniendo una regularidad con una tendencia a la baja los últimos años, sin apreciarse grandes diferencias de un año para otro en los aspectos generales.

Evolución del número de informaciones desde 1984 hasta el 2010

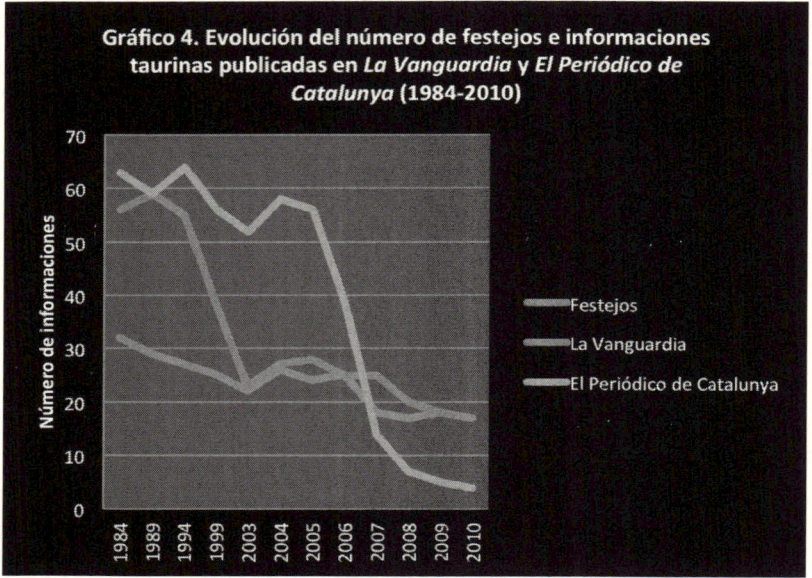

Fuente: elaboración propia

Este gráfico superior visualiza que en los últimos 26 años existió una tendencia descendente en la información publicada de la temporada de toros barcelonesa en ambos diarios, con unas cifras que se justifican dentro del particular contexto catalán. *La Vanguardia* muestra una clara regularidad a partir de mediados de la primera década de siglo, después de bajar desde finales de los noventa cuando prescinde de las informaciones previas los domingos de cada semana de corrida. En *El Periódico de Catalunya* se resaltan notables oscilaciones en los primeros años de siglo, para pasar, luego, a una caída muy pronunciada desde 2005 hasta que se cierra el periodo estudiado.

Tabla 5 y 5 bis. Promedio por años de la información publicada por festejo en *La Vanguardia* y *El Periódico de Catalunya* (2004-2010).

La Vanguardia			
Año	Festejos	Informaciones	Promedio de información por festejo
2004	26	27	1,03
2005	24	28	1,16
2006	25	25	1
2007	18	25	1,38
2008	17	20	1,17
2009	18	17	0,94
2010	17	17	1

Fuente: elaboración propia

Gráfico 5. *La Vanguardia*: promedio de informaciones publicadas sobre festejos (2004-2010)

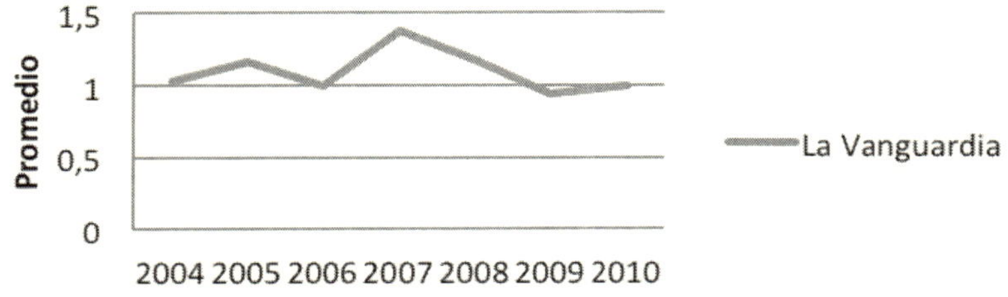

Fuente: elaboración propia

A grandes rasgos, en la cuantificación de *La Vanguardia* se demuestra la regularidad en el tratamiento informativo. No destaca por su elevado número de piezas publicadas, pues arranca el 2004 prescindiendo, prácticamente, de unidades periodísticas previas a la corrida y se limita a su crítica, siendo correlativo en número de informaciones contabilizadas por temporada al número de festejos programados. Si atendemos a los promedios, se advierte una mayor visibilidad de la información taurina el 2007, temporada del retorno a los ruedos de José Tomás. Salvo esta excepción, en general, la vocación informativa de esos años evoluciona con arreglo a la pauta de los festejos programados, manifestada por su regularidad en el número de inserciones como se comprueba en la representación de los resultados expuestos en la página anterior.

El Periódico de Catalunya			
Año	Festejos	Informaciones	Promedio de información por festejo
2004	26	58	2,23
2005	24	56	2,33
2006	25	39	1,56
2007	18	14	0,77
2008	17	7	0,41
2009	18	5	0,27
2010	17	4	0,23

Fuente: elaboración propia

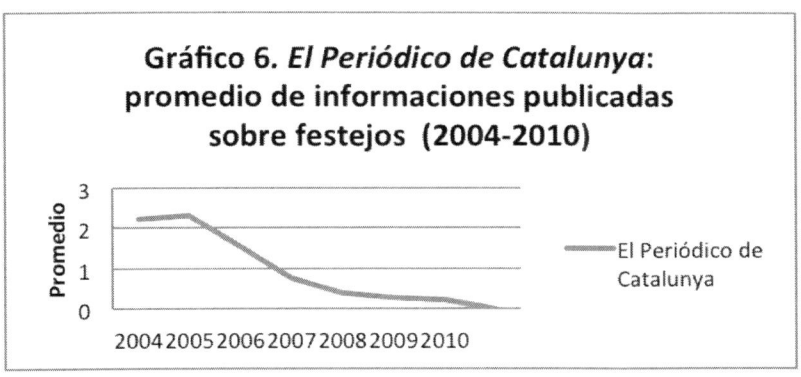

Gráfico 6. El Periódico de Catalunya: promedio de informaciones publicadas sobre festejos (2004-2010)

Fuente: elaboración propia

Como bien demuestra el gráfico 6, la tendencia en *El Periódico de Catalunya* es bien diferente al de su competidor. La visibilidad que siempre mantuvo el diario del Grupo Zeta por los toros en Barcelona a través de sus suplementos y edición impresa, doblando en número de textos publicados a *La Vanguardia*, cayó bruscamente durante el lustro 2005-2010 para acabar con una presencia testimonial a partir de 2008. El cambio se produjo a partir de la temporada 2007, justo el año que deja de publicarse el suplemento *Viernes* y ya está en la dirección del diario Rafael Nadal.

Tabla 6. Comparativa del promedio de la información publicada por festejo en *La Vanguardia* y *El Periódico de Catalunya* (1983-2010).

Año	Festejos	La Vanguardia		El Periódico de Catalunya	
		Informaciones	Promedio	Informaciones	Promedio
1984	32	56	1,75	63	1,96
1989	29	59	2,03	59	2,03
1994	27	55	2,03	64	2,37
1999	25	38	1,52	56	2,24
2003	22	23	1,04	52	2,36
2004	26	27	1,03	58	2,23
2005	24	28	1,16	56	2,33
2006	25	25	1	39	1,56
2007	18	25	1,38	14	0,77
2008	17	20	1,17	7	0,41
2009	18	17	0,94	5	0,27
2010	17	17	1	4	0,23

Fuente: elaboración propia

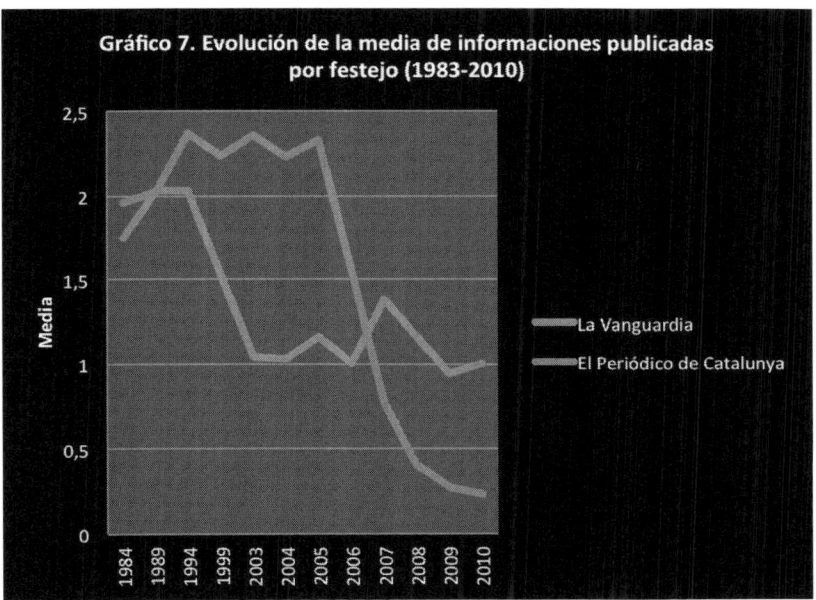

Fuente: elaboración propia

La representación conjunta de la media de información por festejo que aparece en este gráfico muestra de nuevo la línea descendente de la temporada taurina barcelonesa en los dos diarios catalanes, mantenida con una manifiesta regularidad en la década del nuevo siglo por el diario de Godó. Destaca la oscilación en *La Vanguardia* los años 2007 y 2010, a raíz del fervor taurino que la reaparición de José Tomás causa en la tauromaquia catalana y del impacto de la noticia del fin de los toros, respectivamente.

13.2. Análisis de contenido de la temporada de toros en Barcelona (2004-2010)

Una vez tomado como referencia el análisis comparativo de la evolución temporal de la temporada barcelonesa y sus informaciones, ampliamos estos datos para el análisis de contenido con el promedio de textos por festejo programado y la presentación de la comparativa entre los dos medios de comunicación seleccionados. Este resumen del seguimiento informativo a partir de unas tablas y gráficos explicativos y significativos dará paso, posteriormente, al análisis de cada una de las variables de la muestra.

Tabla 7. Evolución de la equivalencia del total de festejos programados de la temporada de toros de Barcelona y sus críticas taurinas en *La Vanguardia* y *El Periódico de Catalunya* (2004-2010).

Año	Festejos	*La Vanguardia*	*El Periódico de Catalunya*
2004	26	26	25
2005	24	23	24
2006	25	21	22
2007	18	17	10
2008	17	16	7
2009	18	15	3
2010	17	16	4

Fuente: elaboración propia

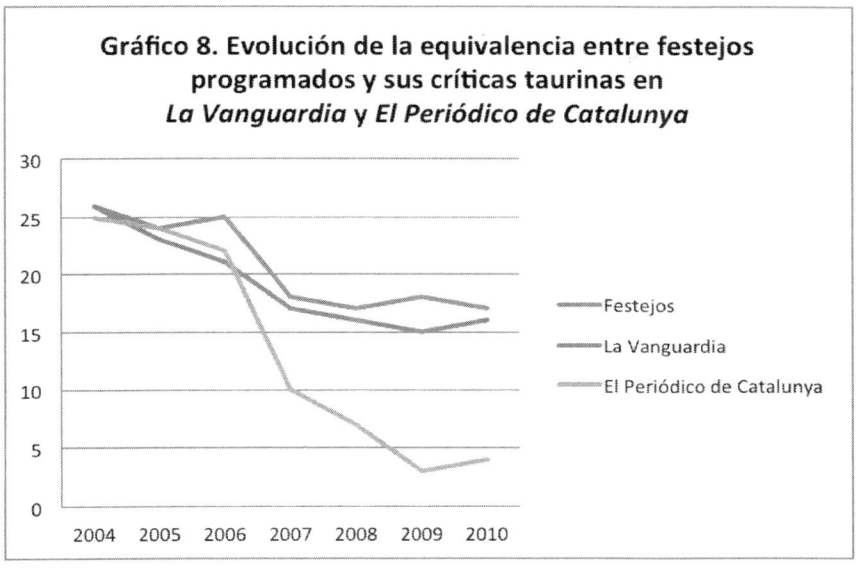

Gráfico 8. Evolución de la equivalencia entre festejos programados y sus críticas taurinas en *La Vanguardia* y *El Periódico de Catalunya*

Fuente: elaboración propia

Según la gráfica superior, se demuestra que la función taurina siempre tuvo una línea decreciente en cuanto a su cobertura en cada uno de los dos diarios escogidos durante el periodo analizado. Perdió todo interés para *El Periódico de Catalunya* a partir del año 2007 y se mantuvo con una línea regular, pero a la baja, en *La Vanguardia*. El repunte final que manifiestan ambas cabeceras obedece a la expectación que generó la decisión del Parlamento catalán a finales de julio de prohibir las corridas. Esto provocó que los dos medios prestasen mayor atención a la reacción de los aficionados y debiesen recuperar, en el caso de *El Periódico de Catalunya*, las críticas taurinas entre sus contenidos.

Tablas 8 y Gráficos 9. Resumen comparativo por años de los festejos e informaciones publicadas desde 2004 a 2010.

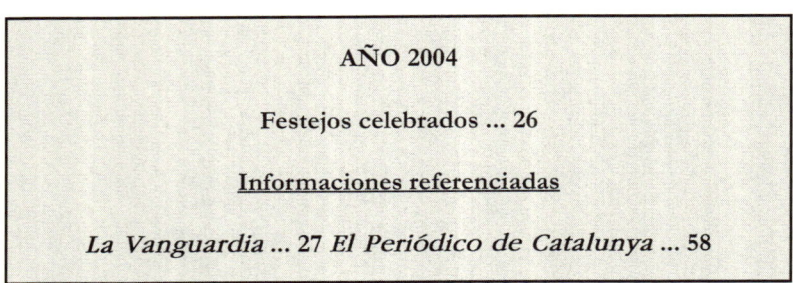

AÑO 2004

Festejos celebrados ... 26

Informaciones referenciadas

La Vanguardia ... 27 *El Periódico de Catalunya* ... 58

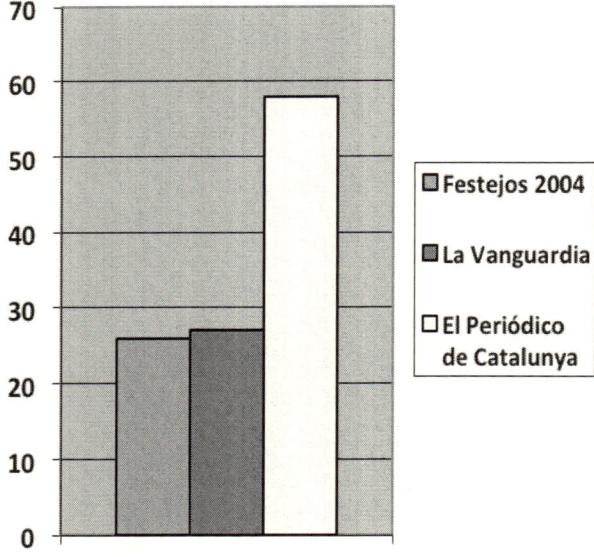

Fuente: elaboración propia

Año 2004: la temporada se inició el 28 de marzo y finalizó el 19 de septiembre. Se programaron 26 festejos[566], repartidos en 16 corridas, 1 festival benéfico, 7 novilladas y 2 corridas de rejones. De las corridas de toros se celebraron al final 15 al suspenderse la función del 11 de julio. En esta etapa el volumen de información recogido en la mesa de redacción de *El Periódico de Catalunya* fue notable comparado con la cobertura que ofreció *La Vanguardia*. De las 23 corridas programadas, la cabecera del Grupo Zeta publicó 58 informaciones, a un promedio de 2,23 unidades periodísticas por festejo. *La Vanguardia* dedicó 27 informaciones, a un promedio de 1,03 unidades periodísticas por festejo. Ninguno de los dos medios ofreció en su edición impresa un especial tratamiento el 11 de abril, cuatro días después de que el Ayuntamiento de Barcelona se declarase antitaurino. Se tienen en cuenta en el recuento de informaciones la Gala de la Tauromaquia del 8 de marzo de *El Periódico de Catalunya*, y el balance de la temporada de *La Vanguardia* el 25 de octubre.

AÑO 2005

Festejos celebrados ... 24

Informaciones referenciadas

La Vanguardia ... 28 El Periódico de Catalunya ... 56

---

566.   Tanto la web de *Mundotoro* (ver www.mundotoro.com), como el archivo personal de Fernando del Arco del Izco contabilizan en el año 2004 un total de 23 festejos, pero una vez repasados los ejemplares de *La Vanguardia* y *El Periódico de Catalunya* se constatan 26, no habiendo tenido en cuenta las fuentes consultadas (*Mundotoro* y Fernando del Arco) la corrida suspendida, el festival benéfico del 28 de marzo y la novillada del 4 de abril.

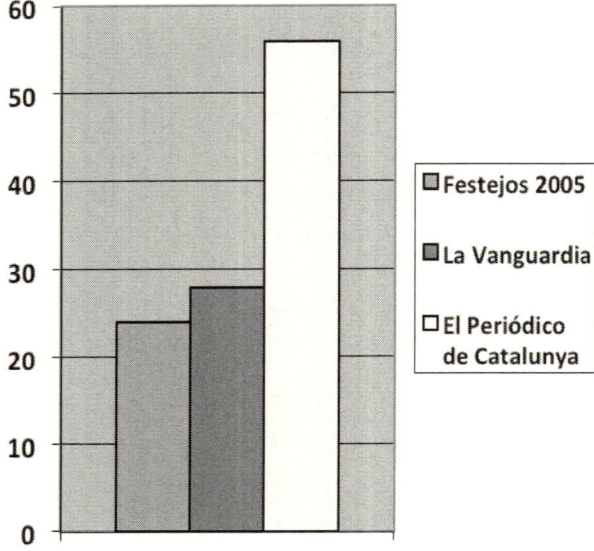

Fuente: elaboración propia

Año 2005: la temporada se inició el 17 de abril y finalizó el 25 de septiembre. Se celebraron 24 festejos[567], repartidos en 5 novilladas, 2 corridas de rejones y 17 corridas de toros. Nuevamente, *El Periódico de Catalunya* tomó la delantera a *La Vanguardia* en el número de informaciones publicadas, manteniendo el mismo número de inserciones, 56, pero con menos festejos programados, a un promedio de 2,33 unidades periodísticas por función, el resultado más alto durante los años que hemos investigado.

---

567. Tanto la web de *Mundotoro* (ver www.mundotoro.com), como el archivo personal de Fernando del Arco del Izco contabilizan en el año 2005 un total de 23 festejos, pero una vez repasados los ejemplares de *La Vanguardia* y *El Periódico de Catalunya* se constatan 24, no habiendo tenido en cuenta las fuentes consultadas (*Mundotoro* y Fernando del Arco) la novillada del 8 de mayo, solo publicada en la cabecera del Grupo Zeta.

La Vanguardia dedicó 28 informaciones, a un promedio de 1,16 unidades periodísticas por festejo, no publicando la novillada del 8 de mayo. Se tiene en cuenta en el recuento total de este año la Gala de la Tauromaquia celebrada el 7 de marzo publicada en las páginas de *El Periódico de Catalunya*. En esta ocasión, *La Vanguardia* omitió su tradicional texto del cierre de la temporada.

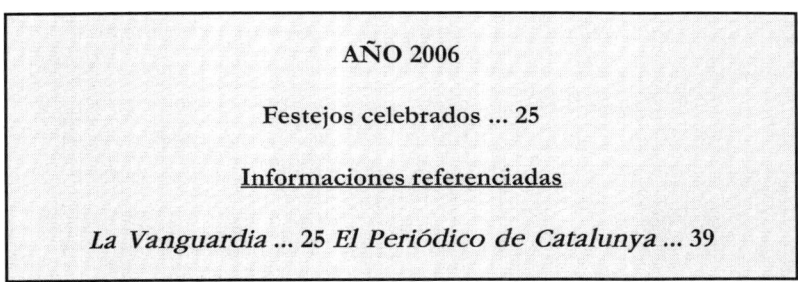

AÑO 2006

Festejos celebrados ... 25

Informaciones referenciadas

La Vanguardia ... 25 El Periódico de Catalunya ... 39

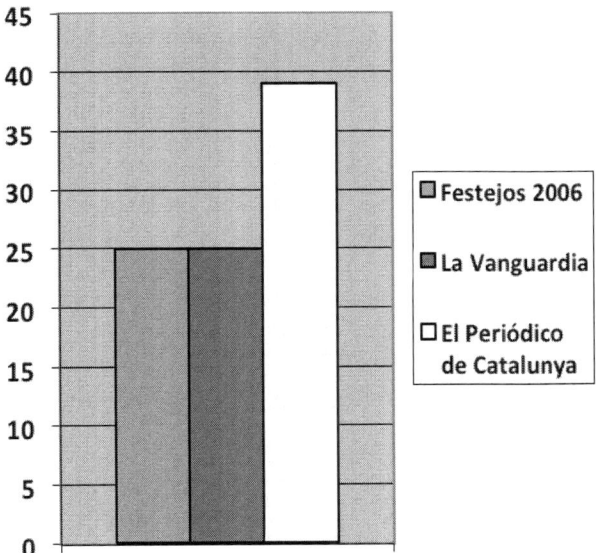

Fuente: elaboración propia

Año 2006: la temporada se inició el 8 de abril y finalizó el 24 de septiembre. Se celebraron 25 festejos, repartidos en 6 novilladas, 3 corridas de rejones y 16 corridas de toros. La fidelidad que *El Periódico de Catalunya* había mostrado por la información de los toros empezó a cambiar de rumbo justo el año que tomó las riendas en el diario Rafael Nadal. Las unidades periodísticas publicadas bajaron de 56 del año anterior a 39, a un promedio de 1,56 informaciones por festejo, dejándose de publicar crónicas de las novilladas del 14 y 28 de mayo. *La Vanguardia* mostró la constancia de años anteriores con un tratamiento reducido, prácticamente, a la crítica de la corrida, con 25 informaciones, a un promedio de 1 por festejo, no publicando tres corridas: 10 y 24 de julio y 14 de agosto. No presentó menos inserciones que corridas a causa de la publicación puntual de otras informaciones que mantuvieron la habitual regularidad por temporada. Ni *El Periódico de Catalunya* dio cuenta de la Gala de la Tauromaquia ni *La Vanguardia* publicó su balance al final de la temporada.

AÑO 2007

Festejos celebrados ... 17

Informaciones referenciadas

La Vanguardia ... 25 *El Periódico de Catalunya* ... 14

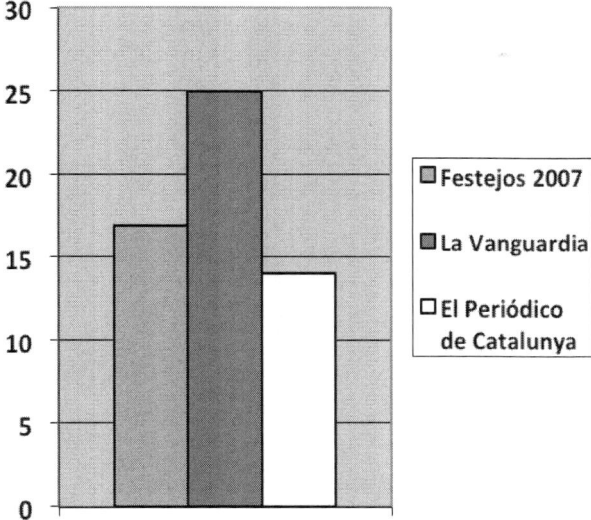

Fuente: elaboración propia

Año 2007: la temporada se inició el 15 de abril y finalizó el 23 de septiembre, con un programa de 18 festejos, repartidos en 1 novillada, 2 corridas de rejones y 14 corridas de toros. La función del 20 de agosto no se celebró a causa de la lluvia. La temporada estuvo marcada por el regreso de José Tomás a los ruedos, con un efecto mediático sin precedente alguno. Toreó el 17 de junio y el 23 de septiembre. *El Periódico de Catalunya* mostró un alarmante olvido del tema taurino, provocado, sobre todo, por la desaparición del suplemento *Viernes*. Contabilizó solo 14 informaciones, a un promedio de 0,77 unidades periodísticas por festejo, por primera vez inferior a las funciones celebradas. Diferente fue la estrategia informativa de *La Vanguardia*: volcada con José Tomás, publicó 25 inserciones, a un promedio de 1,38 unidades periodísticas por festejo, el registro más alto desde la declaración del Ayuntamiento de Barcelona. Destacar la vuelta en la cabecera del Grupo Zeta de la Gala de la Tauromaquia y los análisis de la temporada en *La Vanguardia*.

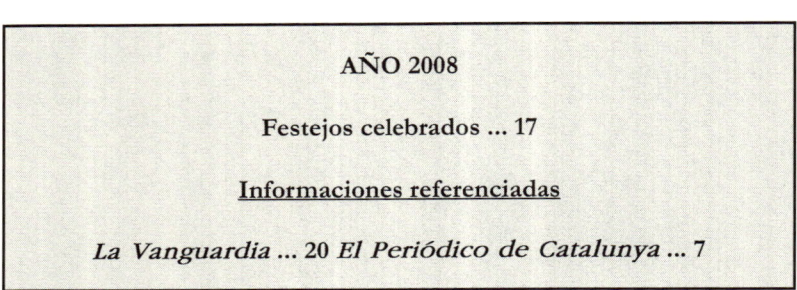

AÑO 2008

Festejos celebrados ... 17

Informaciones referenciadas

La Vanguardia ... 20 *El Periódico de Catalunya* ... 7

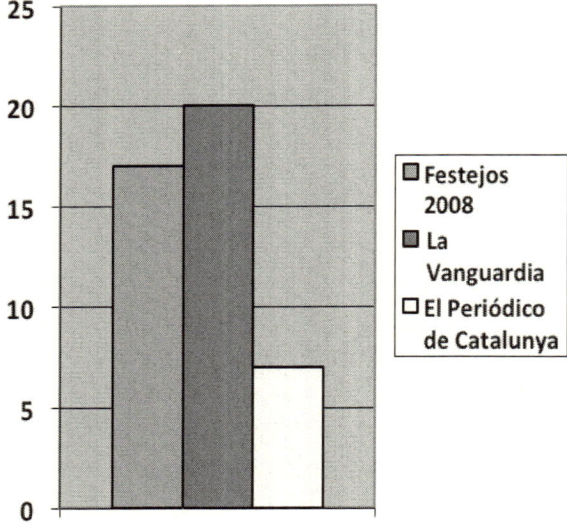

Fuente: elaboración propia

2008: la temporada se inició el 19 de abril y finalizó el 21 de septiembre. Se programaron 17 festejos, repartidos en 2 novilladas, 2 corridas de rejones y 13 corridas de toros. Destacar que actuó José Tomás en dos carteles (20 de abril y 21 de septiembre). No se celebró la función del 25 de mayo a causa de la lluvia. Decididamente, *El Periódico de Catalunya* se desentendió de la actualidad y tan solo publicó 7 reseñas de los 18 festejos programados, a un promedio de 0,41 unidades periodísticas por función celebrada. En cambio, *La Vanguardia* continuó su compromiso, con 20 informaciones, a un promedio de 1,17 unidades periodísticas por festejo. Solo alteró su promedio de 1 por festejo a raíz de la memorable corrida del 21 de septiembre, donde José Tomás indultó un toro. La Gala de la Tauromaquia en *El Periódico de Catalunya* falló a su cita de otros años y *La Vanguardia* publicó el resumen de la temporada una semana después de la última corrida.

AÑO 2009

Festejos celebrados ... 18

Informaciones referenciadas

La Vanguardia ... 17 *El Periódico de Catalunya* ... 5

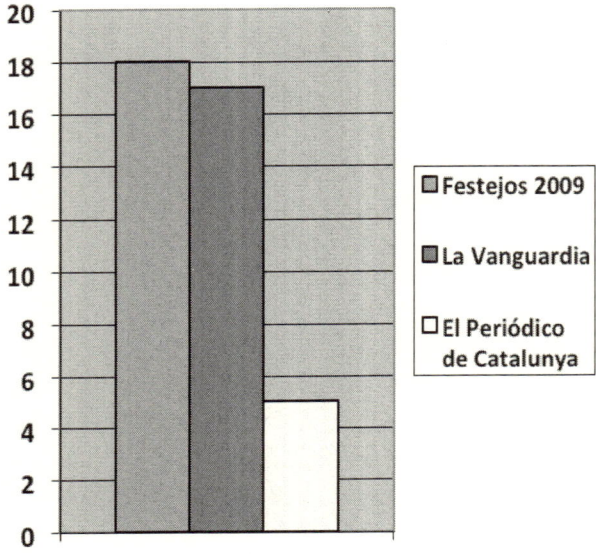

Fuente: elaboración propia

2009: la temporada se inició el 19 de abril y finalizó el 27 de septiembre. Se celebraron 18 festejos repartidos en 1 novillada, 2 corridas de rejones y 17 corridas de toros. Volvió a tomar presencia en el tratamiento informativo la figura del torero José Tomás, que actuó en dos ocasiones en la Monumental: 5 de julio, cuando se encerró con seis astados (información analizada posteriormente en el capítulo *Análisis de la corrida en solitario de José Tomás: resultados y discusión*), y el 27 de septiembre. El efecto mediático del diestro de Galapagar no tuvo repercusión en el tratamiento general de la fiesta en Barcelona para *El Periódico de Catalunya*: únicamente 5 informaciones, a un promedio de 0,27 unidades periodísticas por función. *La Vanguardia* mostró un ligero retroceso en su tratamiento: registró 17 referencias informativas, por lo que rompió con su promedio, en este caso 0,94, situándose por debajo de 1 unidad periodística por festejo. Incluso, desde la redacción del grupo Godó hasta se dejaron de publicar dos críticas taurinas: de las 18 funciones se escribieron 16, omitiéndose la corrida del 17 de mayo[568] y la novillada del 28 de junio. En cambio, como sucedió en el año 2007, una semana antes del inicio de la temporada, se ofreció a los lectores las claves del curso taurino en Barcelona. El balance final del año también apareció en las páginas del diario, pero no fue hasta 15 días después de finalizada la última corrida. Por su parte, *El Periódico de Catalunya* recuperó otra vez más la Gala de la Tauromaquia para adelantar a sus lectores la actualidad taurina catalana y los momentos más estelares de la temporada que se avecinaba.

---

568. Respecto a la omisión en *La Vanguardia* de la corrida del 17 de mayo de 2009, con la presencia en el cartel del torero catalán Serafín Marín, la Defensora del lector del diario del grupo Godó, Marga Soler, empleó seis días después su columna dominical para justificar la ausencia de la reseña de Paco March el lunes 18 de mayo en el periódico. El argumento que Soler empleó en su escrito para dar respuesta de las quejas recibidas en la mesa de la redacción fue el fallecimiento a última hora del día del escritor Mario Benedetti. Incluso reconoció que algunos ejemplares distribuidos sí dieron cuenta del acontecimiento taurino, siendo sustituidos después por una segunda edición con la cobertura dedicada al escritor uruguayo en su lugar. En la batería de argumentaciones, la defensora del lector llega un momento a decir lo siguiente: "Los lectores plantean dos cuestiones desde el burladero: una es el temor a que *La Vanguardia* se deshaga de la crítica taurina, y la otra es por qué la muerte de Benedetti afectó precisamente al relato de la corrida. La respuesta a la primera es que no hay ninguna intención al respecto y que si no apareció fue por una situación excepcional. Y la explicación para la segunda es que la crítica se ubica en Cultura, en la que también tenía que ir la muerte de Benedetti". SOLER MARGARIT, M. "Rematar bien la faena". *La Vanguardia*, 24 de mayo de 2009, p. 35.

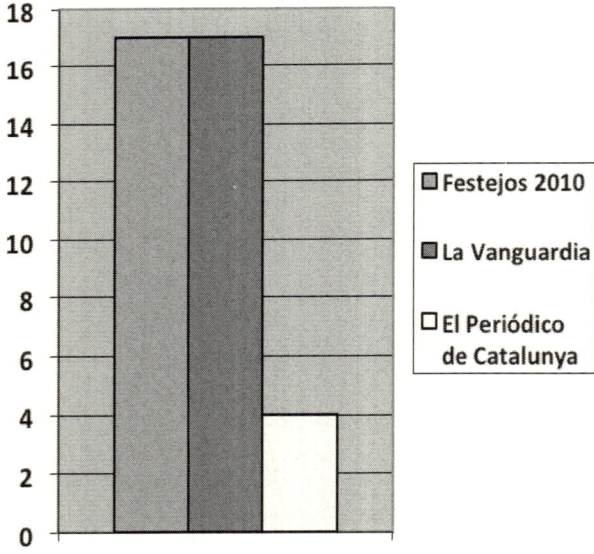

AÑO 2010

Festejos celebrados ... 17

Informaciones referenciadas

La Vanguardia ... 17 *El Periódico de Catalunya* ... 4

Fuente: elaboración propia

2010: la temporada en la que se decide la prohibición de los toros en Cataluña se inició el 25 de abril y finalizó el 26 de septiembre. José Tomás no acudió al rescate de Barcelona, pues una gravísima cogida en la localidad mexicana de Aguascalientes, que casi le causa la muerte, le dejó inactivo durante todo el año, debiendo suspender las tardes que tenía contratadas en la Monumental de Barcelona. Se celebraron 17 festejos repartidos en 2 novilladas, 2 corridas de rejones y 13 corridas de toros. *El Periódico de Catalunya* reseñó de los festejos tan solo 4 informaciones en toda la temporada, concretamente en la primera corrida del año, las dos que anteceden y preceden a la votación del Parlamento de Cataluña a finales de julio y la última del programa. La media del diario dirigido por Enric Hernández fue de 0,23 unidades periodísticas por festejo. *La Vanguardia* publicó 17 informaciones, una media de una por festejo, aunque no fue correlativo, pues publicaron 14 reseñas de las corridas, prescindiendo de los relatos de los rejones de los días 23 de mayo y 24 de septiembre, y la corrida del 15 de agosto. Ni *El Periódico de Catalunya* publicó la Gala de la Tauromaquia, ni *La Vanguardia* su balance del año. No obstante, éste último diario sí adelantó las novedades de la temporada el mismo día que se inició el curso taurino, el 25 de abril.

Valoraciones generales

Queda de manifiesto que a lo largo del periodo estudiado el número de informaciones taurinas se mantuvo en *La Vanguardia*, después de experimentar una tendencia descendente a finales de los noventa. Las ligeras oscilaciones que se aprecian durante los años de estudio coinciden con el momento álgido del tema de los toros a raíz de la reaparición de José Tomás en el 2007 o el desenlace de la fiesta de los toros en la temporada 2010. En el caso concreto de la media de información por festejo, es evidente la voluntad del diario de dar tan solo el testimonio de la corrida de toros, como si se tratase de un compromiso adquirido con los lectores, pero que no requiere de un alarde especial en su despliegue informativo si no es por un hecho excepcional (José Tomás).

La trayectoria descendente de la información taurina se visualiza con mayor claridad en la etapa temporal estudiada para *El Periódico de Catalunya*. La información se precipita al vacío a partir del año 2006, coincidiendo con la llegada del periodista Rafael Nadal a la dirección de la cabecera de Grupo Zeta. A partir de entonces, la temporada taurina barcelonesa pasa por un vía crucis informativo, con una disminución noticiosa que genera su casi completa desaparición. La escasez informativa tan solo la salvan los festejos que coinciden cuando el debate de los toros bulle en la opinión pública o cuando aparece en el coso de la Monumental la figura de José Tomás, convirtiéndose en una información preferencial para el diario en sus páginas por la trascendencia del personaje y el tema que representa en una sociedad orientada hacia otros espectáculos.

13.2.1. La fecha

Una vez concluido el recuento por año del número de festejos e informaciones referenciadas, presentamos a continuación los resultados de cada una de las variables que hemos analizado de los dos medios.

Si analizamos la fecha de publicación, variable que nos permite comprobar la frecuencia del día de aparición de la información referida a los festejos taurinos de la temporada, el día de la semana que lidera el ranking de presencia es el lunes. Aquí se da una correlación con el día habitual de la corrida, el domingo, aspecto importante como referente para el lector al convertirse en una información de agenda y que tiene su lógica en los contenidos del diario de ese día. Cualquier incidencia que provoque su desplazamiento a una edición posterior o su eliminación del temario tiene un efecto negativo para la difusión de la fiesta, pues la actualidad es fundamental para la popularización del festejo. Todo lo que sea publicar el comentario dos días después de la corrida es sinónimo de desinterés para los lectores y decepción para los aficionados.

Tabla 9. Días de la semana de las informaciones publicadas de los festejos y porcentaje total del periodo (2004-2010).

	Total inforc.	Lunes	Martes	M
La Vanguardia	159	139 (87,42%)		
El Periódico de Catalunya	183	98 (53,55%)	6 (3,27%)	
Total	342	236 (69,01%)	6 (1,75%)	

Jueves	Viernes	Sábado	Domg.
1 (0,62%)	1 (0,62%)	3 (1,88%)	15 (9,43%)
1 (0,54%)	52 (28,41%)	2 (0,54%)	24 (13,11%)
2 (0,58%)	53 (15,49%)	5 (1,46%)	39 (11,40)

Fuente: elaboración propia

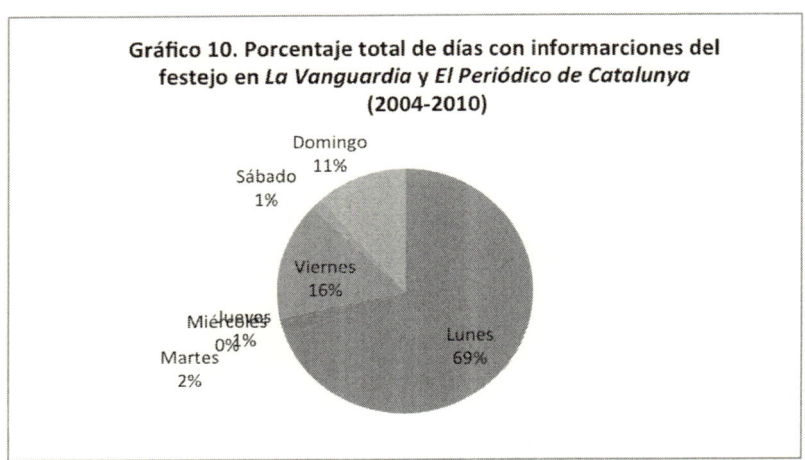

Fuente: elaboración propia

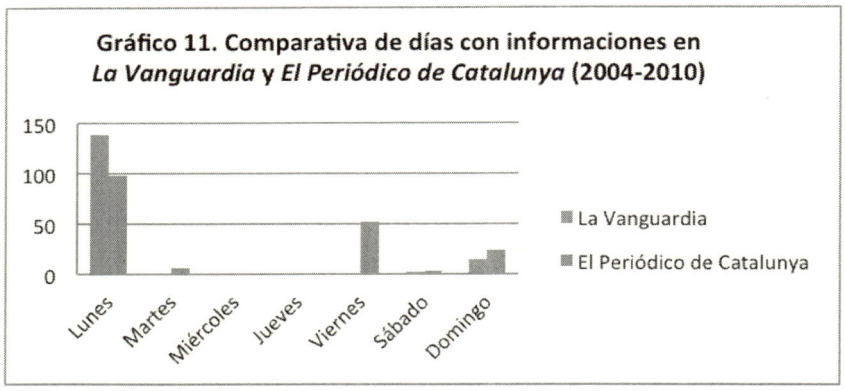

Fuente: elaboración propia

La aparición de la información del festejo otros días, como puede ser el viernes, sábado o domingo, demuestra, en cambio, el interés y la importancia que le da el periódico al tema taurino. En este sentido, es lógico su tratamiento cuanto más cerca está la celebración del acontecimiento o cuando su comentario se circunscribe a una información de servicios para el lector (suplementos de ocio o propuestas de la agenda del día o fin de semana), de ahí que sea normal que en nuestro análisis el miércoles no tenga ni un solo referente, mientras que para el martes y el jueves se constatan unos casos excepcionales que seguidamente comentaremos.

El análisis del festejo se resuelve con inmediatez en la fiesta de los toros: publicación al día siguiente de su celebración Así, en primer lugar, es evidente, según los resultados, que el lunes es el día escogido para la crítica taurina. Del total de referencias informativas, el 69% aparecen el primer día de la semana, convirtiéndose en el espacio preferencial de *La Vanguardia*, con el 87,42%, por el 53,55% en *El Periódico de Catalunya*. La publicación de la crítica de la corrida el día siguiente de su celebración, en este caso los lunes, supone establecer un lazo de fidelidad con los lectores, hasta el punto que cualquier incidencia que provoque su no publicación en su contexto formal genera dudas y desconcierto, dando a la audiencia la impresión de rechazo, olvido o desinterés. Esto es lo que sucede en el año 2006 en *El Periódico de Catalunya*, cuando durante los meses de julio y agosto se alternaron las críticas los lunes y martes (hasta seis se publicaron el segundo día de la semana) de las corridas del domingo, provocando la confusión de quien esperaba la información el lunes y generando un progresivo distanciamiento con el asunto taurino.

La aparición del avance de la corrida los días previos a la celebración del festejo responde a un compromiso e interés del medio hacia su audiencia. De los resultados obtenidos de este referente informativo para los lectores, que saben que los viernes o domingos van a encontrar la noticia de la función que se celebrará dos días después, *El Periódico de Catalunya*, desde el 2004 al 2006, incluyó en sus suplementos del viernes una reseña de la función taurina que se celebraba el fin de semana (34,48% de las informaciones en el 2004; el 32,14%, en el 2005, y el 38,46%, en el 2006), solo abandonada cuando se sustituía el suplemento por el especial *Verano*, concretamente desde mediados de julio hasta finales de agosto, páginas especiales del diario que no incluyeron este tipo de informaciones. Los domingos también insertaron durante el año 2004 (13,79%) y 2005 (19,64) en la agenda o con una noticia, entrevista o reportaje, el avance de la corrida. En cambio, esta práctica informativa se redujo a una presencia testimonial en los años siguientes en el diario del Grupo Zeta, mientras que *La Vanguardia* omitió, prácticamente, este tipo de información previa durante todo el periodo estudiado.

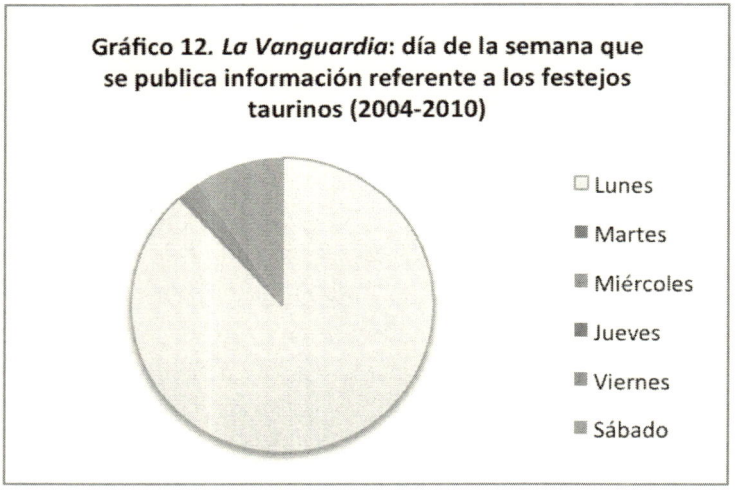

Gráfico 12. *La Vanguardia*: día de la semana que se publica información referente a los festejos taurinos (2004-2010)

☐ Lunes
■ Martes
■ Miércoles
■ Jueves
■ Viernes
■ Sábado

Fuente: elaboración propia

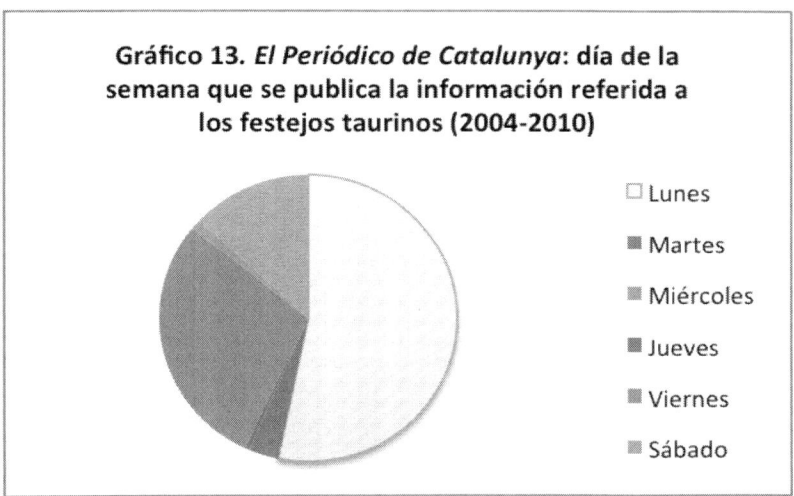

Fuente: elaboración propia

Tabla 10. Evolución por años de los días de la semana con informaciones de los festejos y sus porcentajes (2004-2010).

2004			
	Total	Lunes	Martes	M
La Vanguardia	27	27 (100%)		
El Periódico de C.	58	27 (46,5%)		
2005				
La Vanguardia	28	25 (89,2%)		
El Periódico de C.	56	26 (46,4%)		
2006				
La Vanguardia	24	21 (8%)		
El Periódico de C.	39	17 (42,5%)	6 (15,3%)	
2007				
La Vanguardia	25	21 (84%)		
El Periódico de C.	14	12 (85,7%)		
2008				
La Vanguardia	20	16 (80%)		
El Periódico de C.	7	6(85,7%)		
2009				
La Vanguardia	17	16 (94,1%)		
El Periódico de C.	5	4 (80%)		
2010				
La Vanguardia	17	13 (76,4%)		
El Periódico de C.	4	4 (100%)		

2004			
	Juev.	Viernes.	Sábado	Domg.
La Vanguardia				
El Periódico de C.	1 (1,7%)	20 (34,4%)		8 (13,7%)
2005				
La Vanguardia		1 (3,5%)		2 (7,1%)
El Periódico de C.		18 (32,1%)	1 (1,78%)	11 (19,64%)
2006				
La Vanguardia	1 (4%)		1 (4%)	2 (8%)
El Periódico de C.		15 (38,4%)	1 (2,5%)	1 (2,5%)
2007				
La Vanguardia				4 (16%)
El Periódico de C.				2 (14,2%)
2008				
La Vanguardia			2 (10%)	2 (10%)
El Periódico de C.				1 (14,2%)
2009				
La Vanguardia				1 (5,8%)
El Periódico de C.				1 (4%)
2010				
La Vanguardia				4 (23,5)%
El Periódico de C.				

Fuente: elaboración propia

Valoraciones generales

Los lectores entre 2004 y 2010 supieron que para informarse de la temporada taurina catalana debían comprar el diario los lunes, un día después de la corrida. El recurso de publicar informaciones otros días de la semana fue puesto en práctica, especialmente, por *El Periódico de Catalunya*, los viernes, día escogido para planificar el fin de semana a través de las propuestas de ocio que se publicaban en el suplemento *Viernes*. Los domingos dependió casi siempre del interés del festejo o de la voluntad del medio por publicar la corrida entre las actividades del día, llegándose en ocasiones a informar bien poco o a no informar, como fue el caso de *La Vanguardia*. La incidencia de otros días de la semana es muy pequeña e irregular, destacando tan solo los martes de agosto, cuando se desplazó el comentario de la corrida un día después de su habitual publicación, produciéndose una atemporalidad de la información de efectos negativos entre los lectores.

13.2.2. El titular

A la hora de analizar el titular, son importantes los resultados del tipo de título publicado para saber si el lector deberá agotar hasta la última línea de texto para poder determinar qué quiere decir, es decir cuál es su contenido. El uso de un título expresivo, temático o apelativo, propios del género de opinión, y más de la especialización taurina, no deja de ser un muro para muchos lectores no aficionados que, en vistas a la dificultad de su comprensión, huyen de la lectura del texto para pasar a otra noticia. De ahí, que partir de los títulos registrados, se haya distribuido en dos grupos: los títulos que llevan componente verbal y contienen en la oración elementos suficientemente explicativos, característica propia del género de la noticia; y un segundo grupo de títulos que no llevan verbo, característica propia de los textos opinativos (argumentativos), o si lo llevan no tienen facilidad para descifrar el mensaje. No se ha tenido en cuenta el recurso hemerográfico (bandera o centrado, redonda o cursiva), ya que ninguno de los dos diarios contempla esta particularidad en su texto. No se ha hecho una clasificación semántica de aquellos titulares que incorporan palabras propias de la tauromaquia, como Monumental, corrida, torero, etcétera, porque el antetítulo ya posiciona al lector sobre la información taurina.

Tabla 11. Títulos informativos y opinativos publicados en *La Vanguardia* **y** *El Periódico de Catalunya.*

Periodo	Total Títulos	Informativos	Opinativos
2004-2010	342	119 (34,80%)	223 (65,20%)

Fuente: elaboración propia

Tabla 12. Total y porcentaje de títulos publicados en *La Vanguardia* **y** *El Periódico de Catalunya* **en el periodo 2004 y el 2010.**

Periodo	*La Vanguardia*			*El Periódico de Catalunya*		
	Total Títulos	Título informativo	Título Opinativo	Total Títulos	Título Informativo	Título Opinativo
2004-2010	159	13 (8,18%)	146 (91,82%)	183	106 (57,92%)	77 (42,08%)

Fuente: elaboración propia

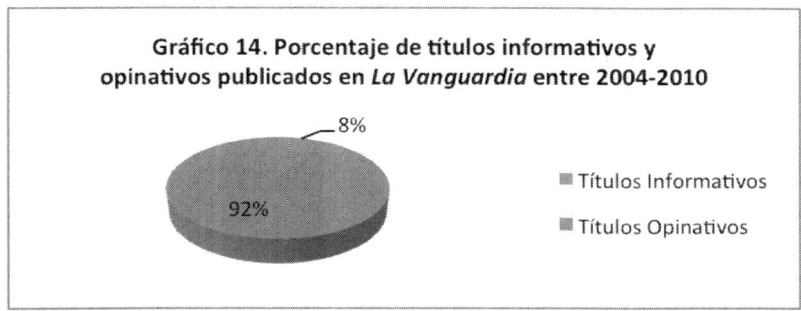

Gráfico 14. Porcentaje de títulos informativos y opinativos publicados en *La Vanguardia* entre 2004-2010

Fuente: elaboración propia

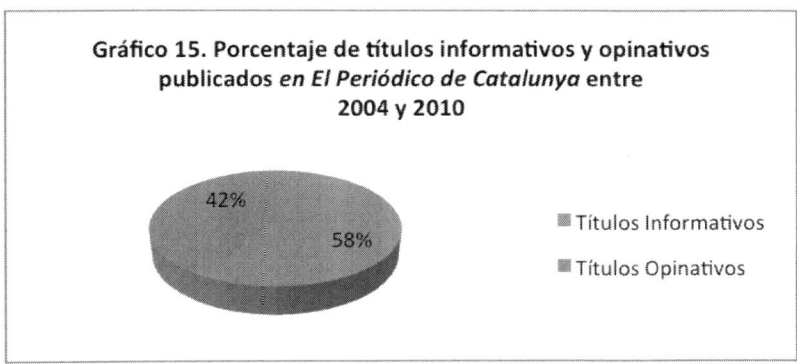

Gráfico 15. Porcentaje de títulos informativos y opinativos publicados *en El Periódico de Catalunya* entre 2004 y 2010

Fuente: elaboración propia

De estas dos gráficas, y de las tablas posteriores, se desprende que la finalidad primordial de *La Vanguardia* fue el título opinativo, propio de la información taurina, con 146 registros, el 91,82% de las informaciones publicadas. En cambio, *El Periódico de Catalunya* equilibró más la balanza, con 106 títulos informativos (57,92%) y 77 títulos opinativos (42,08%), fruto de la mayor diversidad de informaciones los primeros años del estudio, especialmente 2004, 2005 y 2006.

Tabla 13. Título publicado en *La Vanguardia* y *El Periódico de Catalunya* (2004-2010) y porcentaje del total del año en cada medio.

Año	La Vanguardia			El Periódico de Catalunya		
	Total Títulos	Título informativo	Título Opinativo	Total Títulos	Título Informativo	Título Opinativo
2004	27	2 (7,41%)	25 (92,59%)	58	32 (55,17%)	26 (44,82%)
2005	28	4 (14,28%)	24 (85,72%)	56	32 (57,15%)	24 (42,85%)
2006	25	0 (0%)	25 (100%)	39	23 (58,98%)	16 (41,02%)
2007	25	1 (4%)	24 (96%)	14	9 (64,28%)	5 (35,72%)
2008	20	4 (20 %)	16 (80%)	7	4 (57,14%)	3 (42,86%)
2009	17	1 (5,88%)	16 (94,12%)	5	3 (60%)	2 (40%)
2010	17	1 (5,88%)	16 (94,12%)	4	3 (75%)	1 (25%)

Fuente: elaboración propia

Hemos querido profundizar todavía más en esta variable del título, porque no resultaba menos interesante detectar, a manera que se iban registrando las variables, que los títulos opinativos estaban referidos a las críticas de los lunes en *La Vanguardia* y, en cambio, en *El Periódico de Catalunya* a las informaciones previas al festejo, antes que en las críticas del día o días después que su autor prefiere encabezarlas con un título informativo.

En la tabla siguiente se puede comprobar cómo *El Periódico de Catalunya*, entre 2004 y 2010, de las 95 críticas taurinas publicadas después del festejo, empleó un título informativo en 81 de ellas (85,27%) y para tan solo 14 (14,73%) el título opinativo. Diametralmente opuesto fue el tratamiento de *La Vanguardia*, que impuso en sus 134 críticas contabilizadas el título propio de del género en 128 ocasiones (95,52%), mientras que redactó un título informativo 6 veces (4,48%). Por tanto, el hecho de que aparezca en el periódico del Grupo Zeta un cierto equilibrio en el total de títulos informativos y opinativos (ver gráfico 15) responde a la cantidad de unidades periodísticas previas al festejo, que por estar agendadas o tratarse de breves, tuvieron un encabezamiento temático propio de los géneros de opinión, como ya vimos en capítulos anteriores.

Tabla 14. Número y porcentaje de títulos informativos y opinativos de las críticas taurinas publicadas en *La Vanguardia* y *El Periódico de Catalunya* (2004-2010).

	La Vanguardia			El Periódico de Catalunya		
Periodo	Total Títulos críticas	Título informativo	Título Opinativo	Total títulos críticas	Título Informativo	Título Opinativo
2004-2010	134	128 (95,52%)	6 (4,48%)	95	81 (85,27%)	14 (14,73%)

Fuente: elaboración propia

En relación al análisis del epígrafe (en las tablas que se pueden consultar en los Anexos, bajo la denominación Antetítulo), es evidente que tratándose del mismo asunto informativo, en este caso centrado el análisis únicamente en las reseñas de los festejos taurinos, exista una cierta homogeneidad en el encuadre. El tratamiento, por eso, es diferenciado según se estudie *La Vanguardia* o *El Periódico de Catalunya*. Si para la cabecera de Godó hay una estrategia firme e inalterable para englobar la información bajo el epígrafe Crítica de Toros (con alguna modificación cuando se publica en la misma página junto a otras críticas para pasar a denominarse Críticas, pero preocupándose de que la ficha destaque en un mayor cuerpo el término Toros), la estrategia del diario del Grupo Zeta marca una diferencia con *La Vanguardia*: una falta de criterio progresivo para encabezar con el epígrafe las reseñas de los festejos. Arranca el 2004 bajo el término Toros (65,26%), al cual se le añade una segunda referencia para identificar el tipo de festejo (Corrida, Novillada, Rejones, etc.), que desaparecerá en el 2007 por la aparición de otros términos que encuadren la información taurina, y que se van incorporando entre 2004 y 2006 progresivamente: Crónica, Corrida, Crítica, Toros. Estos títulos, incluso, cambian durante el mes del mismo año para el anclaje del tema taurino. Como ejemplo de esta confusión, la vuelta el año 2008 del término Toros, después de que en todo el 2007 no hubiese una sola crítica bajo este epígrafe.

Sobre este uso de los epígrafes, el análisis descubrió que *El Periódico de Catalunya* en cuatro ocasiones lo omitió en su titulación. Fue en concreto en cuatro de las seis críticas de las corridas publicadas en el 2007 los martes de agosto, una omisión que junto al desplazamiento del día de su publicación, generó un mayor despiste entre la audiencia. En las dos restantes, la decisión de la redacción fue colocar la reseña bajo el epígrafe Crítica, repitiendo la denominación bajo este género que el diario había realizado un año antes, en el 2006, por primera vez en toda su historia. Además, en la categoría Otros, allá donde se utilizó un epígrafe diferente a los de Toros, Crítica, Crónica o Corrida, el último año se clasificó la información taurina bajo los epígrafes Tradiciones, Conflictos, Una tradición cuestionada y El futuro de la tauromaquia, titulaciones muy significativas vista la tematización llevada a cabo en años anteriores. Por su parte, la inclusión del epígrafe Crónica (14,74%) se produce a partir del 2007, justo la temporada del cambio en la dirección de *El Periódico de Catalunya* y cuando comienza a apreciarse una caída pronunciada de la actualidad taurina en sus páginas en favor de otras tradiciones catalanas (*castellers*).

La Vanguardia, como ya se ha dicho al inicio de los resultados de la variable del epígrafe, muestra homogeneidad y firmeza en su tratamiento. Solo es destacable el cambio de Crítica de Toros (82,83%) por Críticas (13,43%) a partir de 2008, convirtiéndose el epígrafe en una cartela, al tratarse en la misma página otras críticas de Música Clásica, Jazz, etcétera. Entonces, el periódico de los Godó destaca en la ficha de la corrida la palabra Toros para encuadrar el texto dentro de su especialidad. No es significativo para la localización del lector este cambio, pues es inapreciable la diferencia entre Crítica de Toros y Críticas por el esmerado esfuerzo que se hace para identificar la información.

Para finalizar la variable de Titulación, y siguiendo con *La Vanguardia*, destacar que el uso de otro epígrafe que no fuese Críticas de Toros y Críticas es excepcional, justificándose la ausencia (2,23%) por la suspensión de la corrida o por encuadrarse en otras informaciones taurinas, y otros epígrafes (1,49%) por la trascendencia del festejo en la Monumental, sobre todo con las actuaciones del torero José Tomás.

Tabla 15. Total epígrafes publicados en *La Vanguardia* y *El Periódico de Catalunya* para las críticas de los festejos celebrados entre 2004-2010 y porcentaje.

La Vanguardia				
Total críticas	Crítica de Toros	Críticas	Otros	Vacío
134	111 (82,83%)	18 (13,43%)	2 (1,49%)	3 (2,23%)

El Periódico de Catalunya						
Total críticas	Toros	Crítica	Crónica	Corrida	Otros	Vacío
95	62 (65,26%)	7 (7,36%)	14 (14,74%)	2 (2,10%)	7 (7,36%)	3 (3,15%)

Fuente: elaboración propia

Valoraciones generales

La importancia del titular para captar la atención del lector y encuadrar la información es concluyente en cada uno de los dos diarios. *La Vanguardia* optó por respetar las características del género de la crítica, con títulos con intencionados y apelativos, haciendo uso del epígrafe para encuadrar la especialización taurina. *El Periódico de Catalunya* hizo de la información el género dominante en su titular, con títulos descriptivos y mostrando una preocupante desorientación en la categorización del tema taurino, siendo tratado bajo epígrafes distintos, hasta que el último año mostró una clara intencionalidad de la estrategia periodística que se estaba dando al asunto taurino.

Del análisis del titular, otras dos conclusiones: nunca se empleó en el epígrafe el concepto Fiesta Nacional para encuadrar los toros, evitando de esta manera la connotación ideológica asociada al españolismo que en Cataluña estaba vigente; y la escasa homogenización del epígrafe en *El Periódico de Catalunya* delata desconocimiento y produce confusión y desorientación.

13.2.3. La sección

También ha sido objeto de estudio la sección a la que corresponde la información taurina, porque el grado de idoneidad y especialización es importante para crear tendencias que sirvan para análisis posteriores sobre el grado de especialización periodística. Es decir, puede que algunas unidades periodísticas sean consideradas sociales, políticas o de opinión, y eso es una información importante para el análisis cualitativo de la unidad periodística taurina.

Tabla 16. Secciones con informaciones taurinas en *La Vanguardia* y porcentaje (2004-2010).

La Vanguardia			
Informaciones	Sección Cultura	Sección Vivir	Sección La Segunda
159	151 (94,97%)	7 (4,41%)	1 (0,62%)

Fuente: elaboración propia

Tabla 17. Evolución y porcentaje por año de la distribución de informaciones por secciones en *La Vanguardia* (2004-2010).

	2004	2005	2006	2007	2008	2009	2010
Total Informaciones	27	28	25	25	20	17	17
Cultura	27 (100%)	24 (85,7%)	23 (92%)	25 (100%)	19 (95%)	17 (100%)	16 (94,1%)
Vivir		4 (14,23%)	2 (8%)		1 (5%)		
La Segunda							1 (5,9%)

Fuente: elaboración propia

El caso de *La Vanguardia* es claro y sencillo: constata que el 94,97% de las informaciones taurinas siempre fueron a parar a la sección Cultura, donde se recogen todos los espectáculos referidos a manifestaciones de tipo cultural y artístico. Solo, salvo en excepcionales ocasiones, cuando se trató principalmente de protestas antitaurinas o reportajes de diestros muy populares que toreaban en Barcelona, se desplazó a la sección Vivir (4,41%), apareciendo tan solo en una ocasión fuera de estas dos secciones, concretamente en La Segunda[569], y con un texto del género de opinión sobre la última corrida de 2010 (29 de septiembre).

Tabla 18. Secciones con informaciones taurinas en *El Periódico de Catalunya* y porcentaje (2004-2010).

El Periódico de Catalunya						
Informaciones	Exit	Icult	Cosas de la Vida	Tema del Día	Suplemento Viernes	Suplemento Verano
183	90 (49,18%)	23 (12,56%)	7 (3,82%)	2 (1,10%)	54 (29,50%)	7 (3,82%)

Fuente: elaboración propia

Si se observa la ubicación que estableció *El Periódico de Catalunya* a las informaciones taurinas, a diferencia de *La Vanguardia*, se manifiesta una complejidad en la conceptualización que deja a la luz la falta de un criterio temático para

---

569.   En 2009, la página 2 de *La Vanguardia* (interior contraportada) pasó a denominarse Segunda.

el asunto de los toros. Un primer resultado nos indica que el tema taurino en el periódico del Grupo Zeta se incluyó casi siempre para las informaciones previas al festejo en los suplementos semanales de entretenimiento y ocio *Viernes* (29,50%) y, en el caso de alguna crítica, en el suplemento *Verano* (3,82%), sobre todo durante los primeros años de estudio (2004-2006) a raíz del interés que tuvo la actualidad taurina para el contenido del diario. Las informaciones del domingo y las críticas de los lunes se ubicaron en esas especies de cuadernillos (macrosecciones) que desde el 2000 se confeccionaban para el ordenamiento de los contenidos del diario, como fueron Exit (49,18%) y, a partir del año 2007, Icult (12,56%).

En estos dos grandes contenedores informativos, dotados de subsecciones, se presentaron contenidos a partir de una matriz puramente cultural, con un enfoque fundamentado en el entretenimiento y el ocio, acogiendo las informaciones taurinas cuando éstas no aparecían en los suplementos. De ahí, que para el estudio nos hayamos visto obligados a adaptanos a la estructura editorial del diario del Grupo Zeta en su ordenamiento y distribución de contenidos, y a diferencia de *La Vanguardia*, tenga que presentar la tabla 19 (inferior) para su comprensión e interés.

Tabla 19. Resumen numérico y porcentaje de los contenidos taurinos por subsecciones y suplementos en *El Periódico de Catalunya* (2004-2010).

El Periódico de Catalunya	
Total Información	183
Espectáculos	78 (42,62%)
Cultura	13 (7,10%)
Agenda	55 (30,05%)
Espectáculos / Cultura	5 (2,73%)
Gente	3 (1,63%)
Sociedad	4 (2,18%)
Gran Barcelona	3 (1,63%)
Fiestas, ferias, tradiciones...	16 (8,74%)
Cartelera	3 (1,63%)
Tema del Día	2 (1,10%)
Verano	1 (0,54%)

Fuente: elaboración propia

Tabla 20. Evolución y porcentaje por año de la distribución de informaciones taurinas por secciones en *La Vanguardia* (2004-2010).

El Periódico de Catalunya							
	2004	2005	2006	2007	2008	2009	2010
Total Informaciones	58	56	39	14	7	5	4
Espectáculos	21 (36,20%)	20 (35,71%)	21 (53,84%)	7 (50%)	5 (71,43%)	4 (80%)	
Cultura	5 (8,62%)	6 (10,72%)	2 (5,12%)				
Agenda	29 (50%)	26 (46,42%)					
Espect./ Cultura		2 (3,57%)	1 (2,56%)	2 (14,28%)			
Gente		1 (1,78%)		1 (7,14%)		1 (2%)	
Sociedad							4 (100%)
Gran BCN	3 (5,17%)						
Fiestas, tradiciones...		1 (1,78%)	15 (38,46%)				
Cartelera				1 (7,14%)	2 (28,57%)		
Tema del Día				2 (14,28%)			
Verano				1 (7,14%)			

Fuente: elaboración propia

No menos interesante resulta que dentro de cada uno de estos cuadernillos y suplementos, *El Periódico de Catalunya* incluyó un segundo apartado cuyo objetivo inicial fue facilitar la búsqueda de lo que le interesa al lector en un momento determinado. Es en esta circunstancia cuando más disparidad de criterios se percibe. Un primer resultado nos demuestra que la conceptualización del tema taurino para *El Periódico de Catalunya* fue el del periodismo de espectáculo. Así, el 42,62% de las informaciones publicadas se incluyeron en este apartado de Espectáculo del Exit e Icult. Después le sigue la categorización de Agenda (30,05%), un porcentaje bien alto que responde al interés que tuvo el medio los primeros años de informar el avance de la corrida con datos prácticos, sustituido luego de modo testimonial por Cartelera (1,63%). La clasificación como Cultura (7,10%) está ligada a Espectáculo, incluso llega a presentarse bajo los dos conceptos en cinco ocasiones, no distinguiendo bien a qué información de la página corresponde a la sección Espectáculo y Cultura. También es destacable el hecho de que en el suplemento *Viernes* se trasladasen en el año 2007 los toros del apartado Agenda a la denominación Fiestas, ferias, tradiciones..., compartiendo espacio con manifestaciones culturales tan catalanas como los *castellers*. Los apartados Gran Barcelona (1,63%), Gente (1,63%) o Tema del Día (1,10%) demuestran la transversalidad del contenido de la fiesta de los toros según desde el punto de vista que se quiera ver, contando que en el caso de Gran Barcelona, perteneciente a Cosas de la Vida, se trata de tres informaciones de un solo día, pues con motivo de la corrida se pone a debate el plan antitaurino que el Ayuntamiento barcelonés había puesto unos días antes con su declaración en abril de 2004.

Muy relacionado con esta última apreciación expuesta, se deja para el final de este análisis por apartados de *El Periódico de Catalunya* el protagonismo de Sociedad (2,18%). Esta sección, también en Cosas de la Vida, aunque en la muestra total represente un porcentaje minúsculo, es importante pues en sus páginas acoge el tema taurino en 2010 (como sucedió seis años antes en la sección Gran Barcelona), provocando un desplazamiento de las corridas de su espacio habitual, no dejando margen de opción a la información de la temporada barcelonesa a

ubicarse en otro apartado (acapara el 100% de las informaciones del año). Este resultado es significativo para comprobar
que para el diario del Grupo Zeta, dirigido en aquel entonces
por Enric Hernández, los toros dejaron de convertirse en un
espectáculo artístico y pasaron a ser considerados un tema de
actualidad social, por lo que fueron tratados en este cajón de
sastre que el consejo redaccional bautizó en sus páginas con la
denominación Sociedad.

Valoraciones generales

La clasificación de la información taurina tuvo durante el periodo estudiado un criterio temático diferente para los dos diarios, no coincidiendo ni en su enfoque ni en su continuidad. Si
bien en *La Vanguardia* tuvo un encuadre bien definido, la des-
igualdad en cuanto a porcentajes en las secciones de *El Periódico de Catalunya* acentúa la disparidad en su ordenamiento, con
una tendencia imperante con el paso de los años a desplazarla
de su sección habitual. Es en este diario donde, desde una
perspectiva general, se aprecia un cambio de enfoque de la información taurina desde lo artístico a lo social.

13.2.4. La temática

En relación a la temática seleccionada que los dos medios decidieron escoger para tratar la temporada taurina en la Monumental de Barcelona entre el 2004 y el 2010, resulta abrumador y
concluyente que del número de informaciones publicadas, 342
en total, 320 (93,56%) se centrasen únicamente en la corrida de
toros programada, tal y como así aparece catalogada en mi ficha

y que incluye aquellas entrevistas previas, comentarios, reportajes u otras informaciones que tuvieron que ver con el acontecimiento programado. El resto de informaciones relacionadas con la temporada taurina es aislado y sin apenas presencia para considerarse una pauta significativa en estos resultados.

Tabla 21. Número total y porcentaje de temáticas entre *La Vanguardia* **y** *El Periódico de Catalunya* **para la temporada.**

Total Informaciones	Corridas de toros	Protaurinos	Antitaurinos	Resumen temporada	Gala	Debate
342	320 (93,56%)	4 (1,16%)	2 (0,58%)	8 (2,33%)	4 (1,16%)	4 (1,16%)

Fuente: elaboración propia

Tabla 22. Comparativa numérica de las temáticas presentadas en *La Vanguardia* **y El Periódico de Cataluña entre 2004 y 2010.**

Temática	*La Vanguardia*	*El Periódico de Catalunya*
Corrida de toros	147	174
Protaurinos	2	2
Antitaurinos	1	1
Resumen temporada	8	0
Gala tauromaquia	0	4
Debate taurino	1	2

Fuente: elaboración propia

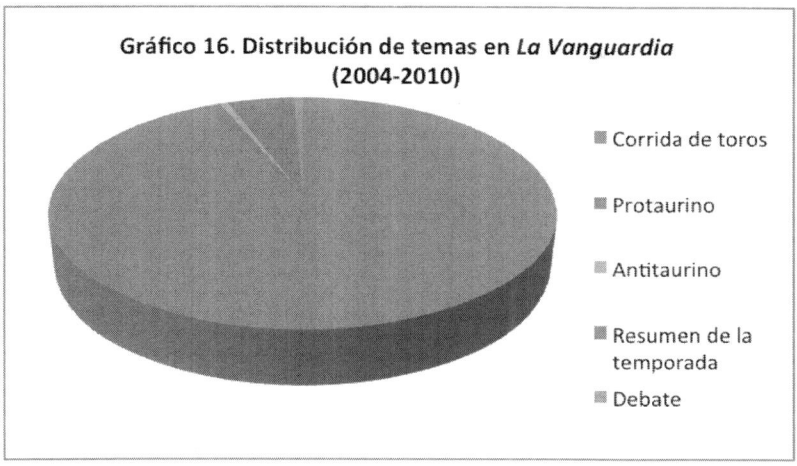

Gráfico 16. Distribución de temas en *La Vanguardia* (2004-2010)

- Corrida de toros
- Protaurino
- Antitaurino
- Resumen de la temporada
- Debate

Fuente: elaboración propia

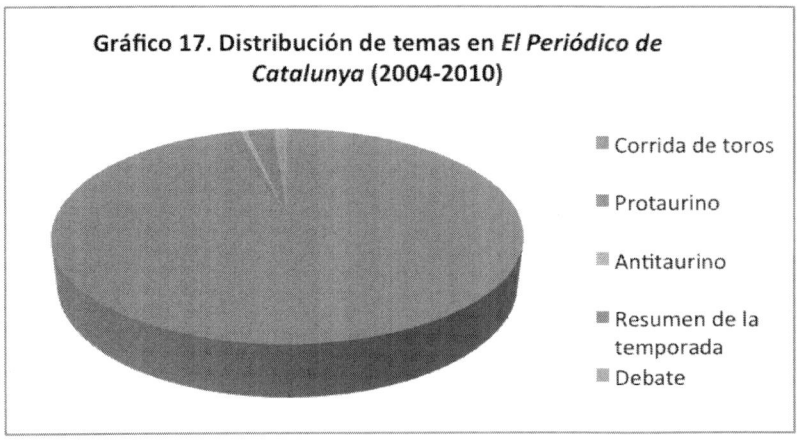

Gráfico 17. Distribución de temas en *El Periódico de Catalunya* (2004-2010)

- Corrida de toros
- Protaurino
- Antitaurino
- Resumen de la temporada
- Debate

Fuente: elaboración propia

Tabla 23. Número y porcentaje de temáticas por año en *La Vanguardia* y porcentaje (2004-2010).

			La Vanguardia				
Año	Total	Corrida	Protaurinos	Antitaurinos	Resumen temporada	Gala	Debate
2004	27	25 (92,59%)	0	0	1 (3,70%)	0	1 (3,70%)
2005	28	26 (92,85%)	1 (3,57%)	1 (3,57%)	0	0	0
2006	25	25 (100%)	0	0	0	0	0
2007	25	23 (92%)	0	0	2 (8%)	0	0
2008	20	18 (90%)	0	0	2 (10%)	0	0
2009	17	15 (88,23%)	0	0	2 (11,77%)	0	0
2010	17	14 (82,35%)	1 (5,88%)	0	1 (5,88%)	0	1 (5,88%)
2004-2010	159	146 (91,82%)	2 (1,25%)	1 (0,62%)	8 (5,03%)	0	2 (1,25%)

Fuente: elaboración propia

Tabla 24. Número y porcentaje de temáticas por año en *El Periódico de Catalunya* (2004-2010).

El Periódico de Catalunya						
Año	Total	Corrida	Protaurinos	Antitaurinos	Resumen temporada	Gala	Debate
2004	58	55 (94,82%)	0	0	0	1 (1,73%)	2 (3,45%)
2005	56	53 (94,64%)	2 (3,57%)	0	0	1 (1,78%)	0
2006	39	39 (100%)	0	0	0	0	0
2007	14	12 (85,71%)	0	1 (7,14%)	0	1 (7,14%)	0
2008	7	7 (100%)	0	0	0	0	0
2009	5	4 (80%)	0	0	0	1 (20%)	0
2010	4	4 (100%)	0	0	0	0	0
2004-2010	183	174 (95,08%)	2 (1,09%)	1 (0,55%)	0	4 (2,18%)	2 (1,09%)

Fuente: elaboración propia

A la vista de estos resultados por año, y una vez resaltada que la temática más usual durante el periodo es la que nosotros hemos catalogado *Corrida de toros*, es destacable la intermitencia en las temáticas de *Resumen de temporada* (5,03%) y *Gala de la Tauromaquia* (2,18%), en *La Vanguardia* y *El Periódico de Catalunya*, respectivamente. Estas dos informaciones, aunque escasas en número, pero importantes por presencia, ya que desempeñan una gran tarea como difusoras del interés taurino en Cataluña, no tuvieron el tratamiento adecuado. Su marcada irregularidad en su publicación, para el caso de *La Vanguardia*, sobre todo en el 2005 y 2006, y en *El Periódico de Catalunya* a partir de 2007, perjudicó en la concienciación de los lectores la actividad taurina que tenía lugar en la comunidad catalana.

Valoraciones generales

La información de la temporada taurina barcelonesa presentó una escasez de temas, en correspondencia a la variedad de facetas involucradas en el mismo. De todas las grandes áreas temáticas que hemos previsto en nuestro estudio, el análisis arrojó unos resultados que demostraron que la temática no experimentó un alto grado de diversificación y complejidad. La tendencia general fue la concentración en un tema general, que fue la corrida de toros, sin apreciarse apenas ningún desvío en otros hechos que pudiesen aludir a una mayor actividad del espectáculo de los toros en Barcelona.

13.2.5. El género periodístico

En el análisis de la variable del género periodístico, nos surgió un problema en su clasificación por la manifiesta disparidad de criterios que existe en la identificación del texto taurino como crónica o crítica. Aun así, nos atrevimos a identificar el texto del contenido que analiza lo que ha sucedido en la corrida de toros bajo el género de crítica. Nuestras razones fueron tanto por la evidencia del epígrafe que muchas veces acompaña a la información (en *La Vanguardia*, siempre), por el juicio de valor que emite el especialista sobre el espectáculo de una obra artística, entendiendo que el toreo es un compendio de las Bellas Artes y un referente del patrimonio cultural español. Otro elemento importante en nuestra decisión, es que el género de la crónica se identifica claramente en algunos de los textos que acompañan los festejos en los que interviene José Tomás, mostrándose una manifiesta diferencia en el tono narrativo cuando debe tratarse el análisis de la corrida o la descripción del ambiente en el ruedo.

Tabla 25. Número total y porcentaje de géneros periodísticos empleados para la información taurina en *La Vanguardia* y *El Periódico de Catalunya* para la temporada.

Géneros	Total informaciones
Total	342
Noticia	98 (28,65%)
Reportaje	11 (3,21%)
Entrevista	2 (0,58%)
Crónica	3 (0,87%)
Análisis	1 (0,29%)
Crítica	223 (65,20%)
Columna	3 (0,87%)
Suelto	1 (0,29%

Fuente: elaboración propia

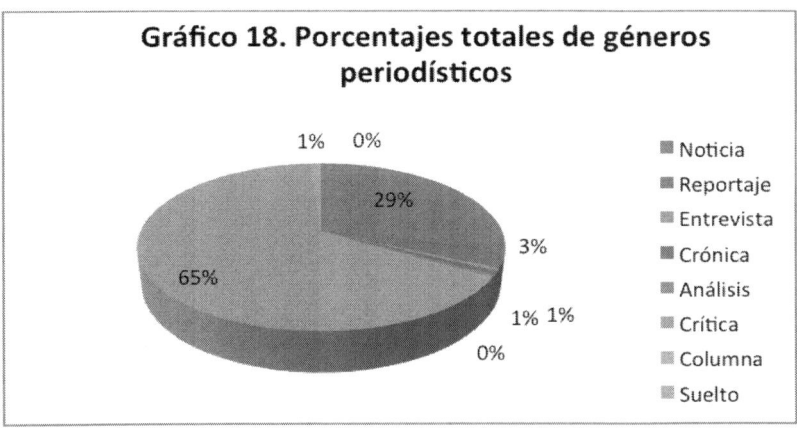

Fuente: elaboración propia

Tabla 26. Comparativa del número de géneros publicados en *La Vanguardia* y *El Periódico de Catalunya* (2004-2010).

Géneros	*La Vanguardia*	*El Periódico de Catalunya*
Noticia	13	85
Reportaje	8	3
Entrevista	1	1
Crónica	1	2
Análisis	1	0
Crítica	131	92
Columna	3	0
Suelto	1	0

Fuente: elaboración propia

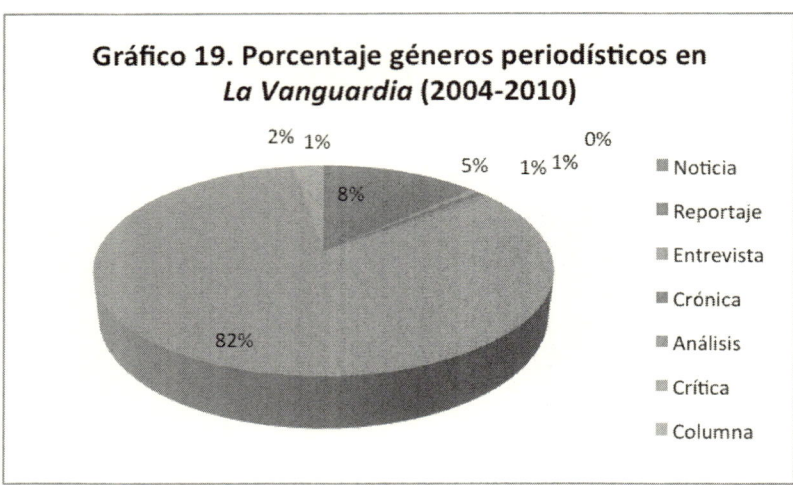

Fuente de elaboración propia

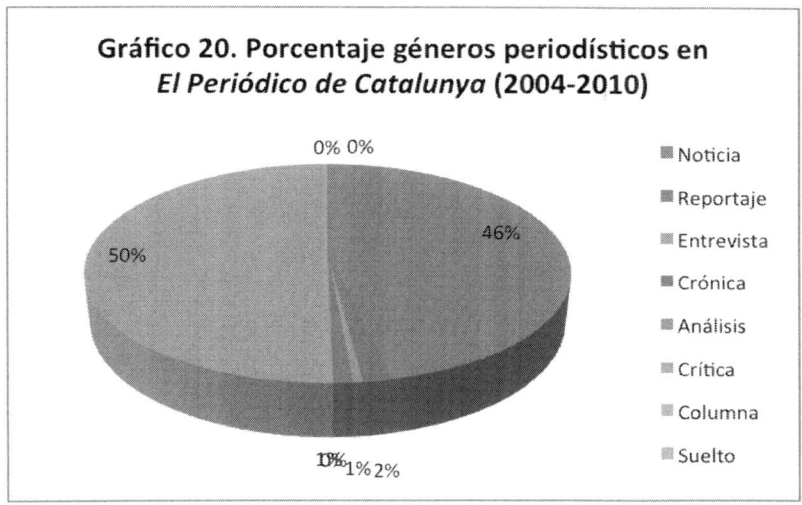

Fuente: elaboración propia

Los resultados dieron unos números concluyentes en el cómputo global de los dos diarios: el primer género en importancia numérica es la crítica (65,20%), seguido a mucha distancia por la noticia (28,65%).

Siguiendo con los géneros de opinión, es escasa la presencia de columnas (0,87%), así como cualquier otra tipología de los géneros opinativos. En cuanto a la información —noticia—, y a la interpretación —reportaje (3,21%), crónica (0,87%) y entrevista (0,58%)—, la noticia incrementa sus registros, especialmente por el tratamiento ofrecido por *El Periódico de Catalunya* durante los tres primeros años de estudio, con una inserción casi todos los domingos de un breve en el apartado de agenda de los cuadernillos Exit e Icult y el suplemento *Viernes*, que provocó que en tres años apareciesen 76 noticias de las 98 de este género publicadas durante el periodo estudiado. Estas noticias, por eso, en los dos primeros años, concretamente

2004 y 2005, en un número de 16, aparecieron en el diario como informaciones de agenda, reduciéndose a simples datos de interés. La interpretación escasamente tienen relevancia en ambos medios.

Al detalle por años, vemos que es en la temporada 2007 cuando se constata mayor variedad de géneros en ambos periódicos debido a la reaparición del torero José Tomás. También se aprecia que el género de la información, a través de la noticia, tiene protagonismo el último año en *El Periódico de Catalunya* porque sustituye en sus páginas a la crítica de toros que firmaba el especialista taurino.

Tabla 27. Número y porcentaje por años de los géneros publicados en *La Vanguardia* y *El Periódico de Catalunya*.

			La Vanguardia						
Año	Total	Noticia	Reportaje	Entrev.	Crónica	Análisis	Crítica	Columna	Suelto
2004	27	1 (3,70%)	1 (3,70%)				25 (92,59%)		
2005	28	2 (7,14%)	1 (3,57%)	1 (3,57%)	1 (3,57%)		23 (82,14%)		
2006	25	2 (8%)	2 (8%)				21 (84%)		
2007	25	3 (12%)	1 (4%)		1 (4%)	1 (4%)	17 (68%)	2 (8%)	
2008	20	4 (20%)	1 (5%)				15 (75%)		
2009	17	1 (5,88%)	1 (5,88%)				15 (88,24%)		
2010	17		1 (5,88%)				15 (88,24%)		1 (5,88%)

Fuente: elaboración propia

							El Periódico de Catalunya	
Año	Total	Noticia	Reportaje	Entrev.	Crónica	Análisis	Crítica	Columna	Suelto
2004	58	31 (53,44%)	1 (1,72%)		1 (1,72%)		25 (43,10%)		
2005	56	31 (55,35%)	1 (1,78%)				24 (42,85%)		
2006	39	15 (38,46%)	1 (2,56%)				23 (58,97%)		
2007	14	2 (14,28%)	1 (7,14%)	1 (7,14%)	1 (7,14%)		10 (71,42%)		
2008	7						7 (100%)		
2009	5	2 (40%)					3 (60%)		
2010	4	4 (100%)							

Fuente: elaboración propia

Otro dato extraído es que la crítica publicada en los dos diarios aparece, sobre todo en *El Periódico de Catalunya*, sin ficha técnica, hecho significativo, pues su publicación es necesaria para recrear correctamente el acontecimiento narrado para acrecentar la curiosidad del lector y para una mayor comprensibilidad. Su omisión supone la pérdida de confianza con el medio de comunicación, pues el lector toma conciencia de que se le está omitiendo parte de la realidad. Por tanto, es necesario convenir que para la comprensión de la crítica taurina es básico el acompañamiento de la ficha que recoge los elementos objetivos que se valoran en el contenido, por lo que consideramos necesario abrir una tabla para analizarlo más detenidamente y llegar a una conclusión.

Con los datos presentados en la tabla inferior, se desprende que el despiste pudo ser la causa en *La Vanguardia* en el único caso registrado, y el desinterés fue en los repetidos casos de *El Periódico de Catalunya*.

Tabla 28. Evolución de la presencia de la ficha en el género de la crítica en *La Vanguardia* y *El Periódico de Cataluña* (2004-2010).

Año	La Vanguardia		El Periódico de Catalunya	
	Crítica con ficha	Crítica sin ficha	Crítica con ficha	Crítica sin ficha
2004	25	0	25	0
2005	23	0	24	0
2006	20	1	22	1
2007	17	0	7	3
2008	15	0	0	7
2009	15	0	0	3
2010	15	0	0	0

Fuente: elaboración propia

Valoraciones generales

Generalizando, existe una clara preponderancia del género de opinión y del estilo opinativo en el tratamiento periodístico de la temporada taurina barcelonesa. El dominio de la crítica hace que la audiencia sea selectiva, pues los receptores de este tema especializado solo pueden ser conocedores del tema taurino al poseer el texto unas connotaciones técnicas y específicas que requieren un especial tratamiento de codificación que posibilite su comprensión. En esta crítica, la omisión de la ficha técnica es un factor negativo en el tratamiento por los equívocos que genera al lector.

En *El Periódico de Catalunya* gana mucho terreno el género informativo, resultado de los primeros años de estudio, periodo en el cual se publicaron numerosas noticias previas al festejo. Este equilibrio entre opinión e información que se da en el diario del Grupo Zeta desaparece en *La Vanguardia*, si bien se constatan contenidos puramente informativos.

No se observa ningún esfuerzo del medio de comunicación por hacer uso de otras técnicas informativas que mejoren la accesibilidad a los textos taurinos. En este caso, sería el uso de géneros interpretativos (crónicas, reportajes interpretativos), aunque en el análisis sean prácticamente inexistentes.

13.2.6. La autoría

La identificación de la autoría de las informaciones ha sido otro de los factores de evaluación que hemos considerado en nuestro estudio. Para ello, los hemos dividido en tres grupos: los especialistas taurinos en la categoría "Firma especializada"; los redactores del diario que no son especialistas en este tema en "Otras firmas", y "Redacción/Agencia" para las unidades periodísticas que están firmadas por agencia (también se emplea "Redacción", entendiendo que muchas veces el medio pone esta denominación a la información de agencia).

En el conjunto de esta variable el resultado arrojó que de las 340 informaciones recogidas, el 87,35% están firmadas por especialistas taurinos, concretamente Antoni González, Paco March y Salvador Boix en *La Vanguardia*, y Juan Soto Viñolo en *El Periódico de Catalunya*. Tan solo el 5,89% va firmado por colaboradores ocasionales o de la redacción, y el 6,76% es información de agencia o redacción. Resulta obvio reconocer que existe una clara correlación entre la crítica taurina y la autoría del especialista.

Tabla 29. Número y porcentaje de autorías en *La Vanguardia* y *El Periódico de Catalunya* (2004 y 2010).

Periodo	Total Informaciones	Firma especializada	Otras firmas	Redacción/Agencia
2004-2010	342	297 (86,85%)	22 (6,43%)	23 (6,72%)

Fuente: elaboración propia

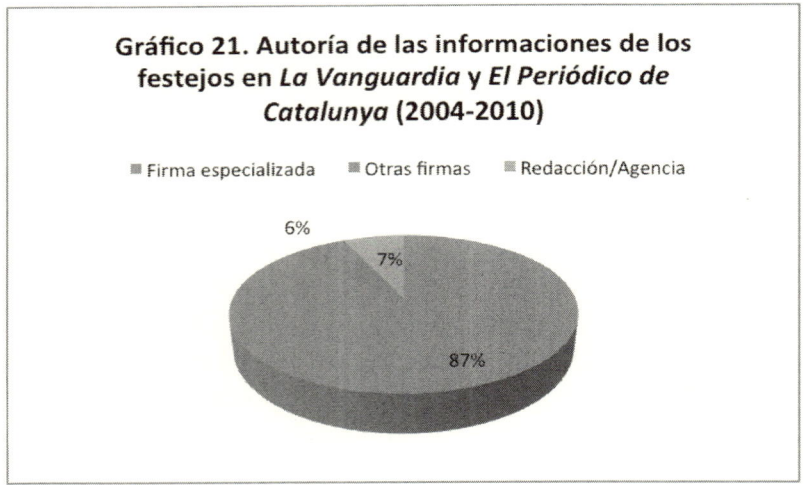

Gráfico 21. Autoría de las informaciones de los festejos en *La Vanguardia* y *El Periódico de Catalunya* (2004-2010)

■ Firma especializada   ■ Otras firmas   ■ Redacción/Agencia

6%

7%

87%

Fuente: elaboración propia

Si se analiza por años y periódicos, la ejecución de las informaciones en *El Periódico de Catalunya* no deja margen a otras colaboraciones que no fuese el especialista taurino (Juan Soto Viñolo). Bien es verdad, que se registra un notorio número de unidades periodísticas firmadas por "Redacción/Agencia" los dos primeros años, 7 en el 2004 y 9 en el 2005, cifras que responden al número de breves con los datos básicos de la corrida el día de celebración (domingo) elaborados por el equipo de redacción y que aparecieron publicados en la agenda del día. La presencia de otras firmas a partir del 2009 en las escasas informaciones publicadas, concretamente de la sección de Sociedad, como son Óscar Toral, Ramón Vendrell y Mauricio Bernal, y el hecho de prescindir de Juan Soto Viñolo, demuestra el nuevo enfoque que le dio a finales de la década al tema de los toros el diario del Grupo Zeta.

En cuanto a *La Vanguardia*, prevalece también el dominio de la "Firma especializada", pero se aprecia la participación de otros colaboradores en unas piezas periodísticas sobre el festejo que se celebrará o se ha celebrado: 15 "Otras firmas" en total.

Tabla 30. Evolución del número de autorías en *La Vanguardia* y *El Periódico de Catalunya* (2004-2010).

Año	La Vanguardia			El Periódico de Catalunya		
	Firma Especialz.	Otras firmas	Redacc./Agencia	Firma Especializada	Otras firmas	Redacc./Agencia
2004	26	1	0	49	2	7
2005	23	4	1	47	0	9
2006	20	4	1	39	0	0
2007	21	3	1	12	1	1
2008	18	2	0	6	0	1
2009	17	0	0	4	1	0
2010	15	1	1	0	6	0

Fuente: elaboración propia

Valoraciones generales

De estos resultados se desprende la dependencia del periódico con la autoría especializada para poder publicar textos taurinos, pero también hay que valorar el interés del medio para que la actualidad sea cubierta personalmente por quien domina la información. Esta dependencia es peligrosa, pues cuando falta el especialista deja inmune la información y puede añadir más impedimentos para su publicación, como ocurrió en los últimos años con *El Periódico de Catalunya* a raíz de la edad y delicada salud del cronista Juan Soto Viñolo. Esta fragilidad informativa también se mostró en *La Vanguardia* los últimos años de colaboración de Antoni González, absteniéndose el diario de publicar los habituales resúmenes de la temporada.

Cabe destacar también que la participación de otras firmas demuestra una mayor capacidad de elección a la hora de abordar la información taurina y un interés del medio para identificar claramente las funciones dentro del diario: el crítico taurino informa de lo acontecido en la corrida y las piezas complementarias van firmadas por periodistas de la redacción. Hay que considerar, además, el escaso interés del uso del texto elaborado por agencia, lo que demuestra la voluntad del medio de comunicación por cubrir la información según su criterio periodístico.

13.2.7. La paginación

La paginación, el emplazamiento donde aparece la información taurina, es un valor importante cuando se trata de analizar la predisposición, positiva o negativa, que tiene el diario para que la información llegue a los lectores. En los casos analizados, las páginas impares (derecha con el diario abierto), que son las zonas más codiciadas en el papel impreso, tanto periodísticamente como comercialmente, supusieron casi la mitad de las informaciones publicadas, concretamente el 45,32%, frente al 54,68% de las unidades periodísticas que aparecieron publicadas en las páginas pares. En cuanto al caso particular de cada uno de los medios, es muy parecido, alcanzando *El Periódico de Catalunya* un porcentaje ligeramente mayor en la ubicación de las unidades periodísticas en las páginas impares (47%), pero siempre por debajo del emplazamiento de la página par (53%).

Tabla 31. Paginación de las informaciones en *La Vanguardia* y *El Periódico de Catalunya* entre 2004-2010.

Totales		
Documentos	Par	Impar
342	187 (54,68%)	155 (45,32%)

Medio	Documentos	Par	Impar
La Vanguardia	159	90 (56,61%)	69 (43,39%)
El Periódico de Catalunya	183	97 (53%)	86 (47%)

Fuente: elaboración propia

Referente a la paginación, un dato importante para valorar, nos viene dado en la casilla que registramos como "Observaciones", donde se indica si la información taurina fue portada, apertura de la sección, ya que por el número de documentos registrados se puede establecer la valoración periodística que dio el medio a los festejos taurinos. En *El Periódico de Catalunya* tan solo en tres ocasiones fue apertura de la sección: el 12 de abril de 2004 en Gran Barcelona (Cosas de la vida), ocupando doble página con motivo de la declaración antitaurina del Ayuntamiento barcelonés; y las otras dos fueron las crónicas de José Tomás del 18 de junio de 2007 y el 6 de julio de 2009, ambas contaron con mayor cobertura en número de páginas y tuvieron el honor de salir en las tres informaciones que fueron portada entre 2004 y 2010. La tercera portada fue el 2 de agosto de 2010, la corrida que se celebró cuatro días después de la votación del Parlamento de Cataluña aprobando la prohibición de los toros. El caso de *La Vanguardia* es idéntico: las dos corridas reseñadas de José Tomás son las únicas entre 2004 y 2010 que tienen el privilegio de abrir sección, ocupar portada y llenar más de una página. Esto nos indica que el valor informativo del acontecimiento taurino fue considerado relevante para el medio independientemente del interés que tenía hacia el asunto taurino.

Valoraciones generales

Si se ha llevado a cabo el análisis de esta variable es para confirmar que los datos que hemos publicado en este estudio nos llevan a la interpretación de que el tema taurino tuvo el rango necesario siempre que el medio de comunicación decidió que ocupara el espacio impar de la página. Pero la realidad nos indica que la presencia de la información taurina mostró un cierto equilibrio entre páginas pares e impares. Tan solo *El Periódico de Catalunya* mostró un mayor porcentaje en la página par, de menor impacto visual y, por tanto, de menor atención hacia el lector.

13.2.8. El emplazamiento

Ya se ha comentado anteriormente de la importancia del emplazamiento de la información taurina para su efecto en los lectores. Ahora hay que comprobar que el resultado que da el lugar y amplitud elegidos por el medio de comunicación, en cada uno de los aspectos de paginación, tiene una lectura concreta respecto al tratamiento e interés del propio asunto taurino. De ahí, que se haya plasmado en unas gráficas más pormenorizadas para cada uno de los dos periódicos analizados.

En los dos medios, los resultados proporcionaron que la parte superior de la página fue la preferida para ubicar la información taurina. El total arrojó las siguientes cifras: 144 registros en la zona superior de los 342 contabilizados, suponiendo el 42,10%; en interior e inferior, las zonas menos relevantes del diario, 84 (24,56%) y 53 (15,49%), respectivamente. La ubicación en el centro de la página obtuvo 31 ítems (9,06%) y los exteriores de la página, 20 (5,84%). La importancia de ocupar la página completa para atraer la atención del lector contó, únicamente, con 10 registros (2,92%).

Tabla 32. Ubicación de las informaciones en las páginas de *La Vanguardia* y *El Periódico de Catalunya* (2004-2010).

Etapa	Total	Superior	Inferior	Centro	Exterior	Interior	Completa
2004-2010	342	144 (42,10%)	84 (24,56%)	31 (9,06%)	20 (5,84%)	53 (15,49%)	10 (2,92%)

Fuente: elaboración propia

Gráfico 22. Porcentajes de la ubicación de las informaciones (2004-2010)

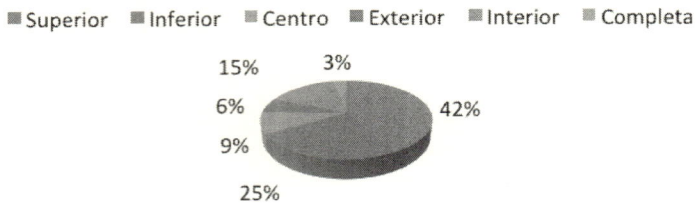

Fuente: elaboración propia

Analizándolo por años y medios, la dinámica prácticamente es la misma: dominio abrumador de la zona superior en *La Vanguardia* (58,49%), con una clara tendencia a la baja en los últimos años en detrimento de zonas menos privilegiadas (inferior). En *El Periódico de Catalunya* los resultados están más repartidos, liderando la zona inferior (28,96%), pero ganando protagonismo los dos últimos años la zona superior, con el 60% y el 50%.

Tabla 33. Número y porcentaje por años de la ubicación de las informaciones en la página de *La Vanguardia*.

Año	Total	Superior	Inferior	Centro	Exterior	Interior	Completa
2004-2010	159	93 (58,49%)	31 (19,49%)	7 (4,40%)	9 (5,66%)	17 (10,69%)	2 (1,25%)
2004	27	21 (77,78%)	0	1 (3,70%)	1 (3,70%)	4 (14,81%)	0
2005	28	17 (60,71%)	7 (25%)	3 (10,72%)	0	1 (3,57%)	0
2006	25	22 (88%)	1 (4%)	0	1 (4%)	1 (4%)	0
2007	25	13 (52%)	7 (28%)	1 (4%)	0	3 (12%)	1 (4%)
2008	20	11 (55%)	3 (15%)	0	3 (15%)	3 (15%)	0
2009	17	5 (29,41%)	5 (29,41%)	0	3 (17,64%)	3 (17,64%)	1 (5,88%)
2010	17	4 (23,52%)	8 (47,05%)	2 (11,76%)	1 (5,88%)	2 (11,76%)	

Fuente: elaboración propia

Tabla 34. Número y porcentaje por años de la ubicación de las informaciones en la página de *El Periódico de Catalunya.*

Año	Total	Superior	Inferior	Centro	Exterior	Interior	Completa
2004-2010	183	51 (27,86%)	53 (28,96%)	24 (13,11%)	11 (6,01%)	36 (19,67%)	8 (4,37%)
2004	58	10 (17,24%)	5 (8,62%)	17 (29,31%)	7 (12,06%)	16 (27,58%)	3 (5,17%)
2005	56	24 (42,85%)	19 (33,92%)	3 (5,35%)	1 (1,78%)	8 (14,28%)	1 (2,56%)
2006	39	5(88%)	22 (56,41%)	0	3 (7,69%)	8 (20,51%)	1 (2,56%)
2007	14	3'(21,42%)	6 (42,85%)	1 (7,14%)	0	3 (21,42%)	1 (7,14%)
2008	7	4 (57,14%)	1 (14,28%)	1 (14,28%)	0	1 (14,28%)	0
2009	5	3 (60%)	0	1 (20%)			1 (20%)
2010	4	2 (50%)	0	1 (25%)	0	0	1 (25%)

Fuente: elaboración propia

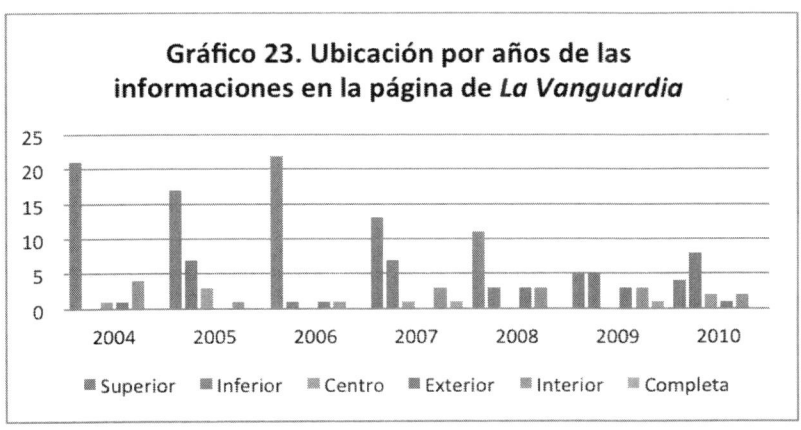

Gráfico 23. Ubicación por años de las informaciones en la página de *La Vanguardia*

Fuente: elaboración propia

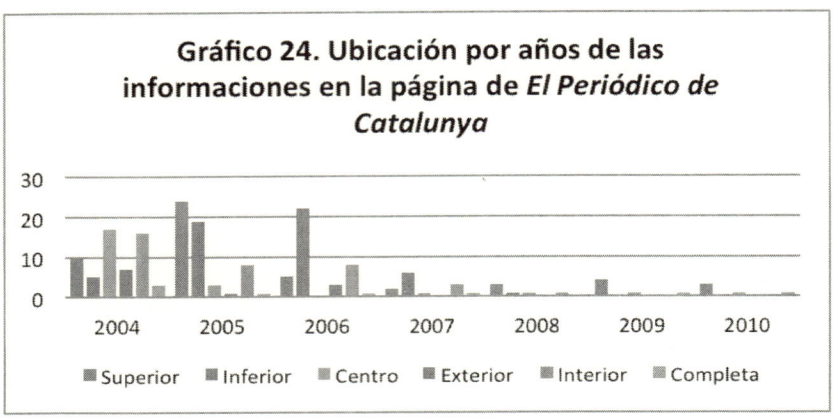

Fuente: elaboración propia

Otra de las particularidades que se podía haber tenido en cuenta en esta variable era examinar en la página la información que acompañaba a la unidad periodística taurina. No hemos querido hacerlo para no diversificar todavía más los resultados, pero en las observaciones que hemos ido anotando vale la pena destacar que en *La Vanguardia* acostumbró a publicarse sola, con anuncios o junto a otras críticas de música, danza, ópera. En cambio, en *El Periódico de Catalunya*, al publicarse los primeros años los viernes, domingos y lunes, era normal encontrarla con noticias culturales y de espectáculos o con críticas artísticas, mostrando la inexistencia de un criterio claro del tipo de información que acompañase el tema taurino, excepto cuando iba en Agenda, donde acostumbraba a compartir espacio con fiestas y tradiciones, como los *castellers*, las sardanas o el circo.

Valoraciones generales

De acuerdo con la importancia que tiene el recorrido visual en la información impresa, los dos periódicos mostraron criterios bien distintos en su estrategia expositiva. En *La Vanguardia* pasó de ocupar durante casi todos los años de estudio el puesto superior a situarse, preferentemente, los últimos años, en la zona inferior, con una repercusión negativa para el lector. En cambio, en *El Periódico de Catalunya* se produjo el efecto contrario: en los últimos años la actualidad taurina se ubicó en la zona superior, el lugar escogido por el medio para dar mayor relevancia a las informaciones, después de tener un lugar preferente en las zonas de menor interés (inferior e interior como puede apreciarse en los gráficos anteriores).

Este cambio de criterio manifestado por ambos diarios respondió al punto de vista que se le dio a la información: *La Vanguardia* siempre abordó la corrida como un texto de los hechos acontecidos en el ruedo; mientras que *El Periódico de Catalunya* presentó los últimos años la corrida de toros con un enfoque informativo de debate ciudadano. De ahí, que se produzcan resultados tan dispares en el impacto visual de la información en las últimas temporadas.

13.2.9. La extensión

Para comprobar si *La Vanguardia* y *El Periódico de Catalunya* dieron importancia al tema taurino durante los años de estudio, no solo basta con ver la paginación de la información y la ubicación, también es necesario analizar su extensión para tener una aproximación del volumen informativo otorgado. Aunque guarda una cierta similitud con la cuantificación de las informaciones publicadas, nos sirve en este estudio porque ofrece una imagen más significativa de la evolución del tratamiento informativo.

La correlación con la organización de festejos es evidente si se trata de comparar un año con otro, por lo que se ha contabilizado el número de líneas publicado para ver la evolución general de la extensión que tuvo la información taurina. Después se ha hecho la media de número de líneas por cada corrida programada en la temporada, todo con el objeto de obtener resultados y tendencias significativas respecto al tratamiento periodístico.

Tabla 35. Evolución del número de líneas publicadas por años en *La Vanguardia* y *El Periódico de Catalunya*.

Año	La Vanguardia	El Periódico de Catalunya
2004	2.088	2.353
2005	2.343	2.397
2006	2.288	1.809
2007	2.006	828
2008	1.426	444
2009	1.287	419
2010	1.042	352

Fuente: elaboración propia

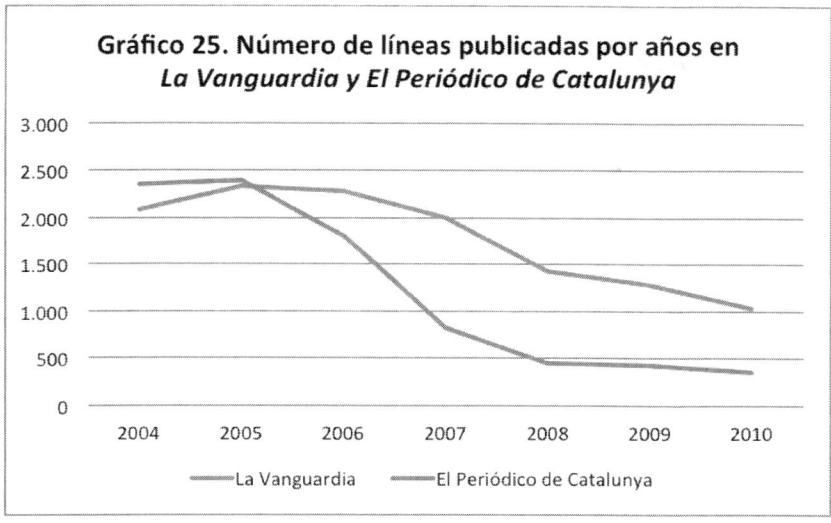

Gráfico 25. Número de líneas publicadas por años en *La Vanguardia* y *El Periódico de Catalunya*

Fuente: elaboración propia

Una primera lectura nos indica que la línea fue descendente en ambos diarios. Muy concluyente en *El Periódico de Catalunya*, que de 2.353 líneas dedicadas a los toros en el 2004 se pasó en seis años a publicarse tan solo 352, no pudiéndose justificar tales números con la correlación de festejos, 9 menos en 2010 respecto a 2004. En *La Vanguardia* hay una progresiva pérdida de la información, confirmado en el siguiente análisis por corrida celebrada en el promedio de línea, pues quien quisiese explicar que se debió a la reducción de funciones taurinas está bien equivocado: de las 2.088 líneas de informaciones en 2004 se pasó a las 1.042 de 2010, justo la mitad, no reduciéndose los festejos al 50% entre ambas fechas, pues en 2004 se organizaron 26 y en 2010, un total de 17 funciones.

Tabla 36. Promedio por años de las líneas por festejo en *La Vanguardia* y *El Periódico de Catalunya*.

		La Vanguardia		El Periódico de Catalunya	
Año	Festejos	Líneas	Promedio	Líneas	Promedio
2004	26	1.973	75,88	1.431	55,03
2005	24	1.926	80,25	1.497	62,37
2006	25	1.903	76,12	1.388	55,52
2007	18	1.360	75,55	621	34,50
2008	17	1.025	60,29	444	26,11
2009	18	1.092	60,66	330	18,33
2010	17	836	49,17	352	20,70

Fuente: elaboración propia

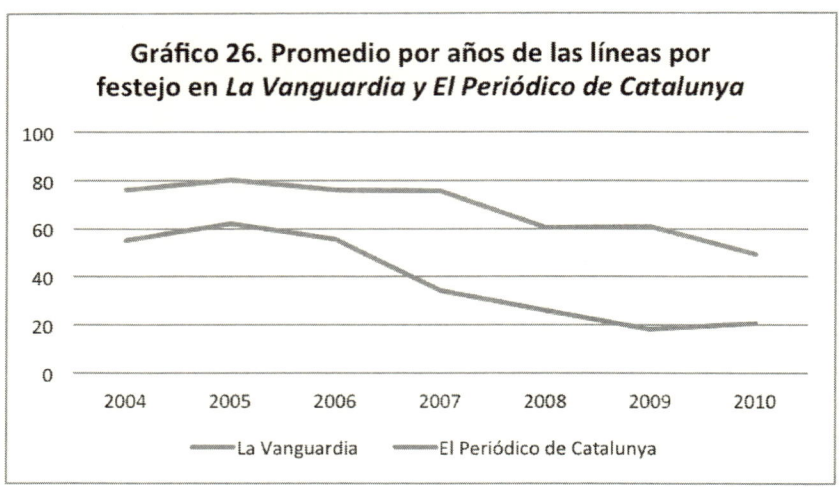

Fuente: elaboración propia

En cuanto a los promedios por festejo celebrado, la media de los dos diarios descendió de manera pronunciada a partir del 2006 en *El Periódico de Catalunya* (de 55,32 líneas por festejo a 34,50 en el 2007), tan solo ascendente el último año cuando la información de la corrida no solo se trató exclusivamente de una actuación taurina. *La Vanguardia* también mostró el declive de la crítica, muy pronunciado el año de la prohibición (2010 con una media de 49,17 líneas por texto). Es necesario destacar en el diario de Godó que si en el año 2009 no hubo una bajada en el promedio fue por las actuaciones de José Tomás el 5 de julio y el 27 de septiembre, que ocuparon 237 líneas de las 1.092 acumuladas, es decir el 21,70% de la información publicada.

Valoraciones generales

Significativa es la evolución descendente del número de líneas que se dedicó a la información taurina tanto en *La Vanguardia* como en *El Periódico de Catalunya*. Las oscilaciones que se aprecian en el gráfico responden a la aparición de José Tomás o al debate de los toros en la opinión pública.

Para dar mayor valoración a este descenso pronunciado, la media con los festejos muestra que no existió una correlación entre estos dos elementos, sino que la tendencia fue dedicar menos espacio de texto a la temporada barcelonesa en cada uno de los dos diarios.

13.2.10. La fotografía

Uno de los indicadores que realza y da protagonismo a una información es el empleo de la fotografía en las páginas de los diarios. En nuestro estudio no se analizó su uso en blanco y negro o color por tratarse de una cuestión que no dependió de la intencionalidad del medio, sino de la reconversión tecnológica del diario. Tampoco su tamaño para no multiplicar el volumen de trabajo cuando con el dato de la presencia de la fotografía ya puede bastar para extraer conclusiones. Únicamente, se constata su presencia junto a la unidad periodística.

La investigación demostró que esta variable en cada medio de comunicación estudiado no tuvo la notoriedad debida. El 30,01% de las informaciones publicadas en *La Vanguardia* entre 2004 y 2010 fue con fotografía, un porcentaje bajo que se explica por el tratamiento que ejerció el diario en muchas ocasiones al clasificar la crítica como los textos de muchas manifestaciones artísticas que no incorporan ilustración alguna. La propia maquetación de la página, en su composición de textos, titulares y otros recursos tipográficos, no incluyó en numerosas ocasiones, la imagen para ninguno de los contenidos publicados de las críticas culturales. En *El Periódico de Catalunya*, el 45,90% de las informaciones taurinas durante ese periodo incorporó una imagen.

Tabla 37. Número de fotografías publicadas en *La Vanguardia* y *El Periódico de Catalunya* y su porcentaje respecto a las informaciones publicadas (2004-2010).

Medio	Total informaciones	Total fotografías
La Vanguardia	159	48 (30,01%)
El Periódico de Catalunya	183	84 (45,90%)

Fuente: elaboración propia

Los resultados dan más información sobre el tratamiento de la fotografía cuando se analiza año por año. *El Periódico de Catalunya*, donde la imagen es uno de los grandes activos de la publicación, demostró en los años que la información taurina tuvo protagonismo en sus páginas, a inicios del periodo estudiado, que la fotografía no tuvo la relevancia que cobró luego con el tiempo en sus contenidos. Del 31,03% del 2004 se pasó a un tratamiento de imágenes de +80% en el año 2010, demostrando entonces que la fotografía tuvo una presencia notoria para aumentar el poder de convicción de la información taurina publicada.

Del tratamiento en *La Vanguardia*, cabe destacar que la tendencia siempre fue a la baja en su uso, si bien el arranque del estudio registra el porcentaje más bajo de todos (14,81%). La caída a partir de 2007 es evidente, si bien se mantuvo ese año por la inclusión de la imagen en la corrida de reaparición de José Tomás y en los dos festejos de las fiestas de la Mercè, donde se publicaron 11 de las 16 fotografías que ilustraron las críticas taurinas durante la temporada barcelonesa.

Tabla 38. Evolución por años del número de fotografías y su porcentaje en La Vanguardia y El Periódico de Catalunya.

	La Vanguardia		El Periódico de Catalunya	
Año	Total informaciones	Total fotos	Total informaciones	Total fotos
2004	27	4 (14,81%)	58	18 (31,03%)
2005	28	7 (25%)	56	22 (39,28%)
2006	25	8 (32%)	39	15 (38,46%)
2007	25	16 (64%)	14	11 (78,57%)
2008	20	5 (25%)	7	6 (85,71%)
2009	17	5 (29,41%)	5	7 (+140%)
2010	17	3 (17,64%)	4	5 (+80%)

Fuente: elaboración propia

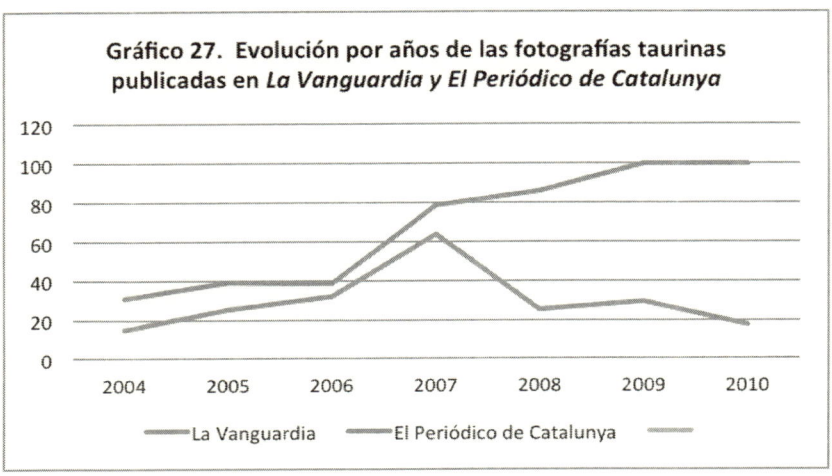

Gráfico 27. Evolución por años de las fotografías taurinas publicadas en *La Vanguardia* y *El Periódico de Catalunya*

Fuente: elaboración propia

En cuanto a la intencionalidad de las imágenes, fue poco relevante tanto en lo artístico como en la crueldad de la corrida de toros. Solo cuando tuvieron un elemento destacable que chocase con la imagen de la fiesta coincidieron los dos diarios en su publicación. De esta manera, el 19 de abril de 2004 ambas cabeceras coincidieron publicando la fotografía del torero Serafín Marín haciendo el paseíllo con una *barretina* puesta por montera. En el caso de las banderas, *El Periódico de Catalunya* sí que hizo un mayor uso de las imágenes. Ilustró el 18 de abril de 2004 una información a favor de la fiesta con un fondo de banderas españolas, y cuando José Tomás salió a hombros acostumbró a mostrarla con la bandera catalana en sus manos (22 de septiembre de 2008). Además, se comprueba que el uso de fotografías con *senyeras* de fondo para demostrar la catalanidad de los toros es cuando la corrida no es tratada desde el punto de vista taurino, y sí como una tradición cuestionada (26 de julio y 27 de septiembre de 2010).

Valoraciones generales

Nuestro análisis en los dos diarios ofreció unos datos que demostraron que el apoyo gráfico no tuvo la presencia suficientemente notoria para acentuar el valor de la información. *El Periódico de Catalunya* fue el medio estudiado que más uso hizo de la imagen realzando las unidades periodísticas y la morfología global del diario. *La Vanguardia* empleó la fotografía con escasa frecuencia y se presentó en las críticas de la sección Cultura como un elemento de apoyo gráfico que descongestionó el exceso de texto y, así, evitó páginas demasiado monótonas.

Otra de las valoraciones que se pueden hacer de esta variable es que existió en numerosas ocasiones una manifiesta intencionalidad en el uso de las imágenes: bien por la espectacularidad de la fotografía o por la significación política que se hizo desde los medios de comunicación (según se desprende de todas las anotaciones en las observaciones que se acompañan en cada ítem de las fichas de análisis).

13.2.11. Recursos gráficos e infografías

El resultado que presentamos en nuestra última variable, recursos gráficos e infografías, plasma el interés de realzar la información de la forma más completa y agradable posible para su comprensión y lectura. Su empleo es útil para enriquecer visualmente aquellas páginas en donde la imagen tiene una presencia inferior, especialmente en las críticas. No se incluye la ficha como elemento tipográfico. En *La Vanguardia*, el 40,25% de las informaciones publicadas entre 2004 y 2010 incorporaron un recurso tipográfico en el texto, acostumbrando a ser un destacado. En *El Periódico de Catalunya* tan solo fue el 15,84%, cuando este recurso periodístico está muy considerado en el modelo de periódico que producen.

Tabla 39. Número de recursos gráficos e infografías publicados en *La Vanguardia* y *El Periódico de Catalunya* y su porcentaje respecto a las informaciones publicadas (2004-2010).

Medio	Total informaciones	Total recursos
La Vanguardia	159	64 (40,25%)
El Periódico de Catalunya	183	29 (15,84%)

Fuente: elaboración propia

En la tabla inferior se observa la contabilización por años destacando una dinámica que se ha repetido en otras variables: al alza el uso de estos recursos periodísticos en *El Periódico de Catalunya* como herramienta para dar realce a una información que ya no es considerada como un espectáculo taurino como tal y sí como un asunto de preocupación ciudadana; en descenso en *La Vanguardia* como muestra de la pérdida de interés para facilitar la legibilidad y comprensión de la información.

Tabla 40. Evolución por años y porcentaje de los recursos gráficos e infografías publicados en *La Vanguardia* y *El Periódico de Catalunya*.

Año	La Vanguardia		El Periódico de Catalunya	
	Total informaciones	Total recursos	Total informaciones	Total recursos
2004	27	8 (29,62%)	58	8 (13,79%)
2005	28	9 (32,14%)	56	4 (7,14%)
2006	25	15 (60%)	39	4 (10,25%)
2007	25	13 (52%)	14	4 (28,57%)
2008	20	9 (45%)	7	2 (28,57%)
2009	17	6 (35,29%)	5	3 (60%)
2010	17	4 (23,52%)	4	4 (100%)

Fuente: elaboración propia

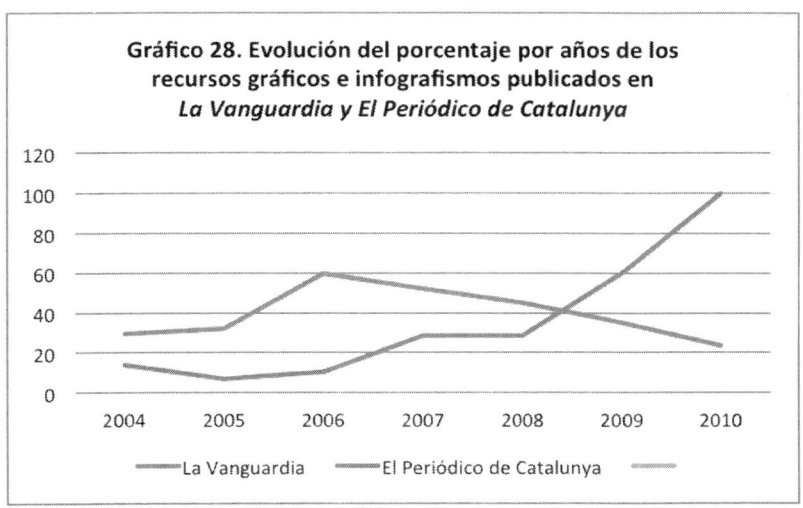

Gráfico 28. Evolución del porcentaje por años de los recursos gráficos e infografismos publicados en *La Vanguardia y El Periódico de Catalunya*

Fuente: elaboración propia

Valoraciones generales

Si la tónica general ha sido la evolución descendente en casi todas las variables, en los recursos gráficos e infografías se repitió la misma tendencia solo en *La Vanguardia*, porque en *El Periódico de Catalunya* fue diametralmente opuesto su tratamiento. Siempre presentando unos porcentajes muy discretos en su uso, *La Vanguardia* comenzó a prescindir con el paso de los años de estos complementos periodísticos de lectura rápida y jerarquización; en cambio, en *El Periódico de Catalunya* aumentó en cuanto el festejo tomo otro interés para el medio y se convirtió en un aliado para presentar lo más clara posible la estructura de la información que el lector iba a tener en sus manos para que pudiese adentrarse e interesarse mejor por su contenidos.

13.3. Análisis del tratamiento informativo de dos corridas de José Tomás: reaparición el 17 de junio de 2007 y en solitario el 5 de julio de 2009

La valoración que sobre el tema hace el medio de comunicación, la importancia que le otorga y el despliegue informativo influye en el efecto de la agenda temática. En general podemos decir que cuando un tema es valorado fuertemente por un medio de comunicación tiene casi todas las posibilidades que el lector también lo valore[570].

Como reza esta cita, en el tema taurino también ha sucedido lo mismo para el periodo que yo he estudiado. Como he indi-

---

570.   ARMENTIA VIZUETE, J. I., y CAMINOS MARCET, J. Mª. *Op. cit.* p. 131.

cado en capítulos anteriores, tomé la decisión de analizar por separado dos corridas de José Tomás en la Monumental de Barcelona, concretamente los festejos del 17 de junio de 2007, día de la reaparición del diestro después de cinco años retirado, y del 5 de julio de 2009, fecha escogida para encerrarse con seis toros, por no significar estas dos corridas una parte representativa del universo analizado debido a la expectación que despertaron en su momento en la opinión pública catalana. Las dos funciones de José Tomás fueron portada de los dos diarios y generaron en sus páginas un tratamiento periodístico taurino diferenciado que rompió la lógica que la prensa catalana mantuvo durante el 2004 y 2010 en la cobertura informativa taurina.

El principal interés del análisis de estas dos corridas deriva del poder que tienen los medios para fijar la agenda de temas y permite conocer qué cuestiones fueron consideradas de interés preferente y cuáles fueron tratadas de forma ocasional o simplemente llegaron a ser eludidas. Por ejemplo, *La Vanguardia* recogió las informaciones bajo los epígrafes "El acontecimiento taurino del año", "Retorno a los ruedos" o "La corrida de año"; para *El Periódico de Catalunya* fueron "Tarde histórica en la Monumental", "La corrida de la reaparición" y "El debate de los toros".

El análisis de estas dos corridas, que viene a completar el análisis del capítulo anterior, lo haremos de forma más simplificada, utilizando algunas de las variables de la misma muestra que en los festejos, donde ya se han explicado tanto los criterios de selección como su validez. En este caso, sirviéndonos de la misma ficha, analizaremos fecha de aparición, sección, tema, autoría y género periodístico, por considerarse aquellos aspectos que más expresan el interés por presentar la información a los lectores que pueden darnos para conocer el tratamiento informativo que se le dio a estas dos corridas. Podría incluirse la ubicación en la página, la extensión de los textos y el número de fotografías publicadas, pero he decidido eliminarlas, pues el hecho de analizar estas dos corridas por separado y cuantificar el volumen de piezas publicadas justifica por sí solo el tratamiento diferenciado.

El análisis recoge el corpus de todas las informaciones que generaron las dos corridas de toros y fueron publicadas en cada uno de los dos periódicos, incluyéndose las cartas al director y otras unidades periodísticas de los 15 días previos y posteriores al festejo. No se tiene en cuenta para la corrida del 17 de junio de 2007 las informaciones publicadas el mes de marzo donde se anuncia la vuelta a los ruedos de José Tomás y su decisión de reaparecer en Barcelona. El acotamiento temporal de 30 días (15 y 15) se debe al esfuerzo para que la cuantificación de las informaciones pueda establecer una importancia relativa del tema y se convierta en un elemento importante sobre los efectos de la agenda temática, mientras que la exclusión de la noticia de la reaparición el mes de marzo obedece a que las informaciones publicadas mezclaron los factores personales con los motivos emocionales de la elección de Barcelona, alejándose de la esencia de la corrida, categoría principal de nuestro análisis. Además, por qué no negarlo, este criterio que se establece facilita la investigación y responde a la necesidad de crear también unos parámetros de medición no frecuenciales, como fue averiguar si el diario empleaba una variedad de subgéneros para el tratamiento de estas dos corridas o qué temas trataban las cartas al director que decidía publicar el medio.

Los resultados obtenidos de este análisis nos llevarán a unas conclusiones fiables que revelen a través de la figura de José Tomás la determinación del tratamiento periodístico taurino dado por *La Vanguardia* y *El Periódico de Catalunya* en estos dos festejos.

13.3.1. Análisis de la corrida de la reaparición de José Tomás: resultados y discusión

La recopilación de datos para el seguimiento de la cobertura informativa de la corrida del 17 de junio de 2007 celebrada en la Monumental de Barcelona, y que supuso la reaparición de José Tomás, llevó a análisis un total de 23 ejemplares impresos con informaciones (no se incluyen dominicales), 12 de *La Vanguardia* y 11 de *El Periódico de Catalunya*, de los 60 consultados (30 y 30). El corpus de la cobertura del festejo arroja una cifra de 60 informaciones analizadas, de las que un total de 32 pertenecen a *La Vanguardia* y 28 a *El Periódico de Catalunya*.

Tabla 41. Número de informaciones de la corrida de reaparición de José Tomás publicadas en *La Vanguardia* y *El Periódico de Catalunya*.

Corrida de José Tomás 17 de junio de 2007		
Total informaciones	*La Vanguardia*	*El Periódico de Catalunya*
60	32	28

Fuente: elaboración propia

El resultado del análisis de la fecha de aparición de las informaciones ofrece si el medio mostró interés por la noticia y si la frecuenciabilidad para difundir la corrida penetró con mayor facilidad entre la audiencia. En el gráfico siguiente vemos que la información tiene una manifiesta actividad desde el sábado 15 de junio hasta el miércoles 20, cinco días que son bastantes para un tema secundario en los dos periódicos, por lo que la reiteración que le dieron facilita la penetración informativa en los lectores. Este seguimiento periodístico en interés y tiempo no es algo habitual en el tratamiento de un espectáculo de este tipo por los datos que presenta en un arco de 22 días. La máxima cobertura son el día de la corrida (9 informaciones en *La Vanguardia* y 7 en *El Periódico de Catalunya*) y el día siguiente (7 informaciones en *La Vanguardia* y 5 en *El Periódico de Catalunya*).

Gráfico 29. Evolución comparativa de los días de publicación de las informaciones de la corrida de reaparición de José Tomás en *La Vanguardia* y *El Periódico de Catalunya*.

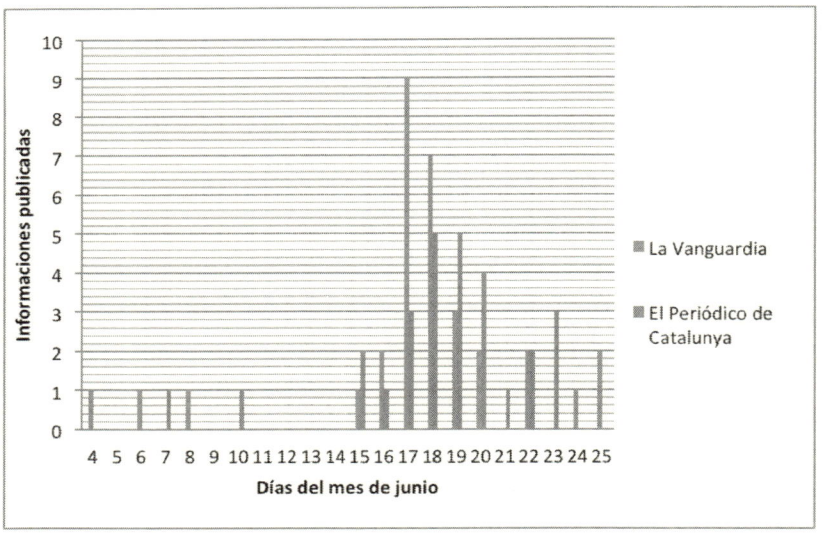

Fuente: elaboración propia

La localización de las informaciones en secciones que no fuesen las específicas de Cultura o Espectáculos, espacios habituales que hemos visto en el análisis de todos los festejos desde 2004 a 2010, nos determina si el medio buscó la excepcionalidad de la información de la corrida o quiso darle un punto de vista para su valoración y enjuiciamiento. En *La Vanguardia*, de las 32 informaciones totales publicadas, 12 fueron llevadas a Cultura (37,5% del total cuantificado del diario), 7 a Vivir (21,87%) y 8 a Opinión (25%). El resto se repartieron 2 en Sumario ((6,25%) y 1 en las secciones de Política (3,12%), Sociedad (3,12%) y en el suplemento Revista (3,12%).

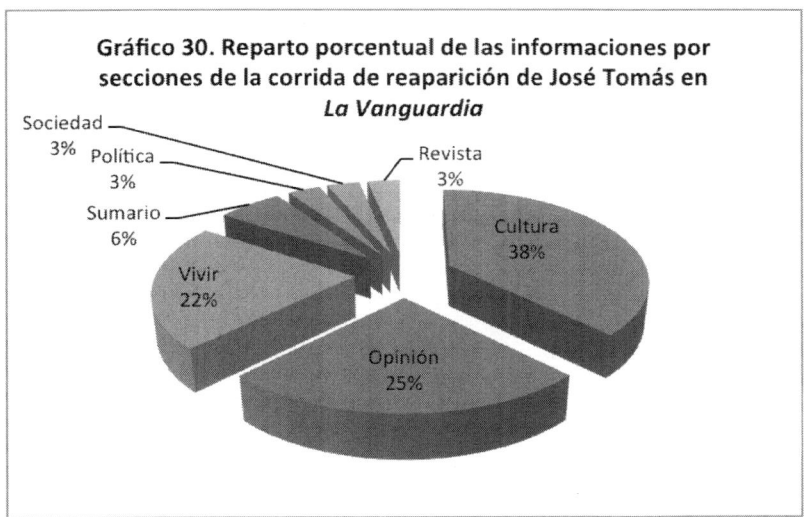

Fuente: elaboración propia

En cambio, en *El Periódico de Catalunya* es Opinión la sección que acumula el mayor número de las informaciones, 16 (57,14% del total cuantificado en el diario). La sección Icult reúne 6 informaciones (21,42%), clasificando 2 como Cultura, Espectáculos y 4 como Espectáculos, continuando el confuso criterio para tematizar los toros en una categoría determinada. En El Tema del Día se contabilizan 3 informaciones (10,71%), por 2 en Cosas de la Vida / Gran Barcelona (7,14%) y 1 (3,57%) en Cuaderno del Domingo.

El epígrafe que le dieron en el diario del Grupo Zeta a la crítica de toros, con las inscripciones "Tarde histórica en la Monumental", "La corrida de la reaparición" y, sobre todo, "El debate de los toros", sustituyendo al habitual de "Corrida de toros", confirmó que el puntual interés del tema de los toros y el enfoque social que adquiría en las páginas del diario podían desplazarlo de cualquiera de sus secciones habituales.

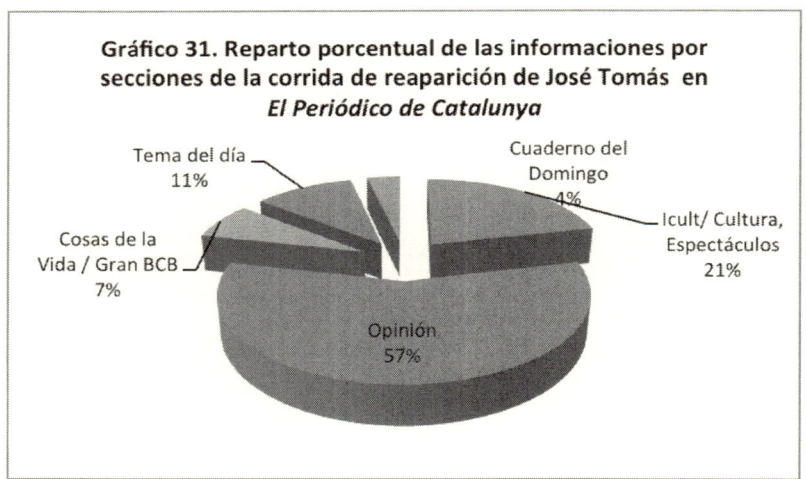

Gráfico 31. Reparto porcentual de las informaciones por secciones de la corrida de reaparición de José Tomás en El Periódico de Catalunya

Tema del día 11%
Cuaderno del Domingo 4%
Icult/ Cultura, Espectáculos 21%
Cosas de la Vida / Gran BCB 7%
Opinión 57%

Fuente: elaboración propia

Una vez designado cómo quedó el reparto de las informaciones por secciones, presentamos cuáles fueron los géneros periodísticos para comprobar, sobre todo, como la corrida de reaparición se trató bajo discursos opinativos. Para cuantificar los géneros, y en el ejercicio de simplificación de datos que se establece con el análisis de las corridas de José Tomás, se divide en géneros de opinión y de información, englobando estos últimos los interpretativos. Se considera la crítica y el análisis dentro de los opinativos y la crónica en los informativos.

El resultado dio un dato concluyente en ambos diarios: el género de opinión dejó a mucha distancia porcentual el registro de los géneros de información, concretamente el 68,75% de los textos de *La Vanguardia* fueron de opinión[571], frente al 67,85% de *El Periódico de Catalunya*.

Tabla 42. Número y porcentaje de los géneros de las unidades periodísticas de la corrida de reaparición de José Tomás en *La Vanguardia* y *El Periódico de Catalunya*.

Medio	Total textos	Género Información	Género Opinión
La Vanguardia	32	10 (31,25%)	22 (68,75%
El Periódico de Catalunya	28	9 (32,15%)	19 (67,85%)

Fuente: elaboración propia

---

571.   Puede interpretarse en *La Vanguardia* una errónea contabilización en los datos si se busca la correlación del número de textos con los ítems de la sección de Opinión. Sucede que no todas las piezas de opinión siempre fueron a las páginas que el diario de Godó tiene reservado para ello, sino que estos artículos se repartieron por otras secciones del diario.

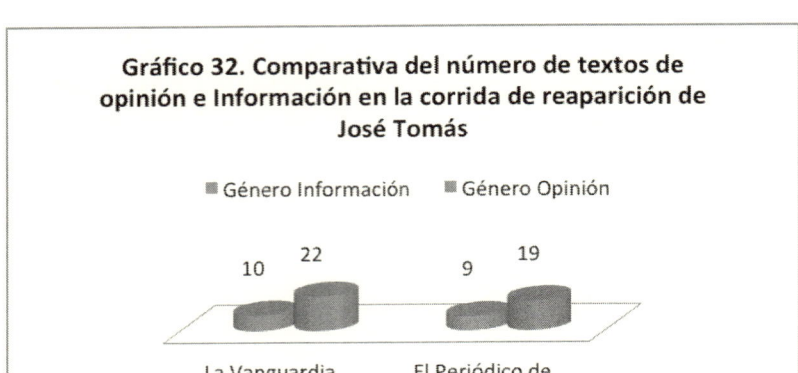

Gráfico 32. Comparativa del número de textos de opinión e Información en la corrida de reaparición de José Tomás

Fuente: elaboración propia

En una segunda etapa del análisis de esta variable, nos centramos en las características formales para identificar cuáles fueron los géneros informativos y de opinión, para conocer el grado de profundización, conocimiento y valoración del texto taurino. *La Vanguardia* en los géneros de información optó por la noticia para trasladar a sus páginas el tema de la corrida de José Tomás: 60% (6 noticias) del total de piezas informativas. El resto se distribuyó en 2 reportajes (20%), 1 crónica (10%) y 1 entrevista (10%). En cuanto a *El Periódico de Catalunya*: la noticia, 6 en total, supuso el 66,66%, 2 reportajes el 22,22% y 1 crónica el 11,11%.

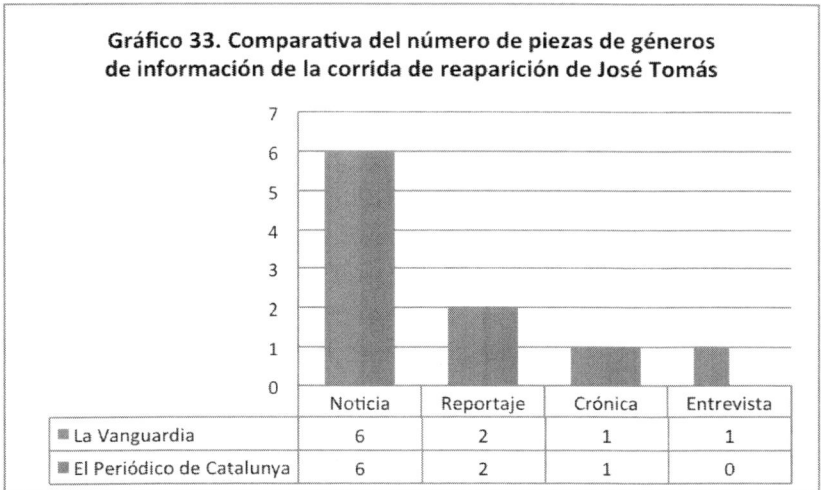

Gráfico 33. Comparativa del número de piezas de géneros de información de la corrida de reaparición de José Tomás

	Noticia	Reportaje	Crónica	Entrevista
▪ La Vanguardia	6	2	1	1
▪ El Periódico de Catalunya	6	2	1	0

Fuente: elaboración propia

En cuanto a los géneros de opinión, fue importante comprobar qué importancia se le daba al tema taurino y desde qué género se comentaba en cada uno de los dos periódicos. El resultado ofreció que el espacio de opinión más recurrido en *La Vanguardia* fue el artículo (columna y tribuna) con el 45,45% del total de piezas del género de opinión publicadas. Después, las cartas al director (22,72%), seguido de los sueltos (18,18%) y, por último, los mismos registros para editorial, crítica y análisis, el 4,54% para cada uno de ellos. *El Periódico de Catalunya*, en lugar de dar más voz desde dentro, apostó por la participación ciudadana y convirtió sus páginas en un espacio de debate y discusión: las cartas al director, con 12 ítems, es el género de opinión más publicado con el 63,15% del total; seguido del artículo (26,31%), el editorial (5,26%) y la crítica (5,26%).

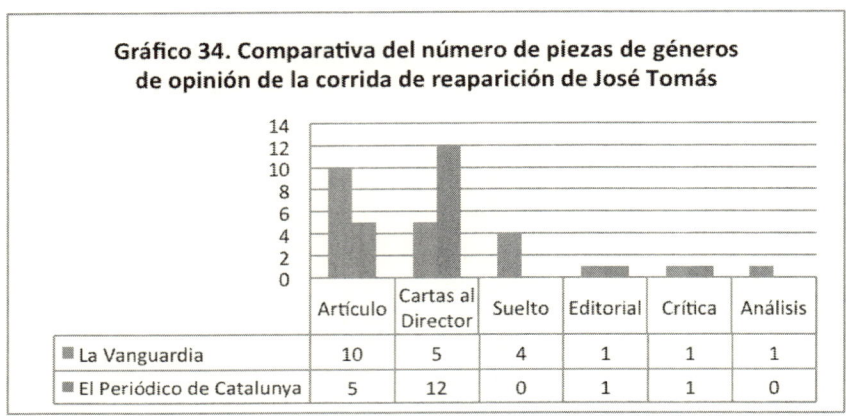

Gráfico 34. Comparativa del número de piezas de géneros de opinión de la corrida de reaparición de José Tomás

	Artículo	Cartas al Director	Suelto	Editorial	Crítica	Análisis
La Vanguardia	10	5	4	1	1	1
El Periódico de Catalunya	5	12	0	1	1	0

Fuente: elaboración propia

Otro de los análisis que se llevó a cabo fue a qué tema se relacionó el festejo taurino de José Tomás. Los datos consignados en la tabla inferior nos demuestra que si bien para *La Vanguardia* el enfoque temático principal fue la corrida de toros (46,87% del total de las informaciones del diario), en *El Periódico de Catalunya* fue el enfoque antitaurino el más publicado (39,28%).

Tabla 43. Número y porcentaje de temas publicados de la corrida de reaparición de José Tomás en *La Vanguardia* y *El Periódico de Catalunya*.

Temas	La Vanguardia	El Periódico de Catalunya
Total	32	28
Corridas de toros	15 (46,87%)	7 (25%)
Antitaurinos	7 (21,87%)	11 (39,28%)
Protaurinos	3 (9,37%)	4 (14,28%)
Debate taurino	7 (21,87%)	6 (21,42%)

Fuente: elaboración propia

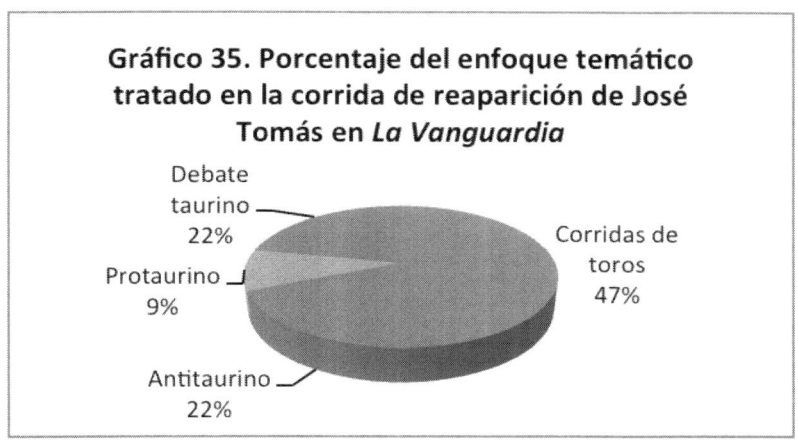

Gráfico 35. Porcentaje del enfoque temático tratado en la corrida de reaparición de José Tomás en *La Vanguardia*

Debate taurino 22%

Protaurino 9%

Antitaurino 22%

Corridas de toros 47%

Fuente: elaboración propia

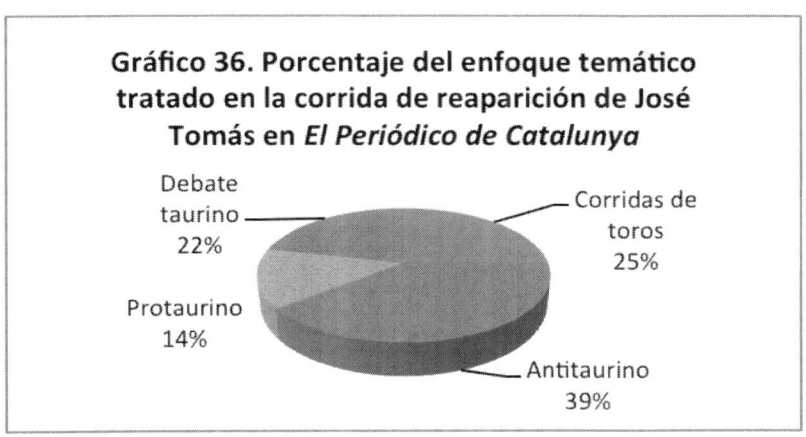

Gráfico 36. Porcentaje del enfoque temático tratado en la corrida de reaparición de José Tomás en *El Periódico de Catalunya*

Debate taurino 22%

Protaurino 14%

Corridas de toros 25%

Antitaurino 39%

Fuente: elaboración propia

Tras estos resultados, profundizamos en un segundo nivel de análisis para ver cuáles fueron los temas a los que dieron más importancia en los géneros de opinión e información. Sin lugar a dudas, de los datos que se publican a continuación, el tema antitaurino tuvo más ítems en géneros de opinión para los dos diarios: *La Vanguardia* puso voz a los contrarios de la fiesta como opinión en el 85,71% y como información el 14,29%; *El Periódico de Catalunya* dejó el 81,81% en opinión, para tratar como información el 18,19%. Más significativo son los números que arrojó las corridas de toros, con más ítems en opinión para *La Vanguardia* (9, que supone el 60% de las informaciones sobre este tema en el diario), que en información (6, el 40%). En *El Periódico de Catalunya*, son 6 ítems en información (85,72%), por 1 en opinión (14,28%). Por último, el tema protaurino y el debate de los toros es tratado preferentemente en opinión (100% en el diario de Godó y 75% en *El Periódico de Catalunya*); mientras que el debate taurino, tema que sirvió de argumento para las 2 editoriales registradas, fue en opinión de *La Vanguardia* el 71,42% y el 100% en el diario del Grupo Zeta.

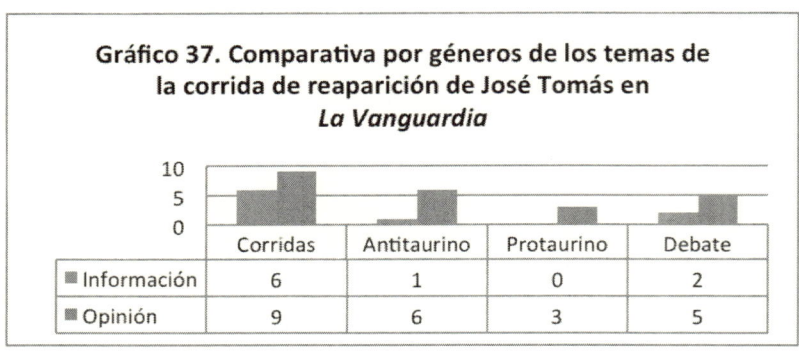

Gráfico 37. Comparativa por géneros de los temas de la corrida de reaparición de José Tomás en *La Vanguardia*

	Corridas	Antitaurino	Protaurino	Debate
■ Información	6	1	0	2
■ Opinión	9	6	3	5

Fuente: elaboración propia

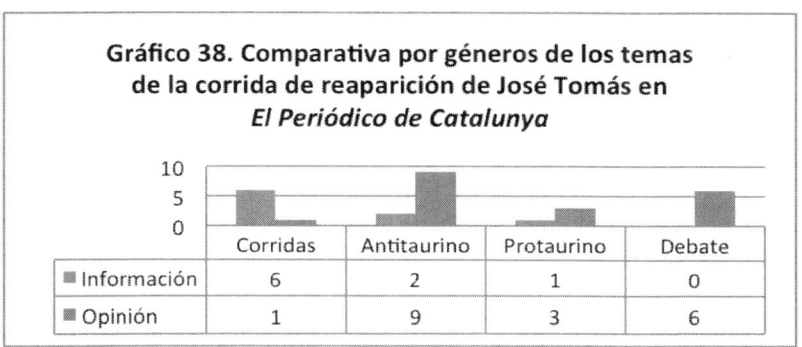

Gráfico 38. Comparativa por géneros de los temas de la corrida de reaparición de José Tomás en *El Periódico de Catalunya*			
	Corridas	Antitaurino	Protaurino	Debate
Información	6	2	1	0
Opinión	1	9	3	6

Fuente: elaboración propia

Por último, se quiso estudiar en una tercera capa de este análisis las cartas al director para comprobar la opinión de los lectores después de la reiteración del festejo de José Tomás. Concluyente en *La Vanguardia*: 5 cartas publicadas, el 100% antitaurino. En *El Periódico de Catalunya*: 9 cartas antitaurinas (75%); 2 sobre el debate taurino (16,66%), y tan solo 1 con contenido protaurino (8,34%).

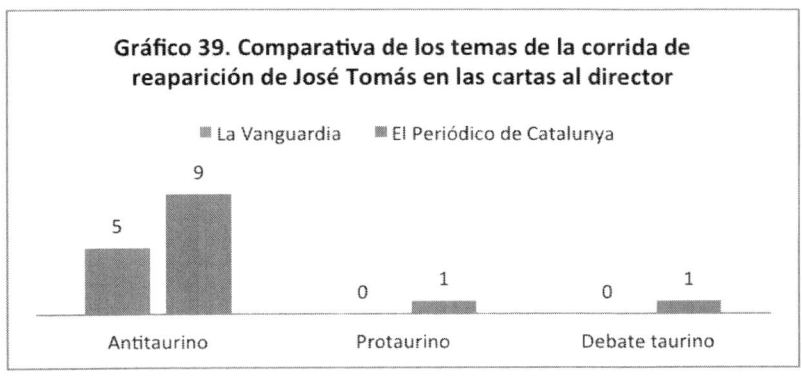

Gráfico 39. Comparativa de los temas de la corrida de reaparición de José Tomás en las cartas al director

Fuente: elaboración propia

La última variable que se sometió a estudio fue la autoría de los textos. La figura del experto taurino es clave para la difusión de la fiesta y su comprensión y seriedad. La aportación de otras firmas puede demostrar un esfuerzo del medio para pluralizar la cobertura del festejo y enriquecer la información desde diferentes puntos de vista. Pero, también, puede demostrar una escasez de profundidad según el género que se ocupe y el tema que aborde.

Para obtener los resultados, se realizó la siguiente clasificación: "Experto" (crítico o cronista taurino que está al frente de la sección), "Redacción" (sin firma), "Firmas" (periodistas en nómina y colaboradores) y "Lectores" (personas que participan en cartas al director).

Tabla 44. Número y porcentaje de la autoría en las informaciones de la corrida de reaparición de José Tomás en *La Vanguardia* y *El Periódico de Catalunya*.

Autoría	*La Vanguardia*	*El Periódico de Catalunya*
Total	32	28
Experto	3 (9,37%)	4 (14,28%)
Firmas	21 (65,62%)	10 (35,71%)
Redacción	3 (9,37%)	2 (7,14%)
Lectores	5 (15,62%)	12 (42,85%)

Fuente: elaboración propia

Revisadas las autorías, hay que destacar que el papel del experto es escaso en proporción con otras firmas en los dos diarios. Así, Paco March (*La Vanguardia*) tiene una presencia en tan solo 3 informaciones (9,37%), mientas que Juan Soto Viñolo en 4, supone el 14,28% para diario del Grupo Zeta. La participación de "Firmas" es muy significativa, con el 65,62% y el 35,71% en *La Vanguardia* y *El Periódico de Catalunya*, respectivamente. En este último diario, la participación de los ciudadanos cobra protagonismo por el número de cartas publicadas (42,85% frente al 15,62% de *La Vanguardia*).

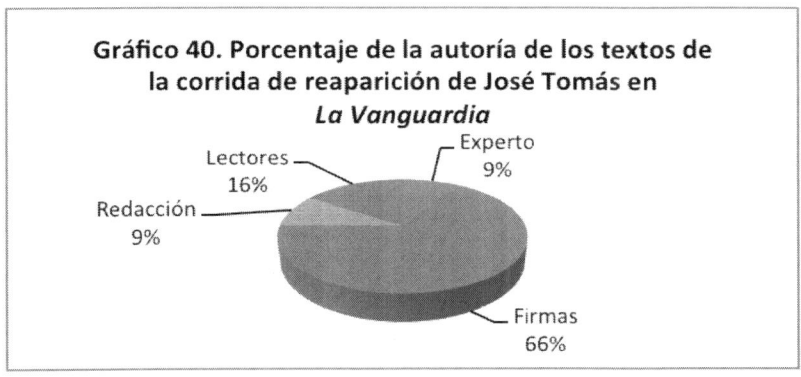

Gráfico 40. Porcentaje de la autoría de los textos de la corrida de reaparición de José Tomás en *La Vanguardia*

Fuente: elaboración propia

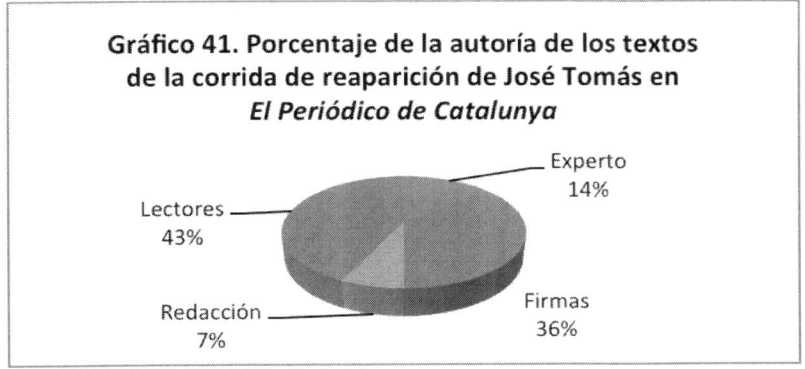

Gráfico 41. Porcentaje de la autoría de los textos de la corrida de reaparición de José Tomás en *El Periódico de Catalunya*

Fuente: elaboración propia

Por la importancia que tiene la autoría del experto para el cuidado del tratamiento informativo de los toros, en una segunda etapa de esta variable analizamos en qué géneros participaron los expertos de estos dos medios de comunicación (tabla inferior). Obtuvimos los siguientes resultados: 3 ítems de Paco March en *La Vanguardia* repartidos en 1 noticia, 1 crítica y 1 análisis; 4 ítems de Juan Soto Viñolo en *El Periódico de Catalunya*, distribuidos en 3 noticias y 1 crítica.

Tabla 45. Número de géneros periodísticos de la corrida de reaparición de José Tomás firmados por el experto.

Géneros periodísticos tratados por el experto			
Autoría / Medio	Noticia	Crítica	Análisis
Paco March / *La Vanguardia*	1	1	1
Juan Soto Viñolo / *El Periódico de Catalunya*	3	1	0

Fuente: elaboración propia

Valoraciones generales

No podemos negar que el tratamiento informativo que tuvo esta corrida de toros de José Tomás del 5 de julio de 2009 alteró la rutina informativa del de la especialización periodística de los toros y se desmarcó del universo del trabajo analizado. Los resultados del análisis son concluyentes en cada uno de sus ítems:

• La información taurina se dispersó en ambos diarios por un sinfín de secciones. En *La Vanguardia* hasta en 7 secciones diferentes, acogiendo Cultura, espacio habitual, tan solo el 38% de las informaciones. En *El Periódico de Catalunya* se repartió en 5 secciones, ocupando espacios tan notorios en el diario como fue el Tema del día, con el 10,71% de los textos publicados. En Espectáculos solo se registró el 21%, trasladándose la información a Opinión, con el 57% de los textos. Destacar en ambos medios de comunicación el hecho de que la corrida fue noticia central de portada (con fotografía) el día después del festejo (o sea, el lunes).

• Los géneros de opinión se impusieron con meridiana claridad a los géneros de información (68,75% de los textos en *La Vanguardia* y el 67,85% en *El Periódico de Catalunya*). La columna y la tribuna coparon el protagonismo en la cabecera de Godó (45,45%), mientras fueron las cartas al director (63,15%) en el diario del Grupo Zeta.

• El tema más tratado en *La Vanguardia* fue la corrida de toros en sí (46,87%), siendo el tema antitaurino el enfoque informativo que más alimentó el festejo de José Tomás en las páginas de *El Periódico de Catalunya* (39,28).

• En la autoría de los textos, la presencia del escritor de toros (especialista) es escasa para el volumen de informaciones publicadas. En *La Vanguardia* representa el 9,37% de las informaciones y en *El Periódico de Catalunya* se reduce al 14,28%.

13.3.2. Análisis de la corrida en solitario de José Tomás: resultados y discusión

Para la recogida de material de la cobertura informativa del festejo del 5 de julio de 2009 que José Tomás toreó en solitario en Barcelona con carácter benéfico se tomó como referencia los 15 días anteriores y posteriores a la fecha del festejo. En total, de los 60 ejemplares revisados (30 de *La Vanguardia* y 30 de *El Periódico de Catalunya*), se analizaron 15 ejemplares con informaciones del festejo, 4 de *La Vanguardia* y 11 de *El Periódico de Catalunya*. El corpus de la cobertura de la corrida arroja una cifra de un total de 26 informaciones analizadas, de las que 11 pertenecen a *La Vanguardia* y 15 a *El Periódico de Catalunya*.

Tabla 46. Número de informaciones de la corrida en solitario de José Tomás publicadas en *La Vanguardia* y *El Periódico de Catalunya*.

Corrida de José Tomás 5 de julio de 2009		
Total informaciones	*La Vanguardia*	*El Periódico de Catalunya*
26	11	15

Fuente: elaboración propia

El día de aparición de la información nos indica la frecuenciabilidad para difundir la corrida de toros. En este caso, el gráfico de la página siguiente demuestra que la horquilla temporal quedó reducida a seis días en *La Vanguardia* (de domingo a sábado), y con una escasa reiteración del asunto taurino, salvo el día después del festejo (6 de julio); para *El Periódico de Catalunya* el tema fue algo más denso, concretamente de ocho días (de miércoles a jueves), con una cierta regularidad de inserciones sobre el festejo y con una profusa actividad 48 horas después de celebrado, tiempo típico para las interpretaciones y opiniones una vez con el tiempo necesario para reflexionar sobre todo lo acontecido en el ruedo barcelonés.

Gráfico 42. Evolución comparativa de los días de publicación de las informaciones de la corrida en solitario de José Tomás en *La Vanguardia* y *El Periódico de Catalunya*

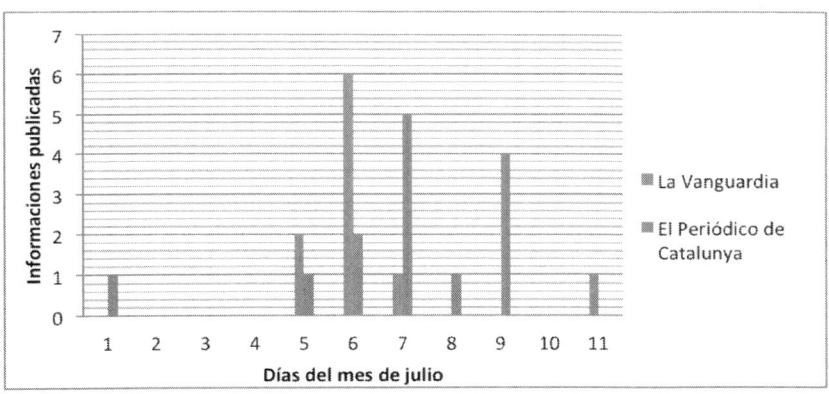

Fuente: elaboración propia

El recuento de las secciones determina si el medio de comunicación buscó la excepcionalidad de la información taurina o quiso darle un punto de vista original y diferenciado para valorar y enjuiciar la información. En *La Vanguardia*, de las 11 informaciones, 6 aparecieron en su habitual ubicación de Cultura (54,55% del total cuantificado del diario), 3 a Opinión (27,27%) y 2 a Segunda (18,18%).

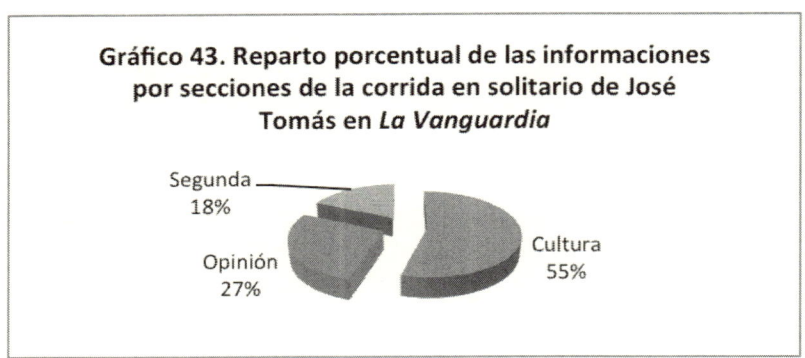

Gráfico 43. Reparto porcentual de las informaciones por secciones de la corrida en solitario de José Tomás en *La Vanguardia*

Fuente: elaboración propia

El Periódico de Catalunya acogió en la sección de Opinión el mayor número de las informaciones, 10 (66,66% del total cuantificado en el diario). El resto fue a parar a la sección Icult, con 5 informaciones (33,34%) clasificando 2 como Cultura, Espectáculos, 2 como Espectáculos y 1 como Cultura.

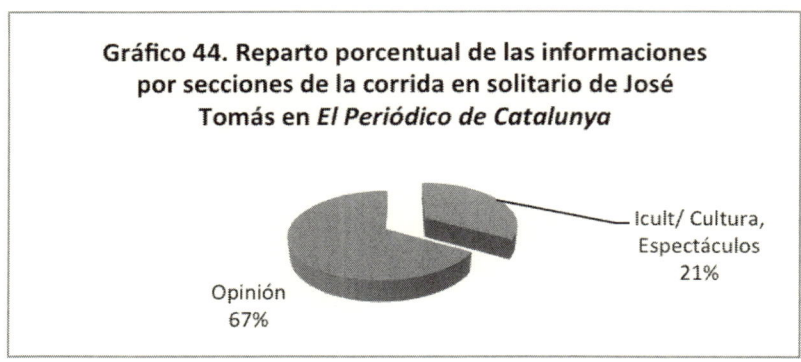

Gráfico 44. Reparto porcentual de las informaciones por secciones de la corrida en solitario de José Tomás en *El Periódico de Catalunya*

Fuente: elaboración propia

Sobre géneros periodísticos, se ha seguido igual procedimiento de análisis que en la corrida de reaparición. Así, para cuantificar los géneros se establecen resultados en número de textos de opinión e información, considerándose la crítica y el análisis dentro de opinión y la crónica en información. El resultado fue concluyente en los dos diarios: el género de opinión dejó a mucha distancia porcentual el registro de los géneros de información, concretamente el 81,82% de los textos de *La Vanguardia* fueron opinativos[572] —Algo más inferior fue el registro obtenido de *El Periódico de Catalunya*: 66,67%.

Tabla 47. Número y porcentaje de los géneros de las unidades periodísticas de la corrida en solitario de José Tomás en *La Vanguardia* y *El Periódico de Catalunya*.

Medio	Total textos	Género Información	Género Opinión
La Vanguardia	11	2 (18,18%)	9 (81,82%
El Periódico de Catalunya	15	5 (33,33%)	10 (66,67%)

Fuente: elaboración propia

---

572.   Como ya se ha comentado anteriormente, se vuelve a poner esta nota para recordar que puede interpretarse en *La Vanguardia* una errónea contabilización en los datos si se busca la correlación del número de textos con los ítems de la sección de Opinión. Sucede que no todas las piezas de opinión fueron siempre a las páginas que el diario de Godó tiene reservado para ello, sino que estos artículos se repartieron por otras secciones del diario.

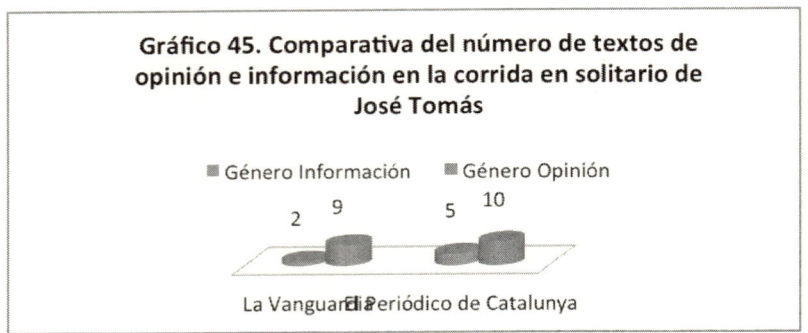

Gráfico 45. Comparativa del número de textos de opinión e información en la corrida en solitario de José Tomás

Fuente: elaboración propia

En *La Vanguardia*, de los 2 registros en los géneros de información, se repartieron en 1 noticia (50%) y 1 crónica (50%). *El Periódico de Catalunya* utilizó la noticia en 4 ocasiones (80%) y en 1 la crónica (20%).

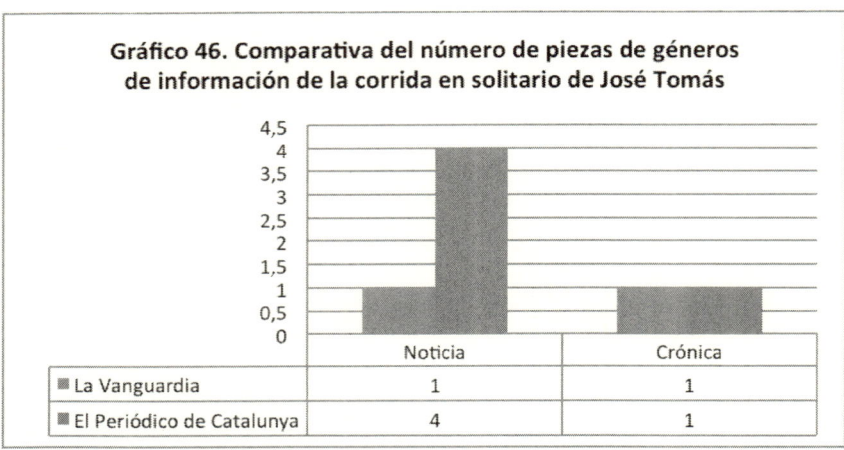

Gráfico 46. Comparativa del número de piezas de géneros de información de la corrida en solitario de José Tomás

	Noticia	Crónica
La Vanguardia	1	1
El Periódico de Catalunya	4	1

Fuente: elaboración propia

En cuanto a los géneros de opinión, como sucedió en el análisis de la corrida de reaparición, fue importante comprobar qué importancia se le daba al tema taurino y desde qué género se comentaba. En *La Vanguardia*, el artículo (columna y tribuna) dominó algo más de la mitad de las inserciones con el 55,55% del total de piezas del género de opinión. El resto de registros quedaron en una sola unidad: editorial, suelto, análisis y crítica. Llama la atención la no participación de los lectores en las cartas al director. *El Periódico de Catalunya* volvió a abrir su espacio para los ciudadanos, como sucedió dos años atrás, y constató el mayor número de registros en cartas al director (7 en total, el 70%). Seguidamente, 2 artículos (20%) y 1 encuesta de opinión (10%). Si en la cabecera de Godó faltó en esta ocasión la participación de los lectores, en el diario del Grupo Zeta no hubo crítica alguna de la corrida, pues se prescindió de la visión del experto taurino para este festejo, siendo sustituido por 1 crónica de un redactor del diario.

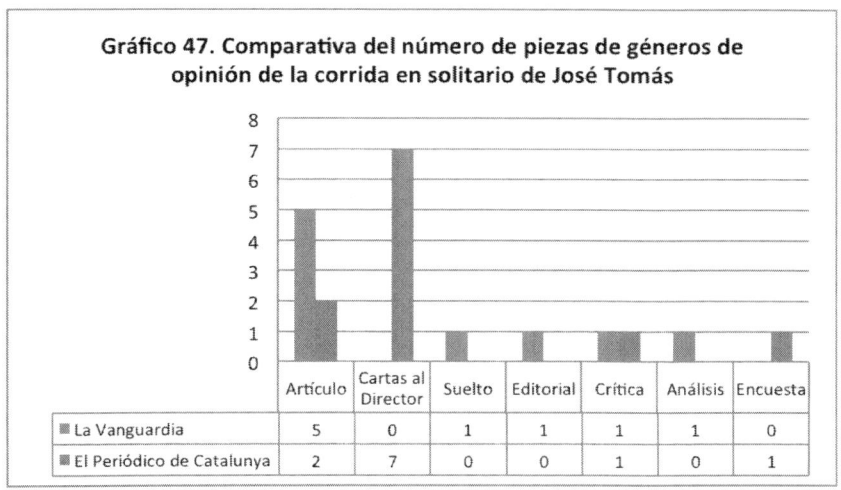

Gráfico 47. Comparativa del número de piezas de géneros de opinión de la corrida en solitario de José Tomás

	Artículo	Cartas al Director	Suelto	Editorial	Crítica	Análisis	Encuesta
La Vanguardia	5	0	1	1	1	1	0
El Periódico de Catalunya	2	7	0	0	1	0	1

Fuente: elaboración propia

Los resultados para el tema relacionado con el festejo taurino del encierro de José Tomás que trató *La Vanguardia* indican que la corrida de toros en sí fue el tema más tratado (63,63% del total de las informaciones del diario). En *El Periódico de Catalunya* los enfoques fueron muy igualados, como se puede apreciar en la tabla siguiente, siendo ligeramente superior por 1 ítem la corrida de toros (33,34%).

Tabla 48. Número y porcentaje de temas publicados de la corrida en solitario de José Tomás en *La Vanguardia* y *El Periódico de Catalunya*.

Temas	La Vanguardia	El Periódico de Catalunya
Total	11	15
Corridas de toros	7 (63,63%)	5 (33,33%)
Antitaurinos	2 (18,18%)	4 (26,66%)
Protaurinos	0	4 (26,66%)
Debate taurino	2 (18,18%)	2 (13,33%)

Fuente: elaboración propia

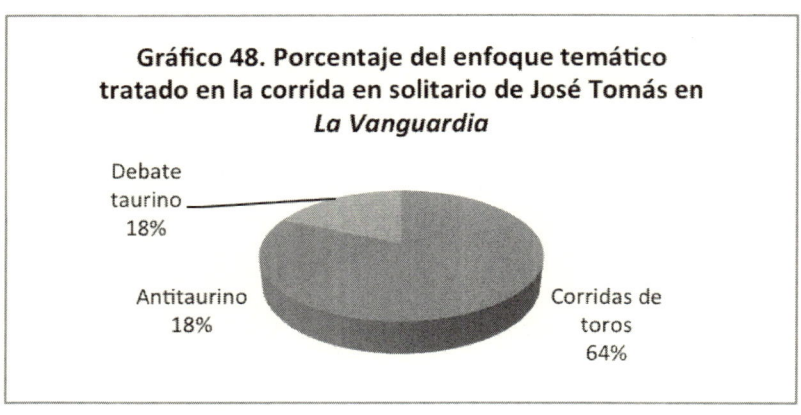

Fuente: elaboración propia

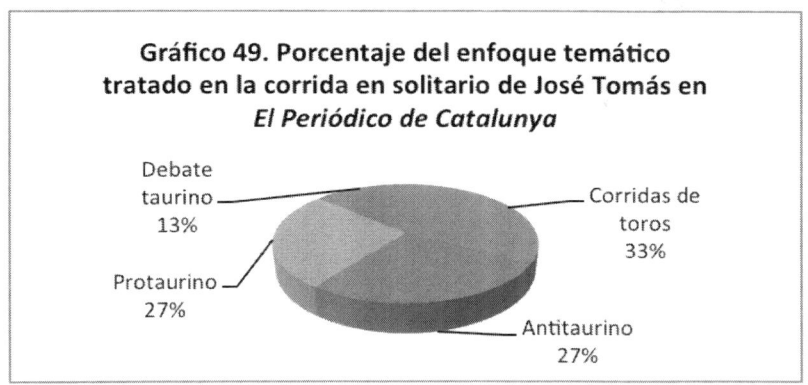

Gráfico 49. Porcentaje del enfoque temático tratado en la corrida en solitario de José Tomás en *El Periódico de Catalunya*

Debate taurino 13%

Corridas de toros 33%

Protaurino 27%

Antitaurino 27%

Fuente: elaboración propia

Un segundo nivel de análisis indica qué temas obtuvieron mayor importancia en los géneros de opinión e información. Sin lugar a dudas, lo más significativo de los datos que se publican a continuación en opinión fue el dominio del tema de la corrida de toros en *La Vanguardia* con un total de 5 ítems (55,5%). Todo lo contrario que en *El Periódico de Catalunya*, donde se equilibró los puntos de vista antitaurinoa y protaurinos, con 4 cada uno (40% y 40%) de los 10 ítems registrados. En información dominó el tema de la corrida de toros, el 100% en *La Vanguardia* y el 80% en *El Periódico de Catalunya*.

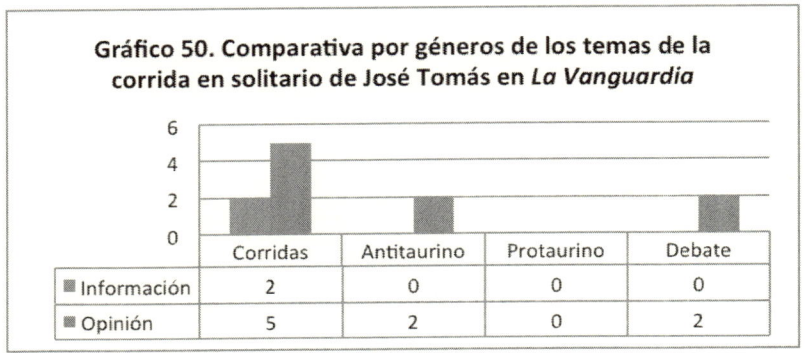

Gráfico 50. Comparativa por géneros de los temas de la corrida en solitario de José Tomás en *La Vanguardia*

	Corridas	Antitaurino	Protaurino	Debate
Información	2	0	0	0
Opinión	5	2	0	2

Fuente: elaboración propia

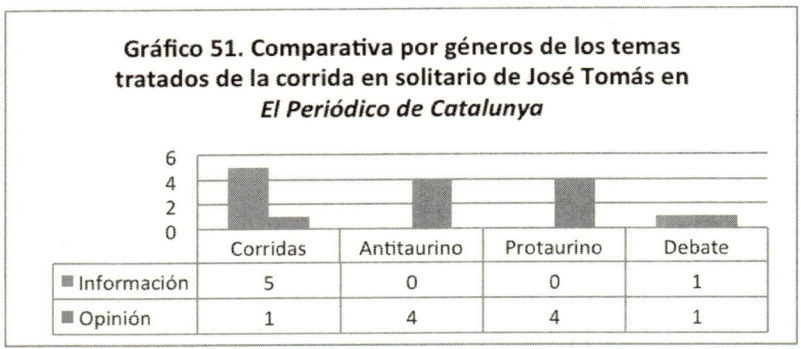

Gráfico 51. Comparativa por géneros de los temas tratados de la corrida en solitario de José Tomás en *El Periódico de Catalunya*

	Corridas	Antitaurino	Protaurino	Debate
Información	5	0	0	1
Opinión	1	4	4	1

Fuente: elaboración propia

La tercera capa del análisis fue las cartas al director de *El Periódico de Catalunya*, al no emplear *La Vanguardia* este género para la corrida en solitario de José Tomás. De las 7 cartas enviadas, 4 fueron protaurinas (57,15%) y 3 antitaurinas (42,85%).

Gráfico 52. Los temas de la corrida en solitario de José Tomás en las cartas al director de *El Periódico de Catalunya*

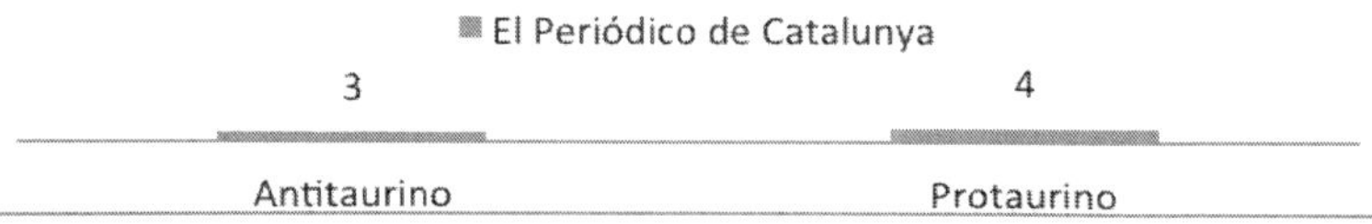

▓ El Periódico de Catalunya

3	4
Antitaurino	Protaurino

Fuente: elaboración propia

La última variable se centró en la autoría de los textos. Para obtener los resultados se mantuvo la clasificación del análisis de la corrida de reaparición: "Experto" (crítico o cronista taurino), "Redacción" (sin firma), "Firmas" (periodistas en nómina y colaboradores) y "Lectores" (en cartas al director).

Tabla 49. Número y porcentaje de la autoría de las informaciones de la corrida en solitario de José Tomás en *La Vanguardia* y *El Periódico de Catalunya*.

Autoría	*La Vanguardia*	*El Periódico de Catalunya*
Total	11	15
Experto	2 (9,37%)	0
Firmas	7 (63,63%)	5 (33,34%)
Redacción	1 (9,10%)	3 (20%)
Lectores	0	7 (46,66%)

Fuente: elaboración propia

En los resultados de las autorías se pone de manifiesto la casi invisibilidad del experto taurino (Paco March, en *La Vanguar-*

dia, con el 9,37% de las informaciones) y su desaparición por completo en *El Periódico de Catalunya*. Las "Firmas" ganaron protagonismo en las piezas del diario de Godó (63,63%), publicándose los dos textos antitaurinos firmados por la expolítica y periodista Pilar Rahola, persona muy mediática en la sociedad catalana. En el diario del Grupo Zeta, la presencia de "Firmas" fue del 33,34% del total de informaciones, registrándose 1 del autor de esta libro[573] sobre la corrida de toros. La participación de los lectores dominó en *El Periódico de Catalunya* sus registros, con el 46,66%, pero es interesante constatar la presencia de 3 textos firmados por "Redacción" (20%), que en otras ocasiones hubiese cubierto en el diario el especialista taurino.

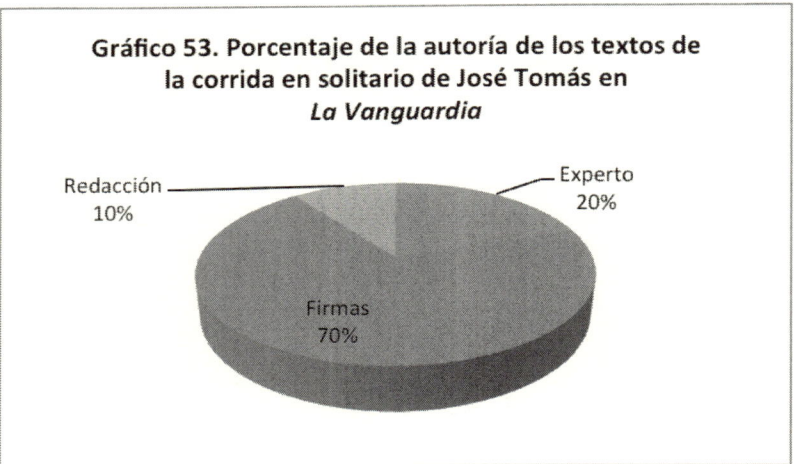

Gráfico 53. Porcentaje de la autoría de los textos de la corrida en solitario de José Tomás en *La Vanguardia*

Fuente: elaboración propia

---

573.   En un billete publicado en la sección Opinión expresé las críticas que llegaron desde Madrid al hecho de que el torero José Tomás escogiese Barcelona para encerrarse con seis toros en solitario por primera vez. En: CASTELLÓ RIBERA, J. I. "Ataque de cuernos". *El Periódico de Catalunya*, 9 de julio de 2009, p. 10.

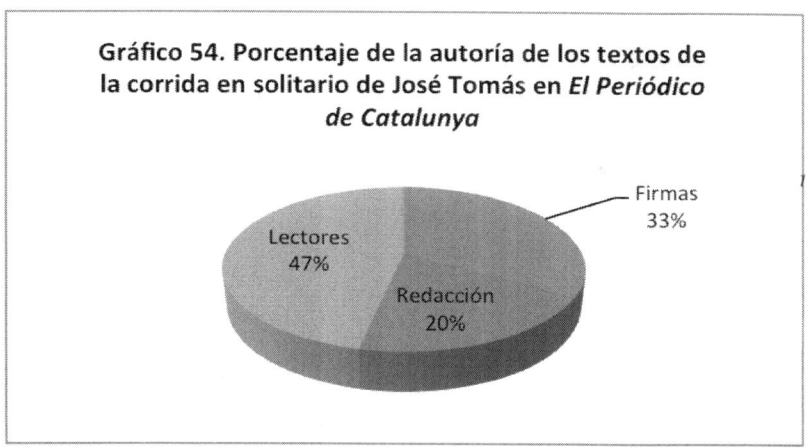

Gráfico 54. Porcentaje de la autoría de los textos de la corrida en solitario de José Tomás en *El Periódico de Catalunya*

Fuente: elaboración propia

Por la importancia que tiene la autoría del experto para el cuidado del tratamiento informativo de los toros, también en este análisis se hizo una segunda etapa de estudio para averiguar en qué géneros participaron los especialistas taurinos. Al prescindir *El Periódico de Catalunya* de esta figura para la corrida en solitario de José Tomás, el análisis realizado solo se remite a la figura de Paco March, de *La Vanguardia*, con estos resultados: 2 ítems repartidos en una crítica (50%) y 1 análisis (50%).

Tabla 50. Número de géneros periodísticos de la corrida en solitario de José Tomás firmados por el experto.

Géneros periodísticos tratados por el experto		
Autoría / Medio	Crítica	Análisis
Paco March / *La Vanguardia*	1	1

Fuente: elaboración propia

Valoraciones generales

Aunque en menor medida en comparación con el tratamiento anterior, tampoco podemos negar que esta corrida alteró la rutina informativa de la especialización taurina en los dos diarios y se desmarcó del universo del trabajo analizado. Los resultados del análisis también son concluyentes en cada uno de sus variables:

- La información taurina salió con esta corrida de José Tomás de sus páginas habituales para incrustarse en la sección de Opinión (27% en *La Vanguardia* y 67% en *El Periódico de Catalunya*). Destaca en ambos diarios el hecho de que fue noticia principal de portada.
- Los géneros de opinión se impusieron a los géneros de información con mucha diferencia en los dos medios de comunicación (81,82% de los textos en *La Vanguardia* y el 66,67% en *El Periódico de Catalunya*). Si para el caso de la cabecera de Godó fue la columna y la tribuna los subgéneros de opinión dominantes (55,55%), en el diario de la editorial Grupo Zeta fueron las cartas al director (70%).
- El tema más tratado en *La Vanguardia* fue la corrida en sí (63,63%). La actualidad que proporcionó José Tomás se repartió mucho más como temática en *El Periódico de Catalunya* (33,33% corrida; 26,66%, antitaurino; 26,66% protaurino, y 13,33%, debate), ganando protagonismo el discurso editorializante a través del enfrentamiento entre antitaurinos y protaurinos.
- En la autoría de los textos taurinos, la ocultación del especialista taurino, el "Experto", es manifiesta, con una representación del 9,37% de las informaciones en *La Vanguardia* y sin presencia alguna en las páginas de *El Periódico de Catalunya*. La

participación de este especialista taurino en la cabecera del diario de la familia Godó se reduce en su colaboración a la crítica y a un solo análisis.

13.4. Análisis y discusión de la incidencia de las dos corridas de José Tomás en las informaciones taurinas del periodo estudiado

Como quiera que la finalidad esencial de los dos análisis realizados de las corridas de José Tomás busca poner de manifiesto el grado de complejidad informativa llevado a cabo por los dos diarios seleccionados, hemos querido relacionar estos resultados con los obtenidos en las variables de la muestra de los festejos taurinos analizados desde 2004 a 2010, con una comparativa muy simplificada a partir de datos numéricos.

Sobre estas premisas, el objetivo esencial de este apartado es analizar el grado de incidencia de los mensajes informativos de las dos corridas de José Tomás (17 de junio de 2007 y 5 de julio de 2009) en la cuantificación de la información taurina extraída. De esta manera, determinaremos la importancia cuantitativa de la información del torero y su equivalencia porcentual en el universo de unidades periodísticas recogidas en el año del festejo celebrado. También, estableceremos el promedio con el número de unidades periodísticas y descubriremos la evolución del total de ítems recogidos en la muestra desde 2004 a 2010 a fin de clarificar la importancia del diestro en el tratamiento periodístico de los toros.

Tabla 51. Comparativa de los totales de festejos e informaciones y la incidencia de las dos corridas de José Tomás.

Total festejos e informaciones sin la incidencia de José Tomás			
Periodo	Festejos	*La Vanguardia*	*El Periódico de Catalunya*
2004-2010	145	159	183
Total festejos e informaciones con la incidencia de José Tomás			
Periodo	Festejos	*La Vanguardia*	*El Periódico de Catalunya*
2004-2010	145	200	224

Fuente: elaboración propia

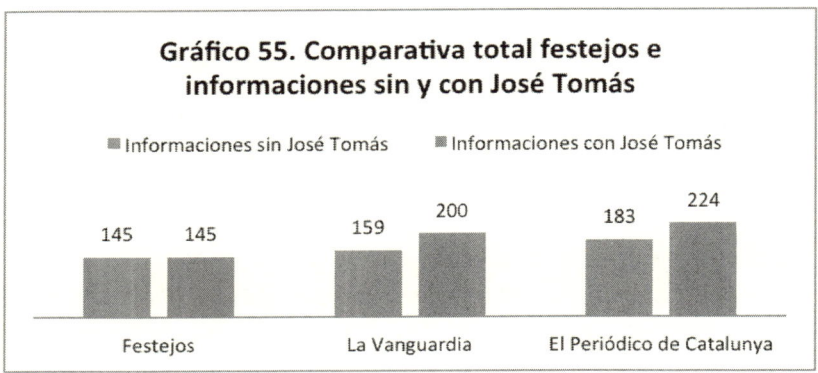

Gráfico 55. Comparativa total festejos e informaciones sin y con José Tomás

Fuente: elaboración propia

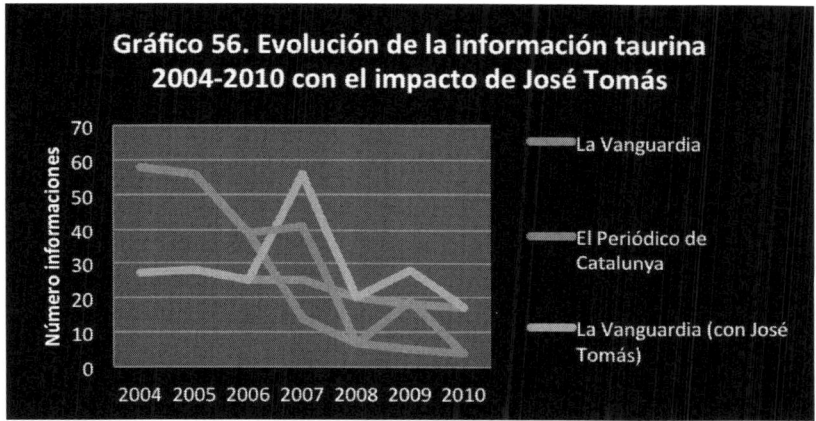

Fuente: elaboración propia

Tal y como indican la tabla y el gráfico superiores, el crecimiento numérico que se aprecia con la suma del tratamiento informativo de José Tomás confirma la notable variación en la evolución de la información taurina catalana de *La Vanguardia* y *El Periódico de Catalunya*. La incidencia supuso que se pasase en el total del año estudiado de *La Vanguardia* de 159 a 200 ítmes, el 25,78% de crecimiento; mientras que en *El Periódico de Catalunya* se pasó de 183 a 224, el 22,40% de crecimiento.

La variación de los porcentajes de las unidades periodísticas en un mismo año refleja todavía más la notoriedad que tuvo José Tomás en la cobertura taurina de los dos periódicos analizados. En el año 2007, la temporada de la corrida de la reaparición del 17 de junio, *La Vanguardia* pasó de 25 a 56 informaciones, 31 items más[574], lo que corresponde a un aumento del

---

574. Tanto para *La Vanguardia* como para *El Periódico de Catalunya* y para las dos corridas analizadas se contabiliza un ítem menos al estar computado en el total de los festejos 2004-2010. Este ítem corresponde a la crítica taurina del festejo.

124%. *El Periódico de Catalunya* experimentó el mismo creci-miento a lo largo del año, pasando de 14 a 27 informaciones, o sea 13 registros más, el 92,85% de crecimiento.

Para la corrida de toros en solitario de José Tomás del 5 de julio de 2009, *La Vanguardia* pasó de 17 a 27 informaciones, 10 ítems más, el 58,82% de aumento. Caso muy diferente a *El Periódico de Catalunya*, que registró un contundente crecimiento con la suma de todas las informaciones del festejo del torero, pasando de 5 a 19 informaciones, 14 ítems más, lo que supuso un aumento del 280%.

Tabla 52. Cuantificación y porcentaje de las informaciones con y sin las dos corridas de José Tomás.

Año	Medio	Sin José Tomás	Con José Tomás
2007	*La Vanguardia*	25	56 (+124%)
2007	*El Periódico de Catalunya*	14	27 (+92,85%)
2009	*La Vanguardia*	17	27 (+58,82%)
2009	*El Periódico de Catalunya*	5	19 (280%)

Fuente: elaboración propia

Por último, llevamos a cabo el cálculo para sacar la media del número de informaciones con José Tomás que correspon-de por cada festejo programado en las temporadas 2007 y 2009, y se realiza una comparativa sin la contabilización de di-chas informaciones, con unos números concluyentes tanto para este reducido intervalo de tiempo. *La Vanguardia* pasa de promediar en 2007 de 1,38 de informaciones dedicadas al fes-tejo a 3,11 y en 2009 pasa de 0,94 a 1,5. *El Periódico de Catalunya* presenta también una media superior: en el 2007, de un 0,77 de media por festejo pasa a 1,5 y en 2009, de 0,27 a un 1,05.

Tabla 53. Promedio de las informaciones publicadas por festejo programado con y sin las dos corridas de José Tomás.

Año	Medio	Festejos	Informaciones sin José Tomás		Informaciones con José Tomás	
			Informaciones	Promedio	Informaciones	Promedio
2007	La Vanguardia	18	25	1,38	56	3,11
2007	El Periódico de Catalunya	18	14	0,77	27	1,5
2009	La Vanguardia	18	17	0,94	27	1,5
2009	El Periódico de Catalunya	18	5	0,27	19	1,05

Fuente: elaboración propia

La realidad taurina del periodo 2004-2010 confirmó que cuando José Tomás toreó marcó distancias en la información de la temporada barcelonesa. Concretamente, en las corridas del 17 de junio de 2007 y el 5 de julio de 2009, con una cobertura desproporcionada comparada con todo lo que se venía haciendo hasta el momento. Esto implica que alrededor de este torero se puso en marcha un aparato informativo importante que demostró el grado de complejidad de la información especializada taurina.

Tabla 54. Evolución de la media de informaciones por festejo desde 1984 a 2010 con y sin las dos corridas de José Tomás analizadas.

Año	Festejos	Informaciones	Promedio	Informaciones	Promedio
1984	32	56	1,75	63	1,96
1989	29	59	2,03	59	2,03
1994	27	55	2,03	64	2,37
1999	25	38	1,52	56	2,24
2003	22	23	1,04	52	2,36
2004	26	27	1,03	58	2,23
2005	24	28	1,16	56	2,33
2006	25	25	1	39	1,56
2007	18	56	3,11	27	1,5
2008	17	20	1,17	7	0,41
2009	18	27	1,5	19	0,5
2010	17	17	1	4	0,23

Fuente: elaboración propia

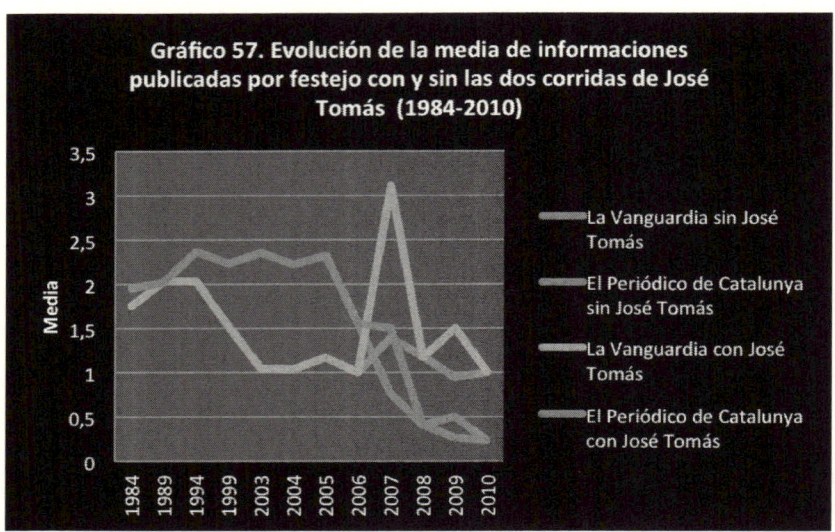

Fuente: elaboración propia

Volvamos la mirada atrás, y veamos la representación visual de la media de información por festejo con José Tomás desde 1984 para compararla con la representación sin sus dos corridas ya analizadas. El resultado muestra una manifiesta divergencia del tratamiento en *La Vanguardia*, con una punta de oscilación en el tratamiento periodístico de 2007 y 2009. No se produce una gran alteración en la línea descendente de *El Periódico de Catalunya*, lo único que hace la mayor cobertura del festejo es frenar la caída en picado del asunto taurino en las páginas de Grupo Zeta.

Valoraciones generales

La variación en el cómputo numérico de informaciones publicadas que supone añadir los dos festejos de José Tomás al auniverso analizado desvirtúa la realidad de la información de la temporada taurina en la Monumental de Barcelona en ambos diarios. Para *La Vanguardia* supone un 25,78% de crecimiento en tratamiento informativo; para *El Periódico de Catalunya* representa el 22,40%.

Y si hacemos la fotografía del año 2007, justo renovado el Tripartito, con la mayoría de los socios de Gobierno antitaurinos y en pleno declive de la información taurina según los números estudiados, *La Vanguardia* experimenta un crecimiento del 124%, mientras que *El Periódico de Catalunya* supone el 92,85%. Para el 2009 la temporada queda retratada con los siguientes números: crecimientos del 58,82% en casa de la familia Godó y del 280% en el Grupo Zeta.

PARTE VII
Conclusiones

14. Conclusiones

En este capítulo se presentan las conclusiones más generales que se han ido desarrollando a lo largo de este estudio. Tras un repaso historiográfico de la tauromaquia y de los dos medios de comunicación seleccionados, de la especialización periodística taurina y de la actualidad catalana, y realizados los distintos análisis, extraídos los datos más significativos y hechas las valoraciones de las variables seleccionadas, tenemos los elementos de juicio para explicar si finalmente la prensa apuntilló a los toros en Cataluña, como bien titula el libro.

14.1. Verificación de la influencia de la prensa en la prohibición de los toros

De acuerdo con el resultado de este estudio, la hipótesis que parte de que el periodismo taurino de *La Vanguardia* y *El Periódico de Catalunya*, con los rasgos propios de la especialización y contra la voluntad de sus autores, contribuyó al fin de la fiesta de los toros en Cataluña, se ha verificado en parte por el número de informaciones publicadas y el tratamiento dispensado por estos dos medios. Tanto el diario del Grupo Zeta como el

de la familia Godó, este en menor medida, empeoraron la situación taurina catalana con un tratamiento escaso y poco
ponderado, que provocó un efecto desfavorable en la opinión
pública. La relevancia dada a la temporada taurina barcelonesa
fue bien pobre comparada con otros tiempos, fortaleciendo la
opción de abandono y despreocupación, por lo que se deduce
que los ciudadanos catalanes se alejaron de la realidad de la
fiesta de los toros en la plaza Monumental y solo tomaron conciencia de su actualidad cuando los dos medios de comunicación seleccionados informaron de la presencia de José Tomás
o el antitaurismo. Todo este panorama favoreció una corriente
de despreocupación por el tema taurino en Barcelona que creó
un clima favorable para que la toma de decisión en el Parlamento catalán de prohibir las corridas de toros en Cataluña no
se viese como un hecho excepcional.

Los dos periódicos, paladines en papel de la prensa catalana,
cuando fijaron en la agenda la fiesta de los toros lo hicieron de
forma asimétrica los últimos años. O bien la presentaron de
forma esporádica, por la prominencia textual que causó la presencia de José Tomás, o de forma interesada, a través del enfoque narrativo para justificar o condenar ciertas acciones polémicas de las corridas, o por respeto de la tradición, que no fue
otro que el cumplimiento del compromiso de informar. En *El
Periódico de Catalunya*, la falta de un criterio para encuadrar la
información taurina y el escaso interés mostrado por la temporada barcelonesa se agudizó en los últimos años hasta padecer
una situación de exclusión discursiva, provocando una desorientación en la opinión pública hacia el presente taurino catalán. En *La Vanguardia*, se desarrolló la información a partir
de la crítica taurina y con una tendencia descendente progresiva en su cobertura, sin buscar otros géneros periodísticos que
pudiesen potenciar la divulgación del tema taurino y arrinco-

nando cada vez más dicha información en las zonas menos relevantes de sus páginas, lo que confirmó la baja escala de preferencia que tuvo para el diario la temporada barcelonesa, reafirmando la impresión entre los lectores de un desconocimiento progresivo de la actualidad taurina catalana.

Sobre la confirmación de la hipótesis secundaria de que *La Vanguardia* y *El Periódico de Catalunya* dedicaron menos espacio a los toros empujados por presiones externas e intereses informativos, queda verificada por el segundo de los motivos según se desprende de las entrevistas realizadas. No se tiene en consideración la opinión del escritor taurino Juan Soto Viñolo[575], quien se reafirma en presiones externas para no hablar mal del empresario de la plaza a cambio de poner publicidad en las páginas del diario, pues no influye en el estudio del tratamiento periodístico del medio que hemos realizado. No obstante, sí se tienen en cuenta parte de nuestro desarrollo historiográfico y las reflexiones hechas por los responsables de la sección para confirmar que la información taurina no fue ajena a la coyuntura histórica del momento, y en especial a la evolución de los nuevos gustos de la sociedad, compitiendo en inferioridad de intereses ante otros contenidos informativos.

Otra de las hipótesis secundarias que se verifica por la cantidad de informaciones publicadas y despliegue informativo es que los dos periódicos únicamente le dieron la proyección adecuada a la temporada barcelonesa cuando José Tomás ocupó un papel relevante en su información. No cabe duda de que este torero fue un tema que no dejó indiferente a nadie y que dio para hablar y llenar páginas en los diarios con independencia de posicionamientos ideológicos y líneas editoriales. José

---

575. Entrevista a Juan Soto Viñolo realizada el 12 de julio de 2012 [ver Anexo 3.2.].

Tomás amplificó la información de la temporada barcelonesa y despertó el interés de la prensa catalana cuando bien poco preocupaba el curso taurino en la Monumental, por lo que se concluye que hubiese sido necesaria su presencia cada jornada para impulsar los toros en Barcelona y evitar el riesgo de prohibición en una época de claro retroceso del tratamiento informativo taurino.

Sin embargo, la realidad periodística analizada en este estudio indica que esta cobertura sobre la presencia de José Tomás, con una amplitud del espacio dedicado, no fue del todo positiva para la fiesta de los toros en Barcelona porque los dos periódicos, si bien rompieron el patrón de publicación que desempeñaban en sus páginas con el tema taurino, actuaron en doble sentido: ofrecieron un tratamiento más cercano a una imagen propagandística de la fiesta de los toros y aprovecharon por iniciativa del diario, no del escritor taurino, la presencia del torero de Galapagar para conceder una considerable importancia a temas más enfocados al interés político y social de las corridas, demostrando por las reacciones de los lectores el poder de los medios para generar una influyente narrativa que justificase o condenase la fiesta.

En cuanto a la última de las hipótesis secundarias que planteaba que el periodismo taurino catalán no tuvo la adecuada divulgación por parte de los dos diarios para acercarse con eficacia al público en general, podemos aportar lo siguiente: el papel protagonista que la información de las corridas de toros barcelonesas desempeñó siempre en los dos medios se ancló durante el periodo estudiado en un modelo periodístico contradictorio, que poco hizo para captar y fidelizar a los lectores. No existió un planteamiento claro y uniforme para ofrecer una cobertura informativa atractiva de la actualidad taurina barcelonesa. El tratamiento periodístico de *La Vanguardia* y *El Perió-*

dico de Catalunya fue excesivamente monolítico, sin emplear técnicas redaccionales que permitiesen acercar con eficacia esos contenidos especializados a la audiencia. Tan solo usaron fórmulas expresivas y ciertos estilos periodísticos peculiares cuando trataron aspectos más sensacionalistas de la fiesta, incentivando el interés por parte del lector corriente hacia las consecuencias que generó la presencia de José Tomás, como bien demuestran los comentarios (artículos y cartas al director) que se derivaron.

14.2. Conclusiones que se derivan del tratamiento informativo

1. Hemos podido corroborar, a través de un recorrido histórico, que la fiesta de los toros en Cataluña fue un objetivo indiscutible para la prensa catalana, concretamente para *La Vanguardia* y *El Periódico de Catalunya*, convirtiéndose en una información importante en su momento en las páginas de estos dos diarios como reflejo de que las corridas de toros no fueron un espectáculo ni una cultura ajena a Cataluña. Los autores consultados, las fuentes bibliográficas y los análisis realizados nos permiten establecer que estos dos medios de comunicación sentaron las bases del periodismo taurino en Cataluña y plasmaron con sus escritos los fundamentos del género informativo de los toros, demostrado con numerosos ejemplos, como es el caso de la dificultad de diferenciar entre cronista y crítico, constatado en este trabajo a través de la historia de los medios, la propia opinión de sus protagonistas y los estudios de los principales investigadores del Periodismo.
2. El análisis del material expuesto en *El Periódico de Catalunya* y *La Vanguardia* ha mostrado que la cobertura informativa de la

temporada taurina barcelonesa, incluso con los altibajos que causó la presencia de José Tomás, agudizó su descenso a medida que iba viéndose acosada la fiesta de los toros en la comunidad catalana. Con una claridad meridiana, se demuestra cómo *El Periódico de Catalunya*, después de evolucionar y consolidar la información taurina como área temática en el diario, pasó a su casi total marginación discursiva. *La Vanguardia*, en cambio, se limitó a continuar la tradición informativa que tuvo siempre con la temporada barcelonesa, reduciéndola en términos porcentuales y demostrando escaso interés por abordarla y ocupar un mayor protagonismo al colocarla los últimos años en las zonas menos relevantes de sus páginas. La interpretación de por qué desaparece casi en su totalidad y no recibe un mejor trato es la siguiente: los responsables de estos dos diarios consideraron que la información de las corridas era una temática periodística de menor entidad que otras en una época de cambio social y político, por lo que un tratamiento diferenciado podía señalarlos dentro de la prensa catalana.

3. El estudio y análisis realizados evidencian un cambio significativo en el tratamiento informativo en ambos diarios a partir de 2006, año de la renovación del Tripartito, con mayoría de los socios antitaurinos, mucho más acusado cuantitativamente y cualitativamente en *El Periódico de Catalunya*. Así, el diario del Grupo Zeta sale peor parado en cualquiera de los gráficos analizados y evidencia, desde ese año, su escasa implicación en la cobertura de los festejos celebrados en la Monumental. *La Vanguardia*, en cambio, siguió ofreciendo informaciones con la misma regularidad, pero con una progresiva tendencia a la baja.

4. Los resultados obtenidos del periodo de esta investigación no guardan paralelismo con el tratamiento informativo que demostraron los dos periódicos a lo largo de su historia. El enorme poder que tuvo el tema taurino en la agenda de estos medios para generar visibilidad pública a los actores del mundo taurino se marginó de sus páginas o contribuyó a justificar o condenar ciertas acciones. Queda comprobado por la paginación, emplazamiento y extensión, que las secciones cambiaron, se estructuraron de diferente manera y se adaptaron a los nuevos gustos de la sociedad sin tener apenas espacio redaccional. De esto se deduce, tras el estudio de la tauromaquia en Cataluña, que el factor principal del progresivo retroceso informativo no fue el declive de la propia fiesta de los toros, constatada mucho antes en la comunidad catalana, y sí otros factores ajenos a las corridas.

5. La evolución que experimentó la información de la temporada barcelonesa en el amplio periodo comprendido entre 2004 y 2010 denota una influencia ideológica subyacente en los dos diarios analizados. En *El Periódico de Catalunya*, progresista y de izquierdas, se observó una caída progresiva coincidiendo con la idea del Gobierno del Tripartito y del Ejecutivo socialista del Ayuntamiento: poner fin a la fiesta de los toros. *La Vanguardia* siguió un mismo patrón de publicación durante ese tiempo, eso sí a la baja, y mostrando una ambigüedad en su posición. Este comportamiento fue un fiel reflejo de la actitud que mantuvo durante el proceso de abolición el partido más afín a su estrategia editorial: Convergencia i Unió. Por tanto, se concluye este punto afirmando que ningún diario pudo extraerse de la coyuntura política, muy erosionada sobre la opinión de los toros desde el nacionalismo de Jordi Pujol.

6. *La Vanguardia* y *El Periódico de Catalunya* destacaron a partir de 2007 la información de la temporada taurina barcelonesa cuando contuvo un aditamento esencial: José Tomás, votaciones, última corrida, etc. Solo en esos casos de notoriedad informativa los periódicos ampliaron el espacio dedicado y destacaron la especialización periodística taurina en portada, en rataplanes de las portadillas de la sección o mediante un tratamiento editorial diferenciado. Del análisis efectuado se puede interpretar que se vieron arrastrados por la coyuntura taurina catalana y aprovecharon el interés informativo de un acontecimiento para poner sobre la mesa el debate taurino en Cataluña, haciéndose eco de partidarios y enemigos y provocando la reacción de los lectores (cartas al director). Este tratamiento fragmentario y caprichosamente seleccionado provocó que la percepción de la opinión pública con la temporada en Barcelona no fuese real, pues consideró la corrida como un espectáculo excepcional y no una parte más de la actividad taurina barcelonesa como siempre había sido.

7. La cobertura informativa de la temporada taurina hubiese tenido un tratamiento diferenciado y continuado en los dos diarios si siempre hubiese toreado una figura como José Tomás. Su presencia en la Monumental sirvió para que la prensa analizada recuperase una estrategia informativa suficientemente desarrollada que había demostrado en tiempos anteriores.

8. Por el indiscutible rol que representan los dos diarios dentro de la vida política nacional catalana, la actitud pasiva o prudente que manifestaron sobre el tema taurino se pudo ver influenciada por el profundo ambiente nacionalista del Gobierno y del Ayuntamiento, en su mayoría contrario a los toros. *El Periódico de Catalunya* sumó a su pasividad el respeto por los defensores de los animales, tema muy sensible en sus páginas y en consonancia con su ideología progresista.

9. La información taurina se impuso durante la época estudiada como un elemento distorsionador en la sociedad catalana antes que como una manifestación cultural. Por dos razones principalmente: los gobiernos nacionalistas sostuvieron que los festejos taurinos eran una seña de identidad cultural española, y los sectores ecologistas, en un periodo de conquistas sociales, defendieron los derechos de los animales frente a un espectáculo que consideraron bárbaro y deleznable. Ante este panorama, una cobertura periodística preferencial de los toros pudo convertirse para los medios en un ejercicio políticamente incorrecto, generando protesta o rechazo.

10. A través del tratamiento informativo, representado en las características redaccionales y la presentación de los materiales, se desprende que *El Periódico de Catalunya* no cumplió los últimos años con su vocación de modelo de diario de servicios, omitiendo una información de un espectáculo que como cualquier otro podía interesar a los lectores en la ciudad de Barcelona. Además, reflejó, junto a *La Vanguardia*, una línea editorial hacia los toros acorde a la estrategia del periódico. Así, fue inmovilista y continuista en *La Vanguardia*, manifestado por el perfil conservador y culto del lector, la herencia de un modelo informativo del pasado y la escasez de cambios que se produjeron en la dirección del diario y en la propia sección; y flexible y progresista en *El Periódico de Catalunya*, no por la firma, que sí tuvo su continuidad, sino por la vocación e intencionalidad informativa por los temas más cercanos a los ciudadanos y por los cambios en la dirección del diario.

11. La excepcionalidad del hecho noticioso se convirtió a partir del año 2006 en el criterio fundamental para que la temporada taurina tuviese en la redacción de *La Vanguardia* y *El Periódico de Catalunya* un tratamiento diferenciado y protagonista. Ya se sabe que cuanto más excepcional y polémico resulte un hecho, mayor será la relevancia que alcance en la agenda informativa y, por consiguiente, en el propio diario. Por tanto, la preferencia por los temas que se salieron de la monotonía de la temporada barcelonesa, caso de José Tomás, se constató en ambos diarios con manifiesta claridad, dejando al resto

de la temporada como un asunto no prioritario en su sección.
12. Ante una fiesta decadente y criticada, los dos periódicos no redoblaron esfuerzos periodísticos para difundir la temporada barcelonesa y decidieron apostar por otros espectáculos. Recortaron páginas, limitaron el trabajo de sus autores y desviaron sus informaciones más importantes a otras cuestiones taurinas, ubicando los textos en las zonas menos relevantes, sin cuidar sobremanera el contenido para mantener el interés de la audiencia.
13. En el tratamiento de la temporada taurina se produce en los dos diarios una escasa diversidad de géneros periodísticos, con dominio aplastante de la crítica frente a la noticia, lo que nos permite interpretar que hubo escasa voluntad durante el periodo estudiado de informar más allá del escrito de la corrida de toros de la temporada barcelonesa. Tan solo se da una clara preponderancia de géneros cuando aparece en escena José Tomás, aumentando todavía más el texto opinativo y retrocediendo el informativo, lógica dinámica cuando hemos comprobado en nuestro análisis que este torero tuvo un tratamiento temático enfocado hacia la polémica y el sensacionalismo de la fiesta.
14. El porcentaje de noticias, reportajes y entrevistas, bajísimo en la época estudiada, descendió gradualmente con el paso de los años, lo que da lugar a un mayor grado de desconocimiento de la actualidad de las corridas en Barcelona. Este escaso uso de géneros impidió, además, un mayor grado de interpretación por este tipo de información. También podemos deducir de esta conclusión, que el modelo periodístico de este género (crítica taurina) no encaja en la narrativa moderna, ágil y de rápida lectura que imponen los nuevos tiempos y las nuevas tecnologías entre los jóvenes, por lo que resta aficionados que pueden interesarse por la fiesta de los toros.

15. Hasta bien entrada la primera década del siglo XXI queda demostrada la continuidad en la autoría de quien escribe de toros. Esta línea editorial muestra el grado de especialización que adquirió la información taurina en los dos medios y el nivel alto de dependencia que tuvieron con la firma para ejercerlo. De esta última conclusión se constata que el esfuerzo del periodista especializado no tuvo sentido desde que los dos medios de comunicación mostraron señales evidentes de que no estaban dispuestos a incorporar sus contenidos taurinos de manera reglada. Este hecho creó animadversión y rechazo durante el periodo estudiado en Antoni González y Juan Soto Viñolo en *La Vanguardia* y *El Periódico de Catalunya*, respectivamente, quienes constataron que una mayor implicación en el tema de los toros no representaba un mejor tratamiento.

16. El empleo de firmas expertas, aunque es una de las características básicas en las que más destaca este especialización periodística, pasó inadvertido en los dos medios cuando se trataron otros temas derivados de la corrida de toros. Esto se puede apreciar en el caso de las dos informaciones de José Tomás, con unidades periodísticas complementarias en *El Periódico de Catalunya* y *La Vanguardia* tratadas por el equipo de redacción y sin más protagonismo para el escritor taurino que el análisis de la corrida. De lo que se concluye lo siguiente: esta política redaccional redunda en la ininteligibilidad de los hechos más allá de lo concreto y circunstancial de cada caso, y en el manifiesto desinterés de la participación de una voz siempre favorable para el mundo taurino en Cataluña.

17. El encuadre de la información de la temporada de toros de Barcelona cambió en los últimos años de las corridas en Cataluña al abarcar una actualidad muy variada, especialmente con la cobertura del fenómeno de José Tomás. Con el objetivo de ahondar en aquellos temas que le resultaban más afines (debate, prohibición, manifestaciones), *El Periódico de Catalunya* prescindió de publicar la información en Espectáculos para llevarla en el 2010 a Sociedad (perteneciente a la macrosección Cosas de la Vida), lugar en el que no estaba acostumbrado el lector a encontrar los festejos de la Monumental. *La Vanguardia* dispersó la temática taurina por las páginas de su diario únicamente en el caso de José Tomás, denotando inestabilidad temática y un significativo cambio de enfoque en la información. Este tratamiento contradictorio, sin criterios claros y uniformes, puede influir en la concepción de los toros por parte de la opinión pública.

18. El análisis de las piezas periodísticas de opinión pone al descubierto que el número de declaraciones favorables a la defensa de los toros fue superior, y que a medida que avanzó en el tiempo la protesta antitaurina surgieron más comentarios especializados al respecto. En el caso de los editoriales, solamente publicados por la presencia de José Tomás, se deduce que los diarios no tuvieron opinión propia sobre el tema de los toros o prefirieron no posicionarse para evitar una imagen no deseada por la corriente prohibicionista que se estaba imponiendo en la opinión pública. Esos sí, jamás mostraron una posición contraria o a favor de los toros, como sí sucedió en *La Vanguardia* a principios del siglo xx cuando decidió no publicar información de las corridas en sus páginas.

19. *El Periódico de Catalunya* mostró una manifiesta vaguedad a la hora de catalogar las crónicas de la temporada de toros en Barcelona y darles un tratamiento homogéneo (epígrafe y ficha). El error, que puede partir de la ignorancia, indiferencia o intencionalidad del equipo de redacción, provocó confusión al lector frente al texto taurino, desubicado en numerosas ocasiones de su sección habitual y con una categorización ajena al desarrollo del festejo. *La Vanguardia*, en cambio, mantuvo mayor coherencia, considerando los toros como una manifestación cultural, mientras que para el diario del Grupo Zeta siempre fue un espectáculo y hasta, en su momento, una fiesta como cualquier otra tradición popular tan catalana como las sardanas o los *castellers*.

20. La comprensibilidad de los titulares de las críticas taurinas fue dispar en *La Vanguardia* y *El Periódico de Catalunya*. En el diario de Godó se optó por el título opinativo, propio del género de la crítica, que aunque su función principal sea atraer al lector, se convirtió en excluyente para quien no tuvo interés por las corridas en una ciudad donde cada vez se hablaba menos de ellas. En la cabecera del Grupo Zeta se publicaron titulares más informativos, empleando todos los elementos de titulación, rebajando el grado de dificultad para su lectura e interés por la actualidad.

21. La fotografía se convirtió en un elemento fundamental de información cuando se buscó destacar un punto de vista distinto de la corrida. Se utilizó en un elevado porcentaje durante el periodo estudiado en *El Periódico de Catalunya*, que siempre presentó una mejor disposición para publicar fotografías por la estética y diseño de su cabecera y por el enfoque que se le quiso dar a los toros en los últimos años. Su intencionalidad fue acorde con la idea que se quiso expresar en ese momento. En *La Vanguardia*, el protagonismo de la imagen para ilustrar las unidades periodísticas taurinas fue escaso, dificultando a los lectores que asimilaran la información con mayor rapidez o la retuvieran en la memoria.

22. La inserción de la información de la temporada publicada en las páginas pares e impares fue bastante equilibrada, si bien hubo una manifiesta intención en la ubicación de la página para cuando se quiso crear un efecto sobre el lector. Este parcial tratamiento demostró la estrategia informativa hacia los toros.

23. En relación al contenido temático, los textos reprodujeron en una gran mayoría porcentual la propia corrida de toros. Cualquier otro tema derivado del festejo (normativa, protestas, cogidas, triunfos), salvo alguna excepción, solo fue abordado días posteriores cuando toreó José Tomás.

24. Los dos medios de comunicación seleccionados demostraron escasos mecanismos de fidelización y captación de lectores durante el periodo estudiado y no crearon elementos de tensión informativa, salvo el caso de José Tomás, una excepción puntual y sin continuidad para el resto de la temporada. Incluyo en esta conclusión el uso de los recursos tipográficos, elementos para atraer la atención y facilitar la comprensión de la lectura, que tuvo un claro descenso en *La Vanguardia*. Sin embargo, tuvo una manifiesta intencionalidad en *El Periódico de Cataluña*: su uso en los textos se produjo especialmente cuando los últimos años de las corridas en la Monumental se dio un enfoque diferente al que siempre ofrecido.

25. Los dos diarios se preocuparon siempre de no incorporar en sus titulares el concepto "Fiesta Nacional" para evitar otras interpretaciones que pudiesen llevar a equívoco. Este esfuerzo llevado a cabo por el escritor taurino es una lección aprendida de herencias del pasado. Por ejemplo, del tratamiento de las corridas durante la época de Galinsoga, cuando buena parte de la sociedad catalana lo consideró como un giro hacia el españolismo, asociando lo taurino como una herramienta de imposición en la línea editorial de *La Vanguardia* de la posguerra. Precisamente, por el relieve simbólico que adquirió como representación de lo español y el uso que hizo Franco de la fiesta de los toros, fue objeto del rechazo por numerosas esferas de la política y la sociedad catalana.

26. Hay una correlación evidente hasta el año 2006 en los dos diarios analizados entre las informaciones publicadas y las corridas programadas. A partir de ese año, con la celebración de la temporada 2007, fue cuando empezó a descender el número de festejos taurinos en toda España, acusándose bastantes años antes en Cataluña, llegando esa correlación a la que hacemos referencia a ser menor en *La Vanguardia,* y dejando de existir en *El Periódico de Catalunya.*

14.3. Evaluación de la actuación periodística

La crónica taurina actual es el producto de una lenta evolución a través de miles y miles de textos periodísticos escritos y publicados durante más de doscientos años. Su evolución se ha visto influida por la propia evolución del toreo a pie y de la cultura en España a lo largo de los siglos XIX y XX[576].

De esta reflexión final a la que llega Celia Forneas en su estudio sobre la crónica taurina, y que ya he citado brevemente en el capítulo *Evolución histórica y cultural del periodismo taurino,* podría hacer acopio para resumir la la cobertura periodística que de la fiesta de los toros se publicó desde 1881 a 2010 en *La Vanguardia* y desde 1978 a 2010 en *El Periódico de Catalunya.* Nada más parecido a la realidad experimentó el diario de la familia Godó, donde, fobias aparte, manifestadas durante una de las épocas que precedería la capitalidad mundial de Barcelona en el toreo, la información taurina que se publicó en su larga centenaria historia fue un fiel reflejo de la trayectoria del toreo y de la especialización periodística, a caballo entre la información, la interpretación y la opinión, y que en ocasiones dio también la impresión de encontrarse más cerca de la literatura

---

576.   FORNEAS FERNÁNDEZ, Mª C. *La crónica taurina actual,* p. 157.

que del periodismo. La misma reflexión se puede aplicar a *El Periódico de Catalunya*, que a través de su especialista estableció con sus textos las características de este tipo de información periodística especializada y la tipificó al mismo nivel que cualquier manifestación popular.

Esta cita de Forneas no solo es una conclusión sobre la realidad informativa que ha tenido el mundo de los toros en Cataluña desde su origen hasta su abolición, permite, además, afirmar que el periodismo taurino evolucionó también en las páginas de los dos diarios catalanes como especialización, al mismo ritmo que avanzaron el toreo y la cultura en España, los pilares en los que he sostenido este libro. Además, confirma que la información taurina fue tratada, cuando se publicó, como un texto literario insertado como un lujo en el diario, y que el papel de Cataluña y de los toreros catalanes en la evolución del arte de la tauromaquia fue crucial para explicar el tratamiento de esta especialización periodística en los dos periódicos.

A lo largo de toda su historia, en *La Vanguardia* y *El Periódico de Catalunya*, cronista, crítico y revistero se emplearon como sinónimo, confirmando la compleja definición que provocae en el periodismo taurino. Muchas de las leyes y tradiciones que fueron creadas en Barcelona tuvieron eco en sus páginas. Los dos diarios de la ciudad fueron vivo testimonio de que durante muchos años las plazas barcelonesas ocuparon el escalafón más alto de la tauromaquia. Por tanto, quien quiera pensar que la capital catalana debía tener más voz en el orbe taurino que el de una simple comparsa, como desde unos años hasta esta parte algunos han pretendido ver, tienen toda la razón; no obstante, también es bien cierto que existió un progresivo declive de la fiesta en el ruedo de la Monumental, como así hemos constatado, con su efecto paralelo en los medios de comunica-

ción, con una despreocupación progresiva hacia un espectáculo minoritario y acosado.

Pero, como se ha visto, ni *La Vanguardia* ni *El Periódico de
Catalunya* supieron tampoco defender un espectáculo de muchos años con el suficiente esfuerzo periodístico que habían
demostrado en años anteriores. *La Vanguardia* trató de mantener la tradición de su periodismo taurino iniciado en el siglo
XIX con la visión general y apasionada que desde el punto de
vista técnico y estético emplearon los escritores taurinos. La
cobertura informativa hasta finales del siglo XX evidenció que
el diario asumió su responsabilidad informativa de cuanto ocurría en los ruedos de su ciudad. El protagonismo que se le dio
en sus inicios a las corridas de toros, tanto en el anuncio de los
carteles, siempre en la portada del diario, como en el espacio
preferencial temático que ocupó en el contenido, en las primeras noticias y con un titular, confirmó el compromiso periodístico del periódico con sus lectores y que la fiesta de los toros
era una de las diversiones artísticas con más arraigo en Barcelona.

La Vanguardia, de 1881 a 2010, vivió 130 años de su historia
con firmeza en cada una de sus decisiones editoriales. Este
tiempo se dividió, en cuanto a lo taurino, en tres etapas bien
diferenciadas: una primera que va desde 1881 a 1900, una segunda de 1901 a mediados de 1939, y una tercera de mitad de
1939 a 2010; los tres periodos estrechamente unidos a la vida
barcelonesa y a la actualidad del toreo, pero con un comportamiento de cierta obligatoriedad informativa a partir del siglo
XXI, muy manifiesto, como se ha comprobado en los años de
nuestro estudio.

El Periódico de Catalunya, en cambio, rompió con el incipiente pasado taurino que pobló de informaciones sus páginas y
prescindió, entrado el nuevo siglo, de un tema que ya no se

ajustaba a los gustos de sus lectores ni al modelo de periódico de servicios que defendía la línea editorial de su grupo de comunicación. La supuesta españolidad del ciudadano de la periferia de la ciudad, el obrero al que se dirigía en sus orígenes el diario, con una cierta afinidad por la tradición taurina, quedó sustituido por un descendiente catalán de segunda generación que para el diario debía aborrecer de los toros y era amante de otras tradiciones y manifestaciones artísticas. En este sentido, cabe la pena destacar que en sustitución de la información taurina de toda la vida, empezó a ganar protagonismo una mayor cobertura periodística de la tradición catalana de los *castellers*, siempre minoritaria en las páginas del diario, pero en plena efervescencia informativa a finales de la década, y que justo ese 2010, año de la prohibición de los toros, acabó siendo declarado por la Unesco patrimonio cultural e inmaterial de la humanidad. *El Periódico de Catalunya* añadió todavía más razones que justificaron su definitiva inclinación hacia los *castellers* para ocupar el puesto que en otro tiempo había correspondido a los toros: en mayo de 2011, el premio que *El Periódico de Catalunya* otorgó al Català de l'Any 2010 (Catalán del Año, en español), cayó en David Miret, jefe de la *colla* de los *castellers* de Vilafranca del Penedès (Barcelona), impulsando el protagonismo que el diario estaba dando, e iba a dar, a esta tradición cien por cien catalana.

Creemos necesario destacar, además, el cerco en torno a la fiesta que urdió la política nacionalista desde la llegada de Jordi Pujol al Gobierno de la Generalitat a comienzos de los años ochenta, y que nunca pudo equilibrar una etapa de libertades y derechos que el Gobierno de Rodríguez Zapatero defendió. Esta escasa maniobrabilidad del Gobierno socialista de Madrid se explica por la intención de no discrepar con los asuntos internos catalanes y por la fortaleza de un *Govern* catalán, atenazado por las voces de los defensores de los animales y presionado por quienes quisieron presentar la fiesta de los toros como una pugna entre Madrid y Barcelona en unos momentos muy importantes de coyuntura política con el Estatuto de Autonomía durante los años de mi estudio.

En definitiva, a través de este material histórico y del análisis de contenido, un tanto peculiar por las relaciones establecidas entre lo cuantitativo y lo cualitativo, y la presencia de José Tomás en el universo analizado, hemos dado respuesta a nuestros objetivos y hemos trazado futuras líneas de investigación relacionadas con el periodismo taurino en Cataluña. El hecho de que no se analizasen otros medios regionales o se excluyesen los diarios de edición nacional, abre la posibilidad de profundizar todavía más en esta información.

En este sentido, se ha constatado la importancia que ha tenido José Tomás en la información taurina catalana, como en su tiempo la tuvieron otros toreros, por lo que se puede hacer un estudio futuro de la influencia del matador de toros en el periodismo taurino catalán. También se puede señalar lo mismo para algunos elementos periodísticos que se han comprobado de los que no se ha escrito nada, como la fotografía y los dibujos. O la presencia de la publicidad en la historia taurina catalana, el papel de las nuevas tecnologías en el declive de la información taurina, así como todas las noticias paralelas sucedidas de la temporada que hubiesen desviado a otros motivos no exclusivamente taurinos. Son propuestas que confiamos en que sirvan de inspiración para que otros investigadores continúen desarrollando nuevos estudios sobre el periodismo taurino catalán.

Por último, en un exceso de atrevimiento después de todas estas páginas escritas, se recomienda a los dos periódicos estudiados que si vuelve algún día el festejo taurino al ruedo de la

Monumental de Barcelona lean este libro para hacer un ejercicio de autoconciencia, animándoles a iniciar de nuevo la comunicación taurina con una política informativa que no destaque por recular en sus contenidos y desviar principalmente la atención hacia temas polémicos de la especialización.

15. Bibliografía

15.1. Fuentes bibliográficas

- ABELLA BERMEJO, R. *La Vanguardia, 1936-1981*. Barcelona: 1982. [Inédita, disponible en el Servicio de Documentación de *La Vanguardia*].
- ABELLA MARTÍN, C. *José Tomás. Un torero de leyenda*. Madrid: Alianza Editorial, 2008.
- ACQUARONI BONMATÍ, J. L. *La corrida de toros*. Barcelona: Noguer, 1960.
- ALAVEDRA I SEGURAÑAS, J. *El fet de dia d'ahir i d'avui*. Barcelona: Editorial Selecta, 1970.
- ALBERDI EZPELETA, A.; ARMENTIA VIZUETE, J. I.; CAMINOS MARCET, J. Mª, y MARÍN MURILLO, F. "La remodelación de *El Periódico de Catalunya*: hacia el modelo de prensa de servicios". *Ámbitos. Revista de Estudios de Ciencias Sociales y Humanidades*, nº 9-10. Sevilla: Universidad de Sevilla, 2003.
- ALFÉREZ, A. *Cuarto poder en España. La prensa desde la Ley de Fraga de 1966*. Barcelona: Plaza & Janés, 1986.
- AMADES I GELATS, J. *Històries i llegendes de Barcelona*. Barcelona: Edicions 62, 1989.

- AMORÓS GUARDIOLA, A. *Lenguaje taurino y sociedad*. Madrid: Espasa Calpe, 1990.
- ARMENTIA VIZUETE, J. I., y CAMINOS MARCET, J. Mª. *Fundamentos de periodismo impreso*. Barcelona: Ariel, 2003.
- *Annual Convention of the Association for Education in Journalism and Mass Comunication*. Boston: Communication Convention, 1991.
- ARNAL AGUSTÍN, J.; DEL RINCÓN IGEA, D., LATORRE BELTRÁN, A. *Bases metodológicas de la investigación educativa*. Barcelona: GR92, 1996.
- *Arte e Identidades culturales: actas del XII Congreso Nacional del Comité Español de Historia de Arte*. Oviedo: Universidad de Oviedo, 1998.
- BERGANZA CONDE, Mª R. *Periodismo Especializado*. Madrid: Editorial Urmelia Textos, 2005.
- BERROCAL GONZALO, S., y RODRÍGUEZ-MARIBONA DÁVILA, C. *Análisis básico de la prensa diaria. Manual para aprender a leer periódicos*. Madrid: Universitas, 1998.
- BORRAT, H. *El Periódico, actor político*. Barcelona: Gustavo Gili, 1989.
- BRAJNOVIC, L. *Tecnología de la información*. Pamplona: Universidad de Navarra, 1974.
- BRYANT, J., y ZILLMANN, D. *Los efectos de los medios de comunicación. Investigaciones y teorías*. Barcelona: Paidós, 1994.
- CABRERA BONET, R. (coord.). *Estudios de Tauromaquia*. Madrid: CEU Ediciones, 2006.
- CABRERA BONET, R. (coord.). *Estudios de Tauromaquia (II)*. Madrid: CEU Ediciones, 2007.
- CALDEIRO LÓPEZ, L. *La Cataluña taurina. ¿La última estocada a la Fiesta?* Cerdanyola del Vallés: Printcolor, 2009.
- CALVET PASCUAL, A. *Història de La Vanguardia (1881-1936) i nou articles sobre periodisme*. Barcelona: Editorial Empuriés, 1994.

• CAMACHO MARKINA, I. (coord.). *La especialización en el periodismo. Formarse para informar.* Sevilla: Comunicación Social, 2010.
• CANTAVELLA BLASCO, J., y SERRANO OCEJA, J. F. (coord.). *Redacción para periodistas: informar o interpretar.* Barcelona: Ariel, 2008.
• CASALS I MESSEGUER, X. *El oasis catalán (1975-2010). ¿Espejismo o realidad?* Barcelona: Edhasa, 2010.
• CASASÚS I GURI, J. Mª. *Ideología y análisis de medios de comunicación.* Barcelona: Editorial CIMS 97, 1998.
• CASASÚS I GURI, J. Mª. *El periodismo a Catalunya.* Barcelona: Plaza & Janés, 1988.
• CASTRO SANZ, C. *La reconversión tecnológica y empresarial en un periódico consolidado: el caso de La Vanguardia* (Anexo III). Tesis Doctoral, Universidad Autónoma de Barcelona. 2002.
• CESAREO, G. *Es noticia.* Barcelona: Mitre, 1986.
• CLARAMUNT LÓPEZ, F. *República y toros.* Madrid: Egartorre Libros, 2006.
• COBALEDA HERNÁNDEZ, Mª T. *El simbolismo del toro.* Madrid: Biblioteca Nueva, 2002.
• COSSÍO Y MARTÍNEZ FORTÚN, J. Mª. *Los toros. Tratado técnico-histórico.* Tomo IV. Madrid: Espasa-Calpe, 1985.
• COSSIÓ Y CORRAL, F. *Los toros, Tratado tñecnico-histórico.* Tomo VIII. Madrid: Espasa-Calpe, 1986.
• DE HARO DE SAN MATEO, Mª V. *6 Toros 6, revista de actualidad taurina.* Tesis Doctoral, Universidad Complutense de Madrid, 2011.
• DEL ARCO DE IZCO, F. *Toreros de Cataluña.* Baeza: Grupo M & T, 2006.
• DELGADO RUIZ, M. *Diversitat i Integració. Lògica i dinámica de les indentitats.* Barcelona: Editorial Empúries, 1998.
• DÍAZ FERNÁNDEZ, O. *Historia de España en el siglo* XX*. A*

través de las grandes biografías, novelas y películas. Barcelona: Base, 2010.

- ECHEGARAY EIZAGUIRRE, L. *Sociotauromaquia. Teoría social del toreo.* Madrid: Egartorre Libros, 2005.
- ECO, U.; FREDMANN, G., HALLORAN, J. (et al.). *Los efectos de las comunicaciones de masas,* Buenos Aires: Editorial Jorge Álvarez, 1969.
- ECO U. *Cómo se hace una tesis. Técnicas y procedimientos de estudio, investigación y escritura.* Barcelona: Gedisa, 1982.
- EKMAN, P.; MASOTTA, O; VERÓN, E. (et. al.). *Lenguaje y comunicación social.* Buenos Aires: Nueva Visinó, 1969.
- *El Cossío. Los Toros.* Vol. 1, 4 y 5. Madrid: Espasa-Calpe, 1996.
- *Enciclopedia Temática Ciesa.* Vol. 17. Barcelona: Compañía Internacional Editora, 1967.
- ESTAPE RODRÍGUEZ, F. *Sin acuse de recibo.* Barcelona: Plaza & Janés, 2000.
- ESTEVE RAMÍREZ, F. y FERNÁNDEZ DEL MORAL. *Fundamentos de la Información Periodística Especializada.* Madrid, Editorial Síntesis, 1996.
- ESTEVE RAMÍREZ, F. (ed.). *Estudios sobre Información Periodística Especializada.* Valencia: Fundación Universitaria San Pablo CEU, 1997.
- ESTEVE RAMÍREZ F., y FERNÁNDEZ DEL MORAL, J. *Áreas de especialización periodística.* Madrid: Fragua, 1999.
- ESTEVE RAMÍREZ, F., y MONCHOLI CHAPARRO, M. A. (eds.). *Teoría y técnicas del Periodismo Especializado.* Madrid: Fragua, 2007.
- FELICES, R. *Catalunya taurina: una historia de la tauromaquia catalana desde la Edad Media a nuestros días.* Barcelona: Edicions Bellaterra, 2010.
- FERNÁNDEZ, J. J.; RUBIO, A. L., y SANZ, C. *Prensa y pe-*

riodismo especializado. Guadalajara: Asociación de la Prensa de Guadalajara, 2012.
- FERNÁNDEZ TOLEDO, P. *Rompiendo moldes. Discurso, géneros e hibridación en el siglo XXI*. Sevilla: Comunicación Social, 2009.
- FONDEVILA GASCÓN, J. F., y DEL OLMO ARRIAGA, J. L. *El trabajo de fin de grado en Ciencias Sociales y Jurídicas*. Madrid: Ediciones Internacionales Universitarias, 2013.
- FONTCUBERTA BALAGUER, M. *La noticia. Pistas para percibir el mundo*. Barcelona: Paidós, 1993.
- FORNEAS FERNÁNDEZ, Mª C. *Orígenes y evolución de la crónica taurina. Estudios sobre el Mensaje Periodístico*. Madrid: Universidad Complutense de Madrid, 2007.
- FORNEAS FERNÁNDEZ, Mª C. *La crónica taurina actual*, Madrid: Biblioteca Nueva, 1998.
- FORNEAS FERNÁNDEZ, Mª C. *Periodistas taurinos del siglo XIX*. Madrid: Fragua, 2001.
- FUENTES ARAGONÉS, J. F., y FERNÁNDEZ SEBASTIÁN, J. *Historia del Periodismo Español*. Madrid: Síntesis, 1998.
- GALDÓN LÓPEZ, G. *Desinformación. Método, Aspectos y Soluciones*. 3ª edición. Barañáin: Ediciones Universidad de Navarra (EUNSA), 2001.
- GARCÍA AÑOVEROS, J. Mª. *El hechizo de los españoles. La lidia de los toros en los siglos XVI y XVII en España*. Madrid: Unión de Bibliófilos Taurinos, 2007.
- GIBERT CLOLS, L. Mª. *25 años de política y toros. Los toros en las ondas de Radio L'Hospitalet (1987-2011)*. Baracelona: Edicions Bellaterra, 2012.
- GIL GONZÁLEZ, J. C. *La crónica periodística de Antonio Díaz-Cabañete*. Tesis Doctoral, Universidad de Sevilla, 2006.
- GIL GONZÁLEZ, J. C. *Evolución histórica y cultural de la cróni-*

ca taurina: de las primitivas reseñas a la crónica impresionista. Madrid: Siranda Editorial Visionnet, 2007.

- GÓMEZ MOMPART, J. L. *Los titulares en prensa.* Barcelona: Mitre, 1982.
- GOMIS SANAHUJA, L. *Teoría del periodismo. Cómo se forma el presente.* Barcelona: Paidós, 1991.
- GONZÁLEZ DÍEZ, L., y PÉREZ CUADRADO, P. *30 años de diseño periodístico en España (1976-2006).* Madrid: Zona Impresa, 2007.
- GONZÁLEZ MORENO-NAVARRO, A. *Bous, Toros i Braus. Una tauromàquia catalana.* Tarragona: El Mèdol, 1996.
- GONZÁLEZ RUIZ, N. *El Periodismo. Teoría y práctica.* Barcelona: Noguer, 1953.
- GONZÁLEZ RUIZ, N. *Enciclopedia del Periodismo.* Barcelona: Noguer, 1966.
- GONZÁLEZ VIÑAS, F. *José Tomás. De lo espiritual en el arte.* Madrid: Berenice, 2008.
- GÓMEZ Y MÉNDEZ, J. M. (ed.). *Tauromaquia, otra forma de comunicar.* Madrid: Egartorre Libros, 2005.
- GRIJELMO GARCÍA, A. *El estilo del periodista.* Madrid: Taurus, 2001.
- GUILLAMET LLOVERAS, J. *Història del Periodismo. Notícies, periodistes i mitjans de comunicació.* Barcelona: Universitat Autònoma de Barcelona, 2003.
- *Gran Enciclopedia Rialp.* Tomo XVIII. Madrid: Rialp, 1972.
- GUTIÉRREZ ALARCÓN, D. *Los toros de la guerra y del Franquismo.* Barcelona: Luis de Caralt Editor, 1978.
- HEMINGWAY, E. *El verano peligroso.* Barcelona: Editorial De Bolsillo, 2005.
- HERNÁNDEZ SAMPIERI, R.; FERNÁNDEZ COLLADO, C., y BAPTISTA LUCIO, P. *Metodología de la investigación.* 4ª ed. México: McGraw-Hill/Interamericana Editores, 2006.

- HUERTAS CLAVERÍA, J. Mª. *Una història de La Vanguardia*. Barcelona: Angle Editorial, 2006.
- HUERTAS LÓPEZ, R. *Historia del periodismo taurino en Barcelona*. Trabajo Final de Carrera. Barcelona: Escuela Oficial de Periodismo, 1974 (Col.legi de Periodistes de Catalunya).
- IGARTUA PEROSANZ, J. J., y HUMANES HUMANES, M. L. *Teoría e investigación en comunicación social*. Madrid: Síntesis, 2004.
- KRIPPENDORFF, K. *Metodología del análisis de contenido. Teoría y práctica*. Barcelona: Paidós, 1990.
- *La Vanguardia Libro de redacción*. Barcelona: *La Vanguardia* Ediciones y Ariel, 2004.
- LÁZARO CARRETER, F. (ed.). *Lenguaje en periodismo escrito*. Madrid: Fundación Juan March (Serie Universitaria), 1977.
- *Libro de estilo de El Periódico de Catalunya*. Barcelona: Ediciones B, 2003.
- LIPPMANN, W. *La opinión pública*. Madrid: Cuadernos de Langre, 2003.
- LÓPEZ HIDALGO, A. *El titular: manual de titulación periodística*. Madrid: Fragua, 2001.
- LÓPEZ LÓPEZ, M. *Cómo se fabrican las noticias. Fuentes, selección y planificación*. Barcelona: Paidós, 1995.
- LÓPEZ LÓPEZ, M. *La influència de les innovacions tecnològiques en l'evolució dels models de diari a la premsa d'informació general diaria de Barcelona*. Vol. I. Tesis Doctoral, Universitat Autònoma de Barcelona, 1992.
- LUJÁN FERNÁNDEZ, N. *El pont dels anys 50*. Barcelona: La Campana, 1995.
- LUJÁN FERNÁNDEZ, N. *Tauromaquia*. Barcelona, Nauta, 1962.
- MANZANO GONZÁLEZ, R. *Invitación a la tauromaquia con Cataluña al fondo*. Barcelona: Labor, 1993.

- MARTÍN SECO, J. F. *Requiem por la Soberanía Popular*. Madrid: De Temas de Hoy Ensayo, 1998.
- MARTÍN VIVALDI, G. *Géneros periodísticos*. Madrid: Paraninfo, 1973.
- MARTÍNEZ ALBERTOS, J. L. *Curso General de Redacción Periodística*. Madrid: Thomson, 2004.
- MARTÍNEZ ALBERTOS, J. L. *Guiones de clase de Redacción Periodística*. Pamplona: Instituto de Periodismo, 1962.
- MARTÍNEZ ALBERTOS, J. L. *La información en una sociedad industrial*. Madrid: Tecnos, 1972.
- MARTÍNEZ SOUSA, J. *Diccionario general del periodismo*. Madrid: Paraninfo, 1991.
- MARTÍNEZ TERUEL, G. *Barcelona rebelde*. Barcelona: Editorial Debate, 2009.
- MASJUAN BRACONS, E. *Medis obrers i innovacio cultural a Sabadell (1900-1939): l'altra aventura de la ciutat industrial*. Bellaterra: Universitat Autònoma de Barcelona, 2006.
- MAYORAL SÁNCHEZ, J. *Redacción periodística. Medios, géneros y formatos*. Madrid: Síntesis, 2013.
- McCOMBS, M. *Estableciendo la agenda. El impacto de los medios en la opinión pública y el conocimiento*. Barcelona: Paidós, 2006.
- MOLINA MORALES, Mª V. *Los Godó. Los últimos 125 años de Barcelona*. Madrid: Martínez Roca, 2005.
- MONCHOLI CHAPARRO, M.A. *Las retransmisiones taurinas por televisión en la CAM*. Tesis Doctoral, Universidad Complutense de Madrid, 2004.
- MONTERO GIBERT, J. R., y LAGO PEÑAS, I. *Elecciones Generales 2008*. Madrid: Centro de Investigaciones Sociológicas, 2010.
- MOYA DOMÈNECH, B. *La festa a Catalunya. Àlbum de cultura popular i tradicional*. Barcelona: Círculo de Lectores, 1995.

- MUÑOZ GONZÁLEZ, J. J. *Redacción Periodística*. Salamanca: Librería Cervantes, 1994.
- NOELLE-NEUMANN, E. *La espiral del silencio. Opinión pública: nuestra piel social*. Barcelona: Paidós, 1995.
- NOGUÉ I REGÀS, A., y BARRERA DEL BARRIO, C. *La Vanguardia. Del Franquismo a la democracia*. Madrid: Fragua, 2006.
- NÚÑEZ LADEVÉZE, L. *Manual para periodismo*. Barcelona: Ariel, 1991.
- ORIVE RIVA P., y FAGOAGA DE BARTOLOMÉ, C. *La especialización en el periodismo*. Madrid: Dossat, 1974.
- PIZARROSO QUINTERO, A. (ed.): *Historia de la prensa*. Madrid: Centro de Estudios Ramón Areces, 1994.
- PLA I CASADEVALL, J. *Homenots. El senyor Godó i La Vanguardia*. Barcelona: Destino, 1975.
- PUIG I FERRETER, J. *Servitud*. Barcelona: Llibreria Catalonia, 1926.
- QUESADA PÉREZ, M. *La investigación periodística. El caso español*. Barcelona: Ariel, 1987.
- QUESADA PÉREZ, M. *Periodismo Especializado*. Barcelona: Line Gràfic, 1998.
- REIG GARCÍA, R. *Medios de comunicación y poder en España*. Barcelona: Paidós, 1998.
- REVUELTA LAPIQUE, J. M. *Anuario El País 2000*. Madrid: Ediciones El País, 2000.
- RÍOS RUIZ, M. *Aproximación a la Tauromaquia*. Madrid: Itsmo, 1990.
- RODRÍGUEZ DÍAZ, R. *Los profesores universitarios como medios de comunicación: la agenda-setting de los alumnos y profesores*. Memoria para optar al grado de Doctor. Universidad Complutense de Madrid, 2001.
- RODRÍGUEZ JIMÉNEZ, V. *Manual de Redacción*. Madrid: Paraninfo, 1991.

- RODRÍGUEZ MOGUEL, E. A. *Metodología de la investigación*. México: Universidad Juárez Autónoma de Tabasco, 2008.
- RODRÍGUEZ VILAMOR, J. *Redacción periodística para la generación digital*. Madrid: Universitas, 2000.
- SABÉS TURMO, F., y VERÓN LASSA, J. J. *La eficacia de lo sencillo. Introducción a la práctica periodismo*. Sevilla: Comunicación Social, 2006.
- SÁDABA GARRAZA, T. *Framing: el encuadre de las noticias. El binomio terrorismo-medios*. Buenos Aires: La Crujía Ediciones, 2008.
- SÁNCHEZ, A. *El Periódico: 25 años. Especial el diario del siglo XXI*. Barcelona: Grupo Zeta, 2000.
- SÁNCHEZ CALERO, Mª L. *Géneros y discurso periodístico*. Madrid: Fragua, 2011.
- SANCHO CRESPO, F. *En el corazón del periódico*. Pamplona: Ediciones Universidad de Navarra (EUNSA), 2004.
- SANTAMARÍA SUÁREZ, L. *El comentario periodístico. Los géneros persuasivos*. Madrid: Paraninfo, 1990.
- SAPERAS LAPIEDRA, E. *Los efectos cognitivos de la comunicación de masas*. Barcelona: Ariel, 1987.
- SATUÉ LLOP, E. *El diseño gráfico en España. Historia de una forma comunicativa nueva*. Madrid: Alianza Editorial, 1997.
- SECO SERRANO, C. *Historia de Catalunya*. Barcelona: Ediciones Primera Plana, 1992.
- SEGURA PALOMARES, J. *Desafío al presente*. Madrid: Espasa-Calpe, 1990.
- SEIJAS CANDELAS, L. *Estructura y fundamentos del periodismo especializado*. Madrid: Universitas, 2003.
- SEOANE COUCEIRO, Mª C., y SÁIZ GARCÍA, Mª D. *Historia del periodismo en España*. Tomo III. Madrid: Alianza Editorial, 1996.
- SERRANO Romá, M. *Cien años de Tauromaquia*. Capítulo 1 y 3. Madrid: Videoteca Panorama, 1992.

- SOTO VIÑOLO, J. *Manolete, torero para olvidar una guerra.* Madrid: Delfos, 1989.
- SUÁREZ FERNÁNDEZ, L. *Historia General de España y América*, vol. 10. Madrid: Rialp, 1990.
- SUÁREZ FERNÁNDEZ, L., y ANDRÉS-GALLEGO, J. *Historia General de España y América*, vol. 16. Madrid: Rialp, 1992.
- TASIS, R., y TORRENT, J. *Història de la premsa catalana.* Barcelona: Bruguera, 1966.
- TUCHMAN, G. *La producción de la noticia.* Barcelona: Gustavo Gili, 1983.
- VÁZQUEZ BERMÚDEZ, M. A. *Noticias a la carta. Periodismo de declaraciones o la imposición de la agenda.* Sevilla: Comunicación Social, 2006.
- VAN DIJK, T. A. *Racismo y análisis crítico de los medios.* Barcelona: Paidós, 1997.
- VOLTES I BOU, P. *Contenido y significado de La Vanguardia en su primer decenio.* Barcelona: Instituto Municipal de Historia, 1976.
- VOLTES I BOU, P. *Furia y farsa del siglo XX.* Barcelona: Flor del Viento, 2004.
- VV. AA. *30 Aniversario de Grupo Zeta.* Barcelona: Grupo Zeta, 2006.
- VV. AA. *Aula de tauromaquia II. Curso académico 2002-2003.* Madrid: Universidad de San Pablo CE, 2004.
- VV. AA. *Aula de Tauromaquia III.* Curso académico 2003-2004. Madrid: Universidad San Pablo CEU, 2005.
- VV. AA. *Comprometidos. El Periódico, 35 años de historia.* Barcelona: Grupo Zeta, 2013.
- VV. AA. *Estudios sobre Información Periodística Especializada.* Valencia: Fundación Universitaria San Pablo CEU, 1997.
- VV. AA. *Informe de la comunicació a Catalunya 2009-2010.* Bar-

celona: Institut de la Comunicacio Universitat Autònoma de Barcelona (InCom-UAB), 2011.

- VV. AA. *La pasión por los toros*, vol. III y IV, Barcelona: Planeta De Agostini, 1994.
- WARREN, C. *Géneros periodísticos informativos*. Barcelona: ATE, 1975.
- WIMMER, R. D., y DOMINICK, J. R. *La investigación científica de los medios de comunicación. Una introducción a sus métodos*. Barcelona: Bosch Comunicación, 1996.
- WOLF, M. *La investigación de la comunicación de masas. Críticas y perspectivas*. Barcelona: Paidós, 1991.

15.2. Fuentes hemerográficas

- AMORÓS GUARDIOLA, A. "Una fiesta catalana". *ABC*, 18 de diciembre de 2004.
- BRACERO, F. "Maragall destaca la vía catalana para la reforma del Estatut ante el plan Ibarretxe". *La Vanguardia*, 1-2 de enero de 2005.
- CASASÚS I GURI, J. Mª. "*La Vanguardia* i Catalunya". *Revista Debat Nacionalista*, nº 19, otoño de 1992. Barcelona: Associació Tribuna Catalana, 1992.
- CASASÚS I GURI, J. Mª. "Dibujantes en la era fotográfica". *La Vanguardia* [Vivir], 21 de enero de 2001.
- CASTELLÓ RIBERA, J. I. "Ataque de cuernos". *El Periódico de Catalunya*, 9 de julio de 2009.
- *Comunicación y Sociedad*, vol. VIII, nº 1. Pamplona: Universidad de Navarra, 1995.
- *Cuadernos de Actividades Culturales. Cuadernos de Tauromaquia*, nº 14, Madrid: CEU Ediciones, 2007.
- DE HARO DE SAN MATEO, V. "El estudio del periodis-

mo taurino: revisión y actualización bibliográfica". *Doxa Comunicación*, n° 13. Madrid: Universidad San Pablo CEU, 2011.
* DEL ARCO ÁLVAREZ, M. "Mano a Mano. Pedro Balañá". *La Vanguardia*, 8 de marzo de 1953.
* DÍAZ-PLAJA CONTESTÍ, G. "El 'NO-DO' y los toros". *La Vanguardia Española*, 22 de junio de 1966.
* DR. BARRABÁS. "Toros en Barcelona". *Toros y Toreros. Revista Taurina*, n° 3, Año 1. Madrid, 12 de marzo de 1916.
* *El Periódico de Catalunya*. Barcelona: Grupo Zeta. Colección del diario, archivo digital (de pago: www.elperiodico.com) y hemeroteca del Arxiu Històric de la Ciutat de Barcelona.
* ERO. "De cuartillero a crítico". *La Vanguardia Española*, 14 de febrero de 1965.
* ERO. "E. P." *La Vanguardia Española*, 19 de noviembre de 1970.
* ERO. "Ver los toros". *La Vanguardia*, 27 de agosto de 1981.
* GIMÉNEZ ARMENTIA, P. "Una nueva visión del proceso comunicativo: la teoría del Enfoque (framing)". *Comunicación y hombre*, n° 2. Vitoria: Universidad de Vitoria, 2006.
* HUERTAS CLAVERÍA, J. Mª. "Sis radiografies: 'La Vanguardia', el diari més llegit". *Revista L'Avenç*, n° 18, julio 1979. Barcelona, L'Avenç, S.A., 1979.
* ICHASO OÑATE, J. *La Vanguardia Española*, 17 de noviembre de 1970.
* *La Fiesta Brava*, n° 92. Barcelona, 11 de mayo de 1928.
* *La Vanguardia*. Barcelona: Grupo Godó. Colección del diario, hemeroteca digital (abierta: www.lavanguardia.com) y hemeroteca del Arxiu de la Ciutat de Barcelona.
* *Los Toros*, n° 34. Madrid: Prensa Española, 30 de diciembre de 1909.
* M.G.M. "Desde Barcelona. La Plaza de Toros Monumental". *Toros y Torero. Revista Taurina*, n° 1. Año 1. Madrid: Imprenta Española, 7 de marzo de 1916.

- MARCH CELAYA, F. "La Monumental, esplendor y ocaso". *Magazine de El Mundo*. Madrid: Unidad Editorial, 25 de septiembre de 2011.
- MARÍN, J. "Cogiendo el toro por los cuernos". *La Vanguardia*, 25 de octubre de 1994.
- MARTÍ GÓMEZ, J. "Los Balañá (más o menos)". *El País*, 24 de diciembre de 2006.
- MIQUEL PELÁEZ, X. Mª. "Recuerdo de Mariano de la Cruz". *La Vanguardia*, 1 de febrero de 1999.
- NAVARRETE, J. "La diversión más salvaje". *La Vanguardia*, 20 de agosto de 1900.
- ORTIZ, L. "Toros en Cataluña. Crónica de un fin anunciado". *Osaca. Revista de ocio, salud y calidad de vida*. Nº 260. Semana del 8 al 14 de octubre de 2011. Burgos: Opera Prima Comunicación, 2011.
- MUÑIZ MURIEL, C.; IGARTUA PEROSANZ, J. J.; OTERO PARRA, J. A., y SÁNCHEZ HERNÁNDEZ, C. "El tratamiento informativo de la inmigración en los medios españoles. Un estudio comparativo de la prensa y televisión". *Perspectivas de la Comunicación*. Vol. 1, Nº 1. Temuco (Chile): Universidad de la Frontera, 2008.
- PERMANYER I LLADÓS, LL. "Balañá según Balañá". *La Vanguardia* [Vivir], 15 de julio de 2007.
- PIZARROSO QUINTERO, A. "Notas para una historia del periodismo y de las publicaciones taurinas en Cataluña. *Gazeta*. Nº 1. Barcelona: Societat Catalana de Comunicació, 1994.
- RAHOLA MARTÍNEZ, P. "La chusma". *La Vanguardia*, 27 de septiembre de 2011.
- RELANCE "Actualidad taurina". *La Fiesta Brava*, Año XI, nº 454. Barcelona: 1 de mayo de 1936.
- RIERA, B. "Las corridas de toros". *La Vanguardia*, 29 de junio de 1900.

- SANTOS OLIVER, M. "Toros antes que pan". *La Vanguardia*, 16 de mayo de 1914.
- SEMPRONIO. "Som els catalans al ·lergics al toros?" *Avui*, 3 de julio de 1995.
- SOLÀ I DACHS, LL. "Cent Anys de Diaris Barcelonins en català". *Revista L'Avenç*, n° 18, julio 1979. Barcelona, L'Avenç, S.A., 1979.
- SOLER MARGARIT, M. "Rematar bien la faena". *La Vanguardia*, 24 de mayo de 2009.
- TORNS VILA, M.; VINYOLES CASES, C., LANAO REVERTER, P. "Passions contraposades entorn del toros". En: *Revista de Girona*, n° 141. Girona: Diputació de Girona, 1990.
- VV. AA. "La remodelación de *El Periódico de Catalunya*: hacia el modelo de prensa de servicios". *Ámbitos*. N° Especial 9-10. Año 2003.

15.3. Fuentes electrónicas

"V Jornadas de Comunicación "Medios de comunicación, inmigración y sociedad. Retos y propuestas para el siglo XXI" (Salamanca, 7, 8 y 9 de marzo de 2006). *Observatorio de Estudios Audiovisuales*. Salamanca: Universidad de Salamanca, 2006. http://www.asociacionmarroqui.com/Articulos/Efectos_Cognitivos.pdf [consulta: 18 de febrero de 2013].

"X Congreso Internacional de Historia del Deporte (del 2 al 5 de noviembre de 2005)". *CAFYD, Portal de las Ciencias de la Actividad Física y del Deporte*. Sevilla: Universidad Pablo Olavide de Sevilla, 2005. http://www.cafyd.com/HistDeporte/htm/pdf/6-0.pdf [consulta: 26 de enero de 2012].

ANDREU ABELA, J. "Las técnicas de Análisis de Contenido: Una revisión actualizada". *Centros de Estudios Andaluces.* Sevilla: Fundación Pública Andaluza Centro de Estudios Andaluces, 2001. http://public.centrodeestudiosandaluces.es/pdfs/S200103.pdf [consulta: 18 de abril de 2013].

ARUGUETE, N. "Framing. La perspectiva de las noticias". *La Trama de la Comunicación*, vol. 15. Rosario: UNR Editora, 2011. http://www.fcpolit.unr.edu.ar/wp-content/uploads/Framing .-La-perspectiva-de-las-noticias.pdf [consulta: 22 de agosto de 2012].

ASANDA (Asociación Andaluza para la Defensa de los Animales). Sevilla. http://www.asanda.org/documentos/tauromaquia/encuestas-sobre-corridas-de-toros/comparativa-icsa-gallup [consulta: 3 de mayo de 2013].

AYALA RODRÍGUEZ, S.; LOZANO ELIAS, D., y MARTÍNEZ CANALES, K. *Análisis de contenido del tratamiento informativo del periódico El Diario de Hoy a las actividades de los candidatos presidenciales Mauricio Funes (FMLN) y Rodrigo Ávila (ARENA) durante el periodo de campaña electoral comprendido del 3 de febrero al 11 de marzo de 2009.* San Salvador: Universidad de El Salvador, 2010. http://ri.ues.edu.sv/566/1/10136120.pdf [consulta: 10 de agosto de 2012].

AZOFRA PEÑA, P. Mª. "Toros y Periodismo". *Centro Etnográfico del Toro de Lidia.* Salamanca: Junta de Castilla y León, 5 de febrero de 2009. http://www.cetnotorolidia.es/opencms_wf/opencms/system/modules/es.jcyl.ita.site.torodelidia/elements/galleries/galeria_downloads/Toros_y_Periodismo_baja.pdf [consulta: 28 de mayo de 2009].

BADORREY MARTÍN, B. "Principales prohibiciones canónicas y civiles de las corridas de toros". *Revista Provincia*, n° 22, Julio-Diciembre 2009. Mérida (Venezuela): Universidad de Los Andes, 2009. www.saber.ula.ve/bitstream/123456789/29792/1/articulo5.pdf [consulta: 27 de marzo de 2013].

"Barómetro de abril 2010. Estudio n° 2.834". *CIS: Centro de Investigaciones Sociológicas*. Madrid, 6 de abril de 2010. http://www.cis.es/cis/export/sites/default/-Archivos/Marginales/2820_2839/2834/es2834.pdf [consulta: 7 de mayo de 2013].

BARRANDERO. "La fiesta nacional. Definición". *Toros, La Fiesta Nacional*, 2 de abril de 2010. http://www.lafiestanacional.com/2010/04/la-fiesta-nacional-definicion.html [consulta: 11 de marzo de 2013].

BAZÁN ZENDER, C. "El diestro que revolucionó el toreo". *Expreso.pe*, 13 de agosto de 2012. Lima: Diario Expreso, 2012. http://www.expreso.com.pe/noticia/2012/08/13/el-diestro-que-revoluciono-el-toreo [consulta: 27 de agosto de 2012].

CAÑIZARES SÁNCHEZ, Mª J. "No me gustan los toros, pero estoy en contra de prohibir". *ABC*, 16 de diciembre de 2009. Madrid: Vocento, 2009. www.abc.es/20091216/toros-toros/gustan-toros-pero-estoy-20091216.html [consulta: 6 de febrero de 2013].

CARLOS, L., y TELMO, D. *Análisis de Contenido: su presencia y uso en las Ciencias Sociales.* http://www.fhumyar.unr.edu.ar/escuelas/3/ materiales%20 de%20catedras/trabajo%20de%20 campo/telmoyluis.htm [consulta: 18 de abril de 2013].

CÓRDOVA JIMÉNEZ, A. *"Las cartas al director como género periodístico"*. ZER Revista de Estudios de Comunicación, n° 30, vol.16. Bilbao: Universidad del País Vasco (Euskal Herriko Unibersitatea), 2011. http://www.ehu.es/zer/hemeroteca/pdfs/zer30-10-cordova.pdf [consulta: 25 de marzo de 2013].

CRIVELL REYES, C. "La crítica taurina". *Torosdos*. 4 de julio de 2010. http://www.torosdos.com/indez.php?option=com_content&view=article&id=893:qla-critica-taurinaq-articulo-de-carlos.crivell-&catid=3:cronicas&Itemid=4 [consulta: 29 de junio de 2012].

DE HARO DE SAN MATEO, V. "Un brindis por España desde el ruedo de la prensa. La corrida patriótica organizada por el Imparcial en 1896". *IC-Revista Científica de Información y Comunicación*, n° 8 de 2011. Sevilla: Universidad de Sevilla, 2011, pp. 95-111. http://icjournal.files.wordpress.com/2013/06/1326310760-5deharbrindisporespana.pdf [consulta: 24 de enero de 2012].

DE QUINTANA GARCÍA, A. "La fotografía periodística: un arte a subasta". *ASRI - Arte y Sociedad. Revista de Investigación*. n° 1. Málaga: Grupo Eumednet de la Universidad de Málaga, 2012. http://asri.eumed.net/1/aqg.html [consulta: 27 de marzo de 2013].

DEL ARCO DE IZCO, F. "José Tomás recibe la I Llave de Oro de la Barcelona taurina en la gala de los XV Premios Pedro Balaña Espinós". *Sabios del Toreo*, 13 de marzo de 2009. http://www.sabiosdeltoreo.com/Salidas_asp/Noticias/noticiasTaurinas.asp?Numerador=1553 [consulta: 22 de mayo de 2013].

DEL OLMO BARBERO, J. "La gestión del color en los diarios españoles de difusión nacional". *Revista Latina de Comunicación Social*, n° 59, Enero-Junio 2005. Tenerife: Universidad de La Laguna, 2005. http://w.w.w.ull.es/publicaciones/latina/200512delolmo.pdf [consulta: 28 de noviembre de 2012].

DEL VALLE GASTAMINZA, F. "El análisis documental de la fotografía". *Cuaderrno de Documentación Multimedia*, vol. 2. Madrid: Universidad Complutense de Madrid, 1993. http:// multidoc.ucm.es/CDM/Documentos%20 compartidos/El_ Analisis_Documental_de_la_Fotografia.pdf [consulta: 27 de marzo de 2013].

"El concepto de Fiesta Nacional interpretado como Función Nacional". *Taurologia.com. Cuadernos de actualidad, análisis y documentación sobre el Arte del toreo,* 12 de octubre de 2010. Madrid: Docol Mediática, http://www.taurologia.com/el-concepto-de-fiesta-nacional-466.htm [consulta: el 11 de marzo de 2013].

"El periodismo taurino como especialidad". *Taurología.com. Cuadernos de actualidad, análisis y documentación sobre el Arte del toreo*, 27 de febrero de 2012. Madrid: Docol Mediática, 2012. http://www.taurologia.com/periodismo-taurino-como-especialidad-profesional-1518.htm [consulta: 29 de mayo de 2012].

"Entrevista a Rafael Nadal, director de *El Periódico de Catalunya*: Para ser fiel al espíritu de El Periódico hay que cambiar algunas cosas". *Infoperiodistas.info.* 7 de junio de 2006. www.infoperiodistas.info/busqueda/noticia/resnot.jsp?idNoticia=2360 (consulta: 23 de junio de 2011).

"ERC pedirá el 'voto nulo' en el referéndum del Estatuto catalán". *El Mundo*, 7 de abril de 2006. Madrid: Unidad Editorial, 2006. http://www.elmundo.es/elmundo/2006/04/27/espana/1146151939.html [consulta: 4 de febrero de 2013].

FABAD. "Fiesta Nacional... desde 1135". *Aula Taurina de Granada*. 27 de septiembre de 2010. http://aulataurinadegranada. blogspot.com.es/2010/09/fiesta-nacional-desde-1135.html [consulta: 19 de marzo de 2013].

FERNÁNDEZ DE GATTA SÁNCHEZ, D. "La encrucijada jurídica de la fiesta de los toros". *Taurología.com. Cuadernos de actualidad, análisis y documentación sobre el Arte del toreo,* 21 de julio de 2011. Madrid: Docol Mediatica, 2011. www.taurología. com/imágenes%5Cfotosdeldia%5C1645_ensayo_la_encrucijada_de_juridica_de_la_fiesta_de_los_toros.pdf [consulta: 15 de abril de 2013].

G.A.C. (Grupo de Aprendizaje Colectivo). *Técnicas para la desinformación. Manual para la lectura crítica de la prensa.* Omegalfa (Biblioteca Libre). http://www.omegalfa.es/downloadfile. php?file=libros/tecnicas-de-desinformacion.pdf [consulta: 7 de agosto de 2012].

GONZÁLEZ TROYANO, A. "Cronistas y literatos". *Diariosevilla.es*, 8 de mayo de 2011. Sevilla: Grupo Joly, 2011. http://www.diariodesevilla.es/article/opinión/969634/cronistas/y/literatos.html [consulta: 22 de junio de 2011].

HERRERA TORRES, E. "Cataluña torera". *La Toga. Revista Online del Ilustre Colegio de Abogados de Sevilla*, n° 153, marzo-abril 2005. http://www. latoga.es/detallearticulo.asp?id=11060619

1256&nro=153&nom=Marzo/Abril%202005 [consulta: 6 de mayo de 2009].

Instituto de Estudios de Comunicación Especializada (IECE). www. iece.es [consulta: 4 de octubre de 2012].

Instituto Gallup. www.gallup.es [consulta: 6 de agosto de 2012].

"Jordi Hereu". *ABC*. Madrid: Vocento, 2011. http://www.abc. es/especiales/elecciones-municipales-autonomicas/2011/noticias/jordi-hereu-7575.html [consulta: 22 de enero de 2012].

JIMÉNEZ ANDREU, G. "Juan Soto Viñolo: A los taurinos en Cataluña nos han querido dar los tres avisos". *Toros Barcelona*. 18 de diciembre de 2001. http://www.elistas.net/lista/torosbarcelona/archivo/indice/2/msg/130/ [consulta: 8 de mayo de 2012].

"La Ley de Memoria Histórica". *Gobierno de España. Memoria Histórica*. www.memoriahistorica.gob.es/LaLey/index.htm [consulta: 17 de enero de 2013].

"La revolución Zeta". *Tiempo*. Madrid: Ediciones Zeta, 8 de mayo de 2006. http://www.tiempodehoy.com/cultura/la-revolucion-zeta [consulta: 23 de junio de 2011].

"La vida de Ernest Hemingway su relación con Pamplona". *Turismo de Navarra*. Pamplona: Gobierno de Navarra http://www. turismo. navarra.es/esp/propuestas/san-fermines/desarrollo/ hemingway.htm [consulta: 8 de agosto de 2012].

"Ley 8/1991, de 30 de abril, de protección de los animales". *Noticias Jurídicas*. http://noticias. juridicas.com/base_datos/ CCAA/ic-18-1991.htm [consulta: 10 de abril de 2013].

"Libro Blanco de la Prensa Diaria 2010: los editores esperan haber dejado atrás lo peor de la crisis". *IESE Business School*. Pamplona: Universidad de Navarra, 16 de diciembre de 2009. http://www.iese.edu/Aplicaciones/News/view. asp?id=2090 [consulta: 14 de mayo de 2012].

"Los críticos taurinos". *Heraldo Deportivo*. N° 564. Madrid, 1931. http://diario ilustrado.wordpress.com/2009/07/27/el-oro-del-rin [consulta: 27 de junio de 2012].

"Los toros pierden a un cronista irrepetible". *La Opinión de Málaga*, 15 de febrero de 2012. Málaga: Prensa Ibérica, 2012. http:// www.laopiniondemalaga.es/cultura-espectaculos/2012/02/15/ toros-pierden-cronista-irrepetible/485318.html [consulta: 19 de junio de 2012].

LEÓN GROS, T. "Radiografía de los grandes diarios". *Tendencias 06. Medios de Comunicación.*, Madrid: Ariel y Colección Fundación Telefónica, 2006. www.infoamerica.org/TENDENCIAS/tendencias/tendencias06/pdfs/11.pdf [consulta: 2 de mayo de 2013].

LÓPEZ "EL VITO", V. J. "La crónica taurina". *Venezuela taurina*. http://www.venezuela taurina.com/2009/06/la-cronica-taurina.html [consulta: 20 de junio de 2012].

LUQUE DURÁN, J. D., y MANJÓN POZAS, F. J. *Fraseología, mensaje y lenguaje taurino*. Universidad de Granada. En: http://

www.ganaderoslidia.com/webroot/pedefes/lenguaje_taurino. pdf [consulta: 11 de marzo de 2013].

MEDINA GARCÍA-HIERRO, J. "110 años de toros en España. Evolución de la fiesta: la burbuja taurina frente a la burbuja económica y social". *Tauroeconomía*. 2010. http://escalafon. blogspot.com.es/2010/11/110-anos-de-toros-en-espana-1901-2010.html [consulta: 3 de mayo de 2013].

MORENO BERMEJO, J. Mª. "Cataluña taurina; políticos volubles". *Burladero.com*. Salamanca: 3 de octubre de 2011. http://www.burladero.com/aficioncultura/culturamasnoticias/116905/cataluna-politicos-taurina-voluble [consulta: 19 de marzo de 2013].

PÉREZ ARROYO, O. *Prehistoria del género periodístico crónica taurina*. *Revista Enlaces*. Nº 1. Año 2004. CES Felipe II Comunicación Audiovisual. http://www.cesfelipesegundo.com/revista/ numeros.html [consulta: 25 de enero de 2012].

PÉREZ LÓPEZ, V. "Aula de Tauromaquia". *Portaltaurino. com*, enero 2003. Madrid, Universidad San Pablo CEU, 2003. http://portaltaurino.com/universidad/ceu.htm [consulta: 26 de junio de 2009].

POVEDA NAVARRO, F. "Eric Hernández sustituye a Rafael Nadal en la dirección de El Periódico de Cataluña". *Periodismo para periodistas*, 5 de febrero de 2010. http://periodismopara-periodistas.blogspot.com/2010/02/ enric-hernandez-sustituye-rafael-nadal.html (consulta: 18 de junio de 2011).

REAL ACADEMIA ESPAÑOLA. "Fiesta". *Diccionario de la*

Lengua Española (22º ed.). 2001. http://lema.rae.es/drae/?val=-fiesta%20oficial [consulta: 11 de marzo de 2013].

RIVERA FLORES, J. "El periodismo taurino en las Universidades españolas e hispanoamericanas". Revista de Comunicación de la SEECI (Sociedad Española de Estudios de la Comunicación Iberoamericana), nº 21. Madrid: Universidad Complutense de Madrid, marzo de 2011, pp. 122-144. http://www. seeci.net/revista/hemeroteca/Numeros/Numero%20 21/5.%20JRivera.%20seeci.pdf [consulta: 20 de noviembre de 2012].

RIVERO HERRÁIZ, A. "Los orígenes del deporte y las fiestas taurinas". *Revista Kronos*, nº 6, vol. III. Madrid: Universidad Europea de Madrid, Julio-Diciembre 2004. http://www.revistakronos.com/docs/File/kronos/6/kronos_6_4.pdf [consulta: 11 de marzo de 2013].

RODRÍGUEZ VIRGILI, J. Y SÁDABA GARRAZA, T. "La construcción de la agenda de los medios. El debate del Estatuto en la prensa española". *Ámbito. Revista Internacional de Comunicación*. Año 2007, nº 16. http:// ambitoscomunicacion.com/ numeros-anteriores/ambitos-16-20/ [consulta: 8 de agosto de 2012].

ROGER, M. "La prohibición de los toros en Cataluña pasa el filtro del Consejo de Garantías". *El País*, 8 de julio de 2010. Madrid: Grupo Prisa, 2010. http://cultura.elpais.com/cultura/2010/07/08/actualidad/1278540007_850215.html [consulta: 6 de febrero de 2013].

ROMERO SALAZAR, J. M. "La Hora del Sacrificio. Dos

minutos que cambiaron a España". *El País*, 16 de mayo de 2010. Madrid: Grupo Prisa, 2010. En http://elpais.com/diario/2010/05/16/domingo/1273981953_850215.html [consulta: 4 de febrero de 2012].

SABATER, J., y SANTIAS, J. "Bienestar animal en tiempos de Primo de Rivera". *ADDA Revista,* n° 14, Monográfico 1995. Barcelona: Asociación Defensa Derechos Animal. http://www.addarevista.org/article/colaboraciones/14/bienestar-animal-en-tiempos-de-primo-de-rivera-jordi-sabater-i-josep-santias/ [consulta: 24 de abril de 2013].

SANTOS DÍEZ, Mª T. "La prensa gratuita se expande en España". *Telos, Cuadernos de Comunicación e Innovación*, n° 63, Abril-Junio 2005. Madrid: Fundación Telefónica, 2005. http://sociedadinformacion.fundacion.telefonica.com/telos/articulotribuna.asp@idarticulo =3&rev=63.htm [consulta: 14 de mayo de 2012].

SEGURA PALOMARES, J. "Presentación". *Federación de Entidades Taurinas de Catalunya.* www.federaciotaurinadecatalunya.es/la-federacion [consulta: 8 de mayo de 2012].

VALLE BUENESTADO, B. "Las plazas de toros andaluzas". *PH: boletín del Instituto Andaluz del Patrimonio Histórico*, Año XII, n° 49. Sevilla: Instituto Andaluz del Patrimonio Histórico, 2004. http://www.juntadeandalucia.es/cultura/iaph/portal/Productos/Textos_e/index.jsp?pag=/portal/Contenidos/Textos_e/2004/boletin49/UrbanismoYplazasToros [consulta: 8 de junio de 2009].

YANES MESA, R. "La sección 'Escrito por el público' en el semanario Alrededor del Mundo (1899), un género anexo al periodismo". *Estudios sobre el mensaje periodístico*, vol. 12, Madrid: Universidad Complutense de Madrid, 2006. http://revistas. ucm.es/index.php/ESMP/article/view/ESMP0606110477A /12396 [consulta: 25 de marzo de 2013].

15.4 Fuentes orales

- ARIAS ZIMERMAN, J. Consejero de dirección de *La Vanguardia*. Conversación mantenida el 7 de julio de 2009.
- BOIX ANGELATS, S. Periodista taurino y apoderado de José Tomás. Entrevista realizada el 22 de mayo de 2009.
- DE LA TORRE, I. Subdirector y exjefe de Espectáculos en *El Periódico de Catalunya*. Entrevista realizada el 10 de junio de 2013.
- GONZÁLEZ MORENO-NAVARRO, A. Escritor taurino de *La Vanguardia*. Conversación mantenida el 6 de junio de 2009.
- MARCH CELAYA, F. Escritor taurino en *La Vanguardia* de 2006 a 2010. Entrevista realizada el 11 de junio de 2012.
- MOIX, LL. Adjunto al director y exjefe de redacción de Cultura de *La Vanguardia*. Entrevista realizada el 9 de julio de 2013.
- NADAL I FARRERAS, R. Director de *El Periódico de Catalunya*. Entrevista realizada el 21 de junio de 2011.
- SEGURA PALOMARES, J. Periodista taurino y presidente de la Federación de Entidades Taurinas Catalanas. Conversación mantenida el 2 de agosto de 2009.
- SOTO VIÑOLO, J. Periodista taurino en *El Periódico de Catalunya*. Entrevista realizada el 12 de julio de 2012.

Anexos

ANEXO 1.

Unidades periodísticas recogidas como muestra

1.1. *La Vanguardia*: temporada de toros (2004-2010)

1. "Contra viento (frío) y marea" (lunes, 29/03/2004).

2. "La torería y el infortunio" (lunes, 05/04/2004).

3. "El otro Pleno del No" (lunes, 12/04/2004).

4. "Barretina y muleta del Vallès" (lunes, 19/04/2004).

5. "Novilleros de ahora" (lunes, 26/04/2004).

6. "Arte (no sólo) en el tendido" (lunes, 03/05/2004).

7. "Esperanzas en peligro" (lunes, 10/05/2004).

8. "La genuina belleza del toreo" (lunes, 17/05/2004).

9. "Rejonear o torear a caballo" (lunes, 24/05/2004).

10. "Con permiso del 010" (lunes, 31/05/2004).

11. "Piñero rima con Romero" (lunes, 07/06/2004).

12. "El toro y la paloma" (lunes, 14/06/2004).

13. "España, 1 - Portugal, 0" (lunes, 21/06/2004).

14. "Bo Derek en el callejón" (lunes, 28/06/2004).

15. "Arte y espectáculo" (lunes, 05/07/2004).

16. "La lluvia suspende la corrida de ayer en Barcelona" (lunes, 12/07/2004).

17. "Entre el baile y el bailoteo" (lunes, 19/07/2004).

18. "Gran faena de Barrera a ZP" (lunes, 26/07/2004).

19. "Eran otros tiempos..." (lunes, 02/08/2004).

20. "Toreros y toreos" (lunes, 09/08/2004).

21. "Asnos contra toros" (lunes, 16/08/2004).

22. "Grave percance de Barrera" (lunes, 23/08/2004).

23. "Saldos de agosto" (lunes, 30/08/2004).

24. "Microdosis de estética" (lunes, 06/09/2004).

25. "La penúltima, la mejor" (lunes, 13/09/2004).

26. "La plaza vacía" (lunes, 20/09/2004).

27. "Zozobras y esperanzas" (lunes, 25/10/2004).

28. "Busco la pureza, no soy un torero de masas" (viernes, 15/04/2005).

29. "Barcelona tiene torero" (domingo, 17/04/2005).

30. "Duelo en el albero" (domingo, 17/04/2005).

31. "Los taurinos salen del armario" (lunes, 18/04/2005).

32. "Clamor taurino en Barcelona (lunes, 18/04/2005).

33. "Fran, raza de maestros" (lunes, 25/04/2005).

34. "Buenos novillos para empezar" (lunes, 02/05/2005).

35. "Novillada seria" (lunes, 16/05/2005).

36. "Si Mitra levantara la cabeza" (lunes, 23/05/2005).

37. "Enmudeció la campana" (lunes, 30/05/2005).

38. "Mandaron los novillos" (lunes, 06/06/2005).

39. "Tomadura de pelo" (lunes, 13/06/2005).

40. "Esto, sí; esto, sí" (lunes, 20/06/2005).

41. "A falta de sal, bueno es el salero" (lunes, 27/06/2005).

42. "Quien no grita no mama" (lunes, 04/07/2005).

43. "El Cid destapó el tarro" (lunes, 11/07/2005).

44. "Con lo bien que empezó todo..." (lunes, 18/07/2005).

45. "Toretitos de peluche" (lunes, 25/07/2005).

46. "Una sola vez cantó el gallo" (lunes, 01/08/2005).

47. "Alternativa fuera de lugar" (lunes, 08/08/2005).

48. "Mulilleros mandan" (lunes, 15/08/2005).

49. "El palco, al revés" (lunes, 22/08/2005).

50. "Es de Lleida y se llama Andrés Palacios" (lunes, 29/08/2005).

51. "De Heidi y oro" (lunes, 05/09/2005).

52. "Lo mejor, el ganado" (lunes, 12/09/2005).

53. "Media de cal y media de arena" (lunes, 19/09/2005).

54. "Protesta antitaurina en Barcelona" (lunes, 19/09/2005).

55. "Faena histórica de Morante" (lunes, 26/09/2005).

56. "La Monumental estrena hoy temporada con la PN en la..." (sábado, 08/04/2006).

57. "Tiene usted razón, pero poca" (domingo, 09/04/2006).

58. "Con acento y tilde en la í" (lunes, 17/04/2006).

59. "Un novillo y un novillero" (lunes, 24/04/2006).

60. "El novillero de la 'banlieue" (domingo, 30/04/2006).

61. "5 naturales (zurdos), 5" (lunes, 01/05/2006).

62. "Morante, tres estrellas" (lunes, 08/05/2006).

63. "Misterio, locura, milagro" (jueves, 11/05/2006).

64. "Revalida y manteconazo" (lunes, 15/05/2006).

65. "Vidriosos corceles" (lunes, 22/05/2006).

66. "Que revisen la romana" (lunes, 29/05/2006).

67. "Menudos pequeñajos" (lunes, 05/06/2006).

68. "Inmenso Cayetano" (lunes, 12/06/2006).

69. "La misteriosa psique de los toreros" (lunes, 19/06/2006).

70. "Alternativa de Cuadrado" (lunes, 26/06/2006).

71. "Otra vez Cayetano" (lunes, 03/07/2006).

72. "Esperanzador Talavante" (lunes, 17/07/2006).

73. "Susto y aburrimiento" (lunes, 31/07/2006).

74. "Rebajas" (lunes, 07/08/2006).

75. "Sólo detalles" (lunes, 21/08/2006).

76. "Triunfo a ley de Iván García" (lunes, 28/08/2006).

77. "El guapo toro descastado" (lunes, 04/09/2006).

78. "Cuesta abajo" (lunes, 11/09/2006).

79. "El Cid, en versión original" (lunes, 18/09/2006).

80. "Final de temporada sin brillo" (lunes, 25/09/2006).

81. "Una temporada decisiva" (lunes, 02/04/2007).

82. "Puertas grandes pequeñas" (lunes, 16/04/2007).

83. "Gracias, Cid, gracias" (lunes, 23/04/2007).

84. "De maestros y de artistas" (lunes, 07/05/2007).

85. "No es lo mismo" (lunes, 21/05/2007).

86. "Serafín Marín se reencuentra" (lunes, 11/06/2007).

87. "La felicidad taurina es esto" (lunes, 18/06/2007).

88. "Resaca" (lunes, 25/06/2007).

89. "Luego cabalgamos" (lunes, 09/07/2007).

90. "Medias tintas" (lunes, 16/07/2007).

91. "Taumaturgo y pinchaúvas" (lunes, 23/07/2007).

92. "Abierto por vacaciones" (lunes, 06/08/2007).

93. "Gloria y dolor" (lunes, 13/08/2007).

94. "Suspendida la corrida de toros en la Monumental" (lunes, 20/08/2007).

95. "De dignidad y oro" (lunes, 27/08/2007).

96. "Cuando llega septiembre" (lunes, 03/09/2007).

97. "Brillante porvenir" (lunes, 17/09/2007).

98. "El sueño del toreo perfecto" (domingo, 23/09/2007).

99. "¿En busca del sacrificio?" (domingo, 23/09/2007).

100. "Llenos, éxitos y cogidas" (domingo, 23/09/2007).

101. "Concierto a cuatro manos" (domingo, 23/09/2007).

102. "Sin la emoción de la primera vez" (lunes, 24/09/2007).

103. "¡Es el toreo, estúpidos!" (lunes, 24/09/2007).

104. "Ellos también lloran" (lunes, 24/09/2007).

105. "Puerta grande a la esperanza" (lunes, 22/10/2007).

106. "J. Tomás llena otra vez la Monumental en el inicio..." (sábado, 19/04/2008).

107. "El Cid, a hombros" (domingo, 20/04/2008).

108. "Trasvase de emociones" (lunes, 21/04/2008).

109. "Tres reses inválidas" (lunes, 05/05/2008).

110. "Desmadre orejil" (lunes, 19/05/2008).

111. "Los Rivera, juntos por primera vez en Barcelona" (sábado, 24/05/2008).

112. "Suspensión de la corrida, bajo sospecha" (lunes, 26/05/2008).

113. "Concurso de bostezos" (lunes, 23/06/2008).

114. "Cayetano lo borda" (lunes, 07/07/2008).

115. "Perera toca el cielo" (lunes, 14/07/2008).

116. "No es esto, no es esto" (lunes, 21/07/2008).

117. "Misterio inexplicado", (lunes, 04/08/2008).

118. "Teruel existe y torea" (lunes, 11/08/2008).

119. "Ocasiones de agosto" (lunes, 18/08/2008).

120. "El hecho diferencial" (lunes, 25/08/2008).

121. "La Monumental recibe a dos generaciones de Esplá" (domingo, 07/09/2008).

122. "Ilusiones y certezas" (lunes, 08/09/2008).

123. "Lecciones de la Mercè" (lunes, 21/09/2008).

124. "¡Vivan José Tomás y los toros!" (lunes, 22/09/2008).

125. "Tono medio y apoteosis final" (lunes, 29/09/2008).

126. "El Fandi y los hermanos Ordoñez abren la temporada" (domingo, 12/04/2009).

127. "La primera en la frente" (lunes, 20/04/2009).

128. "Para el olvido" (lunes, 27/04/2009).

129. "A caballo de sentimientos" (lunes, 25/05/2009).

130. "Soñando el toreo" (lunes, 15/06/2009).

131. "El toreo más bello" (lunes, 22/06/2009).

132. "La Capilla Sixtina del toreo" (lunes, 06/07/2009).

133. "La corrida superguay" (lunes, 13/07/2009).

134. "Castella al rescate" (lunes, 20/07/2009).

135. "Faltaron los indios" (lunes, 27/07/2009).

136. "Gloria para Barrera" (lunes, 03/08/2009).

137. "Un rayo de torería" (lunes, 10/08/2009).

138. "Alternativa a la incertidumbre" (lunes, 17/08/2009).

139. "Aguilar se impone a todo" (lunes, 24/08/2009).

140. "Toreo grande" (lunes, 27/09/2009).

141. "La ética del héroe" (lunes, 28/09/2009).

142. "El poderoso influjo de José Tomás" (lunes, 12/10/2009).

143. "Entre el clavel y la espada" (domingo, 25/04/2010).

144. "Con el alma encogida" (lunes, 26/04/2010).

145. "Ríos de torería" (lunes, 03/05/2010).

146. "¡Va por Barcelona!" (lunes, 17/05/2010).

147. "Emociones libres" (lunes, 07/06/2010).

148. "Una fiesta universal" (lunes, 28/06/2010).

149. "Oprobio y vergüenza" (lunes, 05/07/2010).

150. "Si Barcelona cae" (lunes, 19/07/2010).

151. "¡Ojalá!" (lunes, 26/07/2010).

152. "De la tristeza a la verbena" (lunes, 02/08/2010).

153. "Suma de voluntades" (lunes, 09/08/2010).

154. "Toro a cien" (lunes, 23/08/2010).

155. "Y al cante, Rafel Farina" (lunes, 30/08/2010).

156. "Morante grita libertad" (domingo, 26/09/2010).

157. "La belleza y sus milagros" (domingo, 26/09/2010).

158. "Tensión en la Monumental" (domingo, 26/09/2010).

159. "Toreo para la libertad" (lunes, 27/09/2010).

1.2. *El Periódico de Catalunya*: temporada de toros (2004-2010)

1. "Autoridades y afición defienden la fiesta brava en Cataluña" (lunes, 8(03/2004).

2. "Una fiesta con figuras para empezar" (viernes, 26/03/2004).

3. "Las cornadas de la vida" (domingo, 28/03/2004).

4. "Padilla corta un rabo en la inauguración de la temporada" (lunes, 29/03/2004).

5. "Corrida benéfica de la escuela taurina" (viernes, 02/04/2004).

6. "Festival taurino" (domingo, 04/04/2004).

7. "Suspenso para los alumnos de la escuela taurina" (lunes, 05/04/2004).

8. "Plataforma hacia la fama" (jueves, 8-9/04/2004).

9. "La Monumental se rebela contra el plan antitaurino del Ayuntamiento" (lunes, 12/04/2004).

10. "Es muy cruel" (lunes, 12/04/2004).

11. "Curro Díaz recordó a Mariano Fortuny" (lunes, 12/04/2004).

12. "Duende, arte y arrebato" (viernes, 16/04/2004).

13. "Finito y El Juli salen a hombros de la Monumental" (lunes, 19/04/2004).

14. "Tres novilleros debutan en BCN" (viernes, 23/04/2004).

15. "Los novillos de Escudero dan juego en la Monumental" (lunes, 26/04/2004).

16. "Olot recupera las corridas" (viernes, 30/04/2004).

17. "El debutante Jimñenez Caballero exhibe su personalidad..." (lunes, 03/05/2004).

18. "Tres debutantes en el redondel" (viernes, 07/05/2004).

19. "Carlos Doyagüe sobresale en la terna de debutantes" (lunes, 10/05/2004).

20. "Recordando a Joselito" (viernes, 14/05/2004).

21. "Andrés Palacios abre la puerta grande de la Monumental" (lunes, 17/05/2004).

22. "Reaparición de Hermoso de Mendoza" (viernes, 21/05/2004).

23. "Hermoso de Mendoza y Diego Ventura salen a hombros" (lunes, 24/05/2004).

24. "Novillada de debutantes" (viernes, 28/05/2004).

25. "Los tres debutantes se van de vacio de la Monumental" (lunes, 31/05/2004).

26. "Debut de Elisabet Piñero" (viernes, 04/06/2004).

27. "Elisabet Piñero debuta con picadores en la Monumental" (domingo, 06/06/2004).

28. "Elisabet Piñero emborrona con la espada sus buenas faenas" (lunes, 07/06/2004).

29. "Guillermo Albán debuta" (viernes, 11/06/2004).

30. "Prometedor debut del ecuatoriano Guillermo Albán" (lunes, 14/06/2004).

31. "Domínguez y Chacón se estrenan en la Monumental" (viernes, 18/06/2004).

32. "El portugués Mario Coelho se deja un toro vivo y se retira..." (lunes, 21/06/2004).

33. "Comienza la feria taurina" (viernes, 25/06/2004).

34. "Álvaro Montes corta la única oreja de la corrida en Barcelona" (lunes, 28/06/2004).

35. "Corrida de postín" (viernes, 02/07/2004).

36. "El Fandi abre la puerta grande de la Monumental con las..." (lunes, 05/07/2004).

37. "*El Cordobés*, en lugar de Ponce / Tres corridas a la catalana" (viernes, 09/07/2004).

38. "El Juli" (domingo, 10/07/2004).

39. "Suspendida la corrida de la Monumental" (lunes, 12/07/2004).

40. "Estilistas en el ruedo" (viernes, 16/07/2004).

41. "Finito" (domingo, 18/07/2004).

42. "Manzanares destaca con el toreo al natural en Barcelona" (lunes, 19/07/2004).

43. "Última corrida de la Feria" (viernes, 23/07/2004).

44. "Antonio Barrera se consagra cortando tres orejas en BCN" (lunes, 26/07/2004).

45. "Vuelve el rejón de Montes" (viernes, 30/07/2004).

46. "Los mansos impiden el lucimiento en la Monumental" (lunes, 02/08/2004).

47. "El diestro Curro Díaz destapa en BCN el tarro de las esencias" (lunes, 09/08/2004).

48. "Fracaso de la ganadería Los Guateles en la Monumental" (lunes, 16/08/2004).

49. "Antonio Barrera sufre fractura de tibia y perone tras ser..." (lunes, 23/08/2004).

50. "Las reses hicieron fracasar a los matadores" (lunes, 30/08/ 2004).

51. "Fernando Cepeda" (domingo, 05/09/2004).

52. "Cepeda y Pauloba destacan en la Monumental" (lunes, 06/09/2004).

53. "Penúltima terna de la temporada" (viernes,10/09/2004).

54. "Lima de Estepona" (domingo, 12/09/2004).

55. "Paulita, con mucha clase, corta dos orejas y abre la puerta..." (lunes, 13/09/2004).

56. "Cartel de lujo en la última corrida" (viernes, 17/09/2004).

57. "Enrique Ponce y El Juli clausuran la temporada" (domingo, 19/09/2004).

58. "Serafín Marín, herido grave en la última cita de la temporada" (lunes, 20/09/2004).

59. "Mario Gas recibe la medalla al mérito cultural taurino" (lunes, 07/03/2005).

60. "Un arriesgado gesto de Serafín Marín inicia la temporada..." (viernes, 15/04/2005).

61. "Boadella pide a los aficionados a la tauromaquia que resistan" (sábado, 16/04/2005).

62. "Serafín Marín lidia seis astados en la Monumental" (domingo, 17/04/2005).

63. "Toreros e intelectuales claman a favor de la lidia en Barcelona" (lunes, 18/04/2005).

64. "Triunfo de Serafín Marín que cortó tres orejas y salió a..." (lunes, 18/04/2005).

65. "Finito, Rivera y El Fandi, en BCN" (viernes, 22/04/2005).

66. "Cartel de lujo en BCN" (domingo, 24/04/2005).

67. "Rivera Ordoñez y El Fandi animan a un público entusiasta" (lunes, 25/04/2005).

68. "Festejos en la Monumental y en la histórica plaza de Olot" (viernes, 29/04/2005).

69. "El novillero Raúl Cuadrado corta la única oreja de la tarde" (lunes, 02/05/2005).

70. "Novillada sin picadores de la escuela taurina" (viernes, 06/05/2005).

71. "Novillada" (domingo, 08/05/2005).

72. "Diego Lleonart, de 16 años, muestra solidez y garra torera" (lunes, 09/05/2005).

73. "Debut de David Mora y López Díaz" (viernes, 13/05/2005).

74. "David Mora corta la única oreja de la tarde" (lunes, 16/05/2005).

75. "La Monumental ofrece un buen cartel para disfrutar del..." (viernes, 20/05/2005).

76. "Serafín Marín, torero a crédito" (domingo, 22/05/2005).

77. "Gran cartel de rejoneo en la plaza Monumental" (domingo, 22/05/2005).

78. "Hermoso de Mendoza corta tres orejas y sale por la puerta..." (lunes, 23/05/2005).

79. "Vuelve el novillero Andrés Palacios" (viernes, 27/05/2005).

80. "Novillada" (domingo, 29/05/2005).

81. "Andrés Palacios da una lección de lidia y abre la puerta..." (lunes, 30/05/2005).

82. "Tres debutantes en el redondel" (viernes, 03/06/2005).

83. "El José" (domingo, 05/06/2005).

84. "Tarde de abirrimiento en la novillada de la Monumental" (lunes, 06/06/2005).

85. "Cartel rematado en la Monumental" (viernes, 10/06/2005).

86. "Rivera Ordoñez y El Juli cortan orejas en la Monumental" (lunes, 13/06/2005).

87. "Tarde con figuras en la Monumental" (viernes, 17/06/2005).

88. "Serafín Marín redondea un cartel de lujo" (domingo, 19/06/2005).

89. "Enrique Ponce dicta una lección excepcional" (lunes, 20/06/2005).

90. "Nombres con más arte que relumbrón" (viernes, 24/06/2005).

91. "Curro Díaz triunfó con la derecha" (lunes, 27/06/2005).

92. "Rejoneadores jóvenes en la Monumental" (viernes, 01/07/2005).

93. "Corrida de rejones" (domingo, 03/07/2005).

94. "Aburrida corrida de rejones" (lunes, 04/07/2005).

95. "El Cid, Javier Conde y El Fandi dan cuerpo a la temporada..." (viernes, 08/07/2005).

96. "El Cid pone las únicas pinceladas taurinas en una tarde..." (lunes, 11/07/2005).

97. "Matadores jóvenes en la Monumental" (viernes, 15/07/2005).

98. "La suerte de matar emborronó buenas faenas en la Monumental" (lunes, 18/07/2005).

99. "Antonio Barrera vuelve a Barcelona" (viernes, 22/07/2005).

100. "Corrida" (domingo, 24/07/2005).

101. "Antonio Barrera con su ortodoxia salva la tarde" (lunes, 25/07/2005).

102. "Una corrida sin historia en la Monumental" (lunes, 01/08/2005).

103. "Deslucida alternativa de Andrés Palacios en Barcelona" (lunes, 08/08/2005).

104. "Curro Diáz se llevó la única oreja de la tarde en la Monumental" (lunes, 15/08/2005).

105. "Paulita exhibe lo poco bueno de la corrida de la Monumental" (lunes, 22/08/2005).

106. "Andrés Palacios emerge como gran figura del toreo" (lunes, 29/08/2005).

107. "Los astados deslucen el festejo en la Monumental" (lunes, 05/09/2005).

108. "La alternativa de Raúl Cuadrado" (viernes, 09/09/2005).

109. "Luis de Pauloba" (domingo, 11/09/2005).

110. "Alfonso Casado y Fernando Cruz cortan una oreja en BCN" (lunes, 12/09/2005).

111. "Una tarde con tres toreros de arte" (viernes, 16/09/2005).

112. "Díaz, Cruz, Cortés, tres matadores con futuro" (lunes, 19/09/2005).

113. "Un cartel de lujo para todos los públicos" (viernes, 23/09/2005).

114. "Morante de la Puebla perfumó la corrida de la Mercè" (lunes, 26/09/2005).

115. "Inauguración con figuras" (viernes, 07/04/2006).

116. "Un cartel de figuras anima la primera cita de la Monumental" (domingo, 09/04/2006).

117. "Corrida torista con reses portuguesas" (viernes, 14/04/2006).

118. "Los espadas desaprovechan la casta de las reses en BCN" (lunes, 17/04/2006).

119. "Debut de José Andrés González" (viernes, 21/04/2006).

120. "Jiménez Caballero cortó la primera oreja de la temporada" (lunes, 24/04/2006).

121. "Debut de Mehdi Savalli en la Monumental" (viernes, 28/04/2006).

122. "Savalli y Guillen cortan una oreja" (lunes, 01/05/2006).

123. "Un rematado cartel" (viernes, 05/05/2006).

124. "Morante de la Puebla corta dos orejas" (lunes, 08/05/2006).

125. "Una justa de rejones en noble competencia" (viernes, 19/05/2006).

126. "La corrida de rejones acabó en escándalo en la Monumental" (lunes, 22/05/2006).

127. "Corrida y feria taurina a la catalana" (viernes, 26/05/2006).

128. "Debuts en Barcelona" (viernes, 02/06/2006).

129. "Jiménez Caballero, abre la puerta grande en BCN" (lunes, 05/06/2006).

130. "Monumental novillada" (viernes, 09/06/2006).

131. "Los hijos de papá saltan al ruedo" (sábado, 10/06/2006).

132. "Cayetano exhibe un toreo de calidad y buen gusto en BCN" (lunes, 12/06/2006).

133. "Corrida torista en la Monumental" (viernes, 16/06/2006).

134. "Fernández Pineda y El Renco dan la vuelta al ruedo" (lunes, 19/06/2006).

135. "Alternativa de Raúl Cuadrado" (viernes, 23/06/2006).

136. "Juan Diego corta una oreja tras una soberbia estocada" (lunes, 26/06/2006).

137. "Hermoso, Manzanares y Cayetano, en Barcelona" (viernes, 30/06/2006).

138. "Cayetano recuerda a Ordoñez y abre la puerta grande" (lunes, 03/07/2006).

139. "Tres jóvenes centauros en competencia" (viernes, 07/07/2006).

140. "Montes y Ventura cortaron sendas orejas" (ñunes, 10/07/2006).

141. "Alejandro Talavante cautiva en su debut en la Monumental" (martes, 18/07/2006).

142. "César Jiménez gana una merecida oreja" (martes, 25/07/2006).

143. "Serranito derrocha valor en la Monumental" (martes, 01/08/2006).

144. "Sánchez Vara divierte a los turistas en la Monumental" (martes, 08/08/2006).

145. "Una corrida mansa propicia el fracaso de los toreros" (martes, 15/08/2006).

146. "López Chaves corta una oreja en Barcelona" (martes, 22/08/2006).

147. "Triunfo rotundo de Iván García" (lunes, 28/08/2006).

148. "Lección de toreo de Esplá y un presidente incopetente" (lunes, 04/09/2006).

149. "Antonio Barrera, sobría faena en la Monumental" (lunes, 11/09/2006).

150. Jiménez, El Cid y Finito en la Monumental (viernes, 15/09/2006).

151."Jesús Manuel El Cid abre la puerta grande de la Monumental" (lunes, 18/09/2006).

152. "Barcelona acoge la corrida cumbre" (viernes, 22/09/2006).

153. "La torería de Esplá cierra la temporada en la Monumental" (lunes, 25/09/2006).

154. "Premio para Alejandro Talavante" (lunes, 12/03/2007).

155. "Vuelven los toros" (domingo, 15/04/2007).

156. "Salvaremos la fiesta. Ahora o nunca" (lunes, 16/04/2007).

157. "Tarde de gloria en la Monumental" (lunes, 16/04/2007).

158. "El Cid y Parladé ennoblecen la tauromaquia" (lunes, 23/04/2007).

159. "Ponce y El Fandi salen a hombros" (lunes, 07/05/2007).

160. "Ventura y Hernández salen a hombros" (lunes, 21/05/2007).

161. "Serafín Marín abre la puerta grande" (lunes, 11/06/2007).

162. "Las figuras desatan el delirio y salen por la puerta grande" (lunes, 18/06/2007).

163. "Jesulín dice adiós a BCN" (lunes, 16/07/2007).

164. *El Cordobés* corta una oreja en BCN" (lunes, 23/07/2007).

165. "Puerta grande para El Juli y Perea" (domingo, 23/09/2007).

166. "Tarde de toros" (lunes, 24/09/2007).

167. "Prendados de César Rincón" (lunes, 24/09/2007).

168. "El Juli corta la única oreja de la tarde en la Monumental" (lunes, 21/04/2008).

169. "Cayetano abre la puerta grande", (lunes, 07/07/2008).

170. "Perera conquista Barcelona" (lunes, 14/07/2008).

171. "Corrida populista, pero aburrida" (lunes, 21/07/2008).

172. "Saltos mortales entre embestidas" (lunes, 28/07/2008).

173. "Puerta grande para El Fundi y El Juli" (domingo, 21/09/2008).

174. "José Tomás indulta un toro en La Monumental" (lunes, 22/09/2008).

175. "José Tomás matará seis toros el 5 de julio en la Monumental" (lunes, 09/03/2009).

176. "Los hermanos Rivera decepcionan en Barcelona" (lunes, 20/04/2009).

177. "José Tomás defiende el toreo en una encerrona sin magia" (lunes, 06/07/2009).

178. "Brava corrida en Barcelona" (domingo, 27/09/2009).

179. "Excelso arte de José Tomás" (lunes, 28/09/2009).

180. "Afición y diestros fallan en el inicio de una temporada..." (lunes, 26/04/2010).

181. "Monumental tarde de 'senyeres'" (lunes, 26/07/2010).

182. "Poco público en la primera cita en la Monumental tras el veto" (lunes, 02/08/2010).

183. "Cientos de taurinos marchan por BCN con Serafín Marín..." (lunes, 27/09/2010).

1.3. *La Vanguardia*: reaparición de José Tomás (17/06/2007)

1. "José Tomás toreará una segunda corrida en Barcelona" (lunes, 04/06/2007).

2. "Barceló diseña el cartel del regreso a los ruedos..." (miércoles, 06/06/2007).

3. "Barcelona ¿antitaurina?" (viernes, 08/06/2007).

4. "Empresa antitaurina" (viernes, 15/06/2007).

5. "Barcelona se erige mañana en epicentro del toreo" (sábado,16/06/2007).

6. "Tendidos con aroma a vips" (sábado, 16/06/2007).

7. "La Monumental y los ficus" (domingo, 17/06/2007).

8. "Ciudad taurina" (domingo, 17/06/2007).

9. "Poetas protaurinos" (domingo, 17/06/2007).

10. "La suerte suprema" (domingo, 17/06/2007).

11. "La penúltima fiesta" (domingo, 17/06/2007).

12. "El retorno del maestro" (domingo, 17/06/2007).

13. "¿Qué tiene?" (domingo, 17/06/2007).

14. "Es un excelente poeta, con voz única" (domingo, 17/06/2007).

15. "Las claves de un idilio" (domingo, 17/06/2007).

16. "José Tomás" (lunes, 18/06/2007).

17. "La felicidad taurina es esto" (lunes, 18/06/2007).

18. "Gran tarde de toros... con susto" (lunes, 18/06/2007).

19. "El día del Padre Optimista" (lunes, 18/06/2007).

20. "Más de 2.000 manifestantes recorren Barelona..." (lunes, 18/06/2007).

21. "Una fiesta tranversal" (lunes, 18/06/2007).

22. "El silencio como banda sonora" (lunes, 18/06/2007).

23. "Antitaurina, pero menos" (martes, 19/06/2007).

24. "Braus: tradició, cultura i art" (martes, 19/06/2007).

25. "Arqueologías" (martes, 19/06/2007).

26. "El adiós de los toros" (miércoles, 20/06/2007).

27. "¿Toros, sí; circo, no?" (miércoles, 20/06/2007).

28. "Debates sin crispación" (viernes, 22/06/2007).

29. "Una ciudad para turistas" (viernes, 22/06/2007).

30. "A toro pasado" (domingo, 24/06/2007).

31. "¿Paradojas taurinas?" (lunes, 25/06/2007).

32. "Soy un asesino" (lunes, 25/06/2007).

1.4. *La Vanguardia*: corrida de José Tomás en solitario (05/07/2009)

1. "Torero de Madrid desquicia Barcelona" (domingo, 05/07/2009).

2. "Ante el acontecimiento" (domingo, 05/07/2009).

3. "José Tomás" (lunes, 06/07/2009).

4. "José Tomás y Barcelona" (lunes, 06/07/2009).

5. "La Capilla Sixtina del toreo" (lunes, 06/07/2009).

6. "Ser sobrenatural" (lunes, 06/07/2009).

7. "El que manda" (lunes, 06/07/2009).

8. "Maestros del engaño" (lunes, 06/07/2009).

9. "Un espectáculo distinto a los de ahora" (martes, 07/07/2009).

10. "Repugnante festival de sangre" (martes, 07/07/2009).

11. "Manuela querida, te explico" (sábado, 11/07/2009).

1.5. *El Periódico de Catalunya*: reaparición de José Tomás (17/06/2007)

1. "Barceló y salas ilustran la reaparición de José Tomás" (jueves, 07/06/2007).

2. "La fiesta busca la bravura perdida: regreso de José Tomás" (domingo, 10/06/2007).

3. "La reventa se dispara con la reaparición de José Tomás" (viernes, 15/06/2007).

4. "Los antitaurinos se movilizan para protestar contra la fiesta" (viernes, 15/06/2007).

5. "Las últimas entradas para ver el regreso de José Tomás a la..." (sábado, 16/6/2007).

6. "Animales" (domingo, 17/06/2007).

7. "José Tomás vuelve hoy al ruedo al encuentro de su propio..." (domingo, 17/06/2007).

8. "Los devotos del mesias" (domingo, 17/06/2007).

9. "El retorno de José Tomás levanta pasiones opuestas en BCN" (lunes, 18/06/2007).

10. "A los toros en el puente aéreo" (lunes, 18/06/2007).

11. "¿Por qué la excepeción de los toros?" (lunes, 18/06/2007).

12. "Las figuras desatan el delirio y salen por la puerta grande" (lunes, 18/06/2007).

13. "Palmas y pitos" (lunes, 18/06/2007).

14. "Toros o animales" (martes, 19/06/2007).

15. "Poetas contradictorios" (martes, 19/06/2007).

16. "Afición cívica" (martes, 19/06/2007).

17. "Más morboso" (martes, 19/06/2007).

18. "Sitiados" (martes, 19/06/2007).

19. "De servicio en la Monumental" (miércoles, 20/06/2007).

20. "Cerebro tripartito" (miércoles, 20/06/2007).

21. "Un Serrat desconocido" (miércoles, 20/06/2007).

22. Textos para reflexionar" (miércoles, 20/06/2007).

23. "Trampa simplista" (jueves, 21/06/2007).

24. "Días contados" (viernes, 21/06/2007).

25. "Mossos en protesta" (viernes, 22/06/2007).

26. "Excelente editorial" (sábado, 23/06/2007).

27. "Joan Barril y los toros" (sábado, 23/06/2007).

28. "Saura, sí; furgos, no" (sábado, 23/06/2007).

1.6. *El Periódico de Catalunya*: corrida de José Tomás en solitario (05/07/2009)

1. "Las entradas de José Tomás valen 3.200 € en la reventa" (miércoles, 01/07/2009).

2. "Todo a punto para la encerrona de José Tomás con 6 toros" (domingo, 05/07/2009).

3. "José Tomás / Torero" (lunes, 06/07/2009).

4. "Famosos entregados al genio" (lunes, 06/07/2009).

5. "Toros tardíos" (martes, 07/07/2009).

6. "Tomás y los sectarios" (martes, 07/07/2009).

7. "Oasis franquista" (martes, 07/07/2009).

8. "Gracias, maestro" (martes, 07/07/2009).

9. "Ovación y vuelta al ruedo" (martes, 07/07/2009).

10. "¿Está de acuerdo con el uso de los animales en las fiestas populares"? (miércoles, 08/07/2009).

11. "Ataque de cuernos" (jueves, 09/07/2009).

12. "De la arena al castillo" (jueves, 09/07/2009).

13. "Parte de Cataluña" (jueves, 09/07/2009).

14. "El principio del final" (jueves, 09/07/2009).

15. "Más cobertura" (jueves, 09/07/2009).

ANEXO 2.

Índice de tablas y gráficos

2.1. Tablas

2.2. Gráficos

ANEXO 3.

Transcripción de entrevistas

3.1. Iosu de la Torre (Pamplona, 1961)

Subdirector y exjefe de Espectáculos en *El Periódico de Catalunya*. Entrevista realizada el 10 de junio de 2013.

El Periódico de Catalunya **fue uno de los diarios donde mejor se ha escenificado la crisis de la información taurina.**
La información taurina fue decayendo con el paso de los años porque vimos que nuestros lectores se distanciaban cada vez más de este tema y mostraban un escaso interés por la temporada barcelonesa. Aun así, estuvimos durante mucho tiempo ofreciendo la actualidad de la Monumental hasta tres días por semana.

¿A qué se debió esa época gloriosa del tema de los toros?
El hecho de que durante las décadas de ochenta y noventa *El Periódico de Catalunya* ofreciese en sus páginas una sólida información taurina se debió al contexto de aquellos años. El perfil de buena parte de nuestros lectores sintonizaba con este espectáculo, teníamos un muy buen especialista en la materia,

Juan Soto Viñolo, y contábamos con gente de dentro muy aficionada a los toros, como Ángel Sánchez, que fue el director adjunto y era el primer defensor de esta información.

¿Siempre fue así, con gente afín a los toros?
No. En la redacción siempre existió una profunda división entre los taurinos y antitaurinos, pero no hasta el punto de vernos presionados para no publicar la información taurina. Ni los propios directores intercedieron en este asunto ni hicieron que ocultásemos la información. Fue la propia inercia de la época la que hizo que poco a poco se fuese apagando aquel fervor por los toros que existió y que nosotros siempre intentamos reflejar.

De esta manera, ¿los últimos años fueron difíciles para la información taurina en su diario?
Todo se complicó a partir de 2007, más o menos. Entramos en una época muy difícil por la crisis, donde la información que se publicaba, al reducirse el número de páginas, debía ser de máximo interés. Notábamos, como he dicho antes, que el lector se alejaba de la realidad taurina catalana, y cada vez más veíamos que no podíamos depender de nuestro especialista, quien estaba delicado de salud.

Usted firmó la crónica de la corrida en solitario de José Tomás del 5 de julio de 2009.
No recuerdo. Si, que en algún caso le había pedido los pases a Juan Soto Viñolo para entrar en la Monumental, pues a mi me gustan los toros y me gustaba acudir de vez en cuando a la plaza como un aficionado más. Pero si aquel día firmé yo la crónica se debió a que ya habíamos prescindido de Juan o éste estaba enfermo.

Pero Juan Soto Viñolo firmó luego las crónicas de la feria de la Mercè de ese mismo año.
Entonces, probablemente, estaba enfermo. La verdad es que nos consta que Juan salió disgustado del diario. Una pena, pues él fue una persona de inmenso valor informativo para nosotros, ya no solo en el aspecto taurino, sino en otros temas con los que también colaboró. Trabajaba como un gran profesional. Sabía con el espacio que contaba, pues intentábamos planificar todo previamente, y siempre mantuvimos un absoluto respeto por sus contenidos periodísticos.

Este espacio del que me habla no acabó de estar bien definido en sus páginas. A veces aparecía como crónica, crítica, espectáculos, cultura.
Deberíamos resucitar muchos comentarios de otros tiempos para saber lo que pudo pasar. Si hubo una disparidad de criterios a la hora de tematizar la información quizá se debió a cambios de redactores, a enfoques distintos o a no haber creado una línea editorial antes. Lo lógico hubiese sido siempre establecer el mismo criterio, algo que ahora me choca bastante, y que en los últimos años si tuvimos claro, sabiendo hacia donde se debía focalizar la información.

¿El problema de la información taurina se agravó al no contar con un especialista?
No. Cuando prescindimos de Juan un año antes de la prohibición no nos pusimos a buscar ningún especialista. Creo que hasta ni nos lo planteamos. El objetivo que teníamos era que los toros se tratarían de forma puntual cuando la actualidad y el interés de la noticia lo demandasen. Entonces, intentamos publicarla poniendo el foco donde más creíamos que el lector debía estar informado.

El tratamiento periodístico en las últimas informaciones fue diametralmente opuesto a los que se venía haciendo. ¿Fue por presiones externas?

No, jamás nos indicaron la línea editorial que debíamos de cumplir. Como ya he comentado, vimos que cada vez importaba menos entre nuestros lectores los lances de la corrida. Por eso, los últimos años nos preocupamos de dar cobertura con redactores que pudiesen ponerle el foco al aspecto que nosotros creíamos que interesaban a la opinión pública. Vendrell, Toral, tu, mismo, fuisteis algunos de los colaboradores, muchos buenos taurinos.

3.2. Juan Soto Viñolo (Barcelona, 1933)

Periodista taurino en *El Periódico de Catalunya* de 1980 a 2010. Entrevista realizada el 12 de julio de 2012.

Usted tiene el privilegio de ser el único crítico taurino que ha tenido y, probablemente, tendrá *El Periódico de Catalunya* en su historia.
Así es. Nadie pasó por esta sección más que yo. Y eso que el diario arrancó sin información taurina ni interés de los redactores. Se publicaba una nota más por compromiso con la publicidad que por otra cosa.

Fue en el año 1980 cuando inició su colaboración con el diario del Grupo Zeta.
Ese año cerró el diario vespertino Tele/eXpress, donde yo publicaba mis críticas taurinas. Al perder mi colaboración y ver que *El Periódico de Catalunya* no tenía sección, hable con Miguel Ángel Basteiner, que era subdirector en ese momento y a quien conocía. Me contrataron y comencé a ocuparme de las crónicas de las corridas de toros hasta que el Parlament ha ejecutado su prohibición.

En total son 30 años escribiendo para *El Periódico de Catalunya*. ¿No siempre tuvo su espacio la misma cobertura y continuidad?

Los toros llegaron a ser muy importantes para el diario. Tuvieron a mediados de los ochenta su peso en la sección. Fue a partir de 1988 cuando comenzaron a arrinconar mi sección, cada vez se fue reduciendo por temporada la colaboración hasta convertirse en crónicas esporádicas motivadas, en gran parte, por la figura de José Tomás.

¿A qué se debió esta pérdida de interés por parte de su medio?

Ellos lo han justificado siempre al escaso interés de los lectores por la información taurina. Pero no era más que una excusa para tapar la verdad: la tauromaquia en Cataluña era un tema político donde Convergència i Unió se encargó desde finales de los ochenta de hacer una campaña muy discreta y solapada para que se acabase poniendo fin a los toros. Prohibió entrar a los menores, luego construir plazas... Fue acotando el terreno al espacio crítico y a los aficionados.

Usted, por eso, ¿puedo ejercer de crítico con libertad?

A mi nunca me presionaron ni me hicieron sentirme un extraño en la redacción. Solamente sabía que nunca podía hablar mal del empresario, Balaña, pues es quien ponía publicidad y no convenía enfrentarse a él. O lo aceptaba o lo dejaba. Esto me pasaba a mi, pero también le sucedía a quien se ocupaba de la crítica de teatro o de otro tipo de espectáculo que estuviese relacionado con su negocio. Era algo conocido en todos los medios de comunicación, no solo en *El Periódico de Catalunya*.

¿Cómo era su rutina de trabajo con *El Periódico de Catalunya?*

Trabajaba bien en la redacción o desde casa. Antes de la corrida acostumbraba a saber más o menos el espacio con el que contaba. Casi siempre dependía de la publicidad que iba en la página donde aparecería mi artículo. Después el editor ajustaba sin apenas tocar nada de mi texto. Yo, si la corrida era importante, avisaba de la conveniencia de hacer fotografías. También lo hacía cuando acudía alguna figura a la Monumental. Funcionaba todo correctamente en su procedimiento y nunca fue motivo de queja.

¿Incluso cuando el diario no podía enviarse a imprenta pendiente de recibir su crónica taurina?

Otra de las excusas que el diario puso para justificar el fin de la continuidad de mi sección. Si sentí que muchas veces, en pleno agosto y con poca gente en la redacción, estaban a la espera de que acabase mi artículo. Pero, repito, no es excusa porque cuando jugaba el Barça nadie ponía impedimentos, las máquinas esperaban y se demostraba la operatividad del medio para salir con mucho más retraso que cuando yo entregaba mi texto.

Dice que la sección funcionó bien y nunca recibió quejas de nadie.

En *El Periódico de Catalunya*, salvo a mi compañero Ángel Sánchez y poco más, a nadie le interesó la información taurina. Pero la sección fue respetada y estuvo bien integrada en Espectáculos, como he dicho anteriormente, con gran protagonismo durante unos cuantos años. Incluso en alguna ocasión las críticas se publicaron en Cultura.

Usted es periodista a diferencia de otros muchos compañeros suyos de profesión. ¿Se define cronista o crítico?
Es difícil hacer esta distinción. Yo siempre hice la crítica que el espectáculo me había inspirado. Si no sucedía nada en la plaza, me sentía un simple crítico. En cambio, si la corrida era buena entonces me sentía más cronista. Por ejemplo mis artículos de José Tomás fueron siempre los mejores, porque era un terreno distinto, expresaban el ambiente, transmitían emoción...

¿Supo alguna vez que alguien aspiraba a hacerse con su espacio?
Los primeros años del diario hubo algún ofrecimiento. Después, cuando yo me asenté, nadie se dirigió al periódico ofreciendo sus servicios, al menos que yo sepa.

¿Pudo la prensa hacer algo más para evitar el fin de los toros en Catalunya?
Los periódicos se limitaron a cubrir la información taurina sin ningún entusiasmo. Nosotros nos dábamos cuenta pero no teníamos la fuerza suficiente para evitar el declive de la fiesta en Catalunya. No les interesaba a las empresas editoras, los periódicos, para que nos entendamos, porque estaban con la Barcelona antitaurina.

Después de tanta entrega, años dedicados a la información taurina, debe ser muy duro vivir la situación actual.
No cabe duda. Es un golpe muy duro ver que no hay toros en tu ciudad ni medios que hablen de la fiesta. Ahora no nos queda más remedio que asimilar la situación y esperar a que los pocos abonados que hubo se olviden por completo. Pase lo que pase en el Congreso, con recursos, declaraciones o lo que sea, estoy convencido que los toros ya no volverán más a Catalunya.

3.3. Llàtzer Moix (Sabadell, 1955)

Adjunto al director y exjefe de redacción de Cultura de *La Vanguardia*. Entrevista realizada el 9 de julio de 2013.

¿Cuál fue la política informativa con el tema de los toros en *La Vanguardia*?
La Vanguardia siempre mantuvo un gran respeto por la información taurina. No era ni entusiasta ni antitaurino, fue moderado en su información; en la sección de cartas de los lectores quiso dar voz a favor y en contra cuando se trató la polémica, y respetó en todo momento con la publicación de los textos la calidad y conocimientos del especialista taurino.

¿El epicentro informativo para ustedes se encontraba en la actualidad taurina barcelonesa?
El objetivo del diario era cubrir la temporada de Barcelona. Esta era la responsabilidad que asumía *La Vanguardia* con sus lectores, y que por contrato decidía con el especialista taurino. Si es cierto que además de ofrecer la información de los festejos de Barcelona, cuando se producía una noticia de alcance, como una cogida a un torero mediático, la llegada a redacción

de una foto espectacular o cualquier otra información de interés, también era publicada.

¿Era el periodista taurino quien determinaba los contenidos muchas veces?

El especialista taurino era un crítico, un intelectual, que siempre tenía mucho que decir en nuestro diario. Era su trayectoria y conocimientos los que muchas veces determinaban la publicación del tema de los toros. Así sucedió con Mariano Cruz, que además de dar cobertura a la temporada barcelonesa, cuando estaba en San Isidro, la Feria de Abril o Nimes, por ejemplo, nos enviaba su texto para que lo publicásemos. Y recuerdo que Paco March también actuó en alguna ocasión de igual manera.

¿Tenía un tratamiento periodístico diferenciado el tema de los toros?

Este tratamiento informativo era el mismo que aplicábamos a opera, danza, arte.... Se trataba de aprovechar el desplazamiento de ellos a alguna manifestación artística para que nos enviasen su texto de gran contenido didáctico y crítico. Nosotros siempre contemplamos el texto taurino como una crítica, o sea una crónica valorativa. Pero, sobre todo, que fuese un texto diferente a la entrevista, al reportaje, la noticia, etcétera.

Me habla usted de la noticia.

Sí. Este género periodístico se empleó únicamente para las informaciones que publicábamos antes de la corrida.

Pero esta información fue que la desapareció a principios de siglo e hizo que nunca más se tratase el asunto taurino como se había tratado antes.

Ahora no recuerdo ni el día que comenzó a abandonarse esta

información previa que usted me dice, ni recuerdo que se dejase, incluso, de publicar. Si es cierto, que muchas veces venía en la página esos anuncios que la empresa publicaba y que hacía que no tuviese sentido publicar al lado un texto reproduciendo prácticamente el mismo contenido del anuncio. Pero, probablemente, como el compromiso con nuestros lectores era ofrecer la crítica de la corrida, nunca nos debió preocupar si aparecía esta noticia. Eso sí, cuando toreo José Tomás sí que recuerdo un tratamiento diferenciado porque el interés era máximo para el periódico.

Hubo un momento que Cultura absorbió los contenidos de Espectáculos, ¿cambió en algo el planteamiento?
Fue por una causa formal del diario a partir del año 2000. Pero todo siguió prácticamente igual. La información era contemplada como un espectáculo dentro de la sección, área de la que yo desde entonces fui el responsable. Ocupaba su espacio junto a otras críticas, editándola según la composición de la página del diario.

¿Cómo se coordinaba la colaboración del crítico taurino?
Intentábamos trabajar sobre una extensión prefijada o con una premaqueta. Tocar el texto del especialista es muy complicado porque son muy cuidados con su contenido, muy de agradecer y valorar. Además, siempre tuvimos claro que eso era feudo del crítico taurino y que solo él sabía muy bien lo que debía ir y lo que se podía quitar.

También aparecieron muchos textos con otras firmas.
El periódico, además del especialista taurino, siempre tuvo redactores muy afines a este tipo de información. En este sentido, Mariano Cruz, Antoni González y Paco March tuvieron

como apoyo firmas muy taurinas como la mía propia, la de Joaquín Luna, hoy redactor jefe de Internacional del diario, Albert Gimeno o Marino Rodríguez. Este último era capaz de publicar un texto de opera como de toros.

Con ellos, como con el escritor taurino, ¿tuvieron siempre el mismo respeto por el contenido?
Como digo, nunca faltó en la redacción un absoluto respeto por la información taurina. Y no fue por contar con muchos periodistas que eran buenos aficionados, sino porque el objetivo del diario fue cumplir con su compromiso con los lectores: siempre que se organizase una temporada en Barcelona el diario daría información de ello. Incluso en los momentos más difíciles por la ILP o cuando más se encendió el debate taurino, nuestra política fue seguir tratando las funciones taurinas con toda naturalidad.

¿Siempre ejerciendo un periodismo libre?
Al menos que yo sepa, jamás tuvimos presiones para abandonar el tema de los toros. Nunca vimos que lo que hacíamos era un problema para el diario o para los lectores.

3.4. Paco March Celaya (Barcelona, 1953)

Escritor taurino en *La Vanguardia* de 2006 a 2010. Entrevista realizada el 11 de junio de 2012.

Explique cómo entró a colaborar en *La Vanguardia* en la sección taurina.
Tabajaba en el diario El Mundo como responsable de la sección. Por mi amistad con Antonio González comencé a propuesta de él a sustituirlo puntualmente en verano de 2005. Luego, por las diferencias que tenía con *La Vanguardia* acabó dejándolo, me lo propuso, llegue a un acuerdo y tomé el mando de la sección definitivamente.

¿Cómo fue su relación laboral durante los años que estuvo al frente de la información taurina desde 2006 a 2010?
Era un colaborador externo que se ocupaba principalmente de la crónica taurina del domingo. Me llamaban el mismo día con unas horas de antelación para saber el número de caracteres que disponía para mi texto con antelación la extensión que debía darle.

¿Existió durante este tiempo alguna estrategia informativa por parte de su medio en el tratamiento de sus cónicas?

Nunca existió criterio alguno. A veces, me llamaban para indicarme que disponía de más espacio, pero igual se trataba de una novillada que debía tratar entonces con mayor cobertura que una semana antes una gran corrida. La extensión siempre estuvo a expensa del resto de noticias que componía el mosaico de la página.

¿Fue bueno que siempre correspondiese a Cultura o hubiese sido mejor encuadrarse en otra sección?

El hecho de pertenecer a Cultura antes que a Espectáculos le da la trascendencia que corresponde a la fiesta. Fue bueno estar allá encuadrados bajo las órdenes de Llatzer Moix y Nacho Orobi, con quien nunca tuve problemas. Solo con Orobi, con quien coincidí los dos últimos años, no sentí el mismo interés que en otras temporadas.

¿Mostró una actitud muy activa durante su colaboración proponiendo otros temas taurinos?

No. La experiencia de Antoni González me hizo ver que lo mejor era la permisividad para continuar mi colaboración, y más en los años difíciles para la fiesta que me tocó trabajar. Esto me hacía ver en todo momento como el último mohicano, el último bastión, por eso mantuve esa posición de tolerancia total sobre las decisiones que ellos tomaban sobre el tratamiento de mis crónicas.

¿Ni en los momentos más trascendentes que sucedieron durante todos esos años?

Nunca debía llamar para las corridas de José Tomás o las decisiones del Parlament, porque ellos lo tenían en agenda. Otra cosa era presionar con nuevos contenidos o dificultar el proceso de edición cuando sentía que mi sección estaba en el punto de mira.

Difícil trabajar en estas condiciones.
Nunca interfirieron en mi trabajo. Piense que la información taurina siempre le interesó a *La Vanguardia* y estoy convencido que fue importante para ella. Pero la impresión es que cada vez tenía menos sentido compartir ese espacio con otros espectáculos que yo sentía mejor tratados. A veces, por el alcance de la corrida o de la noticia que se producía en el ruedo, avisaba a la redacción desde la misma plaza (en el caso que se indultó al toro de José Tomás). La respuesta era no hacer nada o recurrir a la foto, por lo que el espacio para el texto se reducía. Muy pocas veces decidieron darle más cobertura a algo trascendente que iba suceder y si enviaba un fotógrafo, en escasas ocasiones, antes fotografiaba a los antitaurinos en la puerta de la plaza que algún lance de la corrida.

¿Nunca pudo publicar más información que la propiamente de la crónica de la corrida?
Excepto las informaciones de José Tomás y el Parlament, solo me publicaron los resumenes de temporada y poco más. Ni previas de corridas ni noticias de alcance del sector. Solo me llamaron para dar cobertura a la reaparición de José Tomás en Valencia tras la cogida de Aguascalientes.

¿Qué supuso para usted y para el medio José Tomás y la noticia de la prohibición de los toros?
Fueron la excepción en el tratamiento taurino de *La Vanguardia*. Trataron las noticias sin contar con mi consejo. A mi el

tratamiento de ellas desde el punto de vista informativo nunca me chirrió a los oídos. Otra cosa fue cuando aparecía alguna opinión. Entonces si echaba en falta mi voz en algunas de estas noticias, pero mi política era dejar hacer para que yo siguiese contribuyendo.

¿Fue neutral el tratamiento que siempre mantuvo La Vanguardia en la prohibición de las corridas de toros?
Sí, pero mostró una pasividad pasmosa o contemporizo ante los ataques de ciertas firmas que confirmaron la influencia convergente en el medio en el tema de los toros. Estos columnistas fijos del diario fueron quienes más decantaron la balanza. La mayoría, contrarios a la fiesta, siempre aprovechó su espacio para criticar periódicamente las corridas de toros y recrearse en lo que ellos consideran la crueldad de la fiesta.

¿Nunca pudo intervenir?
Aproveché mis crónicas para referirme a asuntos políticos. Y tuve ganas de que me pidiesen un artículo en esas noticias que llegaron a publicar en portada, que quizá nunca lo hicieron porque sabían todo lo que iba a contar.

Defínase como autor taurino.
Prefiero que se consideren cronista antes que crítico, un vocablo que considero muy feo. Basta leer mis textos publicados durante todos esos años para darse cuenta que escribo crónicas fáciles de leer, con un redactado muy ameno, siempre ambientadas en su contexto para que los lectores pudiesen introducirse e interpretar mi discurso taurino. En un libro reciente que he publicado se puede comprobar como difieren mucho de las crónicas que enviaba al mismo tiempo a la revista especializada *6 Toros, 6*, para otro tipo de publico, entiendo yo, del

que me dirigía en *La Vanguardia*, a quien debía captar y hacrle llegar muchos referentes políticos de lo que pasaba.

Igual que sucedió a finales de siglo cuando la simbiosis entre política y toros fue una constante.
No fue esa mi inspiración, pero no niego que, en parte, si mi intención. Mi única inspiración siempre ha sido Joaquín Vidal. El hecho de ambientar siempre mis corridas respondía a un interés por relacionar más mi crónica con la ciudadanía catalana o mostrar mi queja sobre el acoso que vivía la fiesta.

¿Tenía algún procedimiento especial para escribir sus textos?
Las crónicas no las iniciaba hasta que había dado con título, porque siempre quise que mi texto empezase su lectura y comprensión a partir de la primera letra del titular. Después, ponía la ficha, siguiendo siempre el mismo modelo, y después la crónica en sí. Lo hacía cuando llegaba a casa tras la corrida y luego la mandaba a la redacción.

¿Trabajar a distancia le hizo sentirse más ajeno al medio?
No. Había establecido una rutina de trabajo que yo había decidido. La experiencia de Antoni González en la redacción cuando escribía sus textos solo en agosto, esperando el editor que entregase su texto. Repasándolo, cambiándolo...., Preferí hacerlos desde casa, enviándolos y desentendiéndome de cómo iba a salir publicado.

Entonces, nunca pudo quejarse de la edición de sus textos.
Nunca me hizo falta porque nunca me tocaron nada. Alguna vez, pero puntual, no salió por problemas de tiempo o por al-

guna noticia de alcance. Si, en cambio, los últimos años, después de varias experiencias con la versión catalana, decidí por mi cuenta enviar también el texto en catalán para evitar errores que aparecieron publicados, por ejemplo en lugar de "Curro Díaz", "Treball Díaz".

Como algunos periodistas catalanes, también escribió en español y catalán. Pero en cambio su maestro ha sido Joaquín Vidal. ¿Cuál es su impresión del periodismo taurino catalán?
El legado es importante y excelente. Antoni González ha sido un maestro en el vocabulario taurino catalán. Néstor Luján engrandece la lista de referentes. Santainés, Segura Palomares, Mariano Cruz..., la lista es interminable. Lo que pasa es que la situación de todos ellos ha sido la que tiene cualquier francotirador, sin importar la etapa, incluso en las épocas más esplendorosas.

¿Se siente uno de ellos?
Si. Incluso hasta en el perfil profesional, pues yo, que no pude acabar la carrera de Periodismo, soy banquero, como Antoni González, arquitecto, Mariano Cruz, psiquiatra... Algo habitual en las plumas que se han responsabilizado de la información taurina en Cataluña.

A usted, como a otros compañeros, les ha tocado vivir una situación impensable con la prohibición de las corridas en Cataluña. ¿Se pudo hacer algo más desde la prensa?
Probablemente, porque quizá nunca quisimos reconocer que llegaríamos al fin definitivo de los toros. Pero también hay que reconocer que estuvimos expuestos a la voluntad del medio.

ANEXO 4.

Plantilla de codificación y registro de resultados

4.1. *La Vanguardia*: temporadas taurinas 2004 y 2005

4.2. *La Vanguardia*: temporadas taurinas 2006 y 2007

4.3. *La Vanguardia*: temporadas taurinas 2008, 2009, 2010

4.4. *El Periódico de Catalunya*: temporada taurina 2004

4.5. *El Periódico de Catalunya*: temporada taurina 2005

4.6. *El Periódico de Catalunya*: temporada taurina 2006

4.7. *El Periódico de Catalunya*: temporadas taurinas 2007, 2008, 2009 y 2010

4.8. *La Vanguardia*: corrida de reaparición de José Tomás (17/6/2007)

4.9. *La Vanguardia*: corrida del encierro de José Tomás (5/7/2009)

4.10. *El Periódico de Catalunya*: corrida de reaparición de José Tomás (17/6/2007)

4.11. *El Periódico de Catalunya*: corrida del encierro de José Tomás (5/7/2009)

4.12. Registro de informaciones publicadas en *La Vanguardia* y *El Periódico de Catalunya* temporada 1984

4.13. Registro de informaciones publicadas en *La Vanguardia* y *El Periódico de Catalunya* temporada 1989

4.14. Registro de informaciones publicadas en *La Vanguardia* y *El Periódico de Catalunya* temporada 1994

4.15. Registro de informaciones publicadas en *La Vanguardia* y *El Periódico de Catalunya* temporada 1999

4.16. Registro de informaciones publicadas en *La Vanguardia* y *El Periódico de Catalunya* temporada 2003

Índice